2025年版
出る順
社労士
必修過去問題集
①労働編

Certified Social Insurance and Labor Consultant

はしがき

社会保険労務士試験が難関試験のひとつであることは間違いない。しかし，本試験問題は基本事項を問うものが多く，枝葉末節の知識を要する難問・奇問は少ない。的を射た学習を積み重ねれば，短期合格は十分に可能である。

このような試験に必勝を期すために，LECが総力を結集し，アウトプット学習用として「必修過去問題集」「一問一答過去10年問題集」「選択式徹底対策問題集」の3種の問題集を開発・出版した。この3種の問題集を効率的に実戦学習することにより，アウトプットの合格対策は万全なものとなる。

過去問学習において，「一問一答過去10年問題集」で土台となる実力をつけた上で，本書にて本番同様の5肢択一式に取り組むことで相対的に正解肢を選択する実力を磨くことが可能である。

また，インプットの学習用として，「出る順社労士必修基本書」，教室における講義，通信講座等が用意されている。読者の学習の進行状況に応じて選択利用することにより，短期合格が確実となる。

LECが提供する学習教材・講義を利用して合格ノウハウを体得し，必ずや合格を勝ち取っていただきたい。

なお，本書は，2024年9月6日時点において，2025年4月1日までに施行される法令を基準として作成されたものである。

※発行日以後における法令の改正情報については，「インターネット情報提供サービス」にてご提供いたします。

2024年10月吉日

株式会社東京リーガルマインド
LEC総合研究所
社会保険労務士試験部

本書の特長

1. 過去10年間（平成27年から令和6年）の本試験に出題された択一式試験問題と選択式試験問題を掲載しています。
2. 試験問題を「出る順社労士必修基本書」の項目に合わせて分類し掲載しているため，「出る順社労士必修基本書」でのインプット学習と過去問題集でのアウトプット学習を効率的に行うことができます。
3. 解説ページに「出る順社労士必修基本書」の該当ページを掲載しているので，必修基本書を使って調べたいことがある場合などに大変便利です。
4. 学習の目安とするために各問題に重要度（A～Cの3段階）を付けています。
5. 最新の法改正情報に基づき，問題の補正を行っています（補正の結果，択一式試験問題の正解が複数ある場合があります)。なお，適切に補正することができない問題に関しては，問題肢及び解説肢に※印を付けてあります。また，改正等により問題として成立しなくなってしまう問題は，「正解なし」又は「複数解答」とし，参考として掲載しました。

   ただし，法改正によって選択式問題の空欄の語句に意味がなくなってしまうものについては，その選択式問題そのものを削除し，また，択一式については，法改正により五肢すべてが成立しなくなってしまうものについては，その択一式問題そのものを削除しています。したがって，過去10年間の本試験問題数として不足となる科目があります。

こうして使おう！

1

過去問演習に最適な表裏一体形式!!!

原則として，一問ごとに問題と解答・解説が
表裏一体形式になっているので，
解答を見てしまうことなく，
問題を解くことができます。

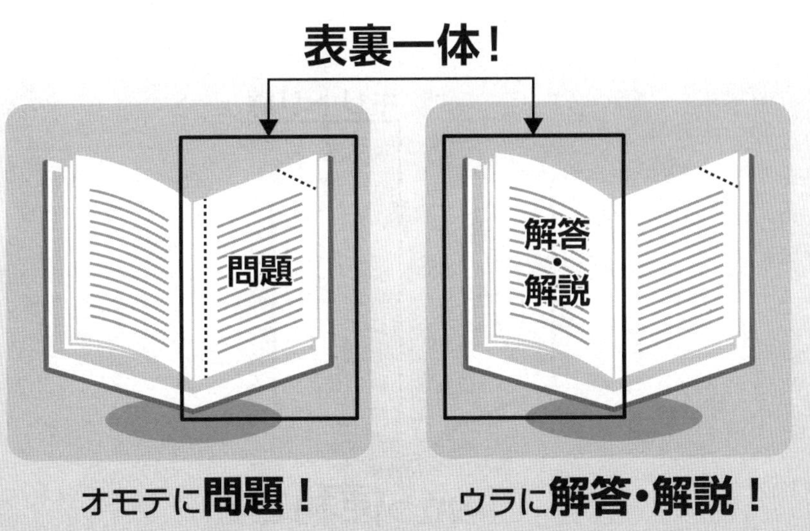

こうして使おう！

2

キリトリ線を上手に使う!!!

記憶してしまった問題はキリトリ線にそって
切りとってしまえば，簡単に苦手問題だけを
何度もチェックできます。
全部切りとるのが嫌な方は右上スミのキリトリ線のみ
切りとることもできます。

役立つ便利さ!!

こうして使おう！

3

「出る順社労士シリーズ」を併用する!!!

すでに勉強している方はもちろん，これから勉強しようとしている方も「出る順社労士シリーズ」と併用すれば，より理解を深めることができます。
解説文に「出る順社労士必修基本書」の該当ページを載せているので，完全理解もバッチリＯＫです。

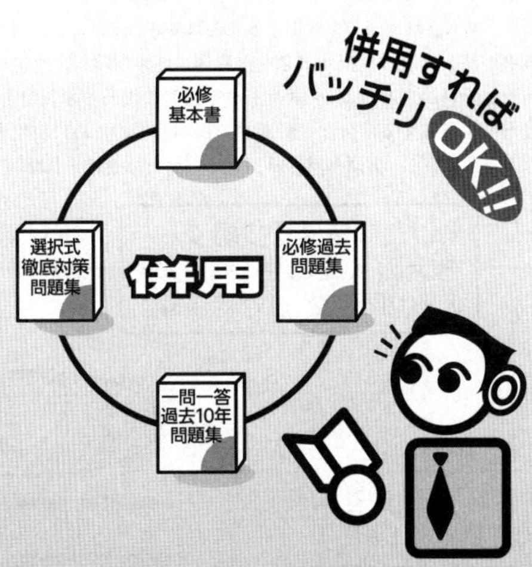

本書の効果的活用法

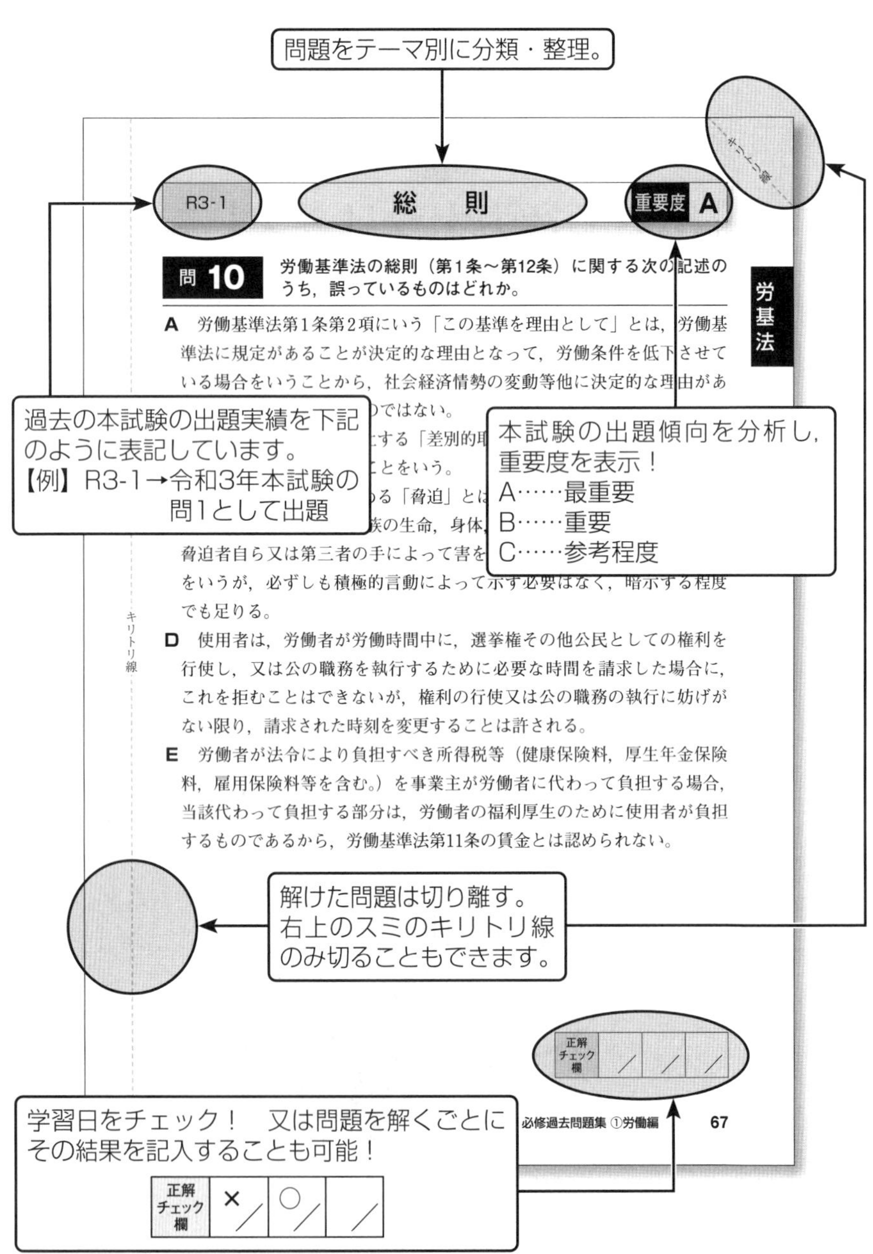

問題をテーマ別に分類・整理。
R3-1
総　則
重要度 A
キリトリ線
問 10
労働基準法の総則（第1条～第12条）に関する次の記述のうち，誤っているものはどれか。
労基法
A　労働基準法第1条第2項にいう「この基準を理由として」とは，労働基準法に規定があることが決定的な理由となって，労働条件を低下させている場合をいうことから，社会経済情勢の変動等他に決定的な理由があ
過去の本試験の出題実績を下記のように表記しています。
【例】R3-1→令和3年本試験の問1として出題
本試験の出題傾向を分析し，重要度を表示！
A……最重要
B……重要
C……参考程度
脅迫者自ら又は第三者の手によって害を
をいうが，必ずしも積極的言動によって示す必要はなく，暗示する程度でも足りる。
D　使用者は，労働者が労働時間中に，選挙権その他公民としての権利を行使し，又は公の職務を執行するために必要な時間を請求した場合に，これを拒むことはできないが，権利の行使又は公の職務の執行に妨げがない限り，請求された時刻を変更することは許される。
E　労働者が法令により負担すべき所得税等（健康保険料，厚生年金保険料，雇用保険料等を含む。）を事業主が労働者に代わって負担する場合，当該代わって負担する部分は，労働者の福利厚生のために使用者が負担するものであるから，労働基準法第11条の賃金とは認められない。
解けた問題は切り離す。
右上のスミのキリトリ線のみ切ることもできます。
正解チェック欄
必修過去問題集 ①労働編　67
学習日をチェック！　又は問題を解くごとにその結果を記入することも可能！
正解チェック欄
×
○

本書は表が問題，裏が解答・解説という形式です。裏面の正誤等が透けて見えてしまわないように，巻末の黒の用紙をミシン目から切りとり，下敷きとして利用されることをおすすめします。

必修基本書

正解 E

A 正 本肢のとおりである（昭63.3.14基発150号ほか）。なお，本肢の規定（法1条2項）は訓示規定であるため，当該規定違反に対する罰則の適用はない。

労働科目 7～8p

B 正 本肢のとおりである（法3条）。なお，法3条（均等待遇）は，労働者の国籍，信条又は社会的身分を理由とする差別的取扱いを禁止しているものであり，性を理由とする差別的取扱いは，当該規定に含まれていない。

労働科目 8～9p

C 正 本肢のとおりである（昭22.9.13発基17号ほか）。なお，法5条（強制労働の禁止）の規定の適用にあっては，脅迫についても，暴行と同様に労働者に強制して，その意思に反して労働させる程度のものであることを要する。

D 正 本肢のとおりである（法7条）。なお，法7条にいう「公の職務」とは，法令に根拠を有するものに限られるが，法令に基づく公の職務のすべてをいうものではなく，同条にいう「公民としての権利」の行使を実効あるものにするための公民としての義務の観点から行う公の職務が該当するものである。

労働科目 12p

詳細な解説により，
周辺知識もカバー!!

者が法令により負担すべき所得税等を使用者が労働者に代わって負担する場合は，これらの労働者が法律上当然生ずる義務を免れるのであるから，使用者が労働者に代わって負担する部分は「賃金とみなされる」（昭63.3.14基発150号ほか）。

労働科目 18～19p

出題箇所の復習を効率的に行うことができるよう，「2025年版出る順社労士 必修基本書」の該当ページを掲載しました。復習時に是非，お役立て下さい。
なお，該当ページの各略称は，以下の書籍に対応しています。

労働科目…2025年版 出る順社労士 必修基本書 ①労働科目
社会保険科目…2025年版 出る順社労士 必修基本書 ②社会保険科目

本書における法令名の記載については，以下の表に基づいた略称を原則使用しています。また，略称を使用している法律名に係る施行令及び施行規則についてもこれに準じ令又は則と略しております。あらかじめ確認のうえ学習を進めてください。

法令名略語表

略　称	正　式　名　称
労基法	労働基準法
預金令	労働基準法第18条第4項の規定に基づき使用者が労働者の預金を受け入れる場合の利率を定める省令
寄宿舎規程	事業附属寄宿舎規程
年少則	年少者労働基準規則
女性則	女性労働基準規則
安衛法	労働安全衛生法
クレーン則	クレーン等安全規則
鉛則	鉛中毒予防規則
高圧則	高気圧作業安全衛生規則
ゴンドラ則	ゴンドラ安全規則
粉じん則	粉じん障害防止規則
ボイラー則	ボイラー及び圧力容器安全規則
有機則	有機溶剤中毒予防規則
特化則	特定化学物質障害予防規則
労災保険法 (労災法)	労働者災害補償保険法
支給金則	労働者災害補償保険特別支給金支給規則
雇用法	雇用保険法
労働保険徴収法 (徴収法)	労働保険の保険料の徴収等に関する法律
整備法	失業保険法及び労働者災害補償保険法の一部を改正する法律及び労働保険の保険料の徴収等に関する法律の施行に伴う関係法律の整備等に関する法律
報奨金令	労働保険事務組合に対する報奨金に関する政令
労審法	労働保険審査官及び労働保険審査会法
行審法	行政不服審査法
健保法	健康保険法
国年法	国民年金法
国年基金令	国民年金基金令
厚年法	厚生年金保険法
基金令	厚生年金基金令
沖縄措置法	沖縄の復帰に伴う特別措置に関する法律

略　称	正　式　名　称
社審法	社会保険審査官及び社会保険審査会法
労働施策総合推進法	労働施策の総合的な推進並びに労働者の雇用の安定及び職業生活の充実等に関する法律
職安法	職業安定法
労働者派遣法 (派遣法)	労働者派遣事業の適正な運営の確保及び派遣労働者の保護等に関する法律
高年齢者雇用安定法 (高年齢者法)	高年齢者等の雇用の安定等に関する法律
障害者雇用促進法 (障害者法)	障害者の雇用の促進等に関する法律
職能法	職業能力開発促進法
男女雇用機会均等法 (均等法)	雇用の分野における男女の均等な機会及び待遇の確保等に関する法律
育児介護休業法 (育介法)	育児休業，介護休業等育児又は家族介護を行う労働者の福祉に関する法律
パートタイム・ 有期雇用労働法	短時間労働者及び有期雇用労働者の雇用管理の改善等に関する法律
最賃法	最低賃金法
賃確法	賃金の支払の確保等に関する法律
中退金法	中小企業退職金共済法
時改法	労働時間等の設定の改善に関する特別措置法
労組法	労働組合法
労調法	労働関係調整法
労契法	労働契約法
個別労働紛争解決促進法 (個紛法)	個別労働関係紛争の解決の促進に関する法律
出入国管理法	出入国管理及び難民認定法
国保法	国民健康保険法
高医法	高齢者の医療の確保に関する法律
介保法	介護保険法
船保法	船員保険法
児手法	児童手当法
確給法	確定給付企業年金法
確拠法	確定拠出年金法
社労士法	社会保険労務士法

C O N T E N T S

第2編　労働安全衛生法

択一式

第3編　労働者災害補償保険法

選択式

CONTENTS

第4編	雇用保険法

選択式

択一式

CONTENTS

択一式

LECのホームページからアクセスする

「出る順社労士シリーズ」購入者のための

登録不要 インターネット情報提供サービス

本書で勉強する方のために、法改正等による書籍の記載内容の補正に関する情報提供ページをご用意しました。

ぜひアクセスして、今すぐ試験に役立つ最新情報を手にしてください。

閲覧方法

LEC社労士のホームページにアクセス

https://www.lec-jp.com/sharoushi

「書籍のご案内」をクリック

社労士とは　LECが選ばれる理由　講座案内　書籍案内　本試験最新情報

または下記にアクセス

https://www.lec-jp.com/sharoushi/book/

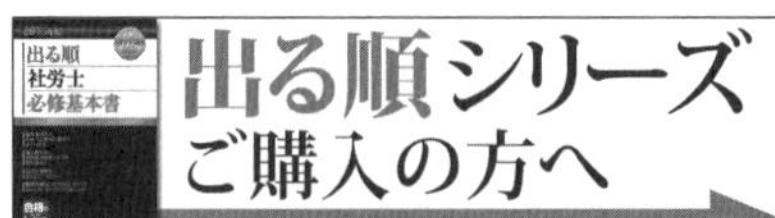

をクリック

すぐにご覧いただけます！

＜注意＞上記情報サービスは、2025年社労士本試験当日までとさせていただきます。
また、事前の予告なしに内容等を変更する場合がございます。予めご了承ください。

第1編

労働基準法

過去10年間の出題傾向

労働基準法

□…選択式　○…択一式

出題項目＼年度	平成27年	平成28年	平成29年	平成30年	令和元年	令和2年	令和3年	令和4年	令和5年	令和6年
総則	○	○	○	○	○	□○	○	○	○	○
労働契約	○	□○	○	□○	○	○	□○	□○	○	○
賃金	○	○	○	○	□○		○	○	○	□○
労働時間	○		○	○	○	○	○	○	□○	□
休憩			○						○	
休日	○		○							
労働時間・休憩・休日の適用除外	○						○			○
時間外・休日労働	○		○	○	○	○	□○	○	○	
みなし労働時間制	□				○					○
年次有給休暇	□	○	□		○	○	○	○	□○	○
年少者			○	○	○		○		○	□
妊産婦等	□		□○	□	○	○	○		○	
就業規則	○	○		○	○	○	○			○
寄宿舎						□				○
監督機関						○				
雑則・罰則	○		○			○			□	

R2-選択	労働者・寄宿舎・健康診断等

問 1 次の文中の［　　］の部分を選択肢の中の最も適切な語句で埋め，完全な文章とせよ。

1 使用者は，常時10人以上の労働者を就業させる事業，厚生労働省令で定める危険な事業又は衛生上有害な事業の附属寄宿舎を設置し，移転し，又は変更しようとする場合においては，労働基準法第96条の規定に基づいて発する厚生労働省令で定める危害防止等に関する基準に従い定めた計画を，［ A ］に，行政官庁に届け出なければならない。

2 最高裁判所は，自己の所有するトラックを持ち込んで特定の会社の製品の運送業務に従事していた運転手が，労働基準法上の労働者に当たるか否かが問題となった事件において，次のように判示した。

「上告人は，業務用機材であるトラックを所有し，自己の危険と計算の下に運送業務に従事していたものである上，F紙業は，運送という業務の性質上当然に必要とされる運送物品，運送先及び納入時刻の指示をしていた以外には，上告人の業務の遂行に関し，特段の指揮監督を行っていたとはいえず，［ B ］の程度も，一般の従業員と比較してはるかに緩やかであり，上告人がF紙業の指揮監督の下で労務を提供していたと評価するには足りないものといわざるを得ない。そして，［ C ］等についてみても，上告人が労働基準法上の労働者に該当すると解するのを相当とする事情はない。そうであれば，上告人は，専属的にF紙業の製品の運送業務に携わっており，同社の運送係の指示を拒否する自由はなかったこと，毎日の始業時刻及び終業時刻は，右運送係の指示内容のいかんによって事実上決定されることになること，右運賃表に定められた運賃は，トラック協会が定める運賃表による運送料よりも1割5分低い額とされていたことなど原審が適法に確定したその余の事実関係を考慮しても，上告人は，労働基準法上の労働者ということはできず，労働者災害補償保険法上の労働者にも該当しないものというべきである。」

3 事業者は，労働者を本邦外の地域に［ D ］以上派遣しようとするときは，あらかじめ，当該労働者に対し，労働安全衛生規則第44条第1項各号に掲げる項目及び厚生労働大臣が定める項目のうち医師が必要である

キリトリ線

	重要度 B

と認める項目について，医師による健康診断を行わなければならない。

4 事業者は，高さ又は深さが［ E ］メートルを超える箇所で作業を行うときは，当該作業に従事する労働者が安全に昇降するための設備等を設けなければならない。ただし，安全に昇降するための設備等を設けることが作業の性質上著しく困難なときは，この限りでない。

選択肢

① 0.7	② 1
③ 1.5	④ 2
⑤ 1 月	⑥ 3 月
⑦ 6 月	⑧ 1 年
⑨ 業務遂行条件の変更	⑩ 業務量，時間外労働
⑪ 工事着手後1週間を経過するまで	⑫ 工事着手30日前まで
⑬ 工事着手14日前まで	⑭ 工事着手日まで

⑮ 公租公課の負担，F紙業が必要経費を負担していた事実
⑯ 時間的，場所的な拘束
⑰ 事業組織への組入れ，F紙業が必要経費を負担していた事実
⑱ 事業組織への組入れ，報酬の支払方法
⑲ 制裁，懲戒処分
⑳ 報酬の支払方法，公租公課の負担

正解チェック欄	／	／	／

解答・解説

【解　答】

A　⑬ 工事着手14日前まで

B　⑯ 時間的，場所的な拘束

C　⑳ 報酬の支払方法，公租公課の負担

D　⑦ 6月

E　③ 1.5

【解　説】

本問1は，寄宿舎に係る監督上の行政措置に関する問題であり，労働基準法96条の2からの出題である。

使用者は，常時10人以上の労働者を就業させる事業，厚生労働省令で定める危険な事業又は衛生上有害な事業の附属寄宿舎を設置し，移転し，又は変更しようとする場合においては，労働基準法96条の規定に基づいて発する厚生労働省令で定める危害防止等に関する基準に従い定めた計画を，工事着手14日前までに，行政官庁に届け出なければならない。

本問2は，労働基準法における労働者に関する問題であり，最高裁第一小法廷判決 平8.11.28 横浜南労基署長事件からの出題である。

最高裁判所は，自己の所有するトラックを持ち込んで特定の会社の製品の運送業務に従事していた運転手が，労働基準法上の労働者に当たるか否かが問題となった事件において，次のように判示した。

「上告人は，業務用機材であるトラックを所有し，自己の危険と計算の下に運送業務に従事していたものである上，F紙業は，運送という業務の性質上当然に必要とされる運送物品，運送先及び納入時刻の指示をしていた以外には，上告人の業務の遂行に関し，特段の指揮監督を行っていたとはいえず，時間的，場所的な拘束の程度も，一般の従業員と比較してはるかに緩やかであり，上告人がF紙業の指揮監督の下で労務を提供していたと評価するには足りないものといわざるを得ない。そして，報酬の支払方法，公租公課の負担等についてみても，上告人が労働基準法上の労働者に該当すると解するのを相当とする事情はない。そうであれば，上告人は，専属的にＦ紙業の製品の運送業務に携わっており，同社の運送係の指示を拒否する自由はなかったこと，毎日の始業時刻及び終業時刻は，右運送係の指示内容のいかんによって事実上決定されることになること，右運賃表に定められた運賃は，トラック協会が定める運賃表による運送料よりも１割5分低い額とされていたことなど原審が適法に確定したその余の事実関係を考慮しても，上告人は，労働基準法上の労働者ということはできず，労働者災害補償保険法上の労働者にも該当しないものというべきである。」

本問3は，海外派遣労働者の健康診断に関する問題であり，労働安全衛生規則（以下本問において「則」とする）45条の２第１項からの出題である。

事業者は，労働者を本邦外の地域に6月以上派遣しようとするときは，あらかじめ，当該労働者に対し，則44条１項各号に掲げる項目及び厚生労働大臣が定める項目のうち医師が必要であると認める項目について，医師による健康診断を行わなければならない。

労働科目
201p

本問4は，昇降するための設備の設置等に関する問題であり，則526条からの出題である。

事業者は，高さ又は深さが1.5メートルを超える箇所で作業を行うときは，当該作業に従事する労働者が安全に昇降するための設備等を設けなければならない。ただし，安全に昇降するための設備等を設けることが作業の性質上著しく困難なときは，この限りでない。

R3-選択　賠償予定の禁止・中高年齢者等についての配慮等

問 2　次の文中の［　　］の部分を選択肢の中の最も適切な語句で埋め，完全な文章とせよ。

1　賠償予定の禁止を定める労働基準法第16条における「違約金」とは，労働契約に基づく労働義務を労働者が履行しない場合に労働者本人若しくは親権者又は［ A ］の義務として課せられるものをいう。

2　最高裁判所は，歩合給の計算に当たり売上高等の一定割合に相当する金額から残業手当等に相当する金額を控除する旨の定めがある賃金規則に基づいてされた残業手当等の支払により労働基準法第37条の定める割増賃金が支払われたといえるか否かが問題となった事件において，次のように判示した。

「使用者が労働者に対して労働基準法37条の定める割増賃金を支払ったとすることができるか否かを判断するためには，割増賃金として支払われた金額が，［ B ］に相当する部分の金額を基礎として，労働基準法37条等に定められた方法により算定した割増賃金の額を下回らないか否かを検討することになるところ，その前提として，労働契約における賃金の定めにつき，［ B ］に当たる部分と同条の定める割増賃金に当たる部分とを判別することができることが必要である［…（略）…］。そして，使用者が，労働契約に基づく特定の手当を支払うことにより労働基準法37条の定める割増賃金を支払ったと主張している場合において，上記の判別をすることができるというためには，当該手当が時間外労働等に対する対価として支払われるものとされていることを要するところ，当該手当がそのような趣旨で支払われるものとされているか否かは，当該労働契約に係る契約書等の記載内容のほか諸般の事情を考慮して判断すべきであり［…（略）…］，その判断に際しては，当該手当の名称や算定方法だけでなく，［…（略）…］同条の趣旨を踏まえ，［ C ］等にも留意して検討しなければならないというべきである。」

3　事業者は，中高年齢者その他労働災害の防止上その就業に当たって特に配慮を必要とする者については，これらの者の［ D ］に応じて適正な配置を行うように努めなければならない。

キリトリ線

キリトリ線

	重要度 A

労基法

4 事業者は，高さが[E]以上の箇所（作業床の端，開口部等を除く。）で作業を行う場合において墜落により労働者に危険を及ぼすおそれのあるときは，足場を組み立てる等の方法により作業床を設けなければならない。

選択肢

① 1メートル	② 1.5メートル
③ 2メートル	④ 3メートル
⑤ 2親等内の親族	⑥ 6親等内の血族
⑦ 家族手当，通勤手当その他厚生労働省令で定める賃金	
⑧ 希望する仕事	⑨ 就業経験
⑩ 心身の条件	⑪ 通常の労働時間の賃金
⑫ 当該手当に関する労働者への情報提供又は説明の内容	
⑬ 当該歩合給	
⑭ 当該労働契約の定める賃金体系全体における当該手当の位置付け	
⑮ 同種の手当に関する我が国社会における一般的状況	
⑯ 配偶者	
⑰ 平均賃金にその期間の総労働時間を乗じた金額	
⑱ 身元保証人	⑲ 労働時間
⑳ 労働者に対する不利益の程度	

キリトリ線

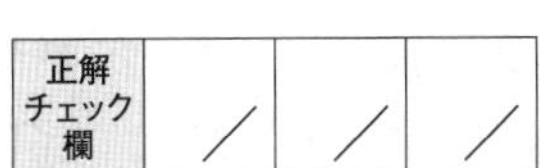

【解　答】

A　⑱ 身元保証人

B　⑪ 通常の労働時間の賃金

C　⑭ 当該労働契約の定める賃金体系全体における当該手当の位置付け

D　⑩ 心身の条件

E　③ 2メートル

【解　説】

本問1は，賠償予定の禁止に関する問題であり，労働基準法16条ほかからの出題である。

賠償予定の禁止を定める労働基準法16条における「違約金」とは，労働契約に基づく労働義務を労働者が履行しない場合に労働者本人若しくは親権者又は身元保証人の義務として課せられるものをいう。

本問2は，割増賃金に関する問題であり，最高裁第一小法廷判決令2.3.30 国際自動車事件からの出題である。

最高裁判所は，歩合給の計算に当たり売上高等の一定割合に相当する金額から残業手当等に相当する金額を控除する旨の定めがある賃金規則に基づいてされた残業手当等の支払により労働基準法37条の定める割増賃金が支払われたといえるか否かが問題となった事件において，次のように判示した。

「使用者が労働者に対して労働基準法37条の定める割増賃金を支払ったとすることができるか否かを判断するためには，割増賃金として支払われた金額が，通常の労働時間の賃金に相当する部分の金額を基礎として，労働基準法37条等に定められた方法により算定した割増賃金の額を下回らないか否かを検討することになるところ，その前提として，労働契約における賃金の定めにつき，通常の労働時間の賃金に当たる部分と同条の定める割増賃金に当たる部分とを判別することができることが必要である［…（略）…］。そして，使用者が，労働契約に基づく特定の手当を支払うことにより労働基準法37条の定める割増賃金を支払ったと主張している場合において，上記の判別をすることができるというためには，当該手当が時間外労働等に対する対価として支払われるものとされていることを要するところ，当該手当がそのような趣旨で支払われるものとされているか否かは，当該労働契約に係る契約書等の記載内容のほか諸般の事情を考慮して判断すべきであり［…（略）…］，その判断に際しては，当該手当の名称や算定方法だけでなく，［…（略）…］同条の趣旨を踏まえ，当該労働契約の定める賃金体系全体における当該手当の位置付け等にも留意して検討しなければならないというべきである。」

本問3は，中高年齢者等についての配慮に関する問題であり，労働安全衛生法62条からの出題である。

事業者は，中高年齢者その他労働災害の防止上その就業に当たって特に配慮を必要とする者については，これらの者の心身の条件に応じて適正な配置を行うように努めなければならない。

労働科目
194p

本問4は，墜落等による危険の防止に関する問題であり，労働安全衛生規則518条1項からの出題である。

事業者は，高さが2メートル以上の箇所（作業床の端，開口部等を除く。）で作業を行う場合において墜落により労働者に危険を及ぼすおそれのあるときは，足場を組み立てる等の方法により作業床を設けなければならない。

H28-選択	解雇制限・総括安全衛生管理者等

問 3　次の文中の［　　］の部分を選択肢の中の最も適切な語句で埋め，完全な文章とせよ。

1　最高裁判所は，労働基準法第19条第1項の解雇制限が解除されるかどうかが問題となった事件において，次のように判示した。

「労災保険法に基づく保険給付の実質及び労働基準法上の災害補償との関係等によれば，同法〔労働基準法〕において使用者の義務とされている災害補償は，これに代わるものとしての労災保険法に基づく保険給付が行われている場合にはそれによって実質的に行われているものといえるので，使用者自らの負担により災害補償が行われている場合とこれに代わるものとしての同法〔労災保険法〕に基づく保険給付が行われている場合とで，同項〔労働基準法第19条第1項〕ただし書の適用の有無につき取扱いを異にすべきものとはいい難い。また，後者の場合には［ A ］として相当額の支払がされても傷害又は傷病が治るまでの間は労災保険法に基づき必要な療養補償給付がされることなども勘案すれば，これらの場合につき同項ただし書の適用の有無につき異なる取扱いがされなければ労働者の利益につきその保護を欠くことになるものともいい難い。

そうすると，労災保険法12条の8第1項第1号の療養補償給付を受ける労働者は，解雇制限に関する労働基準法19条1項の適用に関しては，同項ただし書が［ A ］の根拠規定として掲げる同法81条にいう同法75条の規定によって補償を受ける労働者に含まれるものとみるのが相当である。

したがって，労災保険法12条の8第1項1号の療養補償給付を受ける労働者が，療養開始後［ B ］を経過しても疾病等が治らない場合には，労働基準法75条による療養補償を受ける労働者が上記の状況にある場合と同様に，使用者は，当該労働者につき，同法81条の規定による［ A ］の支払をすることにより，解雇制限の除外事由を定める同法19条1項ただし書の適用を受けることができるものと解するのが相当である。」

2　労働基準法第38条の4で定めるいわゆる企画業務型裁量労働制について，同法第1項第1号はその対象業務を，「事業の運営に関する事項についての企画，立案，調査及び分析の業務であつて，当該業務の性質上これを適切に遂行するにはその遂行の方法を大幅に労働者の裁量にゆだね

キリトリ線

重要度 A

る必要があるため，当該業務の遂行の手段及び時間配分の決定等に関し［ C ］こととする業務」としている。

3　労働安全衛生法第10条第2項において，「総括安全衛生管理者は，［ D ］をもって充てなければならない。」とされている。

4　労働安全衛生法第66条の10により，事業者が労働者に対し実施することが求められている医師等による心理的な負担の程度を把握するための検査における医師等とは，労働安全衛生規則第52条の10において，医師，保健師のほか，検査を行うために必要な知識についての研修であって厚生労働大臣が定めるものを修了した歯科医師，看護師，［ E ］又は公認心理師とされている。

選択肢

①　6か月　②　1　年　③　2　年　④　3　年
⑤　障害補償　⑥　休業補償　⑦　打切補償　⑧　損害賠償
⑨　使用者が具体的な指示をしない
⑩　使用者が業務に関する具体的な指示をすることが困難なものとして所轄労働基準監督署長の認定を受けて，労働者に就かせる
⑪　使用者が具体的な指示をすることが困難なものとして厚生労働省令で定める業務のうち，労働者に就かせる
⑫　使用者が具体的な指示をすることが困難なものとして労使委員会で定める業務のうち，労働者に就かせる
⑬　当該事業場において選任することが義務づけられている安全管理者及び衛生管理者の資格を有する者
⑭　当該事業場においてその事業の実施を統括管理する者
⑮　当該事業場において，3年以上安全衛生管理の実務に従事した経験を有する者
⑯　当該事業場における安全衛生委員会委員の互選により選任された者
⑰　社会福祉士　⑱　精神保健福祉士
⑲　臨床検査技師　⑳　労働衛生コンサルタント

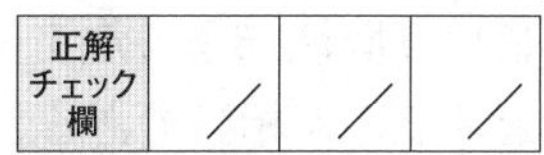

正解チェック欄	／	／	／

【解　答】

A　⑦ 打切補償

B　④ 3年

C　⑨ 使用者が具体的な指示をしない

D　⑭ 当該事業場においてその事業の実施を統括管理する者

E　⑱ 精神保健福祉士

【解　説】

本問1は解雇制限に関する問題であり，最高裁第二小法廷判決 平27.6.8 専修大学事件からの出題である。

最高裁判所は，労働基準法第19条第1項の解雇制限が解除されるかどうかが問題となった事件において，次のように判示した。

「労災保険法に基づく保険給付の実質及び労働基準法上の災害補償との関係等によれば，同法〔労働基準法〕において使用者の義務とされている災害補償は，これに代わるものとしての労災保険法に基づく保険給付が行われている場合にはそれによって実質的に行われているものといえるので，使用者自らの負担により災害補償が行われている場合とこれに代わるものとしての同法〔労災保険法〕に基づく保険給付が行われている場合とで，同項〔労働基準法第19条第1項〕ただし書の適用の有無につき取扱いを異にすべきものとはいい難い。また，後者の場合には打切補償として相当額の支払がされても傷害又は傷病が治るまでの間は労災保険法に基づき必要な療養補償給付がされることなども勘案すれば，これらの場合につき同項ただし書の適用の有無につき異なる取扱いがされなければ労働者の利益につきその保護を欠くことになるものともいい難い。

そうすると，労災保険法12条の8第1項第1号の療養補償給付を受ける労働者は，解雇制限に関する労働基準法19条1項の適用に関しては，同項ただし書が打切補償の根拠規定として掲げる同法81条にいう同法75条の規定によって補償を受ける労働者に含まれるものとみるのが相当である。

労働科目 37p

したがって，労災保険法12条の8第1項1号の療養補償給付を受ける労働者が，療養開始後3年を経過しても疾病等が治らない場合には，労働基準法75条による療養補償を受ける労働者が上記の状況にある場合と同様に，使用者は，当該労働者につき，同法81条の規定による打切補償の支払をすることにより，解雇制限の除外事由を定める同法19条1項ただし書の適用を受けることができるものと解するのが相当である。」

本問2は企画業務型裁量労働制の対象業務に関する問題であり，労働基準法38条の4第1項1号からの出題である。

労働基準法第38条の4で定めるいわゆる企画業務型裁量労働制について，同法第1項第1号はその対象業務を，「事業の運営に関する事項についての企画，立案，調査及び分析の業務であつて，当該業務の性質上これを適切に遂行するにはその遂行の方法を大幅に労働者の裁量にゆだねる必要があるため，当該業務の遂行の手段及び時間配分の決定等に関し使用者が具体的な指示をしないこととする業務」としている。 労働科目 87p

本問3は総括安全衛生管理者に関する問題であり，労働安全衛生法10条2項からの出題である。

労働安全衛生法第10条第2項において，「総括安全衛生管理者は，当該事業場においてその事業の実施を統括管理する者をもって充てなければならない。」とされている。 労働科目 154p

本問4は心理的な負担の程度を把握するための検査に関する問題であり，労働安全衛生法66条の10第1項，労働安全衛生規則52条の10第1項からの出題である。

労働安全衛生法第66条の10により，事業者が労働者に対し実施することが求められている医師等による心理的な負担の程度を把握するための検査における医師等とは，労働安全衛生規則第52条の10において，医師，保健師のほか，検査を行うために必要な知識についての研修であって厚生労働大臣が定めるものを修了した歯科医師，看護師，精神保健福祉士又は公認心理師とされている。 労働科目 211p

R4-選択	解雇の予告・安全衛生教育等

問 4 次の文中の［　　］の部分を選択肢の中の最も適切な語句で埋め，完全な文章とせよ。

1　労働基準法第20条により，いわゆる解雇予告手当を支払うことなく9月30日の終了をもって労働者を解雇しようとする使用者は，その解雇の予告は，少なくとも［ A ］までに行わなければならない。

2　最高裁判所は，全国的規模の会社の神戸営業所勤務の大学卒営業担当従業員に対する名古屋営業所への転勤命令が権利の濫用に当たるということができるか否かが問題となった事件において，次のように判示した。

「使用者は業務上の必要に応じ，その裁量により労働者の勤務場所を決定することができるものというべきであるが，転勤，特に転居を伴う転勤は，一般に，労働者の生活関係に少なからぬ影響を与えずにはおかないから，使用者の転勤命令権は無制約に行使することができるものではなく，これを濫用することの許されないことはいうまでもないところ，当該転勤命令につき業務上の必要性が存しない場合又は業務上の必要性が存する場合であつても，当該転勤命令が［ B ］なされたものであるとき若しくは労働者に対し通常［ C ］とき等，特段の事情の存する場合でない限りは，当該転勤命令は権利の濫用になるものではないというべきである。右の業務上の必要性についても，当該転勤先への異動が余人をもつては容易に替え難いといつた高度の必要性に限定することは相当でなく，労働力の適正配置，業務の能率増進，労働者の能力開発，勤務意欲の高揚，業務運営の円滑化など企業の合理的運営に寄与する点が認められる限りは，業務上の必要性の存在を肯定すべきである。」

3　労働安全衛生法第59条において，事業者は，労働者を雇い入れたときは，当該労働者に対し，厚生労働省令で定めるところにより，その従事する業務に関する安全又は衛生のための教育を行わなければならないが，この教育は，［ D ］についても行わなければならないとされている。

キリトリ線

キリトリ線

重要度 A

4 労働安全衛生法第3条において，「事業者は，単にこの法律で定める労働災害の防止のための最低基準を守るだけでなく，［ E ］と労働条件の改善を通じて職場における労働者の安全と健康を確保するようにしなければならない。また，事業者は，国が実施する労働災害の防止に関する施策に協力するようにしなければならない。」と規定されている。

労基法

選択肢

① 8月30日　② 8月31日
③ 9月1日　④ 9月16日
⑤ 行うべき転居先の環境の整備をすることなくなされたものである
⑥ 快適な職場環境の実現
⑦ 甘受すべき程度を著しく超える不利益を負わせるものである
⑧ 現在の業務に就いてから十分な期間をおくことなく
⑨ 他の不当な動機・目的をもつて
⑩ 当該転勤先への異動を希望する他の労働者がいるにもかかわらず
⑪ 配慮すべき労働条件に関する措置が講じられていない
⑫ 予想し得ない転勤命令がなされたものである
⑬ より高度な基準の自主設定
⑭ 労働災害の絶滅に向けた活動
⑮ 労働災害の防止に関する新たな情報の活用
⑯ 労働者が90日以上欠勤等により業務を休み，その業務に復帰したとき
⑰ 労働者が再教育を希望したとき
⑱ 労働者が労働災害により30日以上休業し，元の業務に復帰したとき
⑲ 労働者に対する事前の説明を経ることなく
⑳ 労働者の作業内容を変更したとき

キリトリ線

正解チェック欄	／	／	／

【解　答】

A　② 8月31日

B　⑨ 他の不当な動機・目的をもつて

C　⑦ 甘受すべき程度を著しく超える不利益を負わせるものである

D　⑳ 労働者の作業内容を変更したとき

E　⑥ 快適な職場環境の実現

【解　説】

本問1は，解雇の予告に関する問題であり，労働基準法20条からの出題である。

労働基準法第20条により，いわゆる解雇予告手当を支払うことなく9月30日の終了をもって労働者を解雇しようとする使用者は，その解雇の予告は，少なくとも8月31日までに行わなければならない。

労働科目 37～38p

本問2は，転勤命令に関する問題であり，最高裁第二小法廷判決昭61.7.14 東亜ペイント事件からの出題である。

最高裁判所は，全国的規模の会社の神戸営業所勤務の大学卒営業担当従業員に対する名古屋営業所への転勤命令が権利の濫用に当たるということができるか否かが問題となった事件において，次のように判示した。

「使用者は業務上の必要に応じ，その裁量により労働者の勤務場所を決定することができるものというべきであるが，転勤，特に転居を伴う転勤は，一般に，労働者の生活関係に少なからぬ影響を与えずにはおかないから，使用者の転勤命令権は無制約に行使することができるものではなく，これを濫用することの許されないことはいうまでもないところ，当該転勤命令につき業務上の必要性が存しない場合又は業務上の必要性が存する場合であつても，当該転勤命令が他の不当な動機・目的をもつてなされたものであるとき若しくは労働者に対し通常甘受すべき程度を著しく超える不利益を負わせるものであるとき等，特段の事情の存する場合でない限りは，当該

キリトリ線

転勤命令は権利の濫用になるものではないというべきである。右の業務上の必要性についても，当該転勤先への異動が余人をもつては容易に替え難いといつた高度の必要性に限定することは相当でなく，労働力の適正配置，業務の能率増進，労働者の能力開発，勤務意欲の高揚，業務運営の円滑化など企業の合理的運営に寄与する点が認められる限りは，業務上の必要性の存在を肯定すべきである。」

本問3は，安全衛生教育に関する問題であり，労働安全衛生法59条1項2項からの出題である。

労働安全衛生法第59条において，事業者は，労働者を雇い入れたときは，当該労働者に対し，厚生労働省令で定めるところにより，その従事する業務に関する安全又は衛生のための教育を行わなければならないが，この教育は，労働者の作業内容を変更したときについても行わなければならないとされている。 労働科目 191p

本問4は，事業者の責務に関する問題であり，労働安全衛生法59条1項2項からの出題である。

労働安全衛生法第3条において，「事業者は，単にこの法律で定める労働災害の防止のための最低基準を守るだけでなく，快適な職場環境の実現と労働条件の改善を通じて職場における労働者の安全と健康を確保するようにしなければならない。また，事業者は，国が実施する労働災害の防止に関する施策に協力するようにしなければならない。」と規定されている。 労働科目 148p

キリトリ線

H30-選択　解雇予告の適用除外・育児時間の請求・定義・型式検査等

問5　次の文中の［　　］の部分を選択肢の中の最も適切な語句で埋め，完全な文章とせよ。

1　日日雇い入れられる者には労働基準法第20条の解雇の予告の規定は適用されないが，その者が［ A ］を超えて引き続き使用されるに至った場合においては，この限りでない。

2　生後満1年に達しない生児を育てる女性は，労働基準法第34条の休憩時間のほか，1日2回各々少なくとも［ B ］，その生児を育てるための時間を請求することができる。

3　最高裁判所は，同業他社への転職者に対する退職金の支給額を一般の退職の場合の半額と定めた退職金規則の効力が問題となった事件において，次のように判示した。

「原審の確定した事実関係のもとにおいては，被上告会社が営業担当社員に対し退職後の同業他社への就職をある程度の期間制限することをもって直ちに社員の職業の自由等を不当に拘束するものとは認められず，したがって，被上告会社がその退職金規則において，右制限に反して同業他社に就職した退職社員に支給すべき退職金につき，その点を考慮して，支給額を一般の自己都合による退職の場合の半額と定めることも，本件退職金が［ C ］的な性格を併せ有することにかんがみれば，合理性のない措置であるとすることはできない。」

4　労働安全衛生法で定義される作業環境測定とは，作業環境の実態を把握するため空気環境その他の作業環境について行う［ D ］，サンプリング及び分析（解析を含む。）をいう。

5　労働安全衛生法第44条の2第1項では，一定の機械等で政令で定めるものを製造し，又は輸入した者は，厚生労働省令で定めるところにより，厚生労働大臣の登録を受けた者が行う当該機械等の型式についての検定を受けなければならない旨定めているが，その機械等には，クレーンの過負荷防止装置やプレス機械の安全装置の他［ E ］などが定められている。

キリトリ線

キリトリ線

重要度 A

労基法

選択肢

① 15分　② 30分　③ 45分　④ 1時間
⑤ 14日　⑥ 30日　⑦ 1か月　⑧ 2か月
⑨ アーク溶接作業用紫外線防護めがね
⑩ 気流の測定　⑪ 功労報償
⑫ 作業状況の把握
⑬ 就業規則を遵守する労働者への生活の補助
⑭ 成果給　⑮ 墜落災害防止用安全帯
⑯ デザイン　⑰ 転職の制約に対する代償措置
⑱ 放射線作業用保護具　⑲ モニタリング
⑳ ろ過材及び面体を有する防じんマスク

キリトリ線

正解チェック欄	／	／	／

【解　答】

A　⑦ 1か月

B　② 30分

C　⑪ 功労報償

D　⑯ デザイン

E　⑳ ろ過材及び面体を有する防じんマスク

【解　説】

本問1は，解雇予告の適用除外に関する問題であり，労働基準法(以下本問において「法」とする) 21条からの出題である。

日日雇い入れられる者には労働基準法第20条の解雇の予告の規定は適用されないが，その者が1か月を超えて引き続き使用されるに至った場合においては，この限りでない。

労働科目 40p

本問2は，育児時間に関する問題であり，法67条1項からの出題である。

生後満1年に達しない生児を育てる女性は，労働基準法第34条の休憩時間のほか，1日2回各々少なくとも30分，その生児を育てるための時間を請求することができる。

労働科目 121p

本問3は，退職金の判例に関する問題であり，最高裁第二小法廷判決 昭52.8.9 三晃社事件からの出題である。

最高裁判所は，同業他社への転職者に対する退職金の支給額を一般の退職の場合の半額と定めた退職金規則の効力が問題となった事件において，次のように判示した。

「原審の確定した事実関係のもとにおいては，被上告会社が営業担当社員に対し退職後の同業他社への就職をある程度の期間制限することをもって直ちに社員の職業の自由等を不当に拘束するものとは認められず，したがって，被上告会社がその退職金規則において，右制限に反して同業他社に就職した退職社員に支給すべき退職金につき，その点を考慮して，支給額を一般の自己都合による退職の場合の半額と定めることも，本件退職金が功労報償的な性格を併せ有することにかんがみれば，合理性のない措置であるとすることはできない。」

本問4は，作業環境測定の定義に関する問題であり，労働安全衛生法（以下本問において「法」とする）2条4項からの出題である。

労働安全衛生法で定義される作業環境測定とは，作業環境の実態を把握するため空気環境その他の作業環境について行うデザイン，サンプリング及び分析（解析を含む。）をいう。 労働科目 148p

本問5は，型式検定に関する問題であり，法44条の2第1項，法別表第4，令14条の2第5からの出題である。

労働安全衛生法第44条の2第1項では，一定の機械等で政令で定めるものを製造し，又は輸入した者は，厚生労働省令で定めるところにより，厚生労働大臣の登録を受けた者が行う当該機械等の型式についての検定を受けなければならない旨定めているが，その機械等には，クレーンの過負荷防止装置やプレス機械の安全装置の他ろ過材及び面体を有する防じんマスクなどが定められている。 労働科目 184p

R元-選択	解雇期間中の賃金・衛生管理者等

問 6 次の文中の［　　］の部分を選択肢の中の適当な語句で埋め，完全な文章とせよ。

1 最高裁判所は，使用者がその責めに帰すべき事由による解雇期間中の賃金を労働者に支払う場合における，労働者が解雇期間中，他の職に就いて得た利益額の控除が問題となった事件において，次のように判示した。

「使用者の責めに帰すべき事由によって解雇された労働者が解雇期間中に他の職に就いて利益を得たときは，使用者は，右労働者に解雇期間中の賃金を支払うに当たり右利益（以下「中間利益」という。）の額を賃金額から控除することができるが，右賃金額のうち労働基準法12条1項所定の［ A ］の6割に達するまでの部分については利益控除の対象とすることが禁止されているものと解するのが相当である」「使用者が労働者に対して有する解雇期間中の賃金支払債務のうち［ A ］額の6割を超える部分から当該賃金の［ B ］内に得た中間利益の額を控除することは許されるものと解すべきであり，右利益の額が［ A ］額の4割を超える場合には，更に［ A ］算定の基礎に算入されない賃金（労働基準法12条4項所定の賃金）の全額を対象として利益額を控除することが許されるものと解せられる」

2 労働基準法第27条は，出来高払制の保障給として，「使用者は，［ C ］に応じ一定額の賃金の保障をしなければならない。」と定めている。

3 労働安全衛生法は，その目的を第1条で「労働基準法（昭和22年法律第49号）と相まって，労働災害の防止のための危害防止基準の確立，責任体制の明確化及び自主的活動の促進の措置を講ずる等その防止に関する総合的計画的な対策を推進することにより職場における労働者の安全と健康を確保するとともに，［ D ］の形成を促進することを目的とする。」と定めている。

4 衛生管理者は，都道府県労働局長の免許を受けた者その他厚生労働省令で定める資格を有する者のうちから選任しなければならないが，厚生労働省令で定める資格を有する者には，医師，歯科医師のほか［ E ］などが定められている。

キリトリ線

キリトリ線

重要度 A

労基法

選択肢

① 安全衛生に対する事業者意識　② 安全衛生に対する労働者意識
③ 衛生管理士　④ 快適な職場環境
⑤ 看護師　⑥ 業務に対する熟練度
⑦ 勤続期間　⑧ 勤務時間数に応じた賃金
⑨ 作業環境測定士
⑩ 支給対象期間から2年を超えない期間
⑪ 支給対象期間から5年を超えない期間
⑫ 支給対象期間と時期的に対応する期間
⑬ 諸手当を含む総賃金　⑭ 全支給対象期間
⑮ そのための努力を持続させる職場環境
⑯ 特定最低賃金　⑰ 平均賃金
⑱ 労働衛生コンサルタント　⑲ 労働時間
⑳ 労働日数

キリトリ線

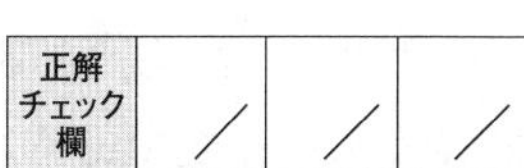

【解　答】

A　⑰ 平均賃金

B　⑫ 支給対象期間と時期的に対応する期間

C　⑲ 労働時間

D　④ 快適な職場環境

E　⑱ 労働衛生コンサルタント

【解　説】

本問1は，解雇期間中の賃金に関する問題であり，最高裁第一小法廷判決 昭62.4.2 あけぼのタクシー事件からの出題である。

最高裁判所は，使用者がその責めに帰すべき事由による解雇期間中の賃金を労働者に支払う場合における，労働者が解雇期間中，他の職に就いて得た利益額の控除が問題となった事件において，次のように判示した。

「使用者の責めに帰すべき事由によって解雇された労働者が解雇期間中に他の職に就いて利益を得たときは，使用者は，右労働者に解雇期間中の賃金を支払うに当たり右利益（以下「中間利益」という。）の額を賃金額から控除することができるが，右賃金額のうち労働基準法12条1項所定の平均賃金の6割に達するまでの部分については利益控除の対象とすることが禁止されているものと解するのが相当である」「使用者が労働者に対して有する解雇期間中の賃金支払債務のうち平均賃金額の6割を超える部分から当該賃金の支給対象期間と時期的に対応する期間内に得た中間利益の額を控除することは許されるものと解すべきであり，右利益の額が平均賃金額の4割を超える場合には，更に平均賃金算定の基礎に算入されない賃金（労働基準法12条4項所定の賃金）の全額を対象として利益額を控除することが許されるものと解せられる」

本問2は，出来高払制の保障給に関する問題であり，労働基準法27条からの出題である。

労働基準法第27条は，出来高払制の保障給として，「使用者は，労働時間に応じ一定額の賃金の保障をしなければならない。」と定めている。 労働科目 52p

本問3は，労働安全衛生法（以下本問において「法」とする）の目的に関する問題であり，法1条からの出題である。

労働安全衛生法は，その目的を第1条で「労働基準法（昭和22年法律第49号）と相まって，労働災害の防止のための危害防止基準の確立，責任体制の明確化及び自主的活動の促進の措置を講ずる等その防止に関する総合的計画的な対策を推進することにより職場における労働者の安全と健康を確保するとともに，快適な職場環境の形成を促進することを目的とする。」と定めている。 労働科目 147p

本問4は，衛生管理者に関する問題であり，法12条1項，則10条3号からの出題である。

衛生管理者は，都道府県労働局長の免許を受けた者その他厚生労働省令で定める資格を有する者のうちから選任しなければならないが，厚生労働省令で定める資格を有する者には，医師，歯科医師のほか労働衛生コンサルタントなどが定められている。 労働科目 157~158p

H27-選択　事業場外労働のみなし時間労働制・就業制限等

問 7　次の文中の[　　]の部分を選択肢の中の最も適切な語句で埋め，完全な文章とせよ。

1　最高裁判所は，海外旅行の添乗業務に従事する添乗員に労働基準法第38条の2に定めるいわゆる事業場外労働のみなし労働時間制が適用されるかが争点とされた事件において，次のように判示した。

「本件添乗業務は，ツアーの旅行日程に従い，ツアー参加者に対する案内や必要な手続の代行などといったサービスを提供するものであるところ，ツアーの旅行日程は，本件会社とツアー参加者との間の契約内容としてその日時や目的地等を明らかにして定められており，その旅行日程につき，添乗員は，変更補償金の支払など契約上の問題が生じ得る変更が起こらないように，また，それには至らない場合でも変更が必要最小限のものとなるように旅程の管理等を行うことが求められている。そうすると，本件添乗業務は，旅行日程が上記のとおりその日時や目的地等を明らかにして定められることによって，業務の内容があらかじめ具体的に確定されており，添乗員が自ら決定できる事項の範囲及びその決定に係る選択の幅は限られているものということができる。

また，ツアーの開始前には，本件会社は，添乗員に対し，本件会社とツアー参加者との間の契約内容等を記載したパンフレットや最終日程表及びこれに沿った手配状況を示したアイテナリーにより具体的な目的地及びその場所において行うべき観光等の内容や手順等を示すとともに，添乗員用のマニュアルにより具体的な業務の内容を示し，これらに従った業務を行うことを命じている。そして，ツアーの実施中においても，本件会社は，添乗員に対し，携帯電話を所持して常時電源を入れておき，ツアー参加者との間で契約上の問題やクレームが生じ得る旅行日程の変更が必要となる場合には，本件会社に報告して指示を受けることを求めている。さらに，ツアーの修了後においては，本件会社は，添乗員に対し，前記のとおり旅程の管理等の状況を具体的に把握することができる添乗日報によって，業務の遂行の状況等の詳細かつ正確な報告を求めているところ，その報告の内容については，ツアー参加者のアンケートを

キリトリ線

参照することや関係者に問合せをすることによってその正確性を確認することができるものになっている。これらによれば，本件添乗業務について，本件会社は，添乗員との間で，あらかじめ定められた旅行日程に沿った旅程の管理等の業務を行うべきことを具体的に指示した上で，予定された旅行日程に途中で相応の変更を要する事態が生じた場合にはその時点で個別の指示をするものとされ，旅行日程の終了後は内容の正確性を確認し得る添乗日報によって業務の遂行の状況等につき詳細な報告を受けるものとされているということができる。

以上のような業務の性質，内容やその遂行の態様，状況等，本件会社と添乗員との間の業務に関する指示及び報告の方法，内容やその実施の態様，状況等に鑑みると，本件添乗業務については，これに従事する添乗員の勤務の状況を具体的に把握することが困難であったとは認め難く，労働基準法第38条の2第1項にいう「［ A ］」に当たるとはいえないと解するのが相当である。」

2 最高裁判所は，労働基準法第39条第5項（当時は第3項）に定める使用者による時季変更権の行使の有効性が争われた事件において，次のように判示した。「労基法39条3項〔現行5項〕ただし書にいう「事業の正常な運営を妨げる場合」か否かの判断に当たつて，［ B ］配置の難易は，判断の一要素となるというべきであるが，特に，勤務割による勤務体制がとられている事業場の場合には，重要な判断要素であることは明らかである。したがつて，そのような事業場において，使用者としての通常の配慮をすれば，勤務割を変更して［ B ］を配置することが客観的に可能な状況にあると認められるにもかかわらず，使用者がそのための配慮をしないことにより［ B ］が配置されないときは，必要配置人員を欠くものとして事業の正常な運営を妨げる場合に当たるということはできないと解するのが相当である。そして，年次休暇の利用目的は労基法の関知しないところである〔……〕から，勤務割を変更して［ B ］を配置することが可能な状況にあるにもかかわらず，休暇の利用目的のいかんによつてそのための配慮をせずに時季変更権を行使することは，利用目的を考慮して年次休暇を与えないことに等しく，許されないものであり，右時季変更権の行使は，結局，事業の正常な運営を妨げる場合に当たらないものとして，無効といわなければならない。」

3 労働基準法第64条の3では，[C]を「妊産婦」とし，使用者は，当該女性を，重量物を取り扱う業務，有害ガスを発散する場所における業務その他妊産婦の妊娠，出産，哺育等に有害な業務に就かせてはならないとしている。

4 労働安全衛生法に定める「事業者」とは，法人企業であれば[D]を指している。

5 事業者は，クレーンの運転その他の業務で，労働安全衛生法施行令第20条で定めるものについては，都道府県労働局長の当該業務に係る免許を受けた者又は都道府県労働局長の登録を受けた者が行う当該業務に係る技能講習を修了した者その他厚生労働省令で定める資格を有する者でなければ当該業務に就かせてはならないが，労働安全衛生法施行令第20条で定めるものには，ボイラー（小型ボイラーを除く。）の取扱いの業務，つり上げ荷重が5トン以上のクレーン（跨線テルハを除く。）の運転の業務，[E]などがある。

キリトリ線

キリトリ線

労基法

選択肢

① 6週間（多胎妊娠の場合にあっては，14週間）以内に出産する予定の女性及び産後8週間を経過しない女性

② 6週間（多胎妊娠の場合にあっては，14週間）以内に出産する予定の女性及び産後1年を経過しない女性

③ アーク溶接機を用いて行う金属の溶接，溶断等の業務

④ エックス線装置又はガンマ線照射装置を用いて行う透過写真の撮影の業務

⑤ 監督又は管理の地位にある者

⑥ 業務の遂行の方法を大幅に労働者の裁量にゆだねる必要があるとき

⑦ 最大荷重（フォークリフトの構造及び材料に応じて基準荷重中心に負荷させることができる最大の荷重をいう。）が1トン以上のフォークリフトの運転（道路上を走行させる運転を除く。）の業務

⑧ 使用者が具体的な指示をすることが困難なものとして厚生労働省令で定める業務

⑨ 時間単位の有給休暇

⑩ 事業主のために行為をするすべての者

⑪ 代替休暇

⑫ 代替勤務者

⑬ チェーンソーを用いて行う立木の伐採の業務

⑭ 通常必要とされた時間労働したもの

⑮ 当該法人

⑯ 妊娠中の女性及び産後8週間を経過しない女性

⑰ 妊娠中の女性及び産後1年を経過しない女性

⑱ 非常勤職員

⑲ 法人の代表者

⑳ 労働時間を算定し難いとき

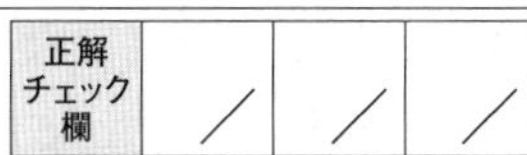

正解チェック欄	／	／	／

キリトリ線

【解　答】

A　⑳ 労働時間を算定し難いとき

B　⑫ 代替勤務者

C　⑰ 妊娠中の女性及び産後1年を経過しない女性

D　⑮ 当該法人

E　⑦ 最大荷重（フォークリフトの構造及び材料に応じて基準荷重中心に負荷させることができる最大の荷重をいう。）が1トン以上のフォークリフトの運転（道路上を走行させる運転を除く。）の業務

【解　説】

本問1～3は，事業場外労働のみなし労働時間制，年次有給休暇及び妊産婦に関する問題であり，最高裁第二小法廷判決 平26.1.24 阪急トラベルサポート事件，最高裁第二小法廷判決 昭62.7.10 弘前電報電話局事件，労働基準法64条の3からの出題である。

海外旅行の添乗業務に従事する添乗員に労働基準法38条の2に定めるいわゆる事業場外労働のみなし労働時間制が適用されるかが争点とされた事件において，本問1の事実関係等を前提とした上で，「以上のような業務の性質，内容やその遂行の態様，状況等，本件会社と添乗員との間の業務に関する指示及び報告の方法，内容やその実施の態様，状況等に鑑みると，本件添乗業務については，これに従事する添乗員の勤務の状況を具体的に把握することが困難であったとは認め難く，労働基準法38条の2第1項にいう『労働時間を算定し難いとき』に当たるとはいえないと解するのが相当である」と最高裁判所は判示した。

「労基法39条3項（現行5項）ただし書にいう『事業の正常な運営を妨げる場合』か否かの判断に当たって，代替勤務者配置の難易は，判断の一要素となる（略），使用者としての通常の配慮をすれば，勤務割を変更して代替勤務者を配置することが客観的に可能な

状況にあると認められるにもかかわらず，使用者がそのための配慮をしないことにより代替勤務者が配置されないときは，必要配置人員を欠くものとして事業の正常な運営を妨げる場合に当たるということはできない（以下略）」と最高裁判所は判示した。

労働基準法64条の3では，妊娠中の女性及び産後1年を経過しない女性を「妊産婦」として，使用者は，妊産婦を一定の有害な業務に就かせてはならないとしている。 労働科目 117~118p

本問4～5は，労働安全衛生法における事業者の定義及び就業制限に関する問題であり，労働安全衛生法2条3号，同法61条1項，同法施行令20条からの出題である。

労働安全衛生法に定める「事業者」とは，法人企業であれば当該法人を指している。 労働科目 147~148p

事業者は，一定の業務については，都道府県労働局長の当該業務に係る免許を受けた者又は都道府県労働局長の登録を受けた者が行う当該業務に係る技能講習を修了した者その他厚生労働省令で定める資格を有する者でなければ当該業務に就かせてはならないが，当該業務には，最大荷重（フォークリフトの構造及び材料に応じて基準荷重中心に負荷させることができる最大の荷重をいう。）が1トン以上のフォークリフトの運転（道路上を走行させる運転を除く。）の業務などがある。

H29-選択　年次有給休暇・産前産後の就業・事業者が行うべき調査等

問 8　次の文中の［　　］の部分を選択肢の中の最も適切な語句で埋め，完全な文章とせよ。

1　最高裁判所は，労働者が長期かつ連続の年次有給休暇の時季指定をした場合に対する，使用者の時季変更権の行使が問題となった事件において，次のように判示した。

「労働者が長期かつ連続の年次有給休暇を取得しようとする場合においては，それが長期のものであればあるほど，使用者において代替勤務者を確保することの困難さが増大するなど［ A ］に支障を来す蓋然性が高くなり，使用者の業務計画，他の労働者の休暇予定等との事前の調整を図る必要が生ずるのが通常である。[…（略）…] 労働者が，右の調整を経ることなく，その有する年次有給休暇の日数の範囲内で始期と終期を特定して長期かつ連続の年次有給休暇の時季指定をした場合には，これに対する使用者の時季変更権の行使については，[…（略）…] 使用者にある程度の［ B ］の余地を認めざるを得ない。もとより，使用者の時季変更権の行使に関する右［ B ］は，労働者の年次有給休暇の権利を保障している労働基準法39条の趣旨に沿う，合理的なものでなければならないのであって，右［ B ］が，同条の趣旨に反し，使用者が労働者に休暇を取得させるための状況に応じた配慮を欠くなど不合理であると認められるときは，同条3項〔現5項〕ただし書所定の時季変更権行使の要件を欠くものとして，その行使を違法と判断すべきである。」

2　産前産後の就業について定める労働基準法第65条にいう「出産」については，その範囲を妊娠［ C ］以上（1か月は28日として計算する。）の分娩とし，生産のみならず死産も含むものとされている。

キリトリ線

キリトリ線

重要度 A

労基法

3　労働安全衛生法第28条の2では，いわゆるリスクアセスメントの実施について，「事業者は，厚生労働省令で定めるところにより，建設物，設備，原材料，ガス，蒸気，粉じん等による，又は作業行動その他業務に起因する［ D ］（第57条第1項の政令で定める物及び第57条の2第1項に規定する通知対象物による［ D ］を除く。）を調査し，その結果に基づいて，この法律又はこれに基づく命令の規定による措置を講ずるほか，労働者の危険又は健康障害を防止するため必要な措置を講ずるように努めなければならない。」と定めている。

4　労働安全衛生法第65条の3は，いわゆる労働衛生の3管理の一つである作業管理について，「事業者は，労働者の［ E ］に配慮して，労働者の従事する作業を適切に管理するように努めなければならない。」と定めている。

キリトリ線

選択肢

①　4か月　②　5か月　③　6か月　④　7か月
⑤　一方的決定
⑥　危害を防止するための法基準の遵守状況
⑦　危険性又は有害性等　⑧　健康
⑨　合理的変更　⑩　災害事例における原因
⑪　災害に関する統計情報　⑫　作業能力
⑬　作業に関する要望　⑭　裁量的判断
⑮　事業の正常な運営　⑯　専権的配分
⑰　体　格　⑱　繁忙期の人員の配置
⑲　労働時間の適切な管理　⑳　労働者の安全配慮義務

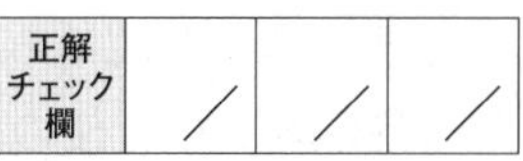

【解　答】

A　⑮ 事業の正常な運営

B　⑭ 裁量的判断

C　① 4か月

D　⑦ 危険性又は有害性等

E　⑧ 健康

【解　説】

本問1は，年次有給休暇に関する問題であり，最高裁第三小法廷判決 平4.6.23 時事通信社事件からの出題である。

最高裁判所は，労働者が長期かつ連続の年次有給休暇の時季指定をした場合に対する，使用者の時季変更権の行使が問題となった事件において，次のように判示した。

「労働者が長期かつ連続の年次有給休暇を取得しようとする場合においては，それが長期のものであればあるほど，使用者において代替勤務者を確保することの困難さが増大するなど事業の正常な運営に支障を来す蓋然性が高くなり，使用者の業務計画，他の労働者の休暇予定等との事前の調整を図る必要が生ずるのが通常である。〔…（略）…〕労働者が，右の調整を経ることなく，その有する年次有給休暇の日数の範囲内で始期と終期を特定して長期かつ連続の年次有給休暇の時季指定をした場合には，これに対する使用者の時季変更権の行使については，〔…（略）…〕使用者にある程度の裁量的判断の余地を認めざるを得ない。もとより，使用者の時季変更権の行使に関する右裁量的判断は，労働者の年次有給休暇の権利を保障している労働基準法39条の趣旨に沿う，合理的なものでなければならないのであって，右裁量的判断が，同条の趣旨に反し，使用者が労働者に休暇を取得させるための状況に応じた配慮を欠くなど不合理であると認められるときは，同条3項〔現5項〕ただし書所定の時季変更権行使の要件を欠くものとして，その行使を違法と判

労働科目
104p

断すべきである。」

本問2は，産前産後の就業に関する問題であり，昭23.12.23基発1885号からの出題である。

産前産後の就業について定める労働基準法第65条にいう「出産」については，その範囲を妊娠4か月以上（1か月は28日として計算する。）の分娩とし，生産のみならず死産も含むものとされている。

労働科目
118p

本問3は，事業主が行うべき調査等に関する問題であり，労働安全衛生法28条の2からの出題である。

労働安全衛生法第28条の2では，いわゆるリスクアセスメントの実施について，「事業者は，厚生労働省令で定めるところにより，建設物，設備，原材料，ガス，蒸気，粉じん等による，又は作業行動その他業務に起因する危険性又は有害性等（第57条第1項の政令で定める物及び第57条の2第1項に規定する通知対象物による危険性又は有害性等を除く。）を調査し，その結果に基づいて，この法律又はこれに基づく命令の規定による措置を講ずるほか，労働者の危険又は健康障害を防止するため必要な措置を講ずるように努めなければならない。」と定めている。

労働科目
173~174p

本問4は，作業管理に関する問題であり，労働安全衛生法65条の3からの出題である。

労働安全衛生法第65条の3は，いわゆる労働衛生の3管理の一つである作業管理について，「事業者は，労働者の健康に配慮して，労働者の従事する作業を適切に管理するように努めなければならない。」と定めている。

労働科目
197p

R6-選択	年少者・労働時間・定期自主検査等

問 9　次の文中の［　　］の部分を選択肢の中の最も適切な語句で埋め，完全な文章とせよ。

1　年少者の労働に関し，最低年齢を設けている労働基準法第56条第1項は，「使用者は，［ A ］，これを使用してはならない。」と定めている。

2　最高裁判所は，労働者が始業時刻前及び終業時刻後の作業服及び保護具等の着脱等並びに始業時刻前の副資材等の受出し及び散水に要した時間が労働基準法上の労働時間に該当するかが問題となった事件において，次のように判示した。「労働基準法（昭和62年法律第99号による改正前のもの）32条の労働時間（以下「労働基準法上の労働時間」という。）とは，労働者が使用者の［ B ］に置かれている時間をいい，右の労働時間に該当するか否かは，労働者の行為が使用者の［ B ］に置かれたものと評価することができるか否かにより客観的に定まるものであって，労働契約，就業規則，労働協約等の定めのいかんにより決定されるべきものではないと解するのが相当である。そして，労働者が，就業を命じられた業務の準備行為等を事業所内において行うことを使用者から義務付けられ，又はこれを余儀なくされたときは，当該行為を所定労働時間外において行うものとされている場合であっても，当該行為は，特段の事情のない限り，使用者の［ B ］に置かれたものと評価することができ，当該行為に要した時間は，それが社会通念上必要と認められるものである限り，労働基準法上の労働時間に該当すると解される。」

3　最高裁判所は，賃金に当たる退職金債権放棄の効力が問題となった事件において，次のように判示した。

本件事実関係によれば，本件退職金の「支払については，同法〔労働基準法〕24条1項本文の定めるいわゆる全額払の原則が適用されるものと解するのが相当である。しかし，右全額払の原則の趣旨とするところは，使用者が一方的に賃金を控除することを禁止し，もって労働者に賃金の全額を確実に受領させ，労働者の経済生活をおびやかすことのないようにしてその保護をはかろうとするものというべきであるから，本件のように，労働者たる上告人が退職に際しみずから賃金に該当する本件退職金

キリトリ線

重要度 A

債権を放棄する旨の意思表示をした場合に，右全額払の原則が右意思表示の効力を否定する趣旨のものであるとまで解することはできない。もっとも，右全額払の原則の趣旨とするところなどに鑑みれば，右意思表示の効力を肯定するには，それが上告人の［ C ］ものであることが明確でなければならないものと解すべきである」。

4　労働安全衛生法第45条により定期自主検査を行わなければならない機械等には，同法第37条第1項に定める特定機械等のほか［ D ］が含まれる。

5　事業者は，労働者が労働災害その他就業中又は事業場内若しくはその付属建設物内における負傷，窒息又は急性中毒により死亡し，又は休業（休業の日数が4日以上の場合に限る。）したときは，［ E ］，所轄労働基準監督署長に報告しなければならない。

選択肢

①　7日以内に	②　14日以内に
③　30日以内に	④　管理監督下
⑤　空気調和設備	⑥　研削盤
⑦　権利濫用に該当しない	⑧　構内運搬車
⑨　指揮命令下	
⑩　児童が満15歳に達した日以後の最初の3月31日が終了するまで	
⑪　児童が満18歳に達した日以後の最初の3月31日が終了するまで	
⑫　支配管理下	⑬　自由な意思に基づく
⑭　従属関係下	
⑮　退職金債権放棄同意書への署名押印により行われた	
⑯　退職に接着した時期においてされた	
⑰　遅滞なく	⑱　フォークリフト
⑲　満15歳に満たない者については	⑳　満18歳に満たない者については

正解チェック欄	／	／	／

【解　答】

A　⑩ 児童が満15歳に達した日以後の最初の3月31日が終了するまで

B　⑨ 指揮命令下

C　⑬ 自由な意思に基づく

D　⑱ フォークリフト

E　⑰ 遅滞なく

【解　説】

本問1は，最低年齢に関する問題であり，労働基準法56条からの出題である。

年少者の労働に関し，最低年齢を設けている労働基準法56条1項は，「使用者は，児童が満15歳に達した日以後の最初の3月31日が終了するまで，これを使用してはならない。」と定めている。

労働科目 109p

本問2は，労働時間に関する問題であり，最高裁第一小法廷判決平12.3.9 三菱重工業長崎造船所事件からの出題である。

労働基準法（昭和62年法律第99号による改正前のもの）32条の労働時間（以下「労働基準法上の労働時間」という）とは，労働者が使用者の指揮命令下に置かれている時間をいい，右の労働時間に該当するか否かは，労働者の行為が使用者の指揮命令下に置かれたものと評価することができるか否かにより客観的に定まるものであって，労働契約，就業規則，労働協約等の定めのいかんにより決定されるべきものではないと解するのが相当である。そして，労働者が，就業を命じられた業務の準備行為等を事業所内において行うことを使用者から義務付けられ，又はこれを余儀なくされたときは，当該行為を所定労働時間外において行うものとされている場合であっても，当該行為は，特段の事情のない限り，使用者の指揮命令下に置かれたものと評価することができ，当該行為に要した時間は，それが社会通念上必要と認められるものである限り，労働基準法上

労働科目 54〜55p

の労働時間に該当すると解される。

本問3は，賃金に当たる退職金債権放棄の効力に関する問題であり，最高裁第二小法廷判決 昭48.1.19シンガー・ソーイング・メーシン事件からの出題である。

本件退職金の支払については，同法〔労働基準法〕24条1項本文の定めるいわゆる全額払の原則が適用されるものと解するのが相当である。しかし，右全額払の原則の趣旨とするところは，使用者が一方的に賃金を控除することを禁止し，もって労働者に賃金の全額を確実に受領させ，労働者の経済生活をおびやかすことのないようにしてその保護をはかろうとするものというべきであるから，本件のように，労働者たる上告人が退職に際しみずから賃金に該当する本件退職金債権を放棄する旨の意思表示をした場合に，右全額払の原則が右意思表示の効力を否定する趣旨のものであるとまで解することはできない。もっとも，右全額払の原則の趣旨とするところなどに鑑みれば，右意思表示の効力を肯定するには，それが上告人の自由な意思に基づくものであることが明確でなければならないものと解すべきである。

本問4は，定期自主検査に関する問題であり，労働安全衛生法45条及び同法施行令15条からの出題である。

労働安全衛生法45条により定期自主検査を行わなければならない機械等には，同法37条1項に定める特定機械等のほかフォークリフトが含まれる。 労働科目 185p

本問5は，労働者死傷病報告に関する問題であり，労働安全衛生施行規則97条1項からの出題である。

事業者は，労働者が労働災害その他就業中又は事業場内若しくはその付属建設物内における負傷，窒息又は急性中毒により死亡し，又は休業（休業の日数が4日以上の場合に限る）したときは，遅滞なく，所轄労働基準監督署長に報告しなければならない。 労働科目 221p

R5-選択	時効・重量表示等

問 10　次の文中の[　　]の部分を選択肢の中の最も適切な語句で埋め，完全な文章とせよ

1　労働基準法の規定による災害補償その他の請求権（賃金の請求権を除く。）はこれを行使することができる時から[A]間行わない場合においては，時効によって消滅することとされている。

2　最高裁判所は，労働者の指定した年次有給休暇の期間が開始し又は経過した後にされた使用者の時季変更権行使の効力が問題となった事件において，次のように判示した。

「労働者の年次有給休暇の請求（時季指定）に対する使用者の時季変更権の行使が，労働者の指定した休暇期間が開始し又は経過した後にされた場合であつても，労働者の休暇の請求自体がその指定した休暇期間の始期にきわめて接近してされたため使用者において時季変更権を行使するか否かを事前に判断する時間的余裕がなかつたようなときには，それが事前にされなかつたことのゆえに直ちに時季変更権の行使が不適法となるものではなく，客観的に右時季変更権を行使しうる事由が存し，かつ，その行使が[B]されたものである場合には，適法な時季変更権の行使があつたものとしてその効力を認めるのが相当である。」

3　最高裁判所は，マンションの住み込み管理員が所定労働時間の前後の一定の時間に断続的な業務に従事していた場合において，上記一定の時間が，管理員室の隣の居室に居て実作業に従事していない時間を含めて労働基準法上の労働時間に当たるか否かが問題となった事件において，次のように判示した。

「労働基準法32条の労働時間（以下「労基法上の労働時間」という。）とは，労働者が使用者の指揮命令下に置かれている時間をいい，実作業に従事していない時間（以下「不活動時間」という。）が労基法上の労働時間に該当するか否かは，労働者が不活動時間において使用者の指揮命令下に置かれていたものと評価することができるか否かにより客観的に定まるものというべきである〔…（略）…〕。そして，不活動時間において，労働者が実作業に従事していないというだけでは，使用者の指揮命令下から離脱しているということはできず，当該時間に労働者が労働か

キリトリ線

ら離れることを保障されていて初めて，労働者が使用者の指揮命令下に置かれていないものと評価することができる。したがって，不活動時間であっても［ C ］が保障されていない場合には労基法上の労働時間に当たるというべきである。そして，当該時間において労働契約上の役務の提供が義務付けられていると評価される場合には，［ C ］が保障されているとはいえず，労働者は使用者の指揮命令下に置かれているというのが相当である」。

4 労働安全衛生法第35条は，重量の表示について，「一の貨物で，重量が［ D ］以上のものを発送しようとする者は，見やすく，かつ，容易に消滅しない方法で，当該貨物にその重量を表示しなければならない。ただし，包装されていない貨物で，その重量が一見して明らかであるものを発送しようとするときは，この限りでない。」と定めている。

5 労働安全衛生法第68条は，「事業者は，伝染性の疾病その他の疾病で，厚生労働省令で定めるものにかかつた労働者については，厚生労働省令で定めるところにより，［ E ］しなければならない。」と定めている。

選択肢

① 2年　② 3年　③ 5年　④ 10年
⑤ 100キログラム　⑥ 500キログラム
⑦ 1トン　⑧ 3トン
⑨ 役務の提供における諾否の自由
⑩ 企業運営上の必要性から　⑪ 休業を勧奨
⑫ 行政官庁の許可を受けて
⑬ 厚生労働省令で定めるところにより
⑭ 使用者の指揮命令下に置かれていない場所への移動
⑮ その就業を禁止　⑯ 遅滞なく
⑰ 当該時間の自由利用　⑱ 必要な療養を勧奨
⑲ 病状回復のために支援　⑳ 労働からの解放

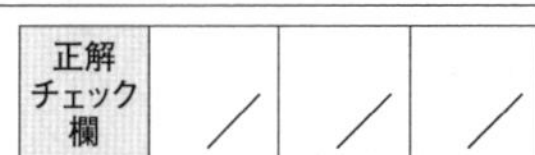

正解チェック欄	／	／	／

【解　答】

A　① 2年
B　⑯ 遅滞なく
C　⑳ 労働からの解放
D　⑦ 1トン
E　⑮ その就業を禁止

【解　説】

本問1は，時効に関する問題であり，労働基準法115条からの出題である。

労働基準法の規定による災害補償その他の請求権（賃金の請求権を除く）はこれを行使することができる時から2年間行わない場合においては，時効によって消滅することとされている。

労働科目 138p

本問2は，年次有給休暇に係る使用者の時季変更権行使に関する問題であり，最高裁第一小法廷判決 昭57.3.18 此花電報電話局事件からの出題である。

最高裁判所は，労働者の指定した年次有給休暇の期間が開始し又は経過した後にされた使用者の時季変更権行使の効力が問題となった事件において，次のように判示した。

「労働者の年次有給休暇の請求（時季指定）に対する使用者の時季変更権の行使が，労働者の指定した休暇期間が開始し又は経過した後にされた場合であつても，労働者の休暇の請求自体がその指定した休暇期間の始期にきわめて接近してされたため使用者において時季変更権を行使するか否かを事前に判断する時間的余裕がなかつたようなときには，それが事前にされなかつたことのゆえに直ちに時季変更権の行使が不適法となるものではなく，客観的に右時季変更権を行使しうる事由が存し，かつ，その行使が遅滞なくされたものである場合には，適法な時季変更権の行使があつたものとしてその効力を認めるのが相当である。」

本問3は，労働基準法上の労働時間に関する問題であり，最高裁第二小法廷判決 平19.10.19 大林ファシリティーズ事件からの出題である。

最高裁判所は，マンションの住み込み管理員が所定労働時間の前後の一定の時間に断続的な業務に従事していた場合において，上記一定の時間が，管理員室の隣の居室に居て実作業に従事していない時間を含めて労働基準法上の労働時間に当たるか否かが問題となった事件において，次のように判示した。

「労働基準法32条の労働時間（以下「労基法上の労働時間」という。）とは，労働者が使用者の指揮命令下に置かれている時間をいい，実作業に従事していない時間（以下「不活動時間」という。）が労基法上の労働時間に該当するか否かは，労働者が不活動時間において使用者の指揮命令下に置かれていたものと評価することができるか否かにより客観的に定まるものというべきである〔…（略）…〕。そして，不活動時間において，労働者が実作業に従事していないというだけでは，使用者の指揮命令下から離脱しているということはできず，当該時間に労働者が労働から離れることを保障されていて初めて，労働者が使用者の指揮命令下に置かれていないものと評価することができる。したがって，不活動時間であっても労働からの解放が保障されていない場合には労基法上の労働時間に当たるというべきである。そして，当該時間において労働契約上の役務の提供が義務付けられていると評価される場合には，労働からの解放が保障されているとはいえず，労働者は使用者の指揮命令下に置かれているというのが相当である」。

労働科目
55p

本問4は，重量表示に関する問題であり，労働安全衛生法35条からの出題である。

労働安全衛生法第35条は，重量の表示について，「一の貨物で，重量が1トン以上のものを発送しようとする者は，見やすく，かつ，容易に消滅しない方法で，当該貨物にその重量を表示しなければならない。ただし，包装されていない貨物で，その重量が一見して明らかであるものを発送しようとするときは，この限りでない。」と定めている。

労働科目
178p

本問5は，病者の就業禁止に関する問題であり，労働安全衛生法68条からの出題である。

労働安全衛生法第68条は，「事業者は，伝染性の疾病その他の疾病で，厚生労働省令で定めるものにかかつた労働者については，厚生労働省令で定めるところにより，その就業を禁止しなければならない。」と定めている。

労働科目
213p

キリトリ線

H27-1	総　則	重要度 A

労基法

問 1　労働基準法の総則等に関する次の記述のうち，誤っているものはどれか。

A　労働基準法は，労働条件は，労働者が人たるに値する生活を営むための必要を充たすべきものでなければならないとしている。

B　労働基準法第3条の禁止する「差別的取扱」とは，当該労働者を不利に取り扱うことをいい，有利に取り扱うことは含まない。

C　労働基準法第4条は，賃金について，女性であることを理由として，男性と差別的取扱いをすることを禁止しているが，賃金以外の労働条件についてはこれを禁止していない。

D　強制労働を禁止する労働基準法第5条の構成要件に該当する行為が，同時に刑法の暴行罪，脅迫罪又は監禁罪の構成要件にも該当する場合があるが，労働基準法第5条違反と暴行罪等とは，法条競合の関係（吸収関係）にあると解される。

E　形式上は請負契約のようなかたちをとっていても，その実体において使用従属関係が認められるときは，当該関係は労働関係であり，当該請負人は労働基準法第9条の「労働者」に当たる。

キリトリ線

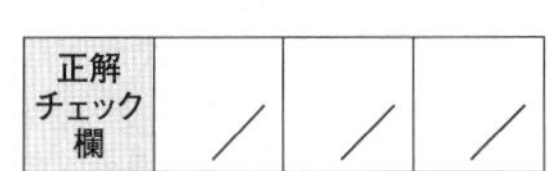

正解チェック欄	／	／	／

正解 B

A 正 本肢のとおりである（法1条1項）。なお，「人たるに値する生活」とは，「健康で文化的」な生活を内容とするもので，具体的には，一般の社会通念によって決まるものであり，人たるに値する生活のなかには労働者本人のみでなく，その標準家族をも含めて考えるべきものであるとされる（昭22.9.13発基17号）。

労働科目 7p

B 誤 法3条（均等待遇）の禁止する「差別的取扱」とは，当該労働者を不利に取り扱うことのみならず，「有利に取り扱うことも差別的取扱いに含まれる」（法3条，労働基準法コンメンタール）。

労働科目 9p

C 正 本肢のとおりである（法4条）。なお，賃金以外の労働条件についての差別的取扱いについては男女雇用機会均等法において禁止されている。

労働科目 9p

D 正 本肢のとおりである（法5条，労働基準法コンメンタール）。例えば，暴行を加えて強制的に労働させた場合，法5条違反が成立するのみならず刑法の暴行罪も成立する場合がある。このとき，法5条違反の罰則を科し，かつ，暴行罪を犯したことによる刑も同時に科せられるか，という問題が起きる（法条競合）が，これについては，暴行罪の罪は法5条違反の罪に吸収されている（吸収関係）と解されており，法5条違反の罪のみが成立し，暴行罪の罪は成立する余地はないものと解されている。

E 正 本肢のとおりである（法9条，労働基準法コンメンタール）。

労働科目 15p

キリトリ線

H28-1	総　則	重要度 A

問 2 労働基準法の総則等に関する次のアからオまでの記述のうち，正しいものの組合せは，後記AからEまでのうちどれか。

ア　労働基準法第1条は，労働保護法たる労働基準法の基本理念を宣明したものであって，本法各条の解釈にあたり基本観念として常に考慮されなければならない。

イ　労働基準法第2条第1項により，「労働条件は，労働者と使用者が，対等の立場において決定すべきものである」ため，労働組合が組織されている事業場では，労働条件は必ず団体交渉によって決定しなければならない。

ウ　労働基準法第3条は，労働者の国籍，信条又は社会的身分を理由として，労働条件について差別することを禁じているが，これは雇入れ後における労働条件についての制限であって，雇入れそのものを制限する規定ではないとするのが，最高裁判所の判例である。

エ　労働基準法第6条は，法律によって許されている場合のほか，業として他人の就業に介入して利益を得てはならないとしているが，その規制対象は，私人たる個人又は団体に限られ，公務員は規制対象とならない。

オ　労働協約，就業規則，労働契約等によってあらかじめ支給条件が明確にされていても，労働者の吉凶禍福に対する使用者からの恩恵的な見舞金は，労働基準法第11条にいう「賃金」にはあたらない。

A　(アとウ)　**B**　(イとエ)　**C**　(ウとオ)
D　(アとエ)　**E**　(イとオ)

正解チェック欄	／	／	／

キリトリ線

本問のアからオまでのそれぞれの記述の正誤は以下のとおりであり，したがって，アとウを正しいとするAが解答となる。

ア　正　本肢のとおりである（法1条，昭22.9.13発基17号）。なお，法1条は訓示的規定であり，本条違反に対する罰則はない。

イ　誤　労働条件は必ずしも団体交渉によって決定されなくてもよい（法2条1項）。

労働科目 8p

ウ　正　本肢のとおりである（法3条，最高裁大法廷判決 昭48.12.12 三菱樹脂事件）。なお，法3条における「信条」とは，特定の宗教的又は政治的信念をいい，「社会的身分」とは，生来の身分をいう。

労働科目 9p

エ　誤　法6条は，法律によって許されている場合のほか，業として他人の就業に介入して利益を得てはならないとしているが，その規制対象は，法の適用を受ける事業主に限らず，個人，団体又は「公人」，私人を問わない（法6条，昭23.3.2基発381号）。

労働科目 11p

オ　誤　労働者の吉凶禍福に対する使用者からの恩恵的な見舞金は，原則として，法11条にいう賃金に当たらないが，それが労働協約，就業規則，労働契約等によってあらかじめ支給条件が明確にされていた場合は，法11条の「賃金に当たる」（法11条，昭22.9.13発基17号）。

労働科目 18p

H29-5	総　則	重要度 A

問 3 労働基準法の総則等に関する次の記述のうち，誤っているものはいくつあるか。

ア　労働基準法第3条は，使用者は，労働者の国籍，信条，性別又は社会的身分を理由として，労働条件について差別的取扱をすることを禁じている。

イ　労働基準法第5条に定める強制労働の禁止に違反した使用者は，「1年以上10年以下の懲役又は20万円以上300万円以下の罰金」に処せられるが，これは労働基準法で最も重い刑罰を規定している。

ウ　労働基準法第6条は，法律によって許されている場合のほか，業として他人の就業に介入して利益を得てはならないとしているが，「業として利益を得る」とは，営利を目的として，同種の行為を反覆継続することをいい，反覆継続して利益を得る意思があっても1回の行為では規制対象とならない。

エ　労働者（従業員）が「公職に就任することが会社業務の逐行を著しく阻害する虞れのある場合においても，普通解雇に附するは格別，同条項〔当該会社の就業規則における従業員が会社の承認を得ないで公職に就任したときは懲戒解雇する旨の条項〕を適用して従業員を懲戒解雇に附することは，許されないものといわなければならない。」とするのが，最高裁判所の判例である。

オ　医科大学附属病院に勤務する研修医が，医師の資質の向上を図ることを目的とする臨床研修のプログラムに従い，臨床研修指導医の指導の下に医療行為等に従事することは，教育的な側面を強く有するものであるため，研修医は労働基準法第9条所定の労働者に当たることはないとするのが，最高裁判所の判例の趣旨である。

A　一つ
B　二つ
C　三つ
D　四つ
E　五つ

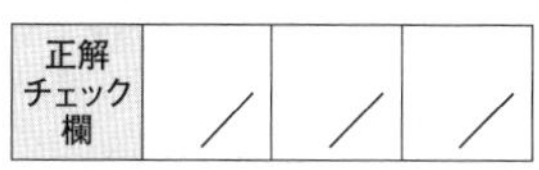

正解チェック欄	／	／	／

本問のアからオまでのそれぞれの記述の正誤は以下のとおりであり，ア，ウ及びオの3つが誤りの記述となる。したがって，Cが解答となる。

ア　誤　法3条は，使用者は，労働者の国籍，信条又は社会的身分を理由として，賃金，労働時間その他の労働条件について，差別的取扱をすることを禁じている。「性別」については，規定していない（法3条）。

労働科目 8p

イ　正　本肢のとおりである（法117条）。なお，法5条（強制労働の禁止）の規定は，我が国にかつてみられた暴行，脅迫などによって労働を強制する封建的な悪習を排除するために，憲法18条（奴隷的拘束及び苦役からの自由）を踏まえ，精神又は身体の自由を不当に拘束する手段をもって労働者の意思に反する労働を強制することを禁止し，労働者を厚く保護したものである。

労働科目 10p

ウ　誤「業として利益を得る」とは，営利を目的として，同種の行為を反復継続することをいい，「1回の行為であっても，反復継続する意思があれば，法6条に違反する」（法6条，昭63.1.1基発1号）。

労働科目 11p

エ　正　本肢のとおりである（最高裁第二小法廷判決 昭38.6.21 十和田観光電鉄事件）。

労働科目 12p

オ　誤　臨床研修は，医師の資質の向上を図ることを目的とするものであり，教育的な側面を有しているが，そのプログラムに従い，臨床研修指導医の指導の下に，研修医が医療行為等に従事することを予定している。そして，研修医がこのようにして医療行為等に従事する場合には，これらの行為等は病院の開設者のための「労務の遂行という側面を不可避的に有する」こととなるのであり，病院の開設者の指揮監督の下にこれを行ったと評価することができる限り，上記研修医は労働基準法9条所定の「労働者に当たる」ものというべきであるとするのが，最高裁判所の判例である（最高裁第二小法廷判決 平17.6.3 研修医関西医科大学附属病院事件）。

MEMO

H29-2	総　則	重要度 A

問 4　労働基準法の適用に関する次の記述のうち，正しいものの組合せは，後記AからEまでのうちどれか。

ア　何ら事業を営むことのない大学生が自身の引っ越しの作業を友人に手伝ってもらい，その者に報酬を支払ったとしても，当該友人は労働基準法第9条に定める労働者に該当しないので，当該友人に労働基準法は適用されない。

イ　法人に雇われ，その役職員の家庭において，その家族の指揮命令の下で家事一般に従事している者については，法人に使用される労働者であり労働基準法が適用される。

ウ　同居の親族は，事業主と居住及び生計を一にするものとされ，その就労の実態にかかわらず労働基準法第9条の労働者に該当することがないので，当該同居の親族に労働基準法が適用されることはない。

エ　株式会社の取締役であっても業務執行権又は代表権を持たない者は，工場長，部長等の職にあって賃金を受ける場合には，その限りにおいて労働基準法第9条に規定する労働者として労働基準法の適用を受ける。

オ　工場が建物修理の為に大工を雇う場合，そのような工事は一般に請負契約によることが多く，また当該工事における労働は工場の事業本来の目的の為のものでもないから，当該大工が労働基準法第9条の労働者に該当することはなく，労働基準法が適用されることはない。

A　（アとウ）　**B**　（アとエ）　**C**　（イとエ）
D　（イとオ）　**E**　（ウとオ）

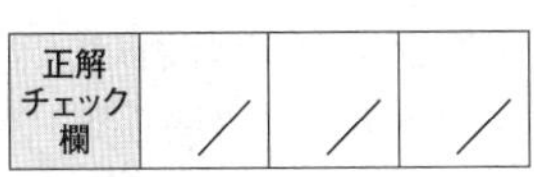

本問のアからオまでのそれぞれの記述の正誤は以下のとおりであり，したがって，アとエを正しいとするBが解答となる。

ア　正　本肢のとおりである（法9条）。本肢の友人は，「事業に使用される者」に該当しないため，労働基準法上の労働者に該当しないことから，労働基準法は適用されない。

労働科目 15p

イ　誤　法人に雇われ，その役職員の家庭において，その家族の指揮命令の下で家事一般に従事している者は，「家事使用人に該当する」ため，労働基準法が適用されない（法116条2項，平11.3.31基発168号）。

労働科目 14p

ウ　誤　同居の親族は，原則として，労働基準法の労働者に該当しないが，常時同居の親族以外の労働者を使用する事業において一般事務又は現場作業等に従事し，かつ，次の①～③のいずれの要件も満たすものについては，一般に私生活面での相互協力関係とは別に独立した労働関係が成立しているとみられるため，「労働者として労働基準法の適用を受ける」（法116条2項，昭54.4.2基発153号）。

①事業主の指揮命令に従っていることが明確であること
②労働時間等の管理，賃金の決定及び支払の方法等からみて，就労の実態が他の労働者と同様であること
③賃金が（他の労働者と同様の）就労の実態に応じて支払われていること

労働科目 14p

エ　正　本肢のとおりである（昭23.3.17基発461号）。なお，法人，団体，組合の代表者又は執行機関たる者の如く，事業主体との関係において使用従属の関係に立たない者は労働者ではない（昭23.1.9基発14号）。

労働科目 15p

オ　誤　本肢の場合であっても，「事業主と大工の間に使用従属関係が認められれば，当該大工は労働者に該当し，労働基準法が適用される」（法9条，平11.3.31基発168号）。

労働科目 15p

キリトリ線

H30-4	総　則	重要度 A

労基法

問 5　労働基準法の総則に関する次のアからオの記述のうち，正しいものの組合せは，後記AからEまでのうちどれか。

ア　労働基準法第1条にいう「人たるに値する生活」には，労働者の標準家族の生活をも含めて考えることとされているが，この「標準家族」の範囲は，社会の一般通念にかかわらず，「配偶者，子，父母，孫及び祖父母のうち，当該労働者によって生計を維持しているもの」とされている。

イ　労働基準法第3条にいう「賃金，労働時間その他の労働条件」について，解雇の意思表示そのものは労働条件とはいえないため，労働協約や就業規則等で解雇の理由が規定されていても，「労働条件」にはあたらない。

ウ　労働基準法第4条の禁止する賃金についての差別的取扱いとは，女性労働者の賃金を男性労働者と比較して不利に取り扱う場合だけでなく，有利に取り扱う場合も含まれる。

エ　いわゆるインターンシップにおける学生については，インターンシップにおいての実習が，見学や体験的なものであり使用者から業務に係る指揮命令を受けていると解されないなど使用従属関係が認められない場合でも，不測の事態における学生の生命，身体等の安全を確保する限りにおいて，労働基準法第9条に規定される労働者に該当するとされている。

オ　いわゆるストック・オプション制度では，権利付与を受けた労働者が権利行使を行うか否か，また，権利行使するとした場合において，その時期や株式売却時期をいつにするかを労働者が決定するものとしていることから，この制度から得られる利益は，それが発生する時期及び額ともに労働者の判断に委ねられているため，労働の対償ではなく，労働基準法第11条の賃金には当たらない。

A　（アとイ）　**B**　（アとウ）　**C**　（イとエ）
D　（ウとオ）　**E**　（エとオ）

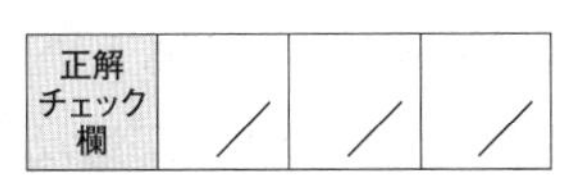

キリトリ線

本問のアからオまでのそれぞれの記述の正誤は以下のとおりであり，したがって，ウとオを正しいとするDが解答となる。

ア　誤　「標準家族」の範囲は，「その時その社会の一般通念によって理解さるべきものである」ため，配偶者，子，父母，孫及び祖父母のうち労働者によって生計を維持されるものと定義づけられるものではない。本肢前段の記述は正しい（法1条1項，昭22.11.27基発401号）。

イ　誤　法3条にいう「労働条件」には，解雇に関する条件も含まれる（法3条，昭23.6.16基収1365号）。解雇の意思表示そのものは労働条件とは言えないが，労働協約，就業規則等で解雇の基準又は理由が規定されていれば，それは労働するにあたっての条件として法3条にいう「労働条件」となる。

労働科目 7～8p

ウ　正　本肢のとおりである（法4条，昭22.9.13発基17号）。なお，本肢の賃金についての差別的取扱いには，賃金の額そのものについて差別的取扱いをすることはもとより，賃金体系，賃金形態等について差別的取扱いをすることも含まれる。

労働科目 10p

エ　誤　インターンシップにおいての実習が，見学や体験的なものであり，使用者から業務に係る指揮命令を受けていると解されないなど使用従属関係が認められない場合には，法9条に規定される「労働者に該当しない」（平9.9.18基発636号）。

労働科目 15p

オ　正　本肢のとおりである（平9.6.1基発412号）。したがって，本肢のストック・オプションの付与，行使等にあたり，それを就業規則等に定められた賃金の一部として取り扱うことは，法24条（賃金）の規定に違反することとなる。

R元-3	総　則	重要度 A

問6 労働基準法の総則に関する次のアからオの記述のうち，誤っているものの組合せは，後記AからEまでのうちどれか。

ア　労働基準法第4条が禁止する「女性であることを理由」とした賃金についての差別には，社会通念として女性労働者が一般的に勤続年数が短いことを理由として女性労働者の賃金に差別をつけることが含まれるが，当該事業場において実際に女性労働者が平均的に勤続年数が短いことを理由として女性労働者の賃金に差別をつけることは含まれない。

イ　労働基準法第5条は，使用者は，労働者の意思に反して労働を強制してはならない旨を定めているが，このときの使用者と労働者との労働関係は，必ずしも形式的な労働契約により成立していることを要求するものではなく，事実上の労働関係が存在していると認められる場合であれば足りる。

ウ　労働基準法第7条に基づき「労働者が労働時間中に，選挙権その他公民としての権利を行使」した場合の給与に関しては，有給であろうと無給であろうと当事者の自由に委ねられている。

エ　いわゆる芸能タレントは，「当人の提供する歌唱，演技等が基本的に他人によって代替できず，芸術性，人気等当人の個性が重要な要素となっている」「当人に対する報酬は，稼働時間に応じて定められるものではない」「リハーサル，出演時間等スケジュールの関係から時間が制約されることはあっても，プロダクション等との関係では時間的に拘束されることはない」「契約形態が雇用契約ではない」のいずれにも該当する場合には，労働基準法第9条の労働者には該当しない。

オ　私有自動車を社用に提供する者に対し，社用に用いた場合のガソリン代は走行距離に応じて支給される旨が就業規則等に定められている場合，当該ガソリン代は，労働基準法第11条にいう「賃金」に当たる。

A　（アとウ）　**B**　（アとエ）　**C**　（アとオ）
D　（イとエ）　**E**　（イとオ）

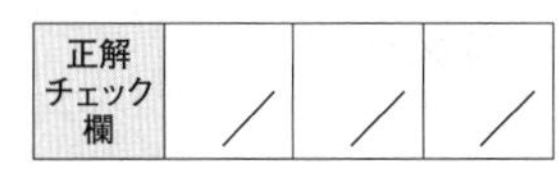

本問のアからオまでのそれぞれの記述の正誤は以下のとおりであり，したがって，アとオを誤りとするCが解答となる。

ア　誤　「女性であることを理由として」とは，労働者が女性であることのみを理由として，あるいは社会通念として又は「当該事業場において」女性労働者が一般的又は「平均的に」能率が悪いこと，「勤続年数が短いこと」，主たる生計の維持者ではないこと等を理由とすることの意であり，これらを理由として，女性労働者に対し賃金に差別をつけることは「違法である」（平9.9.25基発648号）。

イ　正　本肢のとおりである（法5条）。なお，本肢の「意思に反して労働を強制」するとは，意識ある意思を抑圧して労働することを強要することであり，詐欺の手段によるものは必ずしもそれ自体としては，含まれない（昭23.3.2基発381号）。

労働科目 10p

ウ　正　本肢のとおりである（法7条，昭22.11.27基発399号）。なお，就業規則等で公民権の行使を労働時間外に実施すべき旨を定めたことにより，労働者の就業時間中の選挙権行使請求を拒否すれば，本条違反となる（昭23.3.2基発381号）。

労働科目 13p

エ　正　本肢のとおりである（昭63.7.30基収355号）。なお，労働基準法における「労働者」とは，職業の種類を問わず，事業又は事務所に使用される者で，賃金を支払われる者をいう（法9条）。

オ　誤　私有自動車を社用に用いた場合の走行距離に応じて支給されるガソリン代は，実費弁償であり「賃金ではない」（昭63.3.14基発150号）。

R元-1	総　則	重要度 B

問 7

次に示す条件で賃金を支払われてきた労働者について7月20日に，労働基準法第12条に定める平均賃金を算定すべき事由が発生した場合，その平均賃金の計算に関する記述のうち，正しいものはどれか。

【条件】
賃金の構成：基本給，通勤手当，職務手当及び時間外手当
賃金の締切日：基本給，通勤手当及び職務手当については，毎月25日
時間外手当については，毎月15日
賃金の支払日：賃金締切日の月末

A　3月26日から6月25日までを計算期間とする基本給，通勤手当及び職務手当の総額をその期間の暦日数92で除した金額と4月16日から7月15日までを計算期間とする時間外手当の総額をその期間の暦日数91で除した金額を加えた金額が平均賃金になる。

B　4月，5月及び6月に支払われた賃金の総額をその計算期間の暦日数92で除した金額が平均賃金になる。

C　3月26日から6月25日までを計算期間とする基本給及び職務手当の総額をその期間の暦日数92で除した金額と4月16日から7月15日までを計算期間とする時間外手当の総額をその期間の暦日数91で除した金額を加えた金額が平均賃金になる。

D　通勤手当を除いて，4月，5月及び6月に支払われた賃金の総額をその計算期間の暦日数92で除した金額が平均賃金になる。

E　時間外手当を除いて，4月，5月及び6月に支払われた賃金の総額をその計算期間の暦日数92で除した金額が平均賃金になる。

正解チェック欄	／	／	／

A　正　本肢のとおりである（法12条1項・2項，昭26.12.27基収5926号）。賃金締切日がある場合における平均賃金は，直前の賃金締切日以前3箇月間にその労働者に対し支払われた賃金の総額を，その期間の総日数で除して算定する。また，賃金ごとに賃金締切日が異なる場合は，それぞれの賃金ごとの賃金締切日によって平均賃金を算定する。したがって，本問の場合，基本給，通勤手当及び職務手当については，算定事由発生日である7月20日の直前の賃金締切日に該当する6月25日以前3箇月の期間をもって平均賃金を算定し，時間外手当については，算定事由発生日である7月20日の直前の賃金締切日に該当する7月15日以前3箇月の期間をもって平均賃金を算定する。

労働科目 19, 21～22p

B　誤　時間外手当については，5月，6月及び「7月」に支払われた賃金を基礎として平均賃金を算定する。上記A肢解説参照（法12条1項・2項，昭26.12.27基収5926号）。

労働科目 19, 21～22p

C　誤「通勤手当は，平均賃金算定の基礎に算入される」。上記A肢解説参照（法11条，法12条1項・2項，昭26.12.27基収5926号）。

労働科目 19, 21～22p

D　誤「通勤手当は，平均賃金算定の基礎に算入される」。また，時間外手当については，5月，6月及び「7月」に支払われた賃金を基礎として平均賃金を算定する。上記A肢解説参照（法12条1項・2項，昭26.12.27基収5926号）。

労働科目 19, 21～22p

E　誤「時間外手当は，平均賃金算定の基礎に算入される」。上記A肢解説参照（法12条1項・2項，昭26.12.27基収5926号）。

労働科目 19, 21～22p

R2-4	総　則	重要度 A

問 8　労働基準法の総則（第1条～第12条）に関する次の記述のうち，誤っているものはどれか。

A　労働基準法第3条に定める「国籍」を理由とする差別の禁止は，主として日本人労働者と日本国籍をもたない外国人労働者との取扱いに関するものであり，そこには無国籍者や二重国籍者も含まれる。

B　労働基準法第5条に定める「精神又は身体の自由を不当に拘束する手段」の「不当」とは，本条の目的に照らし，かつ，個々の場合において，具体的にその諸条件をも考慮し，社会通念上是認し難い程度の手段をいい，必ずしも「不法」なもののみに限られず，たとえ合法的であっても，「不当」なものとなることがある。

C　労働基準法第6条に定める「何人も，法律に基いて許される場合の外，業として他人の就業に介入して利益を得てはならない。」の「利益」とは，手数料，報償金，金銭以外の財物等いかなる名称たるかを問わず，また有形無形かも問わない。

D　使用者が，選挙権の行使を労働時間外に実施すべき旨を就業規則に定めており，これに基づいて，労働者が就業時間中に選挙権の行使を請求することを拒否した場合には，労働基準法第7条違反に当たらない。

E　食事の供与（労働者が使用者の定める施設に住み込み1日に2食以上支給を受けるような特殊の場合のものを除く。）は，食事の支給のための代金を徴収すると否とを問わず，①食事の供与のために賃金の減額を伴わないこと，②食事の供与が就業規則，労働協約等に定められ，明確な労働条件の内容となっている場合でないこと，③食事の供与による利益の客観的評価額が，社会通念上，僅少なものと認められるものであること，の3つの条件を満たす限り，原則として，これを賃金として取り扱わず，福利厚生として取り扱う。

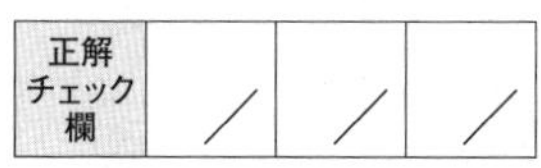

正解チェック欄	／	／	／

A　正　本肢のとおりである（法3条）。なお，派遣中の労働者の派遣就業に関しては，派遣元の事業のみならず，派遣先の事業も，派遣中の労働者を使用する事業とみなして，労働基準法3条（均等待遇）を適用する（労働者派遣法44条1項）。

B　正　本肢のとおりである（昭63.3.14基発150号）。なお，詐欺の手段が用いられたとしても，それは，通常労働者は無意識の状態にあって意識を抑圧されるものでないことから，必ずしもそれ自体として，法5条（強制労働の禁止）に該当しない（昭23.3.2基発381号）

C　正　本肢のとおりである（昭23.3.2基発381号）。なお，被害労働者が1人であっても，その労働関係継続中に被疑者が十数回にわたり反復継続的に利益を得ていることは，法6条（中間搾取の排除）にいう業として利益を得たことになる（昭25.6.1基収1477号）

D　誤　公民権の行使を労働時間外に実施すべき旨定めたことにより，労働者が就業時間中に選挙権の行使を請求することを拒否すれば労働基準法7条違反となる（昭23.10.30基発1575号）。

労働科目 12p

E　正　本肢のとおりである（昭30.10.10基発644号）。なお，交通従業員の制服，工員の作業衣等業務上必要な被服は，作業備品であることから，賃金に該当しない（昭23.2.20基発297号）。

労働科目 18p

キリトリ線

R2-1	総　則	重要度 A

問 9 労働基準法第10条に定める使用者等の定義に関する次の記述のうち，正しいものはどれか。

A　「事業主」とは，その事業の経営の経営主体をいい，個人企業にあってはその企業主個人，株式会社の場合は，その代表取締役をいう。

B　事業における業務を行うための体制が，課及びその下部組織としての係で構成され，各組織の管理者として課長及び係長が配置されている場合，組織系列において係長は課長の配下になることから，係長に与えられている責任と権限の有無にかかわらず，係長が「使用者」になることはない。

C　事業における業務を行うための体制としていくつかの課が設置され，課が所掌する日常業務の大半が課長権限で行われていれば，課長がたまたま事業主等の上位者から権限外の事項について命令を受けて単にその命令を部下に伝達しただけであっても，その伝達は課長が使用者として行ったこととされる。

D　下請負人が，その雇用する労働者の労働力を自ら直接利用するとともに，当該業務を自己の業務として相手方（注文主）から独立して処理するものである限り，注文主と請負関係にあると認められるから，自然人である下請負人が，たとえ作業に従事することがあっても，労働基準法第9条の労働者ではなく，同法第10条にいう事業主である。

E　派遣労働者が派遣先の指揮命令を受けて労働する場合，その派遣中の労働に関する派遣労働者の使用者は，当該派遣労働者を送り出した派遣元の管理責任者であって，当該派遣先における指揮命令権者は使用者にはならない。

キリトリ線

正解チェック欄	／	／	／

A 誤 「事業主」とは，その事業の経営の主体をいい，個人企業にあってはその企業主個人，株式会社などの会社その他の法人組織の場合は「その法人そのもの」をいう（法10条）。

労働科目 16p

B 誤 「使用者」とは，労働基準法各条の義務についての履行の責任者をいい，その認定は部長，課長等の形式にとらわれることなく各事業場において，同法各条の義務について実質的に一定の権限を与えられているか否かによるものとされている。したがって，本肢の係長に与えられている責任と権限によっては，「使用者になることがある」（昭22.9.13発基17号）。

C 誤 「使用者」とは，労働基準法各条の義務についての履行の責任者をいい，その認定は部長，課長等の形式にとらわれることなく各事業場において，同法各条の義務について実質的に一定の権限を与えられているか否かによるが，かかる権限が与えられておらず，単に上司の命令の伝達者に過ぎぬ場合は，「使用者とならない」（昭22.9.13発基17号）。

労働科目 16p

D 正 本肢のとおりである（昭63.3.14基発150号）。なお，社会保険労務士は，社会保険労務士法により労働基準法に基づく申請等について事務代理をすることができるが，事務代理の委任を受けた社会保険労務士がその懈怠（けたい）により当該申請等を行わなかった場合には，当該社会保険労務士は，法10条にいう使用者に該当するものであり，本法違反の責任を問われ得ることとなる（昭62.3.26基発169号）。

E 誤 派遣労働者に係る均等待遇（法3条）や強制労働の禁止（法5条）などの規定の適用に当たっては，派遣元の事業のみならず，派遣先の事業もまた，派遣中の労働者を使用する事業とみなされる。また，公民権行使の保障（法7条）や法定労働時間（法32条）などの規定の適用に当たっては，派遣先の事業のみが，派遣中の労働者を使用する事業とみなされる。したがって，これらの場合には，派遣先における指揮命令権者が使用者となる場合がある（労働者派遣法44条1項・2項）。

労働科目 17p

キリトリ線

R3-1	総　則	重要度 A

問 10　労働基準法の総則（第1条～第12条）に関する次の記述のうち，誤っているものはどれか。

A　労働基準法第1条第2項にいう「この基準を理由として」とは，労働基準法に規定があることが決定的な理由となって，労働条件を低下させている場合をいうことから，社会経済情勢の変動等他に決定的な理由があれば，同条に抵触するものではない。

B　労働基準法第3条が禁止する「差別的取扱」をするとは，当該労働者を有利又は不利に取り扱うことをいう。

C　労働基準法第5条に定める「脅迫」とは，労働者に恐怖心を生じさせる目的で本人又は本人の親族の生命，身体，自由，名誉又は財産に対して，脅迫者自ら又は第三者の手によって害を加えるべきことを通告することをいうが，必ずしも積極的言動によって示す必要はなく，暗示する程度でも足りる。

キリトリ線

D　使用者は，労働者が労働時間中に，選挙権その他公民としての権利を行使し，又は公の職務を執行するために必要な時間を請求した場合に，これを拒むことはできないが，権利の行使又は公の職務の執行に妨げがない限り，請求された時刻を変更することは許される。

E　労働者が法令により負担すべき所得税等（健康保険料，厚生年金保険料，雇用保険料等を含む。）を事業主が労働者に代わって負担する場合，当該代わって負担する部分は，労働者の福利厚生のために使用者が負担するものであるから，労働基準法第11条の賃金とは認められない。

正解チェック欄	／	／	／

A　正　本肢のとおりである（昭63.3.14基発150号ほか）。なお，本肢の規定（法1条2項）は訓示規定であるため，当該規定違反に対する罰則の適用はない。

労働科目 7～8p

B　正　本肢のとおりである（法3条）。なお，法3条（均等待遇）は，労働者の国籍，信条又は社会的身分を理由とする差別的取扱いを禁止しているものであり，性を理由とする差別的取扱いは，当該規定に含まれていない。

労働科目 8～9p

C　正　本肢のとおりである（昭22.9.13発基17号ほか）。なお，法5条（強制労働の禁止）の規定の適用にあっては，脅迫についても，暴行と同様に労働者に強制して，その意思に反して労働させる程度のものであることを要する。

D　正　本肢のとおりである（法7条）。なお，法7条にいう「公の職務」とは，法令に根拠を有するものに限られるが，法令に基づく公の職務のすべてをいうものではなく，同条にいう「公民としての権利」の行使を実効あるものにするための公民としての義務の観点より行う公の職務が該当するものである。

労働科目 12p

E　誤　労働者が法令により負担すべき所得税等を使用者が労働者に代わって負担する場合は，これらの労働者が法律上当然生ずる義務を免れるのであるから，使用者が労働者に代わって負担する部分は「賃金とみなされる」（昭63.3.14基発150号ほか）。

労働科目 18～19p

R4-4	総　則	重要度 A

問 11 労働基準法の総則（第1条～第12条）に関する次の記述のうち，誤っているものはどれか。

A 労働基準法第1条にいう「労働関係の当事者」には，使用者及び労働者のほかに，それぞれの団体である使用者団体と労働組合も含まれる。

B 労働基準法第3条にいう「信条」には，特定の宗教的信念のみならず，特定の政治的信念も含まれる。

C 就業規則に労働者が女性であることを理由として，賃金について男性と差別的取扱いをする趣旨の規定がある場合，現実には男女差別待遇の事実がないとしても，当該規定は無効であり，かつ労働基準法第4条違反となる。

D 使用者の暴行があっても，労働の強制の目的がなく，単に「怠けたから」又は「態度が悪いから」殴ったというだけである場合，刑法の暴行罪が成立する可能性はあるとしても，労働基準法第5条違反とはならない。

E 法令の規定により事業主等に申請等が義務付けられている場合において，事務代理の委任を受けた社会保険労務士がその懈怠により当該申請等を行わなかった場合には，当該社会保険労務士は，労働基準法第10条にいう「使用者」に該当するので，当該申請等の義務違反の行為者として労働基準法の罰則規定に基づいてその責任を問われうる。

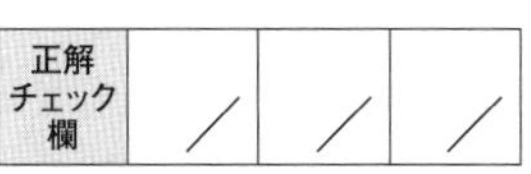

正解チェック欄	／	／	／

A　正　本肢のとおりである（法1条2項）。

B　正　本肢のとおりである（昭22.9.13発基17号）。なお，労働基準法第3条（均等待遇）は，日本国憲法14条1項（法の下の平等）を踏まえ，国籍，信条又は社会的身分を理由とする労働者の差別待遇を禁止したものである。

C　誤　就業規則に法4条違反の規定があるが現実に行われておらず，賃金の男女差別待遇の事実がなければ，その規定は無効ではあるが，「法4条違反とはならない」（平9.9.25基発648号）。

労働科目 10p

D　正　本肢のとおりである（法5条）。法5条（強制労働の禁止）における「暴行」とは，刑法に規定する暴行であり，労働者の身体に対し不法な自然力を行使することをいい，殴る，蹴る，水をかける等は総て暴行であり，通常傷害を伴いやすいが，必ずしもその必要はない（昭22.9.13基発17号）。

労働科目 10p

E　正　本肢のとおりである（昭62.3.26基発169号）。なお，本肢の場合において，事業主等に対しては，事業主等が社会保険労務士に必要な情報を与える等申請等をし得る条件を整備していれば，通常は，必要な注意義務を尽くしているものと考えられるが，そのように必要な注意義務を尽くしてものと認められない場合には，各法令に規定されている両罰規定に基づき事業主等の責任をも問い得るものである。

労働科目 16p

キリトリ線

R4-1	総　則	重要度 A

労基法

問 12　労働基準法の労働者に関する次の記述のうち，正しいものはどれか。

A　労働基準法の労働者であった者は，失業しても，その後継続して求職活動をしている間は，労働基準法の労働者である。

B　労働基準法の労働者は，民法第623条に定める雇用契約により労働に従事する者がこれに該当し，形式上といえども請負契約の形式を採るものは，その実体において使用従属関係が認められる場合であっても，労働基準法の労働者に該当することはない。

C　同居の親族のみを使用する事業において，一時的に親族以外の者が使用されている場合，この者は，労働基準法の労働者に該当しないこととされている。

D　株式会社の代表取締役は，法人である会社に使用される者であり，原則として労働基準法の労働者になるとされている。

E　明確な契約関係がなくても，事業に「使用」され，その対償として「賃金」が支払われる者であれば，労働基準法の労働者である。

キリトリ線

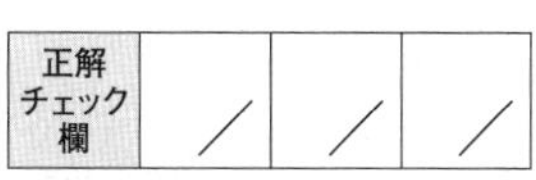

A　誤　労働基準法における「労働者」とは，職業の種類を問わず，「事業に使用される者」で，賃金を支払われる者をいうため，失業中の者など現に使用されていない者は労働者とならない（法9条）。

労働科目 15p

B　誤　形式上は請負のような形式をとっていても，その実体において使用従属関係が認められるときは，当該関係は労働関係であり，当該請負人は「労働者に該当する」（法9条）。

労働科目 15p

C　誤　本肢の場合，親族以外の者は「労働者に該当する」（法9条，法116条2項）。

労働科目 14～15p

D　誤　株式会社の代表取締役などの法人の代表は，事業主体との関係において使用従属の関係に立たないため，「労働者に該当しない」（昭23.1.9基発14号）。

労働科目 15p

E　正　本肢のとおりである（法9条）。なお，個々の事業に対しての労働基準法を適用するに際しては，当該事業の名称又は経営主体等にかかわることなく，相関連して一体をなす労働の態様によって事業としての適用を定める（平11.3.31基発168号）。

労働科目 15p

R5-4	総　則	重要度 A

問 13 労働基準法の総則（第1条～第12条）に関する次の記述のうち，正しいものはどれか。

A 労働基準法第2条により，「労働条件は，労働者と使用者が，対等の立場において決定すべきもの」であるが，個々の労働者と使用者の間では「対等の立場」は事実上困難であるため，同条は，使用者は労働者に労働組合の設立を促すように努めなければならないと定めている。

B 特定の思想，信条に従って行う行動が企業の秩序維持に対し重大な影響を及ぼす場合，その秩序違反行為そのものを理由として差別的取扱いをすることは，労働基準法第3条に違反するものではない。

C 労働基準法第5条に定める「監禁」とは，物質的障害をもって一定の区画された場所から脱出できない状態に置くことによって，労働者の身体を拘束することをいい，物質的障害がない場合には同条の「監禁」に該当することはない。

D 法人が業として他人の就業に介入して利益を得た場合，労働基準法第6条違反が成立するのは利益を得た法人に限定され，法人のために違反行為を計画し，かつ実行した従業員については，その者が現実に利益を得ていなければ同条違反は成立しない。

E 労働基準法第10条にいう「使用者」は，企業内で比較的地位の高い者として一律に決まるものであるから，同法第9条にいう「労働者」に該当する者が，同時に同法第10条にいう「使用者」に該当することはない。

正解チェック欄	／	／	／

A　誤　労働条件の決定等を定めた法2条では，「労働者及び使用者は，労働協約，就業規則及び労働契約を遵守し，誠実に各々その義務を履行しなければならない。」と規定されており，「使用者は，労働者に労働組合の設立を促すように努めなければならないとは規定されていない」（法2条）。

労働科目 8p

B　正　本肢のとおりである（法3条）。

C　誤　強制労働の禁止を定めた法5条における「監禁」とは，刑法に規定する監禁であり，一定の区画された場所から脱出できない状態に置くことによって，労働者の身体の自由を拘束することをいい，「必ずしも物質的障害をもって手段とする必要はない」。したがって，暴行，脅迫，欺罔などにより労働者を一定の場所に伴い来たり，その身体を抑留し，後難をおそれて逃走できないようにすることは「監禁」に該当する（昭22.9.13発基17号ほか）。

D　誤　本肢の場合，法人の従業員たる行為者について，中間搾取の排除を定めた法6条違反が成立する（昭34.2.16　33基収8770号）。

労働科目 11p

E　誤　「単に地位の高低のみをもって一概に使用者となるかどうかは結論づけられるものではなく」，また，労働者に該当する者であっても，その者が同時にある事項について権限と責任をもっていれば，その事項については，その「労働者が使用者となる場合がある」（法9条，法10条）。

労働科目 16p

R6-1	総　則	重要度 A

問 14　労働基準法の総則（第1条～第12条）に関する次の記述のうち，正しいものはどれか。

A　労働基準法第1条にいう，「人たるに値する生活」とは，社会の一般常識によって決まるものであるとされ，具体的には，「賃金の最低額を保障することによる最低限度の生活」をいう。

B　「労働基準法3条は労働者の信条によって賃金その他の労働条件につき差別することを禁じているが，特定の信条を有することを，雇入れを拒む理由として定めることも，右にいう労働条件に関する差別取扱として，右規定に違反するものと解される。」とするのが，最高裁判所の判例である。

C　事業場において女性労働者が平均的に能率が悪いこと，勤続年数が短いことが認められたため，男女間で異なる昇格基準を定めていることにより男女間で賃金格差が生じた場合には，労働基準法第4条違反とはならない。

D　在籍型出向（出向元及び出向先双方と出向労働者との間に労働契約関係がある場合）の出向労働者については，出向元，出向先及び出向労働者三者間の取決めによって定められた権限と責任に応じて出向元の使用者又は出向先の使用者が，出向労働者について労働基準法等における使用者としての責任を負う。

E　労働者に支給される物又は利益にして，所定の貨幣賃金の代わりに支給するもの，即ち，その支給により貨幣賃金の減額を伴うものは労働基準法第11条にいう「賃金」とみなさない。

キリトリ線

正解チェック欄	／	／	／

A　誤　法1条にいう「人たるに値する生活」とは，「日本国憲法25条1項の健康で文化的な生活を内容とするものである」が，具体的には，「一般の社会通念」によって決まる（法1条1項）。

労働科目 7p

B　誤　法3条は労働者の信条によって賃金その他の労働条件につき差別することを禁じているが，これは，雇入れ後における労働条件についての制限であって，「雇入れそのものを制約する規定ではない」とするのが，最高裁判所の判例である（昭48.12.12 最高裁大法廷判決 三菱樹脂事件）。

労働科目 9p

C　誤　本肢の定めにより男女間で賃金格差が生じた場合には，男女同一賃金の原則を定めた労働基準法4条に「違反する」（平9.9.25基発648号）。

D　正　本肢のとおりである（昭61.6.6基発333号）。なお，移籍型出向は，出向先との間にのみ労働契約関係がある形態であり，出向元と出向労働者との労働契約関係は終了している。移籍型出向の出向労働者については，出向先とのみ労働契約があることから，出向先についてのみ労働基準法等の適用がある。

労働科目 16～17p

E　誤　労働者に支給される物又は利益にして，所定貨幣賃金の代わりに支給するものは「賃金とみなされる」（昭22.9.13発基17号）。

R6-2	総　則	重要度 A

問 15　労働基準法の解釈に関する次のアからウまでの各記述について，正しいものには〇，誤っているものには×を付した場合の組合せとして，正しいものはどれか。

ア　労働基準法において一の事業であるか否かは主として場所的観念によって決定するが，例えば工場内の診療所，食堂等の如く同一場所にあっても，著しく労働の態様を異にする部門が存する場合に，その部門が主たる部門との関連において従事労働者，労務管理等が明確に区別され，かつ，主たる部門と切り離して適用を定めることによって労働基準法がより適切に運用できる場合には，その部門を一の独立の事業とするとされている。

イ　労働基準法において「使用者」とは，その使用する労働者に対して賃金を支払う者をいい，「賃金」とは，賃金，給料，手当，賞与その他名称の如何を問わず，労働の対償として使用者が労働者に支払うすべてのものをいう。

ウ　労働契約とは，本質的には民法第623条に規定する雇用契約や労働契約法第6条に規定する労働契約と基本的に異なるものではないが，民法上の雇用契約にのみ限定して解されるべきものではなく，委任契約，請負契約等，労務の提供を内容とする契約も労働契約として把握される可能性をもっている。

A　(ア〇　イ〇　ウ〇)　　**B**　(ア〇　イ〇　ウ×)
C　(ア〇　イ×　ウ〇)　　**D**　(ア×　イ〇　ウ×)
E　(ア×　イ×　ウ〇)

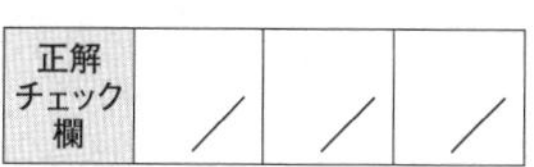

本問アからウまでのそれぞれの記述の正誤は以下のとおりである。したがって，アとウを正しいとし，イを誤りとするCが解答となる。

ア　正　本肢のとおりである（平11.3.31基発168号）。なお，場所的に分散している事業であっても，規模が非常に小さく，組織的関連や事務能力を勘案して一の事業という程度の独立性のないものについては，直近上位の機構と一括して一の事業として取り扱われる。

労働科目 13～14p

イ　誤　「使用者」とは，「事業主又は事業の経営担当者その他その事業の労働者に関する事項について，事業主のために行為をするすべての者」をいう。賃金の定義については正しい（法10条，法11条）。本肢の使用者の定義は，労働契約法における使用者の定義である。

労働科目 16, 18p

ウ　正　本肢のとおりである（法13条ほか）。なお，労働契約に関する民事的なルールを規定した法律として，平成20年3月より，労働契約法が施行されている。

H27-3	労働契約	重要度 A

労基法

問 16 労働基準法に定める労働契約等に関する次の記述のうち，誤っているものはどれか。

A 労働協約に定める基準に違反する労働契約の部分を無効とする労働組合法第16条とは異なり，労働基準法第13条は，労働基準法で定める基準に達しない労働条件を定める労働契約は，その部分については無効とすると定めている。

B 契約期間の制限を定める労働基準法第14条の例外とされる「一定の事業の完了に必要な期間を定めるもの」とは，その事業が有期的事業であることが客観的に明らかな場合であり，その事業の終期までの期間を定める契約であることが必要である。

C 労働基準法第15条は，使用者が労働契約の締結に際し労働者に明示した労働条件が実際の労働条件と相違することを，同法第120条に定める罰則付きで禁止している。

D 労働基準法第17条は，前借金その他労働することを条件とする前貸の債権と賃金とを相殺することを禁止し，金銭貸借関係と労働関係とを完全に分離することにより金銭貸借に基づく身分的拘束の発生を防止することを目的としたものである。

E 使用者は，労働者が業務上負傷し，又は疾病にかかり療養のために休業する期間及びその後の30日間は，労働基準法第81条の規定によって打切補償を支払う場合，又は天災事変その他やむを得ない事由のために事業の継続が不可能となりその事由について行政官庁の認定を受けた場合を除き，労働者を解雇してはならない。

正解チェック欄	／	／	／

正解 C

A 正 本肢のとおりである（法13条）。なお，法13条（労働基準法違反の契約）により無効とされた部分については法で定める基準によるものとされている。 労働科目24p

---

B 正 本肢のとおりである（法14条，労働基準法コンメンタール）。 労働科目25p

C 誤 法15条（労働条件の明示）は，使用者が労働契約の締結に際し賃金，労働時間その他の労働条件を「明示すること」を規定している（法15条1項）。なお，当該規定に違反した場合，30万円以下の罰金に処せられる（法120条1号）。 労働科目29p

---

D 正 本肢のとおりである（法17条，労働基準法コンメンタール）。労働者が使用者から人的信用に基づいて受ける金融又は賃金の前払のような単なる弁済期の繰上げ等で明らかに身分的拘束を伴わないと認められるものは，労働することを条件とする債権ではない（昭33.2.13基発90号）。 労働科目32p

---

E 正 本肢のとおりである（法19条）。なお，本肢の規定（解雇制限）は，使用者は，労働者が業務上負傷し，又は疾病にかかり療養のために休業する期間及びその後30日間並びに産前産後の女性が法65条の規定によって休業する期間及びその後30日間は，解雇してはならない。ただし，使用者が，法81条の規定によって打切補償を支払う場合又は天災事変その他やむを得ない事由のために事業の継続が不可能となった場合においては，この限りでないとされている。 労働科目36p

キリトリ線

H28-2	労働契約	重要度 A

労基法

問 17 労働基準法に定める労働契約等に関する次の記述のうち，正しいものはどれか。

A 使用者は，労働者が高度の専門的知識等を有していても，当該労働者が高度の専門的知識等を必要とする業務に就いていない場合は，契約期間を5年とする労働契約を締結してはならない。

B 労働契約の締結に際し明示された労働条件が事実と相違しているため，労働者が労働契約を解除した場合，当該解除により労働契約の効力は遡及的に消滅し，契約が締結されなかったのと同一の法律効果が生じる。

C 使用者は，労働者の身元保証人に対して，当該労働者の労働契約の不履行について違約金又は損害賠償額を予定する保証契約を締結することができる。

D 労働者が，実質的にみて使用者の強制はなく，真意から相殺の意思表示をした場合でも，前借金その他労働することを条件とする前貸の債権と賃金を相殺してはならない。

E 労働基準法第18条第5項は，「使用者は，労働者の貯蓄金をその委託を受けて管理する場合において，労働者がその返還を請求したときは，4週間以内に，これを返還しなければならない」と定めている。

キリトリ線

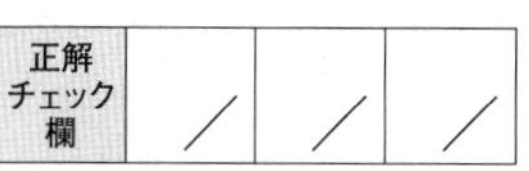

A　正　本肢のとおりである（法14条1項）。また，高度の専門的知識等を有する労働者とは，公認会計士、医師、弁護士、税理士、社会保険労務士及びシステムエンジニア等の業務に就こうとする一定の者であって年収が1,075万円以上の者とされている（平15.10.22厚労告356号ほか）。

労働科目
25～26p

B　誤　本肢の場合，労働契約の効力は，「将来に向かって」，消滅することとなる（法15条2項，民法630条）。

C　誤　使用者は，労働契約の不履行について違約金を定め，又は損害賠償額を予定する契約をしてはならないが，このような契約は，労働者本人のみならず，「労働者の親権者や身元保証人とも締結してはならない」（法16条，労働基準法コンメンタール）。

D　誤　法17条は，「使用者は，前借金その他労働することを条件とする前貸の債権と賃金を相殺してはならない」と規定しており，「労働者側からの相殺は禁止されていない」ため，実質的にみて使用者の強制による相殺の意思表示等でなければ，前貸の債権と賃金とを相殺をすることができる（法17条，労働基準法コンメンタール）。

労働科目
32～33p

E　誤　法18条5項は，「使用者は，労働者の貯蓄金をその委託を受けて管理する場合において，労働者がその返還を請求したときは，『遅滞なく』，これを返還しなければならない」と定められている（法18条5項）。

労働科目
34p

キリトリ線

H29-3	労働契約	重要度 A

労基法

問 18 労働基準法に定める労働契約等に関する次の記述のうち，正しいものはどれか。

A 満60歳以上の労働者との間に締結される労働契約について，労働契約期間の上限は当該労働者が65歳に達するまでとされている。

B 明示された労働条件と異なるために労働契約を解除し帰郷する労働者について，労働基準法第15条第3項に基づいて使用者が負担しなければならない旅費は労働者本人の分であって，家族の分は含まれない。

C 使用者は，労働者が退職から1年後に，使用期間，業務の種類，その事業における地位，賃金又は退職の事由について証明書を請求した場合は，これを交付する義務はない。

D 使用者は，労働者が業務上の傷病により治療中であっても，休業しないで就労している場合は，労働基準法第19条による解雇制限を受けない。

E 派遣労働者に対する労働条件の明示は，労働者派遣法における労働基準法の適用に関する特例により派遣先の事業のみを派遣中の労働者を使用する事業とみなして適用することとされている労働時間，休憩，休日等については，派遣先の使用者がその義務を負う。

キリトリ線

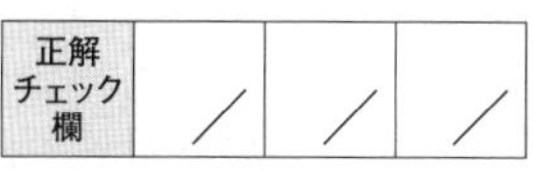

正解チェック欄	／	／	／

A　誤　満60歳以上の労働者との間に締結される労働契約の期間は，原則として，「5年を超えてはならない」(法14条1項)。

労働科目
25～26p

B　誤　法15条3項の使用者が負担する帰郷旅費は労働者本人の分のみならず，「家族の分も含まれる」(法15条3項，昭23.7.20基収2483号)。

労働科目
31p

C　誤　退職時の証明書の請求権の時効消滅の期間は「2年」とされているため，本肢の場合，使用者は，本肢の証明書を交付しなければならない（法22条1項，法115条，平11.3.31基発169号)。

労働科目
43p

D　正　本肢のとおりである（法19条)。なお，業務上の傷病により治療中であっても，休業せずに出勤している場合には，解雇制限の規定は適用されない。したがって，業務上の傷病により療養していた労働者が，完全に治ゆしたのではないが，労働し得る状態になったため出勤し，元の職場で平常通りに労働していた場合において，使用者が就業後30日を経過してこの労働者に解雇予告手当を支給して即時解雇した場合，本条に違反しない（昭24.4.12基収1134号)。

労働科目
36p

E　誤　派遣労働者に対する労働条件の明示義務を負うのは「派遣元の使用者」である。労働者派遣法の特例により自己が義務を負わない労働時間，休憩及び休日等を含めて派遣元の使用者が明示する義務を負う（法15条1項，昭61.6.6基発333号)。

労働科目
29p

キリトリ線

H30-5	労働契約	重要度 A

問 19 労働基準法に定める労働契約等に関する次の記述のうち，正しいものはどれか。

A 労働基準法第20条第1項の解雇予告手当は，同法第23条に定める，労働者の退職の際，その請求に応じて7日以内に支払うべき労働者の権利に属する金品にはあたらない。

B 債務不履行によって使用者が損害を被った場合，現実に生じた損害について賠償を請求する旨を労働契約の締結に当たり約定することは，労働基準法第16条により禁止されている。

C 使用者は，税金の滞納処分を受け事業廃止に至った場合には，「やむを得ない事由のために事業の継続が不可能となった場合」として，労働基準法第65条の規定によって休業する産前産後の女性労働者であっても解雇することができる。

D 労働基準法第14条第1項第2号に基づく，満60歳以上の労働者との間に締結される労働契約（期間の定めがあり，かつ，一定の事業の完了に必要な期間を定めるものではない労働契約）について，同条に定める契約期間に違反した場合，同法第13条の規定を適用し，当該労働契約の期間は3年となる。

E 労働基準法第22条第4項は，「使用者は，あらかじめ第三者と謀り，労働者の就業を妨げることを目的として，労働者の国籍，信条，社会的身分若しくは労働組合運動に関する通信」をしてはならないと定めているが，禁じられている通信の内容として掲げられている事項は，例示列挙であり，これ以外の事項でも当該労働者の就業を妨害する事項は禁止される。

キリトリ線

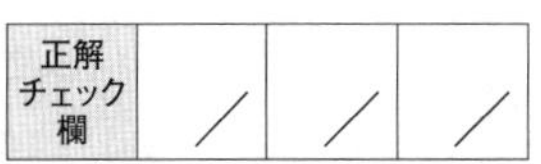

A 正 本肢のとおりである（法23条，昭23.8.18基収2520号）。金品の返還を定めた法23条にいう「賃金」は，法11条（賃金の定義）に規定するすべての賃金をいう。解雇予告手当は賃金に該当しないため，法23条の適用を受けない。

労働科目 39, 43p

B 誤 法16条は，違約金又は損害賠償の額を予定することを禁止するのであって，「現実に生じた損害について賠償を請求することを禁止する趣旨ではない」（法16条，昭22.9.13発基17号）。

労働科目 32p

C 誤 税金の滞納処分を受け事業廃止に至った場合は，解雇制限を定める法19条1項の「やむを得ない事由」に「該当しない」ため，産前産後休業中の女性労働者については，解雇制限が適用され，「解雇することができない」（法19条1項，昭63.3.14基発150号）。

労働科目 36～37p

D 誤 労働契約の期間の上限が5年となる者との労働契約の締結について，法14条の契約期間の上限規定に違反した場合，法13条（労働基準法違反の契約）が適用され，当該労働契約の期間は「5年」となる（平15.10.22基発1022001号）。

労働科目 25～26p

E 誤 法22条4項において禁じられている通信の内容として掲げられている事項は，「制限列挙であって，例示列挙ではない」から，これら以外の事項についての通信をした場合であっても，法22条4項違反とはならない。本肢前段の記述は正しい（法22条4項，昭22.12.15基発502号）。

労働科目 41～42p

キリトリ線

R元-4	労働契約	重要度 A

問 20 労働基準法に定める労働契約等に関する次の記述のうち，正しいものはどれか。

A 労働契約の期間に関する事項は，書面等により明示しなければならないが，期間の定めをしない場合においては期間の明示のしようがないので，この場合においては何ら明示しなくてもよい。

B 中小企業等において行われている退職積立金制度のうち，使用者以外の第三者たる商店会又はその連合会等が労働者の毎月受けるべき賃金の一部を積み立てたものと使用者の積み立てたものを財源として行っているものについては，労働者がその意思に反してもこのような退職積立金制度に加入せざるを得ない場合でも，労働基準法第18条の禁止する強制貯蓄には該当しない。

C 使用者は，女性労働者が出産予定日より６週間（多胎妊娠の場合にあっては，14週間）前以内であっても，当該労働者が労働基準法第65条に基づく産前の休業を請求しないで就労している場合は，労働基準法第19条による解雇制限を受けない。

D 使用者は，労働者を解雇しようとする場合においては，少なくとも30日前にその予告をしなければならないが，予告期間の計算は労働日で計算されるので，休業日は当該予告期間には含まれない。

E 使用者は，労働者が自己の都合により退職した場合には，使用期間，業務の種類，その事業における地位，賃金又は退職の事由について，労働者が証明書を請求したとしても，これを交付する義務はない。

キリトリ線

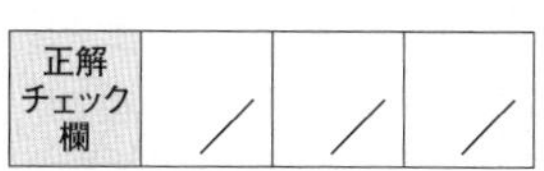

正解チェック欄	／	／	／

A 誤 労働契約の期間に関する事項は，いわゆる絶対的明示事項であるため，期間の定めの有無にかかわらず，これを「明示しなければならない」（「労働契約の期間の定めはない」等の明示をしなければならない）（法15条1項，則5条1項）。

労働科目 30p

B 誤 労働者がその意思に反しても本肢のような退職積立金制度に加入せざるを得ないようになっている場合は，労働契約に付随する貯蓄の契約となり，法18条の禁止する「強制貯蓄に該当する」（昭25.9.28基収2048号）。

C 正 本肢のとおりである（法19条1項）。なお，育児休業又は介護休業をする期間及びその後30日間については，解雇は制限されない。

労働科目 36p

D 誤 解雇予告の予告期間の計算は「暦日」で計算されるため，「休業日も予告期間に含まれる」。本肢前段の記述は正しい（法20条1項）。

労働科目 37～39p

E 誤 労働者が，退職の場合において，使用期間，業務の種類，その事業における地位，賃金又は退職の事由（退職の事由が解雇の場合にあっては，その理由を含む）について証明書を請求した場合においては，使用者は，遅滞なくこれを「交付しなければならない」（法22条1項）。

労働科目 41p

キリトリ線

R2-5	労働契約	重要度 A

労基法

問 21 労働基準法に定める労働契約等に関する次の記述のうち，正しいものはいくつあるか。

ア　専門的な知識，技術又は経験（以下「専門的知識等」という。）であって高度のものとして厚生労働大臣が定める基準に該当する専門的知識等を有する労働者との間に締結される労働契約については，当該労働者の有する高度の専門的知識等を必要とする業務に就く場合に限って契約期間の上限を5年とする労働契約を締結することが可能となり，当該高度の専門的知識を必要とする業務に就いていない場合の契約期間の上限は3年である。

イ　労働契約の締結の際に，使用者が労働者に書面により明示すべき賃金に関する事項及び書面について，交付すべき書面の内容としては，労働者の採用時に交付される辞令等であって，就業規則等（労働者への周知措置を講じたもの）に規定されている賃金等級が表示されたものでもよい。

ウ　使用者の行った解雇予告の意思表示は，一般的には取り消すことができないが，労働者が具体的事情の下に自由な判断によって同意を与えた場合には，取り消すことができる。

エ　使用者は，労働者を解雇しようとする場合において，「天災事変その他やむを得ない事由のために事業の継続が不可能となつた場合」には解雇の予告を除外されるが，「天災事変その他やむを得ない事由」には，使用者の重過失による火災で事業場が焼失した場合も含まれる。

オ　使用者は，労働者の死亡又は退職の場合において，権利者の請求があった場合においては，7日以内に賃金を支払い，労働者の権利に属する金品を返還しなければならないが，この賃金又は金品に関して争いがある場合においては，使用者は，異議のない部分を，7日以内に支払い，又は返還しなければならない。

キリトリ線

A　一つ
B　二つ
C　三つ
D　四つ
E　五つ

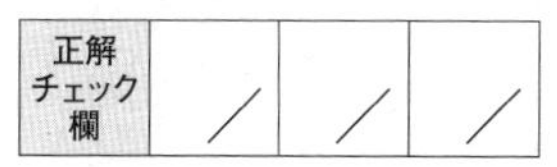

本問アからオまでのそれぞれの記述の正誤は以下のとおりであり，したがって，正しい記述はア，イ，ウ及びオの4つであり，Dが解答となる。

ア　正　本肢のとおりである（法14条1項）。なお，本肢の規定に違反した者は，30万円以下の罰金に処される（120条1号）。

労働科目 25～26p

イ　正　本肢のとおりである（平11.3.31基発168号）。なお，本肢の場合であっても，就業規則等を労働者に周知させる措置が必要である。

ウ　正　本肢のとおりである（昭33.2.13基発90号）。なお，解雇の予告を受けた労働者が解雇予告期間中に他の使用者と労働契約を結ぶことはできるが，自ら当該契約を解除した場合を除き，予告期間満了までは従来の使用者のもとで勤務する義務がある。

労働科目 39p

エ　誤　事業主の重過失に基づく火災により事業場が焼失した場合は，解雇予告の除外事由である「天災事変その他やむを得ない事由」には，「含まれない」（昭63.3.14基発150号）。

労働科目 37p

オ　正　本肢のとおりである（法23条）。なお，「権利者」とは，一般には，労働者が退職した場合にはその労働者本人であり，労働者が死亡した場合にはその労働者の遺産相続人であって，一般債権者は含まれない（昭22.9.13発基17号）。

労働科目 43p

キリトリ線

R3-2	労働契約	重要度 A

労基法

問 22　労働基準法に定める労働契約及び年次有給休暇等に関する次の記述のうち，正しいものはどれか。

A　労働基準法第14条にいう「一定の事業の完了に必要な期間を定める」労働契約については，3年（同条第1項の各号のいずれかに該当する労働契約にあっては，5年）を超える期間について締結することが可能であるが，その場合には，その事業が有期的事業であることが客観的に明らかであり，その事業の終期までの期間を定める契約であることが必要である。

※**B**　労働契約の締結の際に，使用者が労働者に書面により明示すべき「就業の場所及び従事すべき業務に関する事項」について，労働者にとって予期せぬ不利益を避けるため，将来就業する可能性のある場所や，将来従事させる可能性のある業務を併せ，網羅的に明示しなければならない。なお，本問において，臨時的な他部門への応援業務や出張，研修等，就業の場所及び従事すべき業務が一時的に変更される場合の当該一時的な変更先の場所及び業務は含まないものとする。

キリトリ線

C　労働基準法第17条にいう「労働することを条件とする前貸の債権」には，労働者が使用者から人的信用に基づいて受ける金融や賃金の前払いのような弁済期の繰上げ等で明らかに身分的拘束を伴わないものも含まれる。

D　使用者は，当該事業場に，労働者の過半数で組織する労働組合がある場合においてはその労働組合，労働者の過半数で組織する労働組合がない場合においては労働者の過半数を代表する者の意見聴取をした上で，就業規則に，労働契約に附随することなく，労働者の任意になす貯蓄金をその委託を受けて管理する契約をすることができる旨を記載し，当該就業規則を行政官庁に届け出ることにより，労働契約に附随することなく，労働者の任意になす貯蓄金をその委託を受けて管理する契約をすることができる。

E　労働基準法第39条に従って，労働者が日を単位とする有給休暇を請求したとき，使用者は時季変更権を行使して，日単位による取得の請求を時間単位に変更することができる。

正解チェック欄	／	／	／

A　正　本肢のとおりである（法14条1項）。なお，法14条（契約期間等）違反に係る罰則は，使用者に対してのみ適用がある（昭22.12.15基発502号）。

労働科目 25〜26p

B　正　本肢のとおりである（令5.10.12基発1012第2号）。本肢の「就業の場所及び従事すべき業務に関する事項」には，就業の場所及び従事すべき業務の変更の範囲が含まれており，当該変更の範囲とは，今後の見込みも含め，当該労働契約の期間中における就業の場所及び従事すべき業務の変更の範囲をいう。したがって，本肢の将来就業する可能性のある場所や，将来従事させる可能性のある業務についても明示する必要がある。なお，当該「就業の場所及び従事すべき業務」には，臨時的な他部門への応援業務や出張，研修等，就業の場所及び従事すべき業務が一時的に変更される場合の当該一時的な変更先の場所及び業務は含まれない。

労働科目 30p

C　誤　労働者が使用者から人的信用に基づいて受ける金融，弁済期の繰上げ等で明らかに身分的拘束を伴わないものは，「労働することを条件とする前貸の債権」には「含まれない」（昭22.9.13発基17号）。

D　誤　使用者は，労働者の貯蓄金をその委託を受けて管理しようとする場合においては，「労使協定を締結し，その労使協定を」行政官庁に届け出なければならない（法18条2項）。

労働科目 33p

E　誤　日単位による年次有給休暇の取得を請求した場合に時間単位に変更することは「時季変更に当たらず，認められない」（平21.5.29基発0529001号）。

労働科目 106p

キリトリ線

R4-5	労働契約	重要度 A

労基法

問 23 労働基準法に定める労働契約等に関する次の記述のうち，正しいものはどれか。

A 社会保険労務士の国家資格を有する労働者について，労働基準法第14条に基づき契約期間の上限を5年とする労働契約を締結するためには，社会保険労務士の資格を有していることだけでは足りず，社会保険労務士の名称を用いて社会保険労務士の資格に係る業務を行うことが労働契約上認められている等が必要である。

B 労働基準法第15条第3項にいう「契約解除の日から14日以内」であるとは，解除当日から数えて14日をいい，例えば，9月1日に労働契約を解除した場合は，9月1日から9月14日までをいう。

C 労働基準法第16条のいわゆる「賠償予定の禁止」については，違約金又はあらかじめ定めた損害賠償額を現実に徴収したときにはじめて違反が成立する。

D 「前借金」とは，労働契約の締結の際又はその後に，労働することを条件として使用者から借り入れ，将来の賃金により弁済することを約する金銭をいい，労働基準法第17条は前借金そのものを全面的に禁止している。

E 労働基準法第22条第1項に基づいて交付される証明書は，労働者が同項に定める法定記載事項の一部のみが記入された証明書を請求した場合でも，法定記載事項をすべて記入しなければならない。

キリトリ線

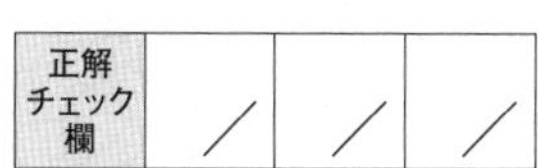

正解チェック欄	/	/	/

A 正 本肢のとおりである（法14条1項，平15.10.22基発1022001号）。社会保険労務士は，法14条2項に規定されている「専門的知識等であって高度のものとして厚生労働大臣が定める基準」に含まれている。

労働科目 25～26p

B 誤 本肢の日数の計算は，民法の期間計算の原則によるものと解されるため，初日不算入の原則から，契約解除の日の「翌日」から起算する。したがって，本肢の場合の14日以内とは，「9月15日」までをいう（法15条3項）。

C 誤 法16条は，違約金又はあらかじめ定めた損害賠償額を現実に徴収したときに違反が成立するのではなく，そのような「契約を締結したときに違反が成立する」（法16条）。

労働科目 32p

D 誤 法17条は，前借金その他労働することを条件とする前貸の債権と賃金を「相殺してはならない」旨を定めているのであり，前借金そのものは禁止していない。本肢前段の記述は正しい（法17条）。

労働科目 32p

E 誤 本肢の証明書には，「労働者の請求しない事項を記入してはならない」（法22条3項）。

労働科目 41～42p

R5-5	労働契約	重要度 A

問 24 労働基準法に定める労働契約等に関する次の記述のうち，誤っているものはどれか。

A 労働基準法第14条第1項に規定する期間を超える期間を定めた労働契約を締結した場合は，同条違反となり，当該労働契約は，期間の定めのない労働契約となる。

B 社宅が単なる福利厚生施設とみなされる場合においては，社宅を供与すべき旨の条件は労働基準法第15条第1項の「労働条件」に含まれないから，労働契約の締結に当たり同旨の条件を付していたにもかかわらず，社宅を供与しなかったときでも，同条第2項による労働契約の解除権を行使することはできない。

C 使用者が労働者からの申出に基づき，生活必需品の購入等のための生活資金を貸付け，その後この貸付金を賃金から分割控除する場合においても，その貸付の原因，期間，金額，金利の有無等を総合的に判断して労働することが条件となっていないことが極めて明白な場合には，労働基準法第17条の規定は適用されない。

D 労働者が，労働基準法第22条に基づく退職時の証明を求める回数については制限はない。

E 従来の取引事業場が休業状態となり，発注品がないために事業が金融難に陥った場合には，労働基準法第19条及び第20条にいう「やむを得ない事由のために事業の継続が不可能となつた場合」に該当しない。

正解チェック欄	／	／	／

A　誤　法14条1項に定める契約期間の上限を超えた期間を定めた労働契約は無効となり，当該労働契約は「3年（一定の場合には5年）」の期間を定めた労働契約となる（平15.10.22基発1022001号）。

労働科目 25p

B　正　本肢のとおりである（昭23.11.27基収3514号）。なお，法15条1項の規定によって明示された労働条件が事実と相違する場合においては，労働者は，即時に労働契約を解除することができる（法15条2項）。

労働科目 30〜31p

C　正　本肢のとおりである（昭23.10.15基発1510号）。なお，労働者からの相殺の意思表示がなされたような形式がとられている場合であっても，実質的にみて使用者の強制によるものと認められるときは，本条違反が成立する。

労働科目 33p

D　正　本肢のとおりである（平11.3.31基発169号）。法22条（退職時等の証明）は，解雇や退職をめぐる紛争を防止し，労働者の再就職活動に資するため，退職の事由（退職の事由が解雇の場合にあっては，その理由を含む）を退職時に証明すべき事項として追加した規定である。

E　正　本肢のとおりである（昭63.3.14基発150号）。本肢の「やむを得ない事由」とは，天災事変に準ずる程度に不可抗力に基づき，かつ，突発的な事由の意であり，事業の経営者として，社会通念上採るべき必要な措置を講じても通常如何ともなし難いような状況にある場合をいう。

労働科目 37p

キリトリ線

R6-3	労働契約	重要度 A

労基法

問 25 労働基準法に定める労働契約等に関する次の記述のうち，誤っているものはどれか。

A 使用者は，労働基準法第14条第2項に基づき厚生労働大臣が定めた基準により，有期労働契約（当該契約を3回以上更新し，又は雇入れの日から起算して1年を超えて継続勤務している者に係るものに限り，あらかじめ当該契約を更新しない旨明示されているものを除く。）を更新しないこととしようとする場合には，少なくとも当該契約期間が満了する日の30日前までに，その予告をしなければならない。

B 使用者は，労働基準法第15条第1項の規定により，労働者に対して労働契約の締結と有期労働契約（期間の定めのある労働契約）の更新のタイミングごとに，「就業の場所及び従事すべき業務に関する事項」に加え，「就業の場所及び従事すべき業務の変更の範囲」についても明示しなければならない。

C 使用者が労働者に対して損害賠償の金額をあらかじめ約定せず，現実に生じた損害について賠償を請求することは，労働基準法第16条が禁止するところではないから，労働契約の締結に当たり，債務不履行によって使用者が損害を被った場合はその実損害額に応じて賠償を請求する旨の約定をしても，労働基準法第16条に抵触するものではない。

D 使用者は，労働者の貯蓄金をその委託を受けて管理する場合において，貯蓄金の管理が労働者の預金の受入であるときは，利子をつけなければならない。

E 労働基準法第23条は，労働の対価が完全かつ確実に退職労働者又は死亡労働者の遺族の手に渡るように配慮したものであるが，就業規則において労働者の退職又は死亡の場合の賃金支払期日を通常の賃金と同一日に支払うことを規定しているときには，権利者からの請求があっても，7日以内に賃金を支払う必要はない。

キリトリ線

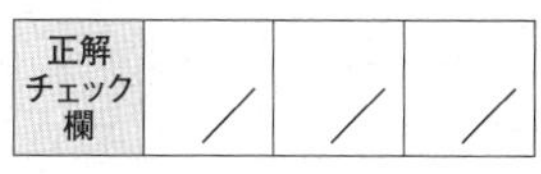

A 正 本肢のとおりである（平15.10.22厚労告357号）。なお，使用者は，有期労働契約の締結後，当該有期労働契約の変更又は更新に際して，通算契約期間又は有期労働契約の更新回数について，上限を定め，又はこれを引き下げようとするときは，あらかじめ，その理由を労働者に説明しなければならない。

労働科目 28p

B 正 本肢のとおりである（則5条1項）。なお，労働者が情報通信技術を利用して行う事業場外勤務（テレワーク）については，労働者がテレワークを行うことが通常想定されている場合には，テレワークを行う場所が本肢の就業の場所の変更の範囲に含まれる（令5.10.12基発1012第2号）。

労働科目 30p

C 正 本肢のとおりである（昭22.9.13発基17号）。なお，民法では契約自由の原則に基づき，かかる違約金を定めることを認めているが，労働関係においては労働者の足留め策に利用され，身分的拘束を伴うこととなることから，これを民法の特別法として法16条（賠償予定の禁止）で禁止している。

労働科目 32p

D 正 本肢のとおりである（法18条4項）。なお，使用者は，労働者の貯蓄金をその委託を受けて管理する場合においては，貯蓄金の管理に関する規程を定め，これを労働者に周知させるため作業場に備え付ける等の措置をとらなければならない（同条3項）。

労働科目 34p

E 誤 就業規則において労働者の退職又は死亡の場合の賃金の支払期日を通常の賃金と同一日に支払うこととなっている場合であっても，権利者から請求があれば，使用者は7日以内に賃金（退職手当を除く）を「支払わなければならない」（法23条，昭63.3.14基発150号）。

労働科目 43p

キリトリ線

H27-2	賃　金	重要度 B

問 26 労働基準法第12条に定める平均賃金の計算に関する次の記述のうち，正しいものはどれか。

A 平均賃金の計算の基礎となる賃金の総額には，3か月を超える期間ごとに支払われる賃金，通勤手当及び家族手当は含まれない。

B 平均賃金の計算において，労働者が労働基準法第7条に基づく公民権の行使により休業した期間は，その日数及びその期間中の賃金を労働基準法第12条第1項及び第2項に規定する期間及び賃金の総額から除外する。

C 労働災害により休業していた労働者がその災害による傷病が原因で死亡した場合，使用者が遺族補償を行うに当たり必要な平均賃金を算定すべき事由の発生日は，当該労働者が死亡した日である。

D 賃金締切日が毎月月末と定められていた場合において，例えば7月31日に算定事由が発生したときは，なお直前の賃金締切日である6月30日から遡った3か月が平均賃金の算定期間となる。

E 賃金締切日が，基本給は毎月月末，時間外手当は毎月20日とされている事業場において，例えば6月25日に算定事由が発生したときは，平均賃金の起算に用いる直前の賃金締切日は，基本給，時間外手当ともに基本給の直前の締切日である5月31日とし，この日から遡った3か月が平均賃金の算定期間となる。

キリトリ線

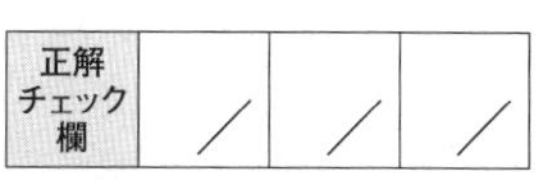

正解チェック欄	／	／	／

A 誤 平均賃金の計算の基礎となる賃金の総額には，3か月を超える期間ごとに支払われる賃金は含まれないが，「通勤手当及び家族手当は含まれる」(法12条，昭22.12.26基発573号)。

労働科目 21～22p

B 誤 労働者が法7条に基づく公民権の行使により休業した期間について，その日数及びその期間中の賃金を平均賃金の計算から控除することとはされていない(法12条)。

労働科目 20p

C 誤 災害補償を行う場合の平均賃金算定の起算日(算定事由発生日)は，「事故発生の日又は診断によって疾病の発生が確定した日」である(法12条，昭25.10.19基収2908号)。

労働科目 22p

D 正 本肢のとおりである(法12条2項)。賃金締切日がある場合には直前の賃金締切日から起算した3か月間が平均賃金の算定期間となる。

労働科目 19p

E 誤 賃金ごとに賃金締切日が異なる場合，直前の賃金締切日は，「それぞれ各賃金ごとの賃金締切日を用いる」(法12条2項，昭26.12.27基収5926号)。したがって，本肢の場合，基本給は5月31日が起算日となり，時間外手当は6月20日が起算日となる。

キリトリ線

H27-4	賃　金	重要度 B

問 27 労働基準法に定める賃金等に関する次の記述のうち，正しいものはどれか。

A 労働基準法第24条第1項に定めるいわゆる賃金直接払の原則は，例外のない原則であり，行政官庁が国税徴収法の規定に基づいて行った差押処分に従って，使用者が労働者の賃金を控除のうえ当該行政官庁に納付することも，同条違反となる。

B 過払いした賃金を精算ないし調整するため，後に支払われるべき賃金から控除することは，その金額が少額である限り，労働者の経済生活の安定をおびやかすおそれがないため，労働基準法第24条第1項に違反するものではないとするのが，最高裁判所の判例である。

C 退職金は労働者の老後の生活のための大切な資金であり，労働者が見返りなくこれを放棄することは通常考えられないことであるから，労働者が退職金債権を放棄する旨の意思表示は，それが労働者の自由な意思に基づくものであるか否かにかかわらず，労働基準法第24条第1項の賃金全額払の原則の趣旨に反し無効であるとするのが，最高裁判所の判例である。

D 労働協約，就業規則，労働契約等によってあらかじめ支給条件が明確できる場合の退職手当は，労働基準法第11条に定める賃金であり，同法第24条第2項の「臨時に支払われる賃金」に当たる。

E 労働基準法第24条第2項に定める一定期日払の原則は，期日が特定され，周期的に到来することを求めるものであるため，期日を「15日」等と暦日で指定する必要があり，例えば「月の末日」とすることは許されない。

キリトリ線

正解チェック欄	／	／	／

A　誤　行政官庁が国税徴収法の規定に基づいて行った差押処分に従って，使用者が労働者の賃金を控除のうえ当該行政官庁に納付することは，「直接払いの原則に違反しない」（法24条1項，労働基準法コンメンタール）。

労働科目 47p

B　誤　過払いした賃金を精算ないし調整するため後に支払わるべき賃金から控除することが認められるのは，「過払いのあった時期と賃金の清算調整の実を失わない程度に合理的に接着した時期においてされ，また，あらかじめ労働者にそのことが予告されるとか，その額が多額にわたらないとか」，要は労働者の経済生活の安定をおびやかすおそれのない場合でなければならないものと解せられるとするのが，最高裁判所の判例である（最高裁第一小法廷判決 昭44.12.18 福島県教組事件）。

労働科目 48p

C　誤　労働者が退職金債権を放棄する旨の意思表示は，「それが労働者の自由な意思に基づくものであれば」，その効力は肯定されるとするのが，最高裁判所の判例である（最高裁第二小法廷 昭48.1.19 シンガー・ソーイング・メシーン事件）。

D　正　本肢のとおりである（法11条，法24条2項，昭22.9.13発基17号）。

労働科目 18p

E　誤　一定期日払の原則は，期日が特定され，周期的に到来することを求めるものであるが，必ずしも期日を「15日」等と暦日で指定する必要はなく，「月の末日とすることも許される」（法24条2項，労働基準法コンメンタール）。

キリトリ線

H27-5	賃　　金	重要度 B

労基法

問 28 労働基準法第26条に定める休業手当に関する次の記述のうち，誤っているものはどれか。
なお，当該労働者の労働条件は次のとおりとする。
所定労働日：毎週月曜日から金曜日
所定休日：毎週土曜日及び日曜日
所定労働時間：1日8時間
賃金：日給15,000円
計算された平均賃金：10,000円

A　使用者の責に帰すべき事由によって，水曜日から次の週の火曜日まで1週間休業させた場合，使用者は，7日分の休業手当を支払わなければならない。

B　使用者の責に帰すべき事由により労働時間が4時間に短縮されたが，その日の賃金として7,500円の支払がなされると，この場合にあっては，使用者は，その賃金の支払に加えて休業手当を支払わなくても違法とならない。

C　就業規則の定めに則り，日曜日の休日を事業の都合によってあらかじめ振り替えて水曜日を休日とした場合，当該水曜日に休ませても使用者に休業手当を支払う義務は生じない。

D　休業手当の支払義務の対象となる「休業」とは，労働者が労働契約に従って労働の用意をなし，しかも労働の意思をもっているにもかかわらず，その給付の実現が拒否され，又は不可能となった場合をいうから，この「休業」には，事業の全部又は一部が停止される場合にとどまらず，使用者が特定の労働者に対して，その意思に反して，就業を拒否する場合も含まれる。

E　休電による休業については，原則として労働基準法第26条の使用者の責に帰すべき事由による休業に該当しない。

正解チェック欄	／	／	／

A　誤　「休日とされている日については休業手当を支給する義務は生じない」ため，本肢の場合，水曜日，木曜日，金曜日，月曜日及び火曜日の「5日分」の休業手当を支払わなければならない（昭24.3.22基収4077号）。

B　正　本肢のとおりである（昭27.8.7基収3445号）。1日の所定労働時間の一部のみ使用者の責に帰すべき事由による休業が行われた場合，その日について平均賃金の100分の60以上の金額が支払われていれば，休業手当を支払う必要はない。本肢の場合，10,000円×60/100＝6,000円以上の金額（7,500円）が支払われているため，休業手当を支払わなくとも違法とならない。

労働科目 51～52p

C　正　本肢のとおりである（昭63.3.14基発150号）。

労働科目 51～52p

D　正　本肢のとおりである（法26条，労働基準法コンメンタール）。

E　正　本肢のとおりである（昭26.10.11基発696号）。なお，休電とは，電力不足により電力の供給が止められることをいう。

キリトリ線

H28-3	賃　　金	重要度 A

労基法

問 29 労働基準法に定める賃金等に関する次の記述のうち，誤っているものはどれか。

A　使用者は，労働者の同意を得た場合には，賃金の支払について当該労働者が指定する銀行口座への振込みによることができるが，「指定」とは，労働者が賃金の振込み対象として銀行その他の金融機関に対する当該労働者本人名義の預貯金口座を指定するとの意味であって，この指定が行われれば同意が特段の事情のない限り得られているものと解されている。

B　労働者が賃金の支払を受ける前に賃金債権を他に譲渡した場合でも，使用者は当該賃金債権の譲受人に対してではなく，直接労働者に対し賃金を支払わなければならないとするのが，最高裁判所の判例である。

C　1か月における時間外労働の時間数の合計に1時間未満の端数がある場合に，30分未満の端数を切り捨て，それ以上を1時間に切り上げる事務処理方法は，労働基準法第24条及び第37条違反としては取り扱わないこととされている。

キリトリ線

D　使用者は，労働者が出産，疾病，災害等非常の場合の費用に充てるために請求する場合には，いまだ労務の提供のない期間も含めて支払期日前に賃金を支払わなければならない。

E　労働基準法第27条に定める出来高払制の保障給は，労働時間に応じた一定額のものでなければならず，労働者の実労働時間の長短と関係なく1か月について一定額を保障するものは，本条の保障給ではない。

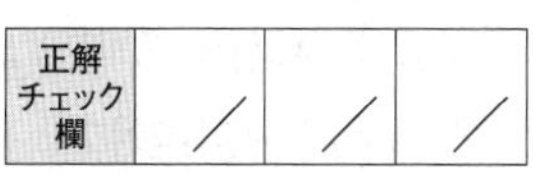

A 正 本肢のとおりである（法24条1項，昭63.1.1基発1号）。なお､本肢の労働者の同意については，必ず個々の労働者の同意（形式不問）を得なければならず､労使協定や労働協約をもって代えることはできない。

労働科目 46〜47p

B 正 本肢のとおりである（最高裁第三小法廷判決 昭43.3.12 小倉電話局事件）。なお，派遣中の労働者の賃金を派遣先の使用者を通じて支払うことについては，派遣先の使用者が派遣中の労働者本人に対して，派遣元の使用者からの賃金を手渡すことだけであれば，直接払の原則には違反しない。

C 正 本肢のとおりである（昭63.3.14基発150号）。なお，割増賃金の計算において，1時間当たりの賃金額及び割増賃金額に円未満の端数が生じた場合，50銭未満の端数を切り捨て，それ以上を1円に切り上げる事務処理方法についても，労働基準法第24条及び第37条違反としては取り扱わないこととされている。

労働科目 48p

D 誤 使用者は，労働者が出産，疾病，災害その他厚生労働省令で定める非常の場合の費用に充てるために請求する場合においては，支払期日前であっても，「既往の労働」に対する賃金を支払わなければならないとされているため，いまだ労務の提供のない期間に係る賃金については，必ずしも支払う必要はない（法25条）。

労働科目 49p

E 正 本肢のとおりである（法27条，労働基準法コンメンタール）。なお，労働者の責めに基づく事由により，労働者が就業しなかった場合には，使用者は賃金支払の義務はないので，本条の保障給も当然支払う必要はないが，使用者の責めに帰すべき事由により休業する場合においては，法26条により「休業手当」の支払義務が使用者にある。

労働科目 52p

キリトリ線

H29-6	賃　金	重要度 A

労基法

問 30 労働基準法に定める賃金に関する次の記述のうち，誤っているものはどれか。

A　労働協約の定めによって通貨以外のもので賃金を支払うことが許されるのは，その労働協約の適用を受ける労働者に限られる。

B　労働基準法第25条により労働者が非常時払を請求しうる事由は，労働者本人に係る出産，疾病，災害に限られず，その労働者の収入によって生計を維持する者に係る出産，疾病，災害も含まれる。

C　1か月の賃金支払額（賃金の一部を控除して支払う場合には控除した額。）に100円未満の端数が生じた場合，50円未満の端数を切り捨て，それ以上を100円に切り上げて支払う事務処理方法は，労働基準法第24条違反としては取り扱わないこととされている。

D　賃金の過払を精算ないし調整するため，後に支払われるべき賃金から控除することは，「その額が多額にわたるものではなく，しかもあらかじめ労働者にそのことを予告している限り，過払のあつた時期と合理的に接着した時期においてされていなくても労働基準法24条1項の規定に違反するものではない。」とするのが，最高裁判所の判例である。

E　労働基準法第26条に定める休業手当は，同条に係る休業期間中において，労働協約，就業規則又は労働契約により休日と定められている日については，支給する義務は生じない。

正解チェック欄	／	／	／

キリトリ線

A 正 本肢のとおりである（法24条1項）。労使協定では，通貨払の原則の例外を適用することはできない。「労働協約」を締結することが必要である。したがって，労働組合が組織されていない事業場においては，労働協約による通貨払の例外を制度化することができない。

労働科目 46p

B 正 本肢のとおりである（法25条，則9条）。なお，本肢の規定は，使用者が結果的に過払いとなって被るリスクを防ぐため，労働者が請求できるのは，「既往の労働」に対する賃金に限定している。

労働科目 49p

C 正 本肢のとおりである（昭63.3.14基発150号）。なお，1か月の賃金支払額に生じた1,000円未満の端数を翌月の賃金支払日に繰り越して支払う事務処理方法についても，労働基準法第24条違反としては取り扱わないこととされている。

労働科目 48p

D 誤 賃金の過払を精算ないし調整するため，後に支払われるべき賃金から控除することは「『過払のあった時期と賃金の清算調整の実を失わない程度に合理的に接着した時期においてされ』，また，あらかじめ労働者にそのことが予告されるとか，その額が多額にわたらないとか，要は労働者の経済生活の安定をおびやかすおそれのない場合でなければならないものと解せられる」とするのが，最高裁判所の判例である（最高裁第二小法廷判決 昭44.12.18 福島県教組事件）。

E 正 本肢のとおりである（法26条）。

労働科目 50p

キリトリ線

H30-6	賃　　金	重要度 A

問 31 労働基準法に定める賃金等に関する次の記述のうち，誤っているものはどれか。

A 派遣先の使用者が，派遣中の労働者本人に対して，派遣元の使用者からの賃金を手渡すことだけであれば，労働基準法第24条第1項のいわゆる賃金直接払の原則に違反しない。

B 使用者が労働者の同意を得て労働者の退職金債権に対してする相殺は，当該同意が「労働者の自由な意思に基づいてされたものであると認めるに足りる合理的な理由が客観的に存在するときは」，労働基準法第24条第1項のいわゆる賃金全額払の原則に違反するものとはいえないとするのが，最高裁判所の判例である。

C 労働基準法では，年俸制をとる労働者についても，賃金は，毎月一回以上，一定の期日を定めて支払わなければならないが，各月の支払いを一定額とする（各月で等分して支払う）ことは求められていない。

キリトリ線

D ストライキの場合における家族手当の削減が就業規則（賃金規則）や社員賃金規則細部取扱の規定に定められ異議なく行われてきている場合に，「ストライキ期間中の賃金削減の対象となる部分の存否及びその部分と賃金削減の対象とならない部分の区別は，当該労働協約等の定め又は労働慣行の趣旨に照らし個別的に判断するのを相当」とし，家族手当の削減が労働慣行として成立していると判断できる以上，当該家族手当の削減は違法ではないとするのが，最高裁判所の判例である。

E 労働安全衛生法第66条による健康診断の結果，私傷病のため医師の証明に基づいて使用者が労働者に休業を命じた場合，使用者は，休業期間中当該労働者に，その平均賃金の100分の60以上の手当を支払わなければならない。

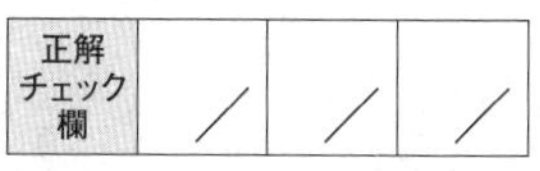

A　正　本肢のとおりである（昭61.6.6基発333号）。なお，本肢の規定は，労働者本人以外の者に賃金を支払うことを禁止するものであるから，労働者の親権者その他の法定代理人に支払うこと，労働者の委任を受けた任意代理人に支払うことは，いずれも本肢の規定違反となる（昭63.3.14基発150号）。

労働科目 47p

B　正　本肢のとおりである（最高裁第二小法廷判決 平2.11.26 日新製鋼事件）。

C　正　本肢のとおりである（法24条2項）。なお，本肢の一定の期日とは，期日が特定されるとともに，その期日が周期的に到来するものでなければならない。

労働科目 49p

D　正　本肢のとおりである（最高裁第二小法廷判決 昭56.9.18 三菱重工業長崎造船所事件）。

E　誤　労働安全衛生法に規定する健康診断の結果に基づいて，使用者が労働者に休業を命じた場合には，「休業手当を支払う必要はない」（昭23.10.21基発1529号）。

労働科目 51p

キリトリ線

R元-5	賃　金	重要度 A

労基法

問 32 労働基準法に定める賃金等に関する次の記述のうち，正しいものはどれか。

A 労働基準法第24条第1項は，賃金は，「法令に別段の定めがある場合又は当該事業場の労働者の過半数で組織する労働組合があるときはその労働組合，労働者の過半数で組織する労働組合がないときは労働者の過半数を代表する者との書面による協定がある場合においては，通貨以外のもので支払うことができる。」と定めている。

B 賃金にあたる退職金債権放棄の効力について，労働者が賃金にあたる退職金債権を放棄する旨の意思表示をした場合，それが労働者の自由な意思に基づくものであると認めるに足りる合理的な理由が客観的に存在するときは，当該意思表示は有効であるとするのが，最高裁判所の判例である。

C 労働基準法第24条第2項にいう「一定の期日」の支払については，「毎月15日」等と暦日を指定することは必ずしも必要ではなく，「毎月第2土曜日」のような定めをすることも許される。

D 労働基準法第25条により労働者が非常時払を請求しうる事由のうち，「疾病」とは，業務上の疾病，負傷をいい，業務外のいわゆる私傷病は含まれない。

E 労働基準法第26条に定める休業手当は，賃金とは性質を異にする特別の手当であり，その支払については労働基準法第24条の規定は適用されない。

キリトリ線

正解チェック欄	／	／	／

A 誤 賃金は，法令若しくは「労働協約に別段の定めがある場合」又は「厚生労働省令で定める賃金について確実な支払の方法で厚生労働省令で定めるものによる場合」においては，通貨以外のもので支払うことができる（法24条1項）。

労働科目 46p

B 正 本肢のとおりである（最高裁第二小法廷判決 昭48.1.19 シンガー・ソーイング・メシーン事件）。本肢の判例は，合意による自由な意思表示に基づく場合であれば，労働者からの賃金債権放棄は法24条1項に反せず，有効であると判示している。但し，判例は全額払の原則の趣旨とするところなどに鑑み，右意思表示の効力を肯定するにはそれが労働者の自由な意思に基づくものであることが明確でなければならないとして，労働者保護のための一定の留保を付している点には注意が必要である。

C 誤 賃金の一定の期日の支払については，暦日を指定することは必ずしも必要ではないが「毎月第2土曜日」のように月7日の範囲で変動するような期日の定めをすることは「許されない」（法24条2項）。

労働科目 49p

D 誤 非常時払の請求ができる事由である「疾病」には，業務上の疾病のみならず，「業務外のいわゆる私傷病も含まれる」（法25条）。

労働科目 49p

E 誤 「休業手当は賃金と解される」ため，その支払についても，賃金の支払を定めた「法24条の規定が適用される」（昭63.3.14基発150号）。

労働科目 50p

R4-6	賃　　金	重要度 B

問 33　労働基準法に定める賃金等に関する次の記述のうち，誤っているものはいくつあるか。

労基法

ア　通貨以外のもので支払われる賃金も，原則として労働基準法第12条に定める平均賃金等の算定基礎に含まれるため，法令に別段の定めがある場合のほかは，労働協約で評価額を定めておかなければならない。

イ　賃金の支払期限について，必ずしもある月の労働に対する賃金をその月中に支払うことを要せず，不当に長い期間でない限り，賃金の締切後ある程度の期間を経てから支払う定めをすることも差し支えない。

ウ　労働基準法第25条により労働者が非常時払を請求しうる事由の1つである「疾病」とは，業務上の疾病，負傷であると業務外のいわゆる私傷病であるとを問わない。

エ「労働者が賃金の支払を受ける前に賃金債権を他に譲渡した場合においても，その支払についてはなお同条〔労働基準法第24条〕が適用され，使用者は直接労働者に対し賃金を支払わなければならず，したがつて，右賃金債権の譲受人は自ら使用者に対してその支払を求めることは許されないが，国家公務員等退職手当法〔現在の国家公務員退職手当法〕による退職手当の給付を受ける権利については，その譲渡を禁止する規定がない以上，退職手当の支給前にその受給権が他に適法に譲渡された場合においては，国または公社はもはや退職者に直接これを支払うことを要せず，したがつて，その譲受人から国または公社に対しその支払を求めることが許される」とするのが，最高裁判所の判例である。

オ　労働基準法第27条に定める出来高払制の保障給について，同種の労働を行っている労働者が多数ある場合に，個々の労働者の技量，経験，年齢等に応じて，その保障給額に差を設けることは差し支えない。

A　一つ
B　二つ
C　三つ
D　四つ
E　五つ

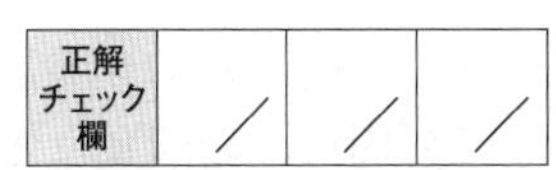

正解 A

本問アからオまでのそれぞれの記述の正誤は以下のとおりである。したがって，誤っている記述はエの1つであり，Aが解答となる。

ア　正　本肢のとおりである（則2条2項）。なお，本肢の労働協約に定められた評価額が不適当と認められる場合又は当該評価額が法令若しくは労働協約に定められていない場合においては，都道府県労働局長は，則2条1項に規定する通貨以外のものの評価額を定めることができる。

イ　正　本肢のとおりである（法24条2項）。なお，法24条2項に規定する「毎月」とは，暦月をいうため，毎月1日から月末までの間に少なくとも1回は賃金を支払わなければならない。

労働科目 49p

ウ　正　本肢のとおりである（法25条）。なお，法25条（非常時払）は，賃金を主要な収入源とする労働者に不測の出費がかさむようなときにはその賃金の繰上払を請求することができることとして，一定期日払の原則によっても救い得ない労働者の不便を補ったものである。

労働科目 49p

エ　誤　賃金債権の譲受人は自ら使用者に対してその支払を求めることは許されないものと解するのが相当である。そして，退職手当法による退職手当もまた賃金に該当し，直接払の原則の適用があると解する以上，退職手当の支給前にその受給権が他に適法に譲渡された場合においても，国又は公社はなお退職者に直接これを支払わなければならず，したがって，「その譲受人から国又は公社に対しその支払を求めることは許されない」。本肢前段の記述は正しい（最高裁第三小法廷判決　昭43.3.12　小倉電報電話局事件）。

オ　正　本肢のとおりである（法27条）。なお，法27条（出来高払制の保障給）の規定に違反して，賃金の保障をしない使用者は，30万円以下の罰金に処せられる（法120条1号）。

労働科目 52p

R3-3	賃　金

問 34 労働基準法に定める賃金等に関する次の記述のうち，正しいものはいくつあるか。

ア　使用者は，退職手当の支払については，現金の保管，持ち運び等に伴う危険を回避するため，労働者の同意を得なくても，当該労働者の預金又は貯金への振込みによることができるほか，銀行その他の金融機関が支払保証をした小切手を当該労働者に交付することによることができる。

イ　賃金を通貨以外のもので支払うことができる旨の労働協約の定めがある場合には，当該労働協約の適用を受けない労働者を含め当該事業場のすべての労働者について，賃金を通貨以外のもので支払うことができる。

ウ　使用者が労働者に対して有する債権をもって労働者の賃金債権と相殺することに，労働者がその自由な意思に基づき同意した場合においては，「右同意が労働者の自由な意思に基づいてされたものであると認めるに足りる合理的な理由が客観的に存在するときは，右同意を得てした相殺は右規定〔労働基準法第24条第1項のいわゆる賃金全額払の原則〕に違反するものとはいえないものと解するのが相当である」が，「右同意が労働者の自由な意思に基づくものであるとの認定判断は，厳格かつ慎重に行われなければならない」とするのが，最高裁判所の判例である。

エ　労働基準法第24条第1項の禁止するところではないと解するのが相当と解される「許さるべき相殺は，過払のあつた時期と賃金の清算調整の実を失わない程度に合理的に接着した時期においてされ，また，あらかじめ労働者にそのことが予告されるとか，その額が多額にわたらないとか，要は労働者の経済生活の安定をおびやかすおそれのない場合でなければならない」とするのが，最高裁判所の判例である。

オ　労働基準法第25条により労働者が非常時払を請求しうる事由には，「労働者の収入によって生計を維持する者」の出産，疾病，災害も含まれるが，「労働者の収入によって生計を維持する者」とは，労働者が扶養の義務を負っている親族のみに限らず，労働者の収入で生計を営む者であれば，親族でなく同居人であっても差し支えない。

キリトリ線

重要度 A

A 一つ
B 二つ
C 三つ
D 四つ
E 五つ

労基法

キリトリ線

正解チェック欄	／	／	／

本問アからオまでのそれぞれの記述の正誤は以下のとおりである。したがって，正しい記述はウ，エ及びオの3つであり，Cが解答となる。

ア 誤 使用者は，退職手当の支払について，「労働者の同意を得た場合」は，当該労働者の預金又は貯金への振込みや行その他の金融機関が支払保証をした小切手を当該労働者に交付することによることができる（則7条の2第2項）。

労働科目 47p

イ 誤 労働協約の定めによって通貨以外のもので支払うことが許されるのは，その「労働協約の適用を受ける労働者に限られる」（昭63.3.14基発150号）。

労働科目 46p

ウ 正 本肢のとおりである（最高裁第二小法廷判決 平2.11.26 日新製鋼事件）。法24条（賃金）の規定では，使用者は法令に別段の定めがある場合，又は労働者の過半数で組織する労働組合（労働者の過半数で組織する労働組合が無い場合には労働者の過半数を代表する者）との間の書面による協定がある場合には，賃金の一部を控除して支払うことができるとしている。しかし，本肢の判決はこのような協定が無い場合であっても，労働者が自由な意思に基づいて控除に個別の合意を与えた場合には，法24条違反にならないと判示している点に意義があるといえる。

エ　正　本肢のとおりである（最高裁第一小法廷判決 昭44.12.18 福島県教組事件）。本判決はおよそ賃金債権に対する一切の相殺が認められないとは判断しておらず，賃金支給には過誤や違算が生じることもあることを踏まえて，支給金額調整のために翌月以降の賃金と過払金債権を相殺することは，清算調整の実を失わない程度に合理的に接着した時期においてされ，予め労働者に予告がされるとか，額が多額にわたらないとか，労働者の経済生活の安定をおびやかすおそれのない場合であれば，労基法24条1項に違反しないと判示している。

労働科目
48p

オ　正　本肢のとおりである（法25条）。なお，法25条（非常時払）に違反した使用者は，30万円以下の罰金に処される（法120条1号）。

R3-4	賃　金	重要度 A

問 35 労働基準法第26条（以下本問において「本条」という。）に定める休業手当に関する次の記述のうち，正しいものはどれか。

A 本条は，債権者の責に帰すべき事由によって債務を履行することができない場合，債務者は反対給付を受ける権利を失わないとする民法の一般原則では労働者の生活保障について不十分である事実にかんがみ，強行法規で平均賃金の100分の60までを保障しようとする趣旨の規定であるが，賃金債権を全額確保しうる民法の規定を排除する点において，労働者にとって不利なものになっている。

B 使用者が本条によって休業手当を支払わなければならないのは，使用者の責に帰すべき事由によって休業した日から休業した最終の日までであり，その期間における労働基準法第35条の休日及び労働協約，就業規則又は労働契約によって定められた同法第35条によらない休日を含むものと解されている。

C 就業規則で「会社の業務の都合によって必要と認めたときは本人を休職扱いとすることがある」と規定し，更に当該休職者に対しその休職期間中の賃金は月額の2分の1を支給する旨規定することは違法ではないので，その規定に従って賃金を支給する限りにおいては，使用者に本条の休業手当の支払義務は生じない。

D 親会社からのみ資材資金の供給を受けて事業を営む下請工場において，現下の経済情勢から親会社自体が経営難のため資材資金の獲得に支障を来し，下請工場が所要の供給を受けることができず，しかも他よりの獲得もできないため休業した場合，その事由は本条の「使用者の責に帰すべき事由」とはならない。

E 新規学卒者のいわゆる採用内定について，就労の始期が確定し，一定の事由による解約権を留保した労働契約が成立したとみられる場合，企業の都合によって就業の始期を繰り下げる，いわゆる自宅待機の措置をとるときは，その繰り下げられた期間について，本条に定める休業手当を支給すべきものと解されている。

正解チェック欄	／	／	／

キリトリ線

A　誤　法26条は民法の一般原則が労働者の最低生活保障について不十分である事実に鑑み，強行法規で平均賃金の100分の60までを保障せんとする趣旨の規定であって，賃金債権を全額確保しうる民法の規定を「排除するものではない」から，民法の規定に比して「不利ではない」(昭22.12.15基発502号)。

B　誤　労働協約，就業規則又は労働契約により「休日と定められている日については，休業手当を支給する義務は生じない」(昭24.3.22基収4077号)。

労働科目
51p

C　誤　就業規則中の規定にかかわらず，使用者の責に帰すべき事由による休業をした労働者に対しては，使用者は平均賃金の100分の60以上の休業手当を支払わなければならない（昭23.7.12基発1031号)。したがって，本肢の「会社の業務の都合」が使用者の責に帰すべき事由による休業に該当する場合において，就業規則に平均賃金の100分の60に満たない額の賃金を支給することを規定しても無効であり，使用者に休業手当の支払義務は「生じる」。

D　誤　本肢の事由は，使用者の責に帰すべき事由に「該当する」(昭23.6.11基収1998号)。

労働科目
51p

E　正　本肢のとおりである（昭63.3.14基発150号)。なお，使用者の争議行為たる工場閉鎖のための休業は，その工場閉鎖が争議行為として社会通念上正当と判断される限り，使用者の責に帰すべき事由とはみられない（昭23.6.17基収第1953号)。

R5-6	賃　金	重要度 A

問 36 労働基準法に定める賃金等に関する次の記述のうち，正しいものはどれか。

A 労働基準法第24条第1項に定めるいわゆる直接払の原則は，労働者と無関係の第三者に賃金を支払うことを禁止するものであるから，労働者の親権者その他法定代理人に支払うことは直接払の原則に違反しないが，労働者の委任を受けた任意代理人に支払うことは直接払の原則に違反する。

B いかなる事業場であれ，労働基準法に規定する協定等をする者を選出することを明らかにして実施される投票，挙手等の方法による手続により選出された者であって，使用者の意向に基づき選出された者でないこと，という要件さえ満たせば，労働基準法第24条第1項ただし書に規定する当該事業場の「労働者の過半数を代表する者」に該当する。

C 賃金の所定支払日が休日に当たる場合に，その支払日を繰り上げることを定めることだけでなく，その支払日を繰り下げることを定めることも労働基準法第24条第2項に定めるいわゆる一定期日払に違反しない。

D 使用者は，労働者が出産，疾病，災害その他厚生労働省令で定める非常の場合の費用に充てるために請求する場合においては，支払期日前であっても，既往の労働に対する賃金を支払わなければならないが，その支払いには労働基準法第24条第1項の規定は適用されない。

E 会社に法令違反の疑いがあったことから，労働組合がその改善を要求して部分ストライキを行った場合に，同社がストライキに先立ち，労働組合の要求を一部受け入れ，一応首肯しうる改善案を発表したのに対し，労働組合がもっぱら自らの判断によって当初からの要求の貫徹を目指してストライキを決行したという事情があるとしても，法令違反の疑いによって本件ストライキの発生を招いた点及びストライキを長期化させた点について使用者側に過失があり，同社が労働組合所属のストライキ不参加労働者の労働が社会観念上無価値となったため同労働者に対して命じた休業は，労働基準法第26条の「使用者の責に帰すべき事由」によるものであるとして，同労働者は同条に定める休業手当を請求することができるとするのが，最高裁判所の判例である。

正解チェック欄	／	／	／

A 誤 直接払の原則を定める法24条1項は，「労働者本人以外の者」に賃金を支払うことを禁止するものであるから，労働者の親権者その他の法定代理人に支払うこと，「労働者の委任を受けた任意代理人に支払うことは，いずれも同条違反となる」（昭63.3.14基発150号）。

労働科目 47p

B 誤 労使協定の締結当事者である「過半数代表者」は，次の①及び②のいずれにも該当する者（監督又は管理の地位にある者がいない事業場にあっては，②に該当する者）とされている（則6条の2第1項）。

①「監督又は管理の地位にある者でないこと」

②労使協定等をする者を選出することを明らかにして実施される投票，挙手等の方法による手続により選出された者であって，使用者の意向に基づき選出されたものでないこと。

労働科目 47～48，72p

C 正 本肢のとおりである（法24条2項）。

労働科目 49p

D 誤 非常時払による賃金の支払についても，通貨払，直接払及び全額払の原則を定めた法24条1項の規定が適用される（法25条）。

労働科目 49p

E　誤「使用者の責に帰すべき事由」とは，取引における一般原則たる過失責任主義とは異なる観点をも踏まえた概念というべきであって，民法536条2項の「債権者の責に帰すべき事由」よりも広く，使用者側に起因する経営，管理上の障害を含むものと解するのが相当であるところ，会社に法令違反の疑いがあったことから，労働組合がその改善を要求して部分ストライキを行った場合に，使用者がストライキに先立ち，労働組合の要求を一部受け入れ，一応首肯しうる改善案を発表したのに対し，労働組合がもっぱら自らの判断によって当初からの要求の貫徹を目指してストライキを決行したことに対して，使用者がストライキ不参加労働者らに対して休業を命じた期間においては，当該ストライキ不参加労働者らの就労を必要としなくなったというのであるから，その間当該ストライキ不参加労働者らが労働をすることは社会観念上無価値となったといわなければならない。そうすると，当該部分ストライキの結果，使用者が部分ストライキ不参加労働者らに命じた休業は，使用者側に起因する経営，管理上の障害によるものということはできないから，使用者の責に帰すべき事由によるものということはできず，当該部分ストライキ不参加労働者らは当該休業につき使用者に対し「休業手当を請求することはできない」とするのが，最高裁判所の判例である（最高裁第二小法廷判決 昭62.7.17 ノースウエスト航空事件）。

MEMO

R5-1	賃　金	重要度 B

問 37 下記のとおり賃金を支払われている労働者が使用者の責に帰すべき事由により半日休業した場合，労働基準法第26条の休業手当に関する次の記述のうち，正しいものはどれか。

賃金：日給　1日10,000円
半日休業とした日の賃金は，半日分の5,000円が支払われた。
平均賃金：7,000円

A　使用者は，以下の算式により2,000円の休業手当を支払わなければならない。

7,000円 − 5,000円 = 2,000円

B　半日は出勤し労働に従事させており，労働基準法第26条の休業には該当しないから，使用者は同条の休業手当ではなく通常の1日分の賃金10,000円を支払わなければならない。

C　使用者は，以下の算式により1,000円の休業手当を支払わなければならない。

10,000円 × 0.6 − 5,000円 = 1,000円

D　使用者は，以下の算式により1,200円の休業手当を支払わなければならない。

(7,000円 − 5,000円) × 0.6 = 1,200円

E　使用者が休業手当として支払うべき金額は発生しない。

正解チェック欄	／	／	／

A　誤　1労働日の一部を休業し，労働をした時間について賃金が支払われた場合において，その日につき，実際に支払われた賃金の額が平均賃金の100分60に達していないときは，使用者は，その差額以上の金額を休業手当として支払う必要がある。本問の場合，平均賃金7,000円の100分の60に相当する額である4,200円を休業手当として支払うべきところ，実際に労働した時間について5,000円の賃金が支払われているため，使用者は，「休業手当を支払う必要はない」（法26条，昭27.8.7基収3445号）。

労働科目 51p

B　誤　休業手当を支払うべき「使用者の責に帰すべき事由による休業」は，休業は全1日の休業である必要はなく，1日の一部を休業した場合も含まれる。したがって，本問の休業は休業手当を支払うべき「休業に該当する」（ただし，本問A肢解説のとおり，休業手当の額以上の賃金が支払われているため，実際には休業手当を支払う必要はない）。また，通常の1日分の賃金を支払う必要はない（法26条）。

労働科目 51p

C　誤　本問A肢解説のとおり，「休業手当を支払う必要はない」（法26条，昭27.8.7基収3445号）。

労働科目 51p

D　誤　本問A肢解説のとおり，「休業手当を支払う必要はない」（法26条，昭27.8.7基収3445号）。

労働科目 51p

E　正　本肢のとおりである（法26条，昭27.8.7基収3445号）。

労働科目 51p

キリトリ線

R6-4	賃　金	重要度 B

労基法

問 38 使用者は，労働者の同意を得た場合には，賃金の支払方法として，労働基準法施行規則第7条の2第1項第3号に掲げる要件を満たすものとして厚生労働大臣の指定を受けた資金移動業者（指定資金移動業者）のうち労働者が指定するものの第二種資金移動業に係る口座への資金移動によることができる（いわゆる賃金のデジタル払い）が，次の記述のうち，労働基準法施行規則第7条の2第1項第3号に定めるものとして，誤っているものはどれか。

A　賃金の支払に係る資金移動を行う口座（以下本問において「口座」という。）について，労働者に対して負担する為替取引に関する債務の額が500万円を超えることがないようにするための措置又は当該額が500万円を超えた場合に当該額を速やかに500万円以下とするための措置を講じていること。

B　破産手続開始の申立てを行ったときその他為替取引に関し負担する債務の履行が困難となったときに，口座について，労働者に対して負担する為替取引に関する債務の全額を速やかに当該労働者に弁済することを保証する仕組みを有していること。

C　口座について，労働者の意に反する不正な為替取引その他の当該労働者の責めに帰することができない理由で当該労働者に対して負担する為替取引に関する債務を履行することが困難となったことにより当該債務について当該労働者に損失が生じたときに，当該損失を補償する仕組みを有していること。

D　口座について，特段の事情がない限り，当該口座に係る資金移動が最後にあった日から少なくとも10年間は，労働者に対して負担する為替取引に関する債務を履行することができるための措置を講じていること。

E　口座への資金移動に係る額の受取について，現金自動支払機を利用する方法その他の通貨による受取ができる方法により1円単位で当該受取ができるための措置及び少なくとも毎月1回は当該方法に係る手数料その他の費用を負担することなく当該受取ができるための措置を講じていること。

キリトリ線

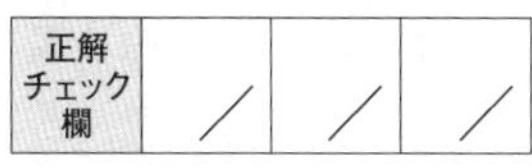

正解 A

A　誤　指定資金移動業者としての厚生労働大臣の指定を受けるためには，口座について，労働者に対して負担する為替取引に関する債務の額が「100万円」を超えることがないようにするための措置又は当該額が「100万円」を超えた場合に当該額を速やかに「100万円以下」とするための措置を講じていることが必要である（則7条の2第1項）。

B　正　本肢のとおりである（則7条の2第1項）。なお，本肢の「速やかに」とは，指定資金移動業者に係る破産手続開始の申立て等が行われた上で，労働者が指定資金移動業者又は保証機関に弁済を請求してから6営業日以内であることをいう。ただし，労働者からの請求を要さずに弁済が行われる場合には，指定資金移動業者に係る破産手続開始の申立て等が行われてから6営業日以内であることをいう（令4.11.28基発1128第3号）。

C　正　本肢のとおりである（則7条の2第1項）。なお，本肢の「当該損失を補償する仕組みを有していること」とは，指定資金移動業者の利用規約等により，労働者に過失が無い場合には損失額全額を補償することとしており，また，労働者に過失がある場合には個別対応を妨げるものではないが，損失を一律に補償しないといった取扱いとはしていない（令4.11.28基発1128第3号）。

D　正　本肢のとおりである（則7条の2第1項）。なお，本肢の「特段の事情」とは，警察からの要請により口座の凍結等が行われる場合が該当し得る（令4.11.28基発1128第3号）。

E　正　本肢のとおりである（則7条の2第1項）。なお，本肢の「少なくとも毎月1回は当該方法に係る手数料その他の費用を負担することなく当該受取ができるための措置」とは，少なくとも毎月1回は，労働者に手数料負担が生じることなく指定資金移動業者口座から払出をすることができることをいう（令4.11.28基発1128第3号）。

H27-6	労働時間

問 39 労働基準法に定める労働時間等に関する次のアからオまでの記述のうち，正しいものの組合せは，後記ＡからＥまでのうちはどれか。

ア　労働者が，就業を命じられた業務の準備行為等を事業所内において行うことを義務付けられ，又はこれを余儀なくされたときであっても，当該行為を所定労働時間外において行うものとされている場合には，当該行為に要した時間は，労働基準法上の労働時間に該当しないとするのが，最高裁判所の判例である。

イ　労働基準法第32条の2に定めるいわゆる1か月単位の変形労働時間制が適用されるためには，単位期間内の各週，各日の所定労働時間を就業規則等において特定する必要があり，労働協約又は就業規則において，業務の都合により4週間ないし1か月を通じ，1週平均38時間以内の範囲内で就業させることがある旨が定められていることをもって，直ちに1か月単位の変形労働時間制を適用する要件が具備されているものと解することは相当ではないとするのが，最高裁判所の判例である。

ウ　労働基準法第32条の労働時間を延長して労働させることにつき，使用者が，当該事業場の労働者の過半数で組織する労働組合等と書面による協定（いわゆる36協定）を締結し，これを所轄労働基準監督署長に届け出た場合において，使用者が当該事業場に適用される就業規則に当該36協定の範囲内で一定の業務上の事由があれば労働契約に定める労働時間を延長して労働者を労働させることができる旨を定めていたとしても，36協定は私法上の権利義務を設定する効果を有しないため，当該就業規則の規定の内容が合理的なものであるか否かにかかわらず，労働者は労働契約に定める労働時間を超えて労働する義務を負わないとするのが，最高裁判所の判例である。

キリトリ線

キリトリ線

重要度	A

労基法

エ　労働基準法第41条第2号により，労働時間等に関する規定が適用除外される「機密の事務を取り扱う者」とは，必ずしも秘密書類を取り扱う者を意味するものでなく，秘書その他職務が経営者又は監督若しくは管理の地位にある者の活動と一体不可分であって，厳格な労働時間管理になじまない者をいう。

オ　医師，看護師の病院での宿直業務は，医療法によって義務づけられるものであるから，労働基準法第41条第3号に定める「監視又は断続的労働に従事する者」として，労働時間等に関する規定の適用はないものとされている。

A　（アとウ）　**B**　（イとエ）　**C**　（ウとオ）
D　（アとエ）　**E**　（イとオ）

キリトリ線

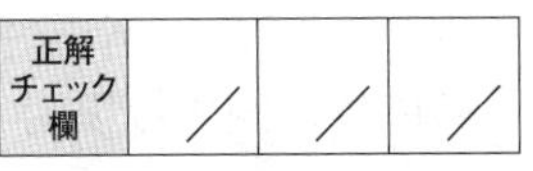

本問のアからオまでのそれぞれの記述の正誤は以下のとおりであり，したがって，イとエを正しいとするBが解答となる。

ア　誤　労働者が，就業を命じられた業務の準備行為等を事業所内において行うことを使用者から義務付けられ，又はこれを余儀なくされたときは，当該行為を所定労働時間外において行うものとされている場合であっても，当該行為は，特段の事業のない限り，使用者の指揮命令下に置かれたものと評価することができ，当該行為に要した時間は，それが社会通念上必要と認められるものである限り，労働基準法上の「労働時間に該当する」と解されるとするのが最高裁判所の判例である（最高裁第一小法廷判決 平12.3.9 三菱重工業長崎造船所事件）。

イ　正　本肢のとおりである（最高裁第一小法廷判決 平14.2.28 大星ビル管理事件）。

ウ　誤　使用者が36協定を締結し，これを所轄労働基準監督署長に届け出た場合において，使用者が当該事業場に適用される就業規則に当該36協定の範囲内で一定の業務上の事由があれば労働契約に定める労働時間を延長して労働者を労働させることができる旨定めているときは，当該就業規則の規定の内容が「合理的なものである限り」，それが具体的労働契約の内容をなすから，当該就業規則の規定の適用を受ける労働者は，その定めるところに従い，労働契約に定める労働時間を超えて労働をする「義務を負う」ものと解するを相当とするとするのが，最高裁判所の判例である（最高裁第一小法廷判決 平3.11.28 日立製作所武蔵工場事件）。

エ　正　本肢のとおりである（昭22.9.13発基17号）。

労働科目
90p

オ　誤　医療法によって義務付けられている医師等の病院での宿直業務は，法41条3号に定める「監視又は断続的労働に従事する者」として，「所轄労働基準監督署長の許可を受ける限り」，労働時間等に関する規定の適用はない（昭24.3.22基発352号）。

労働科目
90～91p

キリトリ線

H28-4	労働時間	重要度 A

労基法

問 40 労働基準法に定める労働時間等に関する次の記述のうち，誤っているものはどれか。

A 労働基準法第32条の労働時間とは，「労働者が使用者の指揮命令下に置かれている時間をいい，右の労働時間に該当するか否かは，労働者の行為が使用者の指揮命令下に置かれたものと評価することができるか否かにより客観的に定まる」とするのが，最高裁判所の判例である。

B 労働基準法第32条の3に定めるいわゆるフレックスタイム制は，始業及び終業の時刻の両方を労働者の決定に委ねることを要件としており，始業時刻又は終業時刻の一方についてのみ労働者の決定に委ねるものは本条に含まれない。

C 労働基準法第32条の4に定めるいわゆる一年単位の変形労働時間制の対象期間は，1か月を超え1年以内であれば，3か月や6か月でもよい。

D 労働基準法第32条の5に定めるいわゆる一週間単位の非定型的変形労働時間制は，小売業，旅館，料理店若しくは飲食店の事業の事業場，又は，常時使用する労働者の数が30人未満の事業場，のいずれか1つに該当する事業場であれば採用することができる。

E 労働基準法第34条に定める休憩時間は，労働者が自由に利用することが認められているが，休憩時間中に企業施設内でビラ配布を行うことについて，就業規則で施設の管理責任者の事前の許可を受けなければならない旨を定めることは，使用者の企業施設管理権の行使として認められる範囲内の合理的な制約であるとするのが，最高裁判所の判例である。

キリトリ線

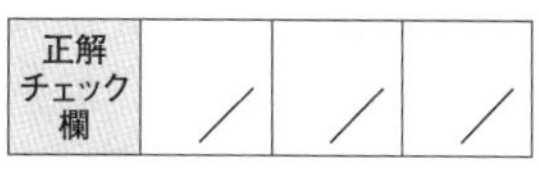

正解チェック欄	／	／	／

A　正　本肢のとおりである（最高裁第一小法廷判決 平12.3.9 三菱重工業長崎造船所事件）。例えば，トラック運転手に貨物の積込を行わせることとし，その貨物が持ち込まれるのを待機している場合において，全く労働の提供はなくとも，出勤を命ぜられ，一定の場所に拘束されている時間については，労働者が使用者の指揮命令下に置かれている時間に該当する。

労働科目 54～55p

B　正　本肢のとおりである（法32条の3，平11.3.31基発168号）。なお，フレックスタイム制は，「育児を行う者等に対する配慮義務」の対象とはされていない。

労働科目 59p

C　正　本肢のとおりである（法32条の4第1項）。なお，1年単位の変形労働時間制に係る労使協定において，労働日を特定するということは，反面，休日を特定することとなり，変形期間開始後にしか休日を特定することができない場合には，労働日が特定されたこととはならない。

労働科目 62p

D　誤　1週間単位の非定型的変形労働時間制が採用できる事業場は，小売業，旅館，料理店又は飲食店の事業の事業場であって，「かつ」，常時使用する労働者の数が30人未満であるものである（法32条の5第1項，則12条の5第1項・2項）。

労働科目 64p

E　正　本肢のとおりである（最高裁第三小法廷判決 昭52.12.13 目黒電報電話局事件）。なお，休憩時間中の外出について所属長の許可を受けさせることは，事業場内において自由に休憩し得る場合には，必ずしも違法とはならない。

労働科目 66p

キリトリ線

H29-1	労働時間	重要度 B

問 41 労働基準法に定める労働時間等に関する次の記述のうち，正しいものはどれか。

A　1か月単位の変形労働時間制により，毎週日曜を起算日とする1週間について，各週の月曜，火曜，木曜，金曜を所定労働日とし，その所定労働時間をそれぞれ9時間，計36時間としている事業場において，その各所定労働日に9時間を超えて労働時間を延長すれば，その延長した時間は法定労働時間を超えた労働となるが，日曜から金曜までの間において所定どおり労働した後の土曜に6時間の労働をさせた場合は，そのうちの2時間が法定労働時間を超えた労働になる。

B　1か月単位の変形労働時間制により，毎週日曜を起算日とする1週間について，各週の月曜，火曜，木曜，金曜を所定労働日とし，その所定労働時間をそれぞれ9時間，計36時間としている事業場において，あらかじめ水曜の休日を前日の火曜に，火曜の労働時間をその水曜に振り替えて9時間の労働をさせたときは，水曜の労働はすべて法定労働時間内の労働になる。

C　労働基準法第34条に定める休憩時間は，労働基準監督署長の許可を受けた場合に限り，一斉に与えなくてもよい。

D　労働基準法第35条に定める「一回の休日」は，24時間継続して労働義務から解放するものであれば，起算時点は問わないのが原則である。

E　休日労働が，8時間を超え，深夜業に該当しない場合の割増賃金は，休日労働と時間外労働の割増率を合算しなければならない。

キリトリ線

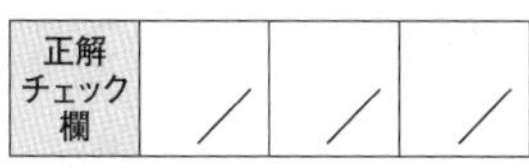

A　正　本肢のとおりである（平6.3.31基発181号）。1箇月単位の変形労働時間制を採用している場合において，1日について，8時間を超える時間を所定労働時間として定めたときは，その定めた時間を超える時間が時間外労働となるため，本肢の月曜から金曜の各日について時間外労働は発生しない。また，週法定労働時間を超えない時間を週の所定労働時間として定めている場合，週法定労働時間を超える時間が時間外労働となる。本肢の場合，土曜の労働によって週の労働時間が42時間となるため，40時間を超える2時間が時間外労働となる。

労働科目 57～58p

B　誤　本肢の場合，水曜は所定労働日とされていないため，水曜に労働した場合，法定労働時間（8時間）を超える時間が時間外労働となる。したがって，水曜について1時間の時間外労働が発生する（平6.3.31基発181号）。

労働科目 57～58p

C　誤　休憩時間は，一斉付与の適用除外に関する「労使協定」があるときは，一斉に与えなくてもよい。このほか，一定の業種に属する事業についても，休憩時間を一斉に与えなくてもよい（法34条2項，法40条）。

労働科目 65～66p

D　誤　「一回の休日」は，原則として，「1暦日すなわち午前0時から午後12時まで」の24時間継続して労働義務から解放するものをいう（昭23.4.5基発535号）。

労働科目 67p

E　誤　休日労働が8時間を超え，深夜業に該当しない場合の割増賃金は，「休日労働に係る割増賃金率」である3割5分以上の率で計算した額となる。休日労働に係る日においては時間外労働は発生しない（平11.3.31基発168号）。

労働科目 78～79p

H30-1	労働時間	重要度 A

労基法

問 42 労働時間等に関する次の記述のうち，誤っているものはいくつあるか。

ア　労働基準法第32条の3に定めるいわゆるフレックスタイム制において，実際に労働した時間が清算期間における総労働時間として定められた時間に比べて過剰であった場合，総労働時間として定められた時間分はその期間の賃金支払日に支払い，総労働時間を超えて労働した時間分は次の清算期間中の総労働時間の一部に充当してもよい。

イ　貨物自動車に運転手が二人乗り込んで交替で運転に当たる場合において，運転しない者については，助手席において仮眠している間は労働時間としないことが認められている。

ウ　常時10人未満の労働者を使用する小売業では，1週間の労働時間を44時間とする労働時間の特例が認められているが，事業場規模を決める場合の労働者数を算定するに当たっては，例えば週に2日勤務する労働者であっても，継続的に当該事業場で労働している者はその数に入るとされている。

エ　使用者は，労働基準法第56条第1項に定める最低年齢を満たした者であっても，満18歳に満たない者には，労働基準法第36条の協定によって時間外労働を行わせることはできないが，同法第33条の定めに従い，災害等による臨時の必要がある場合に時間外労働を行わせることは禁止されていない。

オ　労働基準法第32条第1項は，「使用者は，労働者に，休憩時間を除き1週間について40時間を超えて，労働させてはならない。」と定めているが，ここにいう1週間は，例えば，日曜から土曜までと限定されたものではなく，何曜から始まる1週間とするかについては，就業規則等で別に定めることが認められている。

A　一つ
B　二つ
C　三つ
D　四つ
E　五つ

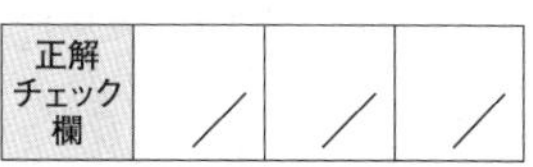

本問のアからオまでのそれぞれの記述の正誤は以下のとおりであり，ア及びイの2つが誤りの記述となる。したがって，Bが解答となる。

ア　誤　清算期間における実際の労働時間に過剰があった場合において，その過剰労働時間分を次の清算期間中の総労働時間の一部に充当する本肢の取扱いは，「賃金の全額払の原則に反し，許されない」（昭63.1.1基発1号）。

労働科目 60～61p

イ　誤　本肢の助手席において仮眠している間は「労働時間に該当する」（昭33.10.11基収6286号）。

労働科目 55p

ウ　正　本肢のとおりである（法40条，則25条の2第1項，昭63.3.14基発150号）。なお，本肢の特例の下に，1箇月単位の変形労働時間制及びフレックスタイム制を採用することはできるが，1年単位の変形労働時間制及び1週間単位の非定型的変形労働時間制を採用する場合には，本肢の特例の適用はないものとされる（平11.3.31基発170号）。

労働科目 55p

エ　正　本肢のとおりである（法60条1項）。なお，本肢の者については，変形労働時間制及び特定高度専門業務・成果型労働制による労働時間，休憩，休日及び深夜の割増賃金の規定の除外等について，適用されない。

労働科目 112p

オ　正　本肢のとおりである（法32条1項，昭63.1.1基発1号）。なお，使用者は，1週間の各日については，労働者に，休憩時間を除き1日について8時間を超えて，労働させてはならないとされており，「1日」とは原則として，午前0時から午後12時までのいわゆる暦日をいう。

労働科目 54p

キリトリ線

H30-2	労働時間	重要度 A

問 43 労働基準法の適用に関する次のアからオの記述のうち，誤っているものの組合せは，後記AからEまでのうちどれか。

ア　常時10人以上の労働者を使用する使用者が労働基準法第32条の3に定めるいわゆるフレックスタイム制により労働者を労働させる場合は，就業規則により，その労働者に係る始業及び終業の時刻をその労働者の決定に委ねることとしておかなければならない。

イ　いわゆる一年単位の変形労働時間制においては，隔日勤務のタクシー運転者等暫定措置の対象とされているものを除き，1日の労働時間の限度は10時間，1週間の労働時間の限度は54時間とされている。

ウ　いわゆる一年単位の変形労働時間制においては，その労働日について，例えば7月から9月を対象期間の最初の期間とした場合において，この間の総休日数を40日と定めた上で，30日の休日はあらかじめ特定するが，残る10日については，「7月から9月までの間に労働者の指定する10日間について休日を与える。」として特定しないことは認められていない。

エ　労働基準法では，使用者は，労働者が業務上負傷し，又は疾病にかかり療養のために休業する期間及びその後30日間は，解雇してはならないと規定しているが，解雇予告期間中に業務上負傷し又は疾病にかかりその療養のために休業した場合には，この解雇制限はかからないものと解されている。

オ　労働基準法第20条に定める解雇予告手当は，解雇の意思表示に際して支払わなければ解雇の効力を生じないものと解されており，一般には解雇予告手当については時効の問題は生じないとされている。

A　（アとウ）　**B**　（アとエ）　**C**　（イとエ）
D　（イとオ）　**E**　（ウとオ）

正解チェック欄	／	／	／

キリトリ線

本問のアからオまでのそれぞれの記述の正誤は以下のとおりであり，したがって，イとエを誤りとするCが解答となる。

ア　正　本肢のとおりである（法32条の3，法89条）。なお，フレックスタイム制は，一定の期間の総労働時間を定めておき，労働者がその範囲内で各日の始業及び終業の時刻を選択して働くことにより，労働者がその生活と業務との調和を図りながら，効率的に働くことを可能とし，労働時間を短縮しようとする制度である（平11.3.31基発168号）。

労働科目 58～59p

イ　誤　1年単位の変形労働時間制においては，隔日勤務のタクシー運転者等暫定措置の対象とされているものを除き，1日の労働時間の限度は10時間，1週間の労働時間の限度は「52時間」とされている（則12条の4第4項）。

労働科目 63～64p

ウ　正　本肢のとおりである（法32条の4第1項）。対象期間を1箇月以上の期間ごとに区分することとした場合においては，当該区分による各期間のうち当該対象期間の初日の属する期間における労働日及び当該労働日ごとの労働時間並びに当該最初の期間を除く各期間における労働日数及び総労働時間を協定することとされている。この「対象期間の初日の属する期間」は，本肢では7月から9月までの期間が該当するため，本肢の7月から9月までの対象期間については，労働日及び当該労働日ごとの労働時間を具体的に特定しなければならない。しかし，本肢の総休日数40日のうち10日の休日が特定されていない。これは，換言すれば労働日が特定されていないということとなるので，本肢のような取扱いは認められない。

労働科目 61～62p

キリトリ線

必修基本書

エ　誤　業務上負傷し，又は疾病にかかり，その療養のため休業した場合は，たとえそれが解雇予告期間中であっても「解雇制限は適用される」（昭26.6.25基収2609号）。

労働科目 36, 39p

オ　正　本肢のとおりである（昭27.5.17基収1906号）。なお，即時解雇の場合における解雇予告手当の支払時期については，解雇の申渡しと同時であるべきとされている（昭23.3.17基発464号）。

キリトリ線

MEMO

R元-6	労働時間	重要度 A

問 44 労働基準法に定める労働時間等に関する次の記述のうち，誤っているものはどれか。

A 労働基準法第32条第2項にいう「1日」とは，午前0時から午後12時までのいわゆる暦日をいい，継続勤務が2暦日にわたる場合には，たとえ暦日を異にする場合でも1勤務として取り扱い，当該勤務は始業時刻の属する日の労働として，当該日の「1日」の労働とする。

B 労働基準法第32条の3に定めるいわゆるフレックスタイム制について，清算期間が1か月を超える場合において，清算期間を1か月ごとに区分した各期間を平均して1週間当たり50時間を超えて労働させた場合は時間外労働に該当するため，労働基準法第36条第1項の協定の締結及び届出が必要となり，清算期間の途中であっても，当該各期間に対応した賃金支払日に割増賃金を支払わなければならない。

C 労働基準法第38条の2に定めるいわゆる事業場外労働のみなし労働時間制に関する労使協定で定める時間が法定労働時間以下である場合には，当該労使協定を所轄労働基準監督署長に届け出る必要はない。

D 「いわゆる定額残業代の支払を法定の時間外手当の全部又は一部の支払とみなすことができるのは，定額残業代を上回る金額の時間外手当が法律上発生した場合にその事実を労働者が認識して直ちに支払を請求することができる仕組み（発生していない場合にはそのことを労働者が認識することができる仕組み）が備わっており，これらの仕組みが雇用主により誠実に実行されているほか，基本給と定額残業代の金額のバランスが適切であり，その他法定の時間外手当の不払や長時間労働による健康状態の悪化など労働者の福祉を損なう出来事の温床となる要因がない場合に限られる。」とするのが，最高裁判所の判例である。

E 労働基準法第39条に定める年次有給休暇は，1労働日（暦日）単位で付与するのが原則であるが，半日単位による付与については，年次有給休暇の取得促進の観点から，労働者がその取得を希望して時季を指定し，これに使用者が同意した場合であって，本来の取得方法による休暇取得の阻害とならない範囲で適切に運用されている場合には認められる。

正解チェック欄	／	／	／

A 正 本肢のとおりである（昭63.1.1基発1号）。なお，本肢の法32条2項は，使用者は，1週間の各日については，労働者に，休憩時間を除き1日について8時間を超えて，労働させてはならないとされている。

労働科目 54p

B 正 本肢のとおりである（法32条の3第2項，平30.12.28基発1228第15号）。なお，フレックスタイム制において時間外・休日労働協定（36協定）を締結する際，1日について延長することを協定する必要はなく，1箇月及び1年について協定すれば足りる（平30.12.28基発1228第15号）。

労働科目 60〜61p

C 正 本肢のとおりである（則24条の2第3項）。なお，本肢の労使協定（労働協約である場合を除く）には，有効期間を定めることとされている（則24条の2第2項）。

労働科目 83p

D 誤 法37条や他の労働関係法令が，ある手当の支払によって割増賃金の全部又は一部を支払ったものといえるために，「本肢のような事情が認められることを必須のものとしているとは解されない」（最高裁第一小法廷判決 平30.7.19 日本ケミカル事件）。

E 正 本肢のとおりである（平21.5.29基発0529001号）。なお，年次有給休暇の権利の時効については，2年とされており，年次有給休暇が発生した年度内にその権利を行使しなかった日数については，翌年度に当該日数が繰り越される（昭22.12.15基発501号）。

キリトリ線

R元-2	労働時間	重要度 A

問 45 労働基準法第32条の2に定めるいわゆる1か月単位の変形労働時間制に関する次の記述のうち，正しいものはどれか。

A 1か月単位の変形労働時間制により労働者に労働させる場合にはその期間の起算日を定める必要があるが，その期間を1か月とする場合は，毎月1日から月末までの暦月による。

B 1か月単位の変形労働時間制は，満18歳に満たない者及びその適用除外を請求した育児を行う者については適用しない。

C 1か月単位の変形労働時間制により所定労働時間が，1日6時間とされていた日の労働時間を当日の業務の都合により8時間まで延長したが，その同一週内の1日10時間とされていた日の労働を8時間に短縮した。この場合，1日6時間とされていた日に延長した2時間の労働は時間外労働にはならない。

D 1か月単位の変形労働時間制は，就業規則その他これに準ずるものによる定めだけでは足りず，例えば当該事業場に労働者の過半数で組織する労働組合がある場合においてはその労働組合と書面により協定し，かつ，当該協定を所轄労働基準監督署長に届け出ることによって，採用することができる。

E 1か月単位の変形労働時間制においては，1日の労働時間の限度は16時間，1週間の労働時間の限度は60時間の範囲内で各労働日の労働時間を定めなければならない。

キリトリ線

正解チェック欄	／	／	／

A　誤　本肢後段のような規定はない。変形期間を1か月とする場合は，必ずしも毎月1日から月末までの暦月とする必要なく，就業規則等に定めた変形期間の起算日から1か月の期間を変形期間とすることができる（則12条の2第1項）。

労働科目 57p

B　誤　育児を行う者については，その者が適用除外を請求した妊産婦でない限り，1か月単位の変形労働時間制の下で労働させることができる。なお，満18歳に満たない者について1か月単位の変形労働時間制が適用されないとする記述は正しい（法60条，法66条）。

労働科目 112, 120p

C　正　本肢のとおりである（平6.3.31基発181号）。1か月単位の変形労働時間制において，1日について時間外労働となる時間は，就業規則等により8時間を超える時間を定めた日はその時間を，それ以外の日は8時間を，それぞれ超えて労働した時間が時間外労働となる。本肢の場合，所定労働時間が6時間とされていた日の労働時間の延長のため，その日の労働時間が8時間を超えた場合に，その超えた時間が時間外労働時間となる。そして，延長の結果，労働時間が8時間を超えていないことから，時間外労働となる時間はない。なお，同一週内の他の日について労働時間を2時間短縮しているため，1週間についても時間外労働となる時間はない。

労働科目 57～58p

D　誤　1か月単位の変形労働時間制は，労使協定又は「就業規則その他これに準ずるもの」により所定の定めをすることにより採用することができる（法32条の2第1項）。

労働科目 57p

E　誤　1か月単位の変形労働時間制においては，変形期間を平均し，1週間当たりの労働時間が週法定労働時間を超えない範囲であれば，「1日及び1週間の労働時間の限度はない」（法32条の2第1項）。

労働科目 57p

キリトリ線

R2-6	労働時間	重要度 A

問 46 労働基準法に定める労働時間等に関する次の記述のうち，誤っているものはどれか。

A 運転手が2名乗り込んで，1名が往路を全部運転し，もう1名が復路を全部運転することとする場合に，運転しない者が助手席で休息し又は仮眠している時間は労働時間に当たる。

B 労働基準法第32条の3に定めるいわゆるフレックスタイム制を実施する際には，清算期間の長さにかかわらず，同条に掲げる事項を定めた労使協定を行政官庁（所轄労働基準監督署長）に届け出なければならない。

C 労働基準法第36条第3項に定める「労働時間を延長して労働させることができる時間」に関する「限度時間」は，1か月について45時間及び1年について360時間（労働基準法第32条の4第1項第2号の対象期間として3か月を超える期間を定めて同条の規定により労働させる場合にあっては，1か月について42時間及び1年について320時間）とされている。

キリトリ線

D 労働基準法第37条は，「使用者が，第33条又は前条第1項の規定により労働時間を延長し，又は休日に労働させた場合」における割増賃金の支払について定めているが，労働基準法第33条又は第36条所定の条件を充足していない違法な時間外労働ないしは休日労働に対しても，使用者は同法第37条第1項により割増賃金の支払義務があり，その義務を履行しないときは同法第119条第1号の罰則の適用を免れないとするのが，最高裁判所の判例である。

E 使用者は，労働基準法第39条第7項の規定により労働者に有給休暇を時季を定めることにより与えるに当たっては，あらかじめ，同項の規定により当該有給休暇を与えることを当該労働者に明らかにした上で，その時季について当該労働者の意見を聴かなければならず，これにより聴取した意見を尊重するよう努めなければならない。

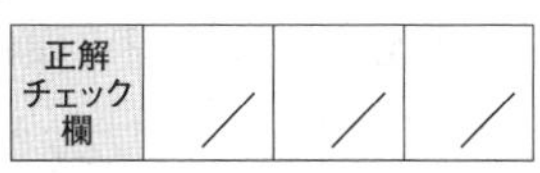

A 正 本肢のとおりである（昭33.10.11基収6286号）。なお，事業場に火災が発生した場合，すでに帰宅している所属労働者が任意に事業場に出勤し，消火作業に従事した時間は，労働時間と解することができる（昭63.3.14基発150号）。

B 誤 フレックスタイム制に係る労使協定は，「清算期間が1箇月を超える」場合に限り，行政官庁への届出義務が生じる（法32条の3第4項）。

労働科目 60p

C 正 本肢のとおりである（法36条4項）。なお，本肢の限度時間は，労働基準法において定められた要件であり，この要件を満たしていない（限度時間を超える時間を協定している）36協定は，全体として無効となる（平30.12.28基発1228第15号）。

労働科目 73p

D 正 本肢のとおりである（最高裁第一小法廷判決 昭35.7.14 小島撚糸事件）。なお，使用者の明白な超過勤務の指示により，又は使用者の具体的に指示した仕事が，客観的にみて正規の勤務時間内ではなされ得ないと認められる場合の如く，超過勤務の黙示の指示によって，法定労働時間を超えて勤務した場合には，時間外労働となり，使用者は法37条の割増賃金を支払わなければならない（昭25.9.14基収2983号）。

労働科目 78p

E 正 本肢のとおりである（則24条の6）。なお，使用者は，労働者による時季指定，計画的付与及び使用者による時季指定付与により有給休暇を与えたときは，時季，日数及び基準日を労働者ごとに明らかにした書類（「年次有給休暇管理簿」という）を作成し，当該有給休暇を与えた期間中及び当該期間の満了後5年間（当分の間3年間）保存しなければならない（則24条の7）。

労働科目 105p

キリトリ線

R3-5	労働時間	重要度 B

労基法

問 47 労働基準法に定める労働時間等に関する次の記述のうち，正しいものはどれか。

A 令和5年4月1日から令和6年3月31日までを有効期間とする書面による時間外及び休日労働に関する協定を締結し，これを令和5年4月7日に厚生労働省令で定めるところにより所轄労働基準監督署長に届け出た場合，令和5年4月1日から令和5年4月6日までに行われた法定労働時間を超える労働は，適法なものとはならない。

B 使用者は，当該事業場に，労働者の過半数で組織する労働組合がある場合においてはその労働組合，労働者の過半数で組織する労働組合がない場合においては労働者の過半数を代表する者との書面による協定により，1か月以内の一定の期間を平均し1週間当たりの労働時間が労働基準法第32条第1項の労働時間を超えない定めをしたときは，同条の規定にかかわらず，その定めにより，特定された週において同項の労働時間又は特定された日において同条第2項の労働時間を超えて，労働させることができるが，この協定の効力は，所轄労働基準監督署長に届け出ることにより認められる。

キリトリ線

C 労働基準法第33条では，災害その他避けることのできない事由によって，臨時の必要がある場合においては，使用者は，所轄労働基準監督署長の許可を受けて，その必要の限度において同法第32条から第32条の5まで又は第40条の労働時間を延長し，労働させることができる旨規定されているが，満18才に満たない者については，同法第33条の規定は適用されない。

D 労働基準法第32条又は第40条に定める労働時間の規定は，事業の種類にかかわらず監督又は管理の地位にある者には適用されないが，当該者が妊産婦であって，前記の労働時間に関する規定を適用するよう当該者から請求があった場合は，当該請求のあった規定については適用される。

E 労働基準法第32条の3に定めるいわゆるフレックスタイム制を導入している場合の同法第36条による時間外労働に関する協定における1日の延長時間については，1日8時間を超えて行われる労働時間のうち最も長い時間数を定めなければならない。

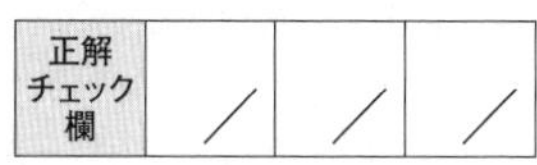

正解チェック欄	／	／	／

A 正 本肢のとおりである（法36条1項)。36協定は，行政官庁へ届出をすることにより初めてその効力が生ずるものであるから，届出が行われた日前の時間外・休日労働は，災害等により臨時の必要がある場合を除き，違法なものとなる。

B 誤 労使協定において，1箇月以内の一定の期間を平均し1週間当たりの労働時間が法定労働時間を超えない定めをしていれば，「行政官庁に届出をしていなくても，当該労使協定の効力は認められる」（法32条の2第1項)。

労働科目 56〜57p

C 誤 災害等により臨時の必要がある場合の時間外労働の規定は，満18歳に満たない者についても「適用される」（法60条1項)。

労働科目 112p

D 誤 管理監督者については労働時間に関する規定が適用されないため，請求の有無にかかわらず，妊産婦である管理監督者についても労働時間に関する規定は適用されない（法41条)。

労働科目 120p

E 誤 フレックスタイム制の適用を受ける場合の36協定においては「1日について延長することができる時間を協定する必要はない」（平30.12.28基発1228第15号)。

労働科目 58〜59p

R4-2	労働時間	重要度 A

問 48 労働基準法の労働時間に関する次の記述のうち，正しいものはどれか。

A 労働安全衛生法により事業者に義務付けられている健康診断の実施に要する時間は，労働安全衛生規則第44条の定めによる定期健康診断，同規則第45条の定めによる特定業務従事者の健康診断等その種類にかかわらず，すべて労働時間として取り扱うものとされている。

B 定期路線トラック業者の運転手が，路線運転業務の他，貨物の積込を行うため，小口の貨物が逐次持ち込まれるのを待機する意味でトラック出発時刻の数時間前に出勤を命ぜられている場合，現実に貨物の積込を行う以外の全く労働の提供がない時間は，労働時間と解されていない。

C 労働安全衛生法第59条等に基づく安全衛生教育については，所定労働時間内に行うことが原則とされているが，使用者が自由意思によって行う教育であって，労働者が使用者の実施する教育に参加することについて就業規則上の制裁等の不利益取扱による出席の強制がなく自由参加とされているものについても，労働者の技術水準向上のための教育の場合は所定労働時間内に行うことが原則であり，当該教育が所定労働時間外に行われるときは，当該時間は時間外労働時間として取り扱うこととされている。

D 事業場に火災が発生した場合，既に帰宅している所属労働者が任意に事業場に出勤し消火作業に従事した場合は，一般に労働時間としないと解されている。

E 警備員が実作業に従事しない仮眠時間について，当該警備員が労働契約に基づき仮眠室における待機と警報や電話等に対して直ちに対応することが義務付けられており，そのような対応をすることが皆無に等しいなど実質的に上記義務付けがされていないと認めることができるような事情が存しないなどの事実関係の下においては，実作業に従事していない時間も含め全体として警備員が使用者の指揮命令下に置かれているものであり，労働基準法第32条の労働時間に当たるとするのが，最高裁判所の判例である。

正解チェック欄	／	／	／

A　誤　特殊健康診断に要する時間は労働時間となるが,「一般健康診断に要する時間は労働時間とならない」(昭47.9.18基発602号)。

労働科目 55p

B　誤　本肢の労働の提供がない時間は「労働時間となる」(昭33.10.11基収6286号)。

労働科目 55p

C　誤　労働者が使用者の実施する教育に参加することについて,就業規則上の制裁等の不利益取扱いによる出席の強制がなく,自由参加のものであれば,「時間外労働にはならない」(昭26.1.20基収2875号)。

労働科目 55p

D　誤　本肢の消火作業に従事した時間は「労働時間となる」(昭23.10.23基収3141号)。

E　正　本肢のとおりである(最高裁第一小法廷判決　平14.2.28大星ビル管理事件)。本肢の判例は,「労働からの解放の保障」という基準により,使用者の指揮命令下に置かれているか否かの判断基準を採用した判例である。

労働科目 55p

キリトリ線

R4-7	労働時間	重要度 B

問 49 労働基準法に定める労働時間等に関する次の記述のうち，正しいものはどれか。

A 使用者は，労働基準法別表第1第8号（物品の販売，配給，保管若しくは賃貸又は理容の事業），第10号のうち映画の製作の事業を除くもの（映画の映写，演劇その他興行の事業），第13号（病者又は虚弱者の治療，看護その他保健衛生の事業）及び第14号（旅館，料理店，飲食店，接客業又は娯楽場の事業）に掲げる事業のうち常時10人未満の労働者を使用するものについては，労働基準法第32条の規定にかかわらず，1週間について48時間，1日について10時間まで労働させることができる。

B 労働基準法第32条の2に定めるいわゆる1か月単位の変形労働時間制を労使協定を締結することにより採用する場合，当該労使協定を所轄労働基準監督署長に届け出ないときは1か月単位の変形労働時間制の効力が発生しない。

C 医療法人と医師との間の雇用契約において労働基準法第37条に定める時間外労働等に対する割増賃金を年俸に含める旨の合意がされていた場合，「本件合意は，上告人の医師としての業務の特質に照らして合理性があり，上告人が労務の提供について自らの裁量で律することができたことや上告人の給与額が相当高額であったこと等からも，労働者としての保護に欠けるおそれはないから，上告人の当該年俸のうち時間外労働等に対する割増賃金に当たる部分が明らかにされておらず，通常の労働時間の賃金に当たる部分と割増賃金に当たる部分とを判別することができないからといって不都合はなく，当該年俸の支払により，時間外労働等に対する割増賃金が支払われたということができる」とするのが，最高裁判所の判例である。

キリトリ線

D 労働基準法第37条第3項に基づくいわゆる代替休暇を与えることができる期間は，同法第33条又は同法第36条第1項の規定によって延長して労働させた時間が1か月について60時間を超えた当該1か月の末日の翌日から2か月以内の範囲内で，労使協定で定めた期間とされている。

E 年次有給休暇の権利は，「労基法39条1，2項の要件が充足されることによつて法律上当然に労働者に生ずる権利ということはできず，労働者の請求をまつて始めて生ずるものと解すべき」であり，「年次〔有給〕休暇の成立要件として，労働者による『休暇の請求』や，これに対する使用者の『承認』を要する」とするのが，最高裁判所の判例である。

正解チェック欄	／	／	／

A　誤　本肢の事業のうち常時10人未満の労働者を使用するものについては，１週間について「44時間」，１日について「８時間」まで労働させることができる（則25条の２第１項）。

労働科目 55p

B　誤　１か月単位の変形労働時間制に係る労使協定は，所轄労働基準監督署長に届け出なければならないが，この届出は労使協定の効力発生要件とはされていないため，労使協定を届け出ない場合であっても，「効力は発生する」（ただし，届け出なかったことによる罰則は適用される）（法32条の２）。

労働科目 56～57p

C　誤　割増賃金をあらかじめ基本給等に含める方法で支払う場合においては労働契約における基本給等の定めにつき，「通常の労働時間の賃金に当たる部分と割増賃金に当たる部分とを判別することができることが必要である」。したがって，本肢の年俸の支払により上告人（労働者）の時間外労働及び深夜労働に対する「割増賃金が支払われたということはできない」（最高裁第二小法廷判決　平29.7.7　医療法人康心会事件）。

D　正　本肢のとおりである（則19条の２第１項）。なお，使用者は，１箇月60時間を超える時間外労働に対する割増賃金の支払に代える有給の休暇（代替休暇）を付与するための協定をする場合には，厚生労働省令で定められた①代替休暇として与えることができる時間の時間数の算定方法，②代替休暇の単位（１日又は半日とする），③代替休暇を与えることができる期間（時間外労働をさせた時間が１箇月について60時間を超えた当該１箇月の末日の翌日から２箇月以内とする）について協定しなければならない。

労働科目 81p

E　誤　年次有給休暇の権利は，法39条１項及び２項の要件が充足されることによって「法律上当然に労働者に生ずる権利であって，労働者の請求をまって初めて生ずるものではない」ため，年次有給休暇の成立要件として，「労働者による休暇の請求や，これに対する使用者の承認の観念を容れる余地はない」（最高裁第二小法廷判決　昭48.3.2　白石営林署事件）。

労働科目 98～99p

キリトリ線

R5-7	労働時間	重要度 B

労基法

問 50 労働基準法に定める労働時間等に関する次の記述のうち，誤っているものはどれか。

A　労働基準法第32条の3に定めるフレックスタイム制において同法第36条第1項の協定（以下本問において「時間外・休日労働協定」という。）を締結する際，1日について延長することができる時間を協定する必要はなく，1か月及び1年について協定すれば足りる。

B　労使当事者は，時間外・休日労働協定において労働時間を延長し，又は休日に労働させることができる業務の種類について定めるに当たっては，業務の区分を細分化することにより当該業務の範囲を明確にしなければならない。

C　労働基準法に定められた労働時間規制が適用される労働者が事業主を異にする複数の事業場で労働する場合，労働基準法第38条第1項により，当該労働者に係る同法第32条・第40条に定める法定労働時間及び同法第34条に定める休憩に関する規定の適用については，労働時間を通算することとされている。

D　労働基準法第39条第5項ただし書にいう「事業の正常な運営を妨げる場合」か否かの判断に当たり，勤務割による勤務体制がとられている事業場において，「使用者としての通常の配慮をすれば，勤務割を変更して代替勤務者を配置することが客観的に可能な状況にあると認められるにもかかわらず，使用者がそのための配慮をしないことにより代替勤務者が配置されないときは，必要配置人員を欠くものとして事業の正常な運営を妨げる場合に当たるということはできないと解するのが相当である。」とするのが，最高裁判所の判例である。

E　使用者は，労働時間の適正な把握を行うべき労働者の労働日ごとの始業・終業時刻を確認し，これを記録することとされているが，その方法としては，原則として「使用者が，自ら現認することにより確認し，適正に記録すること」，「タイムカード，ICカード，パソコンの使用時間の記録等の客観的な記録を基礎として確認し，適正に記録すること」のいずれかの方法によることとされている。

正解チェック欄	／	／	／

キリトリ線

A　正　本肢のとおりである（平30.12.28基発1228第15号）。

B　正　本肢のとおりである（平30.9.7厚労告323号）。なお，本肢の通達は，業務の区分を細分化することにより当該業務の種類ごとの時間外労働時間をきめ細かに協定するものとしたものであり，労使当事者は，時間外・休日労働協定の締結に当たり各事業場における業務の実態に即し，業務の種類を具体的に区分しなければならない。

C　誤　休憩，休日及び年次有給休暇については，労働時間に関する規定ではないため，その適用において自らの事業場における労働時間及び他の使用者の事業場における労働時間は「通算されない」（令2.9.1基発0901第3号）。

D　正　本肢のとおりである（最高裁第二小法廷判決 昭62.7.10 弘前電報電話局事件）。なお，本肢の「事業の正常な運営を妨げる場合」であるか否かは当該労働者の所属する事業場を基準として，事業の規模，内容，当該労働者の担当する作業の内容，性質，作業の繁閑，代行者の配置の難易，労働慣行等諸般の事情を考慮して客観的に判断すべきものとされている。

E　正　本肢のとおりである（平29.1.20基発0120第3号）。なお，本肢の方法によることなく，自己申告制によりこれを行わざるを得ない場合，使用者は，①自己申告した労働時間を超えて事業場内にいる時間について，その理由等を労働者に報告させる場合には，当該報告が適正に行われているかについて確認すること及び②労働者が自己申告できる時間外労働の時間数に上限を設け，上限を超える申告を認めない等，労働者による労働時間の適正な申告を阻害する措置を講じてはならないこと等をしなければならない。

R6-5	労働時間	重要度 A

問 51 労働基準法に定める労働時間に関する次の記述のうち，正しいものはいくつあるか。

ア　労働基準法第32条の2に定めるいわゆる1か月単位の変形労働時間制を適用するに当たっては，常時10人未満の労働者を使用する使用者であっても必ず就業規則を作成し，1か月以内の一定の期間を平均し1週間当たりの労働時間が40時間を超えない定めをしなければならない。

イ　使用者は，労働基準法第33条の「災害その他避けることのできない事由」に該当する場合であっても，同法第34条の休憩時間を与えなければならない。

ウ　労働者が情報通信技術を利用して行う事業場外勤務（テレワーク）においては，「情報通信機器が，使用者の指示により常時通信可能な状態におくこととされていないこと」さえ満たせば，労働基準法第38条の2に定めるいわゆる事業場外みなし労働時間制を適用することができる。

エ　使用者は，労働基準法第38条の3に定めるいわゆる専門業務型裁量労働制を適用するに当たっては，当該事業場に，労働者の過半数で組織する労働組合があるときはその労働組合，労働者の過半数で組織する労働組合がないときは労働者の過半数を代表する者との書面による協定により，専門業務型裁量労働制を適用することについて「当該労働者の同意を得なければならないこと及び当該同意をしなかった当該労働者に対して解雇その他不利益な取扱いをしてはならないこと。」を定めなければならない。

オ　労働基準法第41条の2に定めるいわゆる高度プロフェッショナル制度は，同条に定める委員会の決議が単に行われただけでは足りず，使用者が，厚生労働省令で定めるところにより当該決議を所轄労働基準監督署長に届け出ることによって，この制度を導入することができる。

A　一つ
B　二つ
C　三つ
D　四つ
E　五つ

正解チェック欄	／	／	／

本問アからオまでのそれぞれの記述の正誤は以下のとおりである。したがって，正しい記述はイ，エ及びオの3つであり，Cが解答となる。

ア　誤　1か月単位の変形労働時間制を採用するに当たっては，「労使協定」により，又は就業規則その他「これに準ずるもの」により，1か月以内の一定の期間を平均し1週間当たりの労働時間が原則40時間を超えない定めをしなければならない（法32条の2第1項）。

労働科目 57p

イ　正　本肢のとおりである（法34条1項）。なお，本肢の「災害」とは，事業場において通常発生する事故は含まれず，天災地変その他これに準ずるものとされ，「その他避けることのできない事由」とは，業務運営上通常予想し得ない事由がある場合をいうものと解される。

労働科目 69～70p

ウ　誤　テレワークにおいて，次の「①及び②のいずれも満たす場合」には，事業場外のみなし労働時間制を適用することができる（令3.3.25基発0325第2号）。

①情報通信機器が，使用者の指示により常時通信可能な状態におくこととされていないこと

②「随時使用者の具体的な指示に基づいて業務を行っていないこと」

エ　正　本肢のとおりである（則24条の2の2第3項）。なお，法38条2項に規定する専門業務型裁量労働制に係る届出義務に違反した使用者は，30万円以下の罰金に処せられる（法130条1号）。

労働科目 85p

オ　正　本肢のとおりである（法41条の2第1項）。なお，本肢の高度プロフェッショナル制度の「対象業務」とは，高度の専門的知識等を必要とし，その性質上従事した時間と従事して得た成果との関連性が通常高くないと認められるものとして厚生労働省令で定める業務（一定の金融商品開発業務，資産運用業務，新たな技術・商品・役務の研究開発業務など）のうち，労働者に就かせることとする業務をいう（則34条の2第3項）。

労働科目
92p

R5-2	休　　憩	重要度 A

労基法

問 52 労働基準法第34条（以下本問において「本条」という。）に定める休憩時間に関する次のアからオの記述のうち，正しいものの組合せは，後記AからEまでのうちどれか。

ア　休憩時間は，本条第2項により原則として一斉に与えなければならないとされているが，道路による貨物の運送の事業，倉庫における貨物の取扱いの事業には，この規定は適用されない。

イ　一昼夜交替制勤務は労働時間の延長ではなく二日間の所定労働時間を継続して勤務する場合であるから，本条の条文の解釈（一日の労働時間に対する休憩と解する）により一日の所定労働時間に対して1時間以上の休憩を与えるべきものと解して，2時間以上の休憩時間を労働時間の途中に与えなければならないとされている。

ウ　休憩時間中の外出について所属長の許可を受けさせるのは，事業場内において自由に休息し得る場合には必ずしも本条第3項（休憩時間の自由利用）に違反しない。

エ　本条第1項に定める「6時間を超える場合においては少くとも45分」とは，一勤務の実労働時間の総計が6時間を超え8時間までの場合は，その労働時間の途中に少なくとも45分の休憩を与えなければならないという意味であり，休憩時間の置かれる位置は問わない。

オ　工場の事務所において，昼食休憩時間に来客当番として待機させた場合，結果的に来客が1人もなかったとしても，休憩時間を与えたことにはならない。

A（アとイとウ）　**B**（アとイとエ）　**C**（アとエとオ）
D（イとウとオ）　**E**（ウとエとオ）

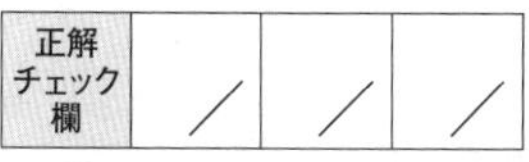

本問アからオまでのそれぞれの記述の正誤は以下のとおりである。したがって，ウとエとオを正しい記述とするEが解答となる。

ア　誤　道路による貨物の運送の事業については，休憩の一斉付与の規定は適用されないが，「倉庫における貨物の取扱いの事業については，原則として，休憩の一斉付与の規定は適用される」（法34条，法別表1，則31条）。

労働科目 66p

イ　誤　一昼夜交替制による勤務についても，一勤務が8時間を超える場合には1時間以上の休憩を与えればよいため，本肢の場合，「1時間以上」の休憩時間を労働時間の途中に与えなければならない（昭23.5.10基収1582号）。

ウ　正　本肢のとおりである（昭23.10.30基発1575号）。

労働科目 66p

エ　正　本肢のとおりである（法34条1項）。

労働科目 65p

オ　正　本肢のとおりである（平11.3.31基発168号）。本肢の待機させた時間は労働時間に該当するため，休憩時間を与えたことにはならない。

労働科目 65p

H28-6

割増賃金

重要度 B

問 53

労働基準法第37条に定める時間外，休日及び深夜の割増賃金を計算するについて，労働基準法施行規則第19条に定める割増賃金の基礎となる賃金の定めに従えば，通常の労働時間1時間当たりの賃金額を求める計算式のうち，正しいものはどれか。

なお，当該労働者の労働条件は次のとおりとする。

賃金：基本給のみ　月額300,000円
年間所定労働日数：240日
計算の対象となる月の所定労働日数：21日
計算の対象となる月の暦日数：30日
所定労働時間：午前9時から午後5時まで
休憩時間：正午から1時間

A 300,000円÷（21 × 7 ）

B 300,000円÷（21 × 8 ）

C 300,000円÷（30 ÷ 7 × 40）

D 300,000円÷（240 × 7 ÷ 12）

E 300,000円÷（365 ÷ 7 × 40 ÷ 12）

正解チェック欄	／	／	／

本問の者のように，月によって賃金が定められている場合，割増賃金の基礎となる通常の労働時間1時間当たりの賃金額は，賃金額を月における所定労働時間数（月によって所定労働時間数が異なる場合には，1年間における1月平均所定労働時間数）で除した金額とされている。

本問の場合，年間所定労働日数が240日であり，計算の対象となる月の所定労働日数が21日であることから，月によって所定労働時間数が異なっているのがわかる（21日×12月＝252日≠240日）。

したがって，通常の労働時間1時間当たりの賃金額は，賃金額を1年間における1月平均所定労働時間数で除した金額となることから，その計算式は「300,000円÷（240×7÷12）」となるため，解答はDとなる。

なお，月によって賃金が定められており，所定労働時間数が月によって変動しない場合については，割増賃金の基礎となる通常の労働時間1時間当たりの賃金額は，賃金額を月における所定労働時間数で除した金額とされ，本問A肢の計算を用いることとなる。

H30-3	割増賃金	重要度 B

問 54 労働基準法第35条に定めるいわゆる法定休日を日曜とし，月曜から土曜までを労働日として，休日及び労働時間が次のように定められている製造業の事業場における，労働に関する時間外及び休日の割増賃金に関する記述のうち，正しいものはどれか。

日	月	火	水	木	金	土
休	6	6	6	6	6	6

労働日における労働時間は全て
始業時刻：午前10時，終業時刻：午後5時，休憩：午後1時から1時間

A 日曜に10時間の労働があると，休日割増賃金の対象になるのは8時間で，8時間を超えた2時間は休日労働に加えて時間外労働も行われたことになるので，割増賃金は，休日労働に対する割増率に時間外労働に対する割増率を加算する必要がある。

B 日曜の午後8時から月曜の午前3時まで勤務した場合，その間の労働は全てが休日割増賃金対象の労働になる。

C 月曜の時間外労働が火曜の午前3時まで及んだ場合，火曜の午前3時までの労働は，月曜の勤務における1日の労働として取り扱われる。

D 土曜の時間外労働が日曜の午前3時まで及んだ場合，日曜の午前3時までの労働に対する割増賃金は，土曜の勤務における時間外労働時間として計算される。

E 日曜から水曜までは所定どおりの勤務であったが，木曜から土曜までの3日間の勤務が延長されてそれぞれ10時間ずつ労働したために当該1週間の労働時間が48時間になった場合，土曜における10時間労働の内8時間が割増賃金支払い義務の対象労働になる。

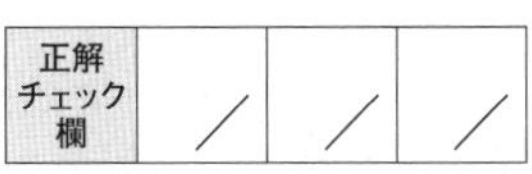

正解チェック欄	／	／	／

A　誤　本肢の場合，10時間すべてが休日労働となり，時間外労働は生じない。したがって，休日割増賃金の対象となる時間は10時間であり，「時間外労働に対する割増率を加算する必要はない」(平11.3.31基発168号)。

労働科目 78～79p

B　誤　休日については暦日休日制を採用しているため，休日割増賃金の対象となる休日労働となるのは日曜の午後8時から午後12時までであり，「月曜の午前0時から午前3時までの労働については休日労働とならない」(平6.5.31基発331号)。

労働科目 78～79p

C　正　本肢のとおりである（平11.3.31基発168号)。継続勤務が2暦日にわたる場合であっても，当該勤務は始業時刻の属する日の労働として1日の労働として時間外労働時間が把握される。

労働科目 55, 78～79p

D　誤　本肢の場合，「日曜の午前0時から午前3時までの労働は休日労働時間」として計算される（平6.5.31基発331号)。

労働科目 78～79p

E　誤　本肢の場合，木曜，金曜及び土曜において1日8時間を超えて労働しているため，2時間（＝10時間－8時間）がそれぞれ時間外労働となる。これらの時間外労働時間を合計すると6時間であり，週法定労働時間を超えている時間が2時間（＝48時間－40時間－6時間）あるため，この2時間も土曜における時間外労働となる。したがって，「土曜の労働時間のうち，時間外労働となるのは4時間」(＝日の時間外労働時間2時間＋週の時間外労働時間2時間）である（法32条)。

労働科目 78～79p

キリトリ線

H29-4	時間外・休日労働	重要度 B

労基法

問 55 **労働基準法第36条（以下本問において「本条」という。）に定める時間外及び休日の労働に関する次の記述のうち，誤っているものはどれか。**

A　労働時間等の設定の改善に関する特別措置法第7条により労働時間等設定改善委員会が設置されている事業場においては，その委員の5分の4以上の多数による議決により決議が行われたときは，当該決議を本条に規定する労使協定に代えることができるが，当該決議は，所轄労働基準監督署長への届出は免除されていない。

B　坑内労働その他厚生労働省令で定める健康上特に有害な業務（以下本問において「坑内労働等」という。）の労働時間の延長は，1日について2時間を超えてはならないと規定されているが，坑内労働等とその他の労働が同一の日に行われる場合，例えば，坑内労働等に8時間従事した後にその他の労働に2時間を超えて従事させることは，本条による協定の限度内であっても本条に抵触する。

キリトリ線

C　坑内労働等の労働時間の延長は，1日について2時間を超えてはならないと規定されているが，休日においては，10時間を超えて休日労働をさせることを禁止する法意であると解されている。

D　1日の所定労働時間が8時間の事業場において，1時間遅刻をした労働者に所定の終業時刻を1時間繰り下げて労働させることは，時間外労働に従事させたことにはならないので，本条に規定する協定がない場合でも，労働基準法第32条違反ではない。

E　本社，支店及び営業所の全てにおいてその事業場の労働者の過半数で組織する単一の労働組合がある会社において，本社において社長と当該単一労働組合の本部の長とが締結した本条に係る協定書に基づき，支店又は営業所がそれぞれ当該事業場の業務の種類，労働者数，所定労働時間等所要事項のみ記入して，所轄労働基準監督署長に届け出た場合，有効なものとして取り扱うこととされている。

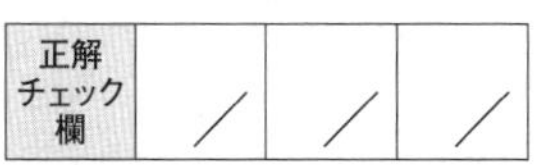

A 正 本肢のとおりである（法36条1項，労働時間設定改善法7条1項）。

労働科目 88～89p

B 誤 労働基準法に規定する坑内労働等の延長時間の制限は，坑内労働等に係る延長時間は2時間を超えてはならない旨規定しているものであるため，本肢のように，坑内労働等に8時間従事した後にその他の労働に2時間を超えて従事させることは，坑内労働等に係る延長時間が2時間以内である（坑内労働等に係る延長時間がない）ことから，労働基準法の規定に抵触しない（法36条6項，平11.3.31基発168号）。

労働科目 74p

C 正 本肢のとおりである（法36条6項，平11.3.31基発168号）。

労働科目 74p

D 正 本肢のとおりである（法32条2項，平11.3.31基発168号）。本肢の場合，実際の労働時間が1日の法定労働時間である8時間を超えていないため，法32条（法定労働時間）違反とならない。

E 正 本肢のとおりである（平15.2.15基発0215002号）。

キリトリ線

R4-3	時間外・休日労働	重要度 B

問 56 労働基準法第36条（以下本問において「本条」という。）に定める時間外及び休日の労働等に関する次の記述のうち，誤っているものはどれか。

A 使用者が労働基準法施行規則第23条によって日直を断続的勤務として許可を受けた場合には，本条第1項の協定がなくとも，休日に日直をさせることができる。

B 小売業の事業場で経理業務のみに従事する労働者について，対象期間を令和5年1月1日から同年12月31日までの1年間とする本条第1項の協定をし，いわゆる特別条項により，1か月について95時間，1年について700時間の時間外労働を可能としている事業場においては，同年の1月に90時間，2月に70時間，3月に85時間，4月に75時間，5月に80時間の時間外労働をさせることができる。

C 労働者が遅刻をし，その時間だけ通常の終業時刻を繰り下げて労働させる場合に，一日の実労働時間を通算すれば労働基準法第32条又は第40条の労働時間を超えないときは，本条第1項に基づく協定及び労働基準法第37条に基づく割増賃金支払の必要はない。

D 就業規則に所定労働時間を1日7時間，1週35時間と定めたときは，1週35時間を超え1週間の法定労働時間まで労働時間を延長する場合，各日の労働時間が8時間を超えずかつ休日労働を行わせない限り，本条第1項の協定をする必要はない。

E 本条第1項の協定は，事業場ごとに締結するよう規定されているが，本社において社長と当該会社の労働組合本部の長とが締結した本条第1項の協定に基づき，支店又は出張所がそれぞれ当該事業場の業務の種類，労働者数，所定労働時間等所要事項のみ記入して所轄労働基準監督署長に届け出た場合，当該組合が各事業場ごとにその事業場の労働者の過半数で組織されている限り，その取扱いが認められる。

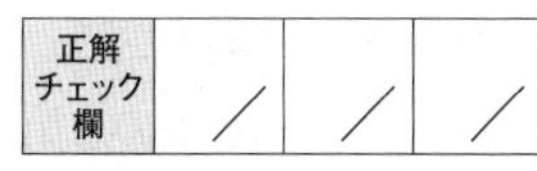

キリトリ線

A　正　本肢のとおりである（法41条，則23条）。なお，宿日直勤務に係る許可を受けた場合は，その宿日直の勤務については，監視又は断続的労働に従事する者と同様に，労働時間，休憩及び休日に関する規定は適用されない（昭23.1.13基発33号）。

労働科目 90～91p

B　誤　36協定に定めるところによって労働させる場合であっても，対象期間の初日から1箇月ごとに区分した各期間に当該各期間の直前の1箇月，2箇月，3箇月，4箇月及び5箇月の期間を加えたそれぞれの期間における労働時間を延長して労働させ，及び休日において労働させた時間の1箇月当たりの平均時間は80時間を超えてはならないとされている。本肢の場合，3月を終えた時点での当該平均時間が，（90時間＋70時間＋85時間）／3＝81.666…時間となり80時間を超えているため，本肢に示すような時間外労働はさせることはできない（法36条6項3号）。

労働科目 75p

C　正　本肢のとおりである（昭29.12.1基収6143号）。なお，交通機関の早朝ストライキ等1日のうちの一部の時間帯のストライキによる交通事情等のため，始業就業時刻を繰下げたり，繰上げることは，実働8時間の範囲である限り，時間外労働の問題は生じない（昭63.3.14基発150号）。

D　正　本肢のとおりである（法36条1項）。なお，36協定の効力は，届出により生ずるため，36協定を締結した場合であっても届出をしない限り免罰的効力は発生しない。

労働科目 71p

E　正　本肢のとおりである（昭24.2.9基収4234号）。なお，使用者は，過半数代表者が労働基準法に規定する協定等に関する事務を円滑に遂行することができるよう必要な配慮を行わなければならない（則6条の2第4項）。

キリトリ線

H28-7	年次有給休暇	重要度 A

労基法

問 57 労働基準法第39条に定める年次有給休暇に関する次の記述のうち，誤っているものはどれか。

A 休職発令により従来配属されていた所属を離れ，以後は単に会社に籍があるにとどまり，会社に対して全く労働の義務が免除されることとなる場合において，休職発令された者が年次有給休暇を請求したときは，労働義務がない日について年次有給休暇を請求する余地がないことから，これらの休職者は年次有給休暇請求権の行使ができないと解されている。

B 全労働日と出勤率を計算するに当たり，法定休日を上回る所定の休日に労働させた場合におけるその日は，全労働日に含まれる。

C 年次有給休暇を取得した日は，出勤率の計算においては，出勤したものとして取り扱う。

D 育児介護休業法に基づく育児休業申出後には，育児休業期間中の日について年次有給休暇を請求する余地はないが，育児休業申出前に育児休業期間中の日について時季指定や労使協定に基づく計画付与が行われた場合には，当該日には年次有給休暇を取得したものと解され，当該日に係る賃金支払日については，使用者に所要の賃金支払いの義務が生じるものとされている。

E 所定労働時間が年の途中で1日8時間から4時間に変更になった。この時，変更前に年次有給休暇の残余が10日と5時間の労働者であった場合，当該労働者が変更後に取得できる年次有給休暇について，日数の10日は変更にならないが，時間数の方は5時間から3時間に変更される。

キリトリ線

正解チェック欄	／	／	／

A　正　本肢のとおりである（昭24.12.28基発1456号）。また，年次有給休暇の権利は，法39条1・2項の要件が充足されることによって法律上当然に労働者に生ずる権利であって，労働者の請求をまってはじめて生ずるものではない。

B　誤　所定の休日に労働させた場合には，その日は，「全労働日に含まれない」（昭63.3.14基発150号）。

労働科目
99p

C　正　本肢のとおりである（法39条8項，昭22.9.13発基17号）。なお，以下の期間については，付与要件とされる8割以上出勤の算定においては，出勤したものとみなされる（同条10項）。

・業務上負傷し，又は疾病にかかり療養のために休業した期間
・育児介護休業法の規定による育児休業又は介護休業をした期間
・産前産後の女性が法65条の規定によって休業した期間（実際の出産日が出産予定日より遅れたことにより産前6週間を超えた期間も含まれる）
・年次有給休暇を取得した日

労働科目
99p

D　正　本肢のとおりである（平3.12.20基発712号）。なお，育児休業申出後の期間に限らず，年次有給休暇は，労働義務の免除を受けるものであるから，休日その他労働義務の課せられていない日については，これを行使する余地がない。

労働科目
103p

E　正　本肢のとおりである（平21.10.5基発1005第1号）。年次有給休暇を時間単位で保有している労働者について，所定労働時間数の変更があった場合，保有している年次有給休暇の日数に変更はないが，保有している時間単位年休の時間数は，当該労働者の1日の所定労働時間の変動に比例して変更される（変更後の時間に1時間未満の端数が生じたときは，これを1時間に切り上げる）。本肢の場合，所定労働時間が8時間から4時間に変更されており，この変更の比率は，50％（＝4時間/8時間）である。したがって，5時間×50％＝2.5時間→3時間（1時間未満端数切上）となるため，年次有給休暇の残余は10日と3時間へと変更される。

キリトリ線

R6-6	年次有給休暇	重要度 A

労基法

問 58 労働基準法に定める年次有給休暇に関する次の記述のうち，正しいものはどれか。

A　月曜日から金曜日まで1日の所定労働時間が4時間の週5日労働で，1週間の所定労働時間が20時間である労働者が，雇入れの日から起算して6か月間継続勤務し全労働日の8割以上出勤した場合に労働基準法第39条（以下本問において「本条」という。）の規定により当該労働者に付与される年次有給休暇は，5労働日である。

B　月曜日から木曜日まで1日の所定労働時間が8時間の週4日労働で，1週間の所定労働時間が32時間である労働者が，雇入れの日から起算して6か月間継続勤務し全労働日の8割以上出勤した場合に本条の規定により当該労働者に付与される年次有給休暇は，次の計算式により7労働日である。

〔計算式〕　10日 × 4日 ／ 5.2日 ≒ 7.69日　端数を切り捨てて7日

C　令和6年4月1日入社と同時に10労働日の年次有給休暇を労働者に付与した使用者は，このうち5日については，令和7年9月30日までに時季を定めることにより与えなければならない。

D　使用者の時季指定による年5日以上の年次有給休暇の取得について，労働者が半日単位で年次有給休暇を取得した日数分については，本条第8項の「日数」に含まれ，当該日数分について使用者は時季指定を要しないが，労働者が時間単位で取得した分については，本条第8項の「日数」には含まれないとされている。

E　産前産後の女性が労働基準法第65条の規定によって休業した期間及び生理日の就業が著しく困難な女性が同法第68条の規定によって就業しなかった期間は，本条第1項「使用者は，その雇入れの日から起算して6か月間継続勤務し全労働日の8割以上出勤した労働者に対して，継続し，又は分割した10労働日の有給休暇を与えなければならない。」の適用においては，これを出勤したものとみなす。

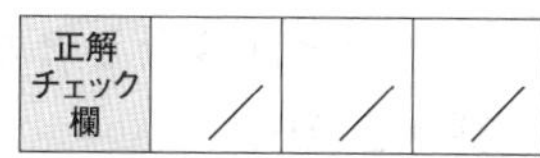

正解チェック欄	／	／	／

A　誤　週によって所定労働時間数が定められている場合，週の所定労働時間が30時間未満かつ週の所定労働日数が4日以下の場合に年次有給休暇の比例付与の対象となる。本肢の者の週の所定労働日数は5日であるため，比例付与の対象とならない。したがって，本肢の労働者に付与される年次有給休暇の日数は「10労働日」である（法39条1項・3項，則24条の3第4項）。

労働科目 97, 101p

B　誤　週によって所定労働時間数が定められている場合，週の所定労働時間が30時間未満かつ週の所定労働日数が4日以下の場合に年次有給休暇の比例付与の対象となる。本肢の者の週の所定労働時間は32時間（＝8時間×4日）であるため，比例付与の対象とならない。したがって，本肢の労働者に付与される年次有給休暇の日数は「10労働日」である（法39条1項・3項，則24条の3第1項）。

労働科目 97, 101p

C　誤　雇入れから6箇月経過日よりも前に10労働日以上の年次有給休暇を与えることとした場合，使用者による時季指定を行うべき期間は，当該10労働日以上の年次有給休暇を与えることとした日（令和6年4月1日）から1年以内となる。したがって，本肢の場合，「令和7年3月31日」までに使用者による時季指定により年次有給休暇を与えなければならない（法39条7項，則24条の5第1項）。

労働科目 105p

D　正　本肢のとおりである（平30.12.28基発1228第15号）。なお，前年度からの繰越分の年次有給休暇を取得した日数分は，法39条7項における使用者が時季指定すべき5日の年次有給休暇の日数から控除される（法39条7項）。

労働科目 106p

E　誤　生理休暇の規定によって就業しなかった期間は，「出勤したものとはみなされない」。その他の記述については正しい（法39条10項）。

労働科目 99p

キリトリ線

H29-7	妊産婦等	重要度 A

労基法

問 59 労働基準法に定める年少者及び妊産婦等に関する次の記述のうち，正しいものはどれか。

A 労働基準法第56条第1項は，「使用者は，児童が満15歳に達するまで，これを使用してはならない。」と定めている。

B 使用者は，児童の年齢を証明する戸籍証明書を事業場に備え付けることを条件として，満13歳以上15歳未満の児童を使用することができる。

C 労働基準法第56条第2項の規定によって使用する児童の法定労働時間は，修学時間を通算して1週間について40時間，及び修学時間を通算して1日について7時間とされている。

D 使用者は，すべての妊産婦について，時間外労働，休日労働又は深夜業をさせてはならない。

E 使用者は，生理日の就業が著しく困難な女性が休暇を請求したときは，その者を生理日に就業させてはならないが，請求にあたっては医師の診断書が必要とされている。

正解チェック欄	／	／	／

A 誤 使用者は，児童が「満15歳に達した日以後の最初の3月31日が終了するまで」，これを使用してはならない（法56条1項）。 労働科目 109p

---

B 誤 使用者は，次に掲げる書類を事業場に備え付けることによって，満13歳以上満15歳未満の児童を使用することができる（法57条）。

①その年齢を証明する戸籍証明書

②修学に差し支えないことを証明する学校長の証明書

③親権者又は後見人の同意書 労働科目 110p

C 正 本肢のとおりである（法60条2項）。なお，本肢の修学時間とは，「当該日の授業開始時刻から同日の最終授業終了時刻までの時間から休憩時間（昼食時間を含む）を除いた時間」をいう（昭63.3.14基発150号）。 労働科目 112p

---

D 誤 使用者は，「妊産婦が請求した場合」においては，時間外労働，休日労働又は深夜労働をさせてはならない。したがって，請求していない妊産婦については，使用者は，時間外労働，休日労働又は深夜業をさせることができる（法66条2項・3項）。 労働科目 120p

---

E 誤 生理休暇の取得については，原則として，特別の証明がなくても女性労働者の請求があった場合には，これを与えることにし，特に証明を求める必要が認められる場合であっても，「医師の診断書のような厳格な証明を求めることなく」，一応事実を推断せしめるに足れば充分であるから，例えば，同僚の証言程度の簡単な証明であってもよいとされている。本肢前段の記述は正しい（法68条，昭23.5.5基発682号）。

キリトリ線

R5-3	妊産婦等	重要度 B

問 60 労働基準法の年少者及び妊産婦等に係る規定に関する次の記述のうち，誤っているものはどれか。

A 年少者を坑内で労働させてはならないが，年少者でなくても，妊娠中の女性及び坑内で行われる業務に従事しない旨を使用者に申し出た女性については，坑内で行われるすべての業務に就かせてはならない。

B 女性労働者が妊娠中絶を行った場合，産前6週間の休業の問題は発生しないが，妊娠4か月（1か月28日として計算する。）以後行った場合には，産後の休業について定めた労働基準法第65条第2項の適用がある。

C 6週間以内に出産する予定の女性労働者が休業を請求せず引き続き就業している場合は，労働基準法第19条の解雇制限期間にはならないが，その期間中は女性労働者を解雇することのないよう行政指導を行うこととされている。

D 災害等による臨時の必要がある場合の時間外労働等を規定した労働基準法第33条第1項は年少者にも適用されるが，妊産婦が請求した場合においては，同項を適用して時間外労働等をさせることはできない。

E 年少者の，深夜業に関する労働基準法第61条の「使用してはならない」，危険有害業務の就業制限に関する同法第62条の「業務に就かせてはならない」及び坑内労働の禁止に関する同法第63条の「労働させてはならない」は，それぞれ表現が異なっているが，すべて現実に労働させることを禁止する趣旨である。

正解チェック欄	／	／	／

キリトリ線

A　誤　使用者は，妊娠中の女性及び坑内で行われる業務に従事しない旨を使用者に申し出た「産後1年を経過しない女性」については，坑内で行われるすべての業務に就かせてはならない（法63条，法64条の2）。なお，使用者は，満18歳に満たない者を坑内で労働させてはならない。

労働科目 115, 117~118p

B　正　本肢のとおりである（昭26.4.2婦発113号）。なお，産前6週間の期間は，自然の出産予定日を基準として計算し，産後8週間は，現実の出産日を基準として計算する。

労働科目 118p

C　正　本肢のとおりである（昭25.6.16基収1526号）。なお，育児休業又は介護休業をする期間及びその後30日間については，解雇は制限されない。

労働科目 36p

D　正　本肢のとおりである（法60条1項，法66条2項）。なお，法41条（労働時間等に関する規定の適用除外）は年少者にも適用されるため，例えば農業・水産業・畜産業・養蚕業や行政官庁の許可を受けて監視又は断続的労働に従事する場合等には，年少者であっても労働時間，休憩及び休日の規定の適用が除外される。

労働科目 113, 120p

E　正　本肢のとおりである（昭23.5.18基収1625号）。なお，使用者は，満18歳に満たない者を午後10時から午前5時までの間において使用してはならない。ただし，交替制によって使用する満16歳以上の男性については，この限りでない（法61条1項）。

労働科目 113~115p

R2-3	妊産婦等	重要度 C

問 61 労働基準法第64条の3に定める危険有害業務の就業制限に関する次の記述のうち，誤っているものはどれか。

A 使用者は，女性を，30キログラム以上の重量物を取り扱う業務に就かせてはならない。

B 使用者は，女性を，さく岩機，鋲打機等身体に著しい振動を与える機械器具を用いて行う業務に就かせてはならない。

C 使用者は，妊娠中の女性を，つり上げ荷重が5トン以上のクレーンの運転の業務に就かせてはならない。

D 使用者は，産後1年を経過しない（労働基準法第65条による休業期間を除く。）女性を，高さが5メートル以上の場所で，墜落により労働者が危害を受けるおそれのあるところにおける業務に就かせてもよい。

E 使用者は，産後1年を経過しない女性が，動力により駆動される土木建築用機械の運転の業務に従事しない旨を使用者に申し出た場合，その女性を当該業務に就かせてはならない。

キリトリ線

正解チェック欄	／	／	／

A　正　本肢のとおりである（法64条の3第1項・2項，女性労働基準規則2条1項1号，同規則3条）。なお，使用者が女性を就かせてはならない業務の1つとして，ボイラーの溶接の業務がある（女性労働基準規則2条1項3号，同規則3条）。

B　誤　使用者は，本肢の業務に妊産婦（妊娠中の女性及び産後1年を経過しない女性）を就かせてはならないが，「妊産婦以外の女性を就かせることはできる」（法64条の3第1項・2項，女性労働基準規則2条1項24号，同条2項，同規則3条）。

C　正　本肢のとおりである（法64条の3第1項，女性労働基準規則2条1項4号）。

D　正　本肢のとおりである（法64条の3第1項，女性労働基準規則2条2項）。使用者が産後1年を経過しない（法65条による休業期間を除く）女性を就かせてよい業務の1つとして，土砂が崩壊するおそれのある場所又は深さが5メートル以上の地穴における業務がある（女性労働基準規則2条1項13号，同規則3条）。

E　正　本肢のとおりである（法64条の3第1項，女性労働基準規則2条1項7号，同条2項）。なお，使用者は，産後1年を経過しない女性が，機械集材装置，運材索道等を用いて行う木材の搬出の業務に従事しない旨を使用者に申し出た場合，その女性を当該業務に就かせてはならない。

R3-6	妊産婦等	重要度 A

問 62 労働基準法第65条に関する次の記述のうち，誤っているものはどれか。

A 労働基準法第65条の「出産」の範囲は，妊娠4か月以上の分娩をいうが，1か月は28日として計算するので，4か月以上というのは，85日以上ということになる。

B 労働基準法第65条の「出産」の範囲に妊娠中絶が含まれることはない。

C 使用者は，産後8週間（女性が請求した場合において，その者について医師が支障がないと認めた業務に就かせる場合は6週間）を経過しない女性を就業させてはならないが，出産当日は，産前6週間に含まれる。

D 6週間（多胎妊娠の場合にあっては，14週間）以内に出産する予定の女性労働者については，当該女性労働者の請求が産前の休業の条件となっているので，当該女性労働者の請求がなければ，労働基準法第65条第1項による就業禁止に該当しない。

E 労働基準法第65条第3項は原則として妊娠中の女性が請求した業務に転換させる趣旨であるが，新たに軽易な業務を創設して与える義務まで課したものではない。

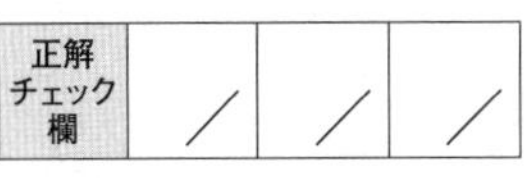

必修基本書

A 正 本肢のとおりである（昭23.12.23基発1885号）。 労働科目 118p

B 誤 妊娠4箇月以後の妊娠中絶も「出産」に含まれる（昭26.4.2婦発113号）。 労働科目 118p

C 正 本肢のとおりである（法65条2項，昭25.3.31基収4057号）。産前の休業については，所定の女性の請求が条件となっており，当該女性の請求がなければ法65条1項による就業禁止には該当しない。 労働科目 118p

---

D 正 本肢のとおりである（法65条1項）。なお，本肢の規定に違反した使用者は，6箇月以下の懲役又は30万円以下の罰金に処される（法119条1号）。 労働科目 118p

---

E 正 本肢のとおりである（昭61.3.20基発151号ほか）。 労働科目 119p

キリトリ線

H27-7	就業規則	重要度 B

問 63 労働基準法に定める就業規則等に関する次の記述のうち，誤っているものはどれか。

A 労働基準法上就業規則の作成義務のない，常時10人未満の労働者を使用する使用者が作成した就業規則についても，労働基準法にいう「就業規則」として，同法第91条（制裁規定の制限），第92条（法令及び労働協約との関係）及び第93条（労働契約との関係）の規定は適用があると解されている。

B 労働基準法第89条が使用者に就業規則への記載を義務づけている事項以外の事項を，使用者が就業規則に自由に記載することは，労働者にその同意なく労働契約上の義務を課すことにつながりかねないため，使用者が任意に就業規則に記載した事項については，就業規則の労働契約に対するいわゆる最低基準効は認められない。

C 労働基準法第90条第1項が，就業規則の作成又は変更について，当該事業場の過半数労働組合，それがない場合においては労働者の過半数を代表する者の意見を聴くことを使用者に義務づけた趣旨は，使用者が一方的に作成・変更しうる就業規則に労働者の団体的意思を反映させ，就業規則を合理的なものにしようとすることにある。

キリトリ線

D 労働基準法第90条第2項は，就業規則の行政官庁への届出の際に，当該事業場の過半数労働組合，それがない場合においては労働者の過半数を代表する者の意見を記した書面を添付することを使用者に義務づけているが，過半数労働組合もしくは過半数代表者が故意に意見を表明しない場合又は意見書にその者の氏名を記載をしない場合は，意見を聴いたことが客観的に証明できる限り，これを受理するよう取り扱うものとされている。

E 労働基準法第92条第1項は，就業規則は，法令又は当該事業場について適用される労働協約に反してはならないと規定しているが，当該事業場の労働者の一部しか労働組合に加入していない結果，労働協約の適用がその事業場の一部の労働者に限られているときには，就業規則の内容が労働協約の内容に反する場合においても，当該労働協約が適用されない労働者については，就業規則の規定がそのまま適用されることになる。

正解チェック欄	／	／	／

A　正　本肢のとおりである（労働基準法コンメンタール）。

B　誤　いわゆる任意的記載事項についても労働契約法12条（就業規則違反の労働契約）の適用があり，最低基準効が認められる（法89条，労働契約法12条）。

C　正　本肢のとおりである（法90条1項，労働基準法コンメンタール）。ただし，就業規則の作成又は変更については，過半数労働組合又は過半数代表者の意見を聴くことのみで足り，同意を得ることは必要とされない。

労働科目
126~127p

D　正　本肢のとおりである（昭23.5.11基発735号）。

E　正　本肢のとおりである（法92条1項，労働基準法コンメンタール）。本肢の規定は，就業規則の内容が労働協約の中に定められた労働条件その他労働者の待遇に関する基準（規範的部分）に反してはならないという意味であり，例えば，就業規則作成に当たっての手続たる「会社の社内諸規則，諸規定の制定改廃に関しては労働組合の同意を必要とする」というような労働協約の規定は，法92条には関係ない（昭24.1.7基収4078号）。

キリトリ線

H28-5	就業規則	重要度 B

問 64 労働基準法に定める就業規則等に関する次の記述のうち，正しいものはどれか。

A 労働基準法第89条所定の事項を個々の労働契約書に網羅して記載すれば，使用者は，別途に就業規則を作成していなくても，本条に規定する就業規則の作成義務を果たしたものとなる。

B 労働基準法第41条第3号に定める「監視又は断続的労働に従事する者で，使用者が行政官庁の許可を受けたもの」については，労働基準法の労働時間，休憩及び休日に関する規定が適用されないから，就業規則に始業及び終業の時刻を定める必要はない。

C 退職手当制度を設ける場合には，適用される労働者の範囲，退職手当の決定，計算及び支払の方法，退職手当の支払の時期に関する事項について就業規則に規定しておかなければならないが，退職手当について不支給事由又は減額事由を設ける場合に，これらを就業規則に記載しておく必要はない。

D 服務規律違反に対する制裁として一定期間出勤を停止する場合，当該出勤停止期間中の賃金を支給しないことは，減給制限に関する労働基準法第91条違反となる。

E 行政官庁が，法令又は労働協約に抵触する就業規則の変更を命じても，それだけで就業規則が変更されたこととはならず，使用者によって所要の変更手続がとられてはじめて就業規則が変更されたこととなる。

キリトリ線

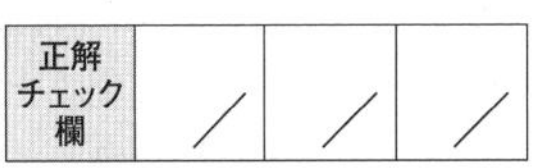

A 誤 法89条所定の事項を個々の労働契約書に網羅して記載した場合であっても，「就業規則の作成義務を果たしたこととはならない」（法89条，労働基準法コンメンタール）。

B 誤 本肢のように，法の労働時間，休憩及び休日の規定が適用されない者に適用される就業規則についても，絶対的必要記載事項である「始業及び終業の時刻を記載する必要がある」（法89条，昭23.12.25基収4281号）。 労働科目 126p

---

C 誤 退職手当についての不支給事由又は減額事由は，退職手当の決定及び計算の方法に関する事項に該当するため，これらの事由を設ける場合は，「就業規則に記載する必要がある」。本肢前段の記述は正しい（法89条，昭63.1.1基発1号）。 労働科目 126p

---

D 誤 制裁としての出勤停止により，その出勤停止中の賃金の支払を受けることができないことは，制裁としての出勤停止の当然の結果であって，通常の額以下の賃金を支給することを定める法91条の「減給の制裁に該当しない」（昭23.7.3基収2177号）。 労働科目 127p

---

E 正 本肢のとおりである（法92条2項，労働基準法コンメンタール）。なお，本肢の就業規則の変更命令が出されたにもかかわらず，使用者がこれに従わなかったときは，30万円以下の罰金に処せられる。 労働科目 128p

H30-7	就業規則	重要度 A

問 65 労働基準法に定める就業規則等に関する次の記述のうち，正しいものはどれか。

A 同一事業場において，パートタイム労働者について別個の就業規則を作成する場合，就業規則の本則とパートタイム労働者についての就業規則は，それぞれ単独で労働基準法第89条の就業規則となるため，パートタイム労働者に対して同法第90条の意見聴取を行う場合，パートタイム労働者についての就業規則についてのみ行えば足りる。

B 就業規則の記載事項として，労働基準法第89条第1号にあげられている「休暇」には，育児介護休業法による育児休業も含まれるが，育児休業の対象となる労働者の範囲，育児休業取得に必要な手続，休業期間については，育児介護休業法の定めるところにより育児休業を与える旨の定めがあれば記載義務は満たしている。

C 常時10人以上の労働者を使用する使用者は，就業規則に制裁の定めをする場合においては，その種類及び程度に関する事項を必ず記載しなければならず，制裁を定めない場合にはその旨を必ず記載しなければならない。

D 労働基準法第91条による減給の制裁に関し平均賃金を算定すべき事由の発生した日は，制裁事由発生日（行為時）とされている。

E 都道府県労働局長は，法令又は労働協約に抵触する就業規則を定めている使用者に対し，必要な助言，指導又は勧告をすることができ，勧告をした場合において，その勧告を受けた者がこれに従わなかったときは，その旨を公表することができる。

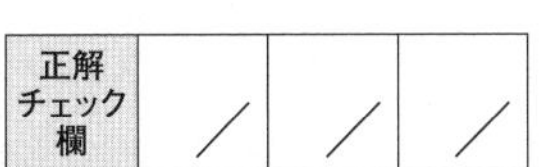

A　誤　パートタイム労働者について別個の就業規則を定めた場合，当該別個の就業規則と本則たる就業規則を「合わせたものが法89条の就業規則となる」ため，これらの就業規則を合わせたものについて，意見聴取を行う必要がある（平11.3.31基発168号）。

B　正　本肢のとおりである（法89条，平11.3.31基発168号）。なお，本肢の「休暇」については，就業規則に必ず記載しなければならない絶対的必要記載事項とされている。

労働科目 126p

C　誤「制裁の定め」は，「相対的必要記載事項」であるため，制裁の定めをしない場合においては，その旨を記載する必要はない（法89条）。

労働科目 126p

D　誤　減給の制裁に関し，平均賃金を算定すべき事由の発生した日は，「減給の制裁の意思表示が相手方に到達した日」とされている（昭30.7.19　29基収5875号）。

労働科目 22, 128p

E　誤　行政官庁（「所轄労働基準監督署長」）は，法令又は労働協約に抵触する「就業規則の変更を命ずることができる」（法92条2項，則50条）。

労働科目 128p

キリトリ線

R元-7	就業規則	重要度 A

問 66 労働基準法に定める就業規則等に関する次の記述のうち，正しいものはどれか。

A 労働基準法第89条に定める「常時10人以上の労働者」の算定において，1週間の所定労働時間が20時間未満の労働者は0.5人として換算するものとされている。

B 使用者は，就業規則を，①常時各作業場の見やすい場所へ掲示し，又は備え付けること，②書面を労働者に交付すること，③使用者の使用に係る電子計算機に備えられたファイル又は労働基準法施行規則第24条の2の4第3項第3号に規定する電磁的記録媒体をもって調製するファイルに記録し，かつ，各作業場に労働者が当該記録の内容を常時確認できる機器を設置することのいずれかの方法により，労働者に周知させなければならない。

C 就業規則の作成又は変更について，使用者は，当該事業場の労働者の過半数で組織する労働組合がある場合においてはその労働組合，それがない場合には労働者の過半数を代表する者と協議決定することが要求されている。

D 就業規則中に，懲戒処分を受けた場合には昇給させない旨の欠格条件を定めることは，労働基準法第91条に違反するものとして許されない。

E 同一事業場において，労働者の勤務態様，職種等によって始業及び終業の時刻が異なる場合は，就業規則には，例えば「労働時間は1日8時間とする」と労働時間だけ定めることで差し支えない。

正解チェック欄	／	／	／

A 誤 本肢のような規定はない。常態として10人以上の労働者を使用していれば「常時10人以上の労働者を使用する使用者」に該当する（法89条）。

労働科目 125p

B 正 本肢のとおりである（法106条1項，則52条の2）。なお，使用者は，事業場における労働基準法や就業規則等の遵守を図るため，所定の法令の要旨や規則，協定及び決議に関して，定められた方法により労働者に周知させなければならない。

労働科目 134p

C 誤 使用者は，就業規則の作成又は変更について，当該事業場に，労働者の過半数で組織する労働組合がある場合においてはその労働組合，労働者の過半数で組織する労働組合がない場合においては労働者の過半数を代表する者の「意見を聴かなければならない」（法90条1項）。

労働科目 126~127p

D 誤 就業規則中に，懲戒処分を受けた場合には昇給させない旨の欠格条件を定めることは，制裁規定の制限を定めた法91条の「制裁に該当しない」ため，法91に違反しない（昭26.3.31基収938号）。

労働科目 127p

E 誤 始業及び終業の時刻が勤務態様，職種等によって異なる場合には，原則として，「それぞれの勤務態様，職種等ごとに始業及び終業の時刻を就業規則に規定しなければならない」（平11.3.31基発168号）。

キリトリ線

R2-7	就業規則	重要度 B

労基法

問 67 労働基準法に定める就業規則等に関する次の記述のうち，正しいものはどれか。

A 慣習等により，労働条件の決定変更につき労働組合との協議を必要とする場合は，その旨を必ず就業規則に記載しなければならない。

B 労働基準法第90条に定める就業規則の作成又は変更の際の意見聴取について，労働組合が故意に意見を表明しない場合又は意見書に労働者を代表する者の氏名を記載しない場合には，意見を聴いたことが客観的に証明できる限り，行政官庁（所轄労働基準監督署長）は，就業規則を受理するよう取り扱うものとされている。

C 派遣元の使用者は，派遣中の労働者だけでは常時10人以上にならず，それ以外の労働者を合わせてはじめて常時10人以上になるときは，労働基準法第89条による就業規則の作成義務を負わない。

D 1つの企業が2つの工場をもっており，いずれの工場も，使用している労働者は10人未満であるが，2つの工場を合わせて1つの企業としてみたときは10人以上となる場合，2つの工場がそれぞれ独立した事業場と考えられる場合でも，使用者は就業規則の作成義務を負う。

E 労働者が，遅刻・早退をした場合，その時間に対する賃金額を減給する際も労働基準法第91条による制限を受ける。

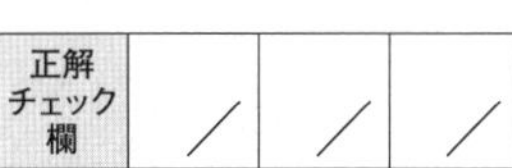

正解チェック欄	／	／	／

A　誤　労働条件の決定変更につき労働組合の同意を必要とする慣習について，就業規則に記載するかどうかは「当事者の自由」とされている（昭23.10.30基発1575号）。

B　正　本肢のとおりである（昭23.10.30基発1575号）。なお，法90条（就業規則の作成の手続）の「労働組合の意見を聴かなければならない」というのは，労働組合との協議決定を要求するものではなく，就業規則についての労働組合の意見を聴けば労働基準法の違反とはならない趣旨である（昭25.3.15基収525号）。

C　誤　派遣元の使用者は，派遣中の労働者とそれ以外の労働者とを合わせて常時10人以上となるときは，「就業規則の作成義務を負う」（昭61.6.6基発333号）。

労働科目 125p

D　誤　2つの事業場がそれぞれ独立した事業場と考えられる場合は，それぞれの事業場において常時10人以上の労働者を使用しているか否かによって就業規則の作成義務の有無を判断する。したがって，本肢の場合，独立したそれぞれの工場においては，常時10人未満の労働者しか使用していないので，いずれの工場においても，使用者は，就業規則の「作成義務は負わない」（法89条）。

労働科目 125p

E　誤　遅刻，早退をした場合のその時間について賃金を支払わないことは，減給の制裁に該当しないため，労働基準法91条の「減給の制裁の制限は受けない」（昭63.3.14基発150号）。

R3-7	就業規則	重要度 A

問 68 労働基準法に定める就業規則等に関する次の記述のうち，正しいものはどれか。

A 労働基準法第89条第1号から第3号までの絶対的必要記載事項の一部を記載しない就業規則も，その効力発生についての他の要件を具備する限り有効であり，使用者は，そのような就業規則を作成し届け出れば同条違反の責任を免れることができるが，行政官庁は，このような場合においては，使用者に対し，必要な助言及び指導を行わなければならない。

B 欠勤（病気事故）したときに，その日を労働者の請求により年次有給休暇に振り替える取扱いが制度として確立している場合には，当該取扱いについて就業規則に規定する必要はない。

C 同一事業場において当該事業場の全労働者の3割について適用される就業規則を別に作成する場合，当該事業場において当該就業規則の適用を受ける労働者のみの過半数で組織する労働組合又は当該就業規則の適用を受ける労働者のみの過半数を代表する者の意見を聴くことで，労働基準法第90条による意見聴取を行ったこととされる。

D 就業規則中に懲戒処分を受けた場合は昇給させないという欠格条件を定めることは，労働基準法第91条に違反する。

E 労働基準法第91条にいう「一賃金支払期における賃金の総額」とは，「当該賃金支払期に対し現実に支払われる賃金の総額」をいい，一賃金支払期に支払われるべき賃金の総額が欠勤や遅刻等により少額となったときは，その少額となった賃金総額を基礎として10分の1を計算しなければならない。

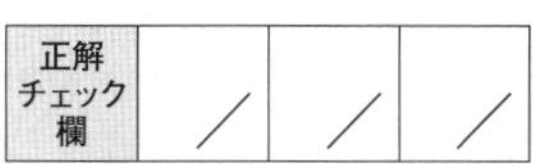

正解チェック欄	／	／	／

A　誤　絶対的必要記載事項の一部を欠く就業規則も，その効力発生についての他の要件を具備する限り有効であるが，このような就業規則を作成して届け出ても就業規則の作成及び届出を定めた法89条「違反の責任は免れない」（平11.3.31基発168号）。

B　誤　本肢の場合，本肢の取扱いを就業規則に規定することが必要である（昭63.3.14基発150号）。

労働科目
126p

C　誤　一部の労働者に適用される就業規則も当該事業場の就業規則の一部分であるから，その作成又は変更に際しては，当該事業場の「全労働者」の過半数で組織する労働組合又は「全労働者」の過半数を代表する者の意見を聴かなければならない（昭63.3.14基発150号）。

D　誤　懲戒処分を受けた場合には昇給させないという就業規則中の規定は，「減給の制裁に該当しない」（昭26.3.31基収938号）。したがって，本肢のような欠格条件を定めても減給の制裁の制限を定めた法91条に違反しない。

労働科目
127p

E　正　本肢のとおりである（昭25.9.8基収1338号）。なお，賞与も賃金であることから，法92条に規定による制裁として賞与から減額をすることについては，同条の規定が適用される（昭63.3.14基発第150号）。

労働科目
128p

キリトリ線

R6-7	就業規則	重要度 A

労基法

問 69 労働基準法に定める就業規則等に関する次の記述のうち，誤っているものはどれか。

A 労働基準法第89条第1号から第3号までの絶対的必要記載事項の一部が記載されていない就業規則は他の要件を具備していても無効とされている。

B 事業の附属寄宿舎に労働者を寄宿させる使用者は，「起床，就寝，外出及び外泊に関する事項」，「行事に関する事項」，「食事に関する事項」，「安全及び衛生に関する事項」及び「建設物及び設備の管理に関する事項」について寄宿舎規則を作成し，行政官庁に届け出なければならないが，これらはいわゆる必要的記載事項であるから，そのいずれか一つを欠いても届出は受理されない。

C 同一事業場において，労働基準法第3条に反しない限りにおいて，一部の労働者についてのみ適用される別個の就業規則を作成することは差し支えないが，別個の就業規則を定めた場合には，当該2以上の就業規則を合したものが同法第89条の就業規則となるのであって，それぞれ単独に同条の就業規則となるものではないとされている。

D 育児介護休業法による育児休業も，労働基準法第89条第1号の休暇に含まれるものであり，育児休業の対象となる労働者の範囲等の付与要件，育児休業取得に必要な手続，休業期間については，就業規則に記載する必要があるとされている。

E 労働基準法第41条第3号の「監視又は断続的労働に従事する者で，使用者が行政官庁の許可を受けたもの」は，同法の労働時間に関する規定が適用されないが，就業規則には始業及び終業の時刻を定めなければならないとされている。

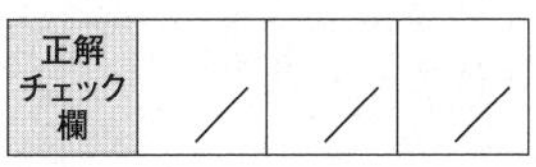

正解チェック欄	／	／	／

キリトリ線

A　誤　絶対的必要記載事項の一部が記載されていない就業規則も，その効力発生についての他の要件を具備する限り，「有効」である（平11.3.31基発168号）。

B　正　本肢のとおりである（法95条1項）。なお，使用者は，本肢の寄宿舎規則の記載事項のうち「建設物及び設備の管理に関する事項」以外の事項に関する規定の作成又は変更については，寄宿労働者の過半数を代表する者の同意を得なければならない（同条2項）。

労働科目 131p

C　正　本肢のとおりである（平11.3.31基発168号）。なお，本肢の就業規則とは，労働者の就業上遵守すべき規律及び労働条件に関する具体的細目について定めた規則類の総称である。

労働科目 125p

D　正　本肢のとおりである（平11.3.31基発168号）。なお，就業規則の絶対的必要記載事項の「休暇」には，育児介護休業法に規定する育児休業のほか，介護休業，子の看護休暇及び介護休暇も含まれるため，これらの事項については，就業規則に記載する必要がある。

労働科目 126p

E　正　本肢のとおりである（昭23.12.25基収4281号）。なお，本肢の「監視に従事する者」は，原則として，一定部署にあって監視するのを本来の業務とし，常態として身体又は精神的緊張の少ない者について法41条（労働時間，休憩及び休日に関する規定の適用除外者）に係る許可をすることとされている（昭22.9.13発基17号，昭63.3.14基発150号ほか）。

キリトリ線

R2-2	監督機関・雑則等	重要度 B

問 70 労働基準法に定める監督機関及び雑則に関する次の記述のうち，正しいものはどれか。

A 労働基準法第106条により使用者に課せられている法令等の周知義務は，労働基準法，労働基準法に基づく命令及び就業規則については，その要旨を労働者に周知させればよい。

B 使用者は，労働基準法第36条第1項（時間外及び休日の労働）に規定する協定及び同法第41条の2第1項（いわゆる高度プロフェッショナル制度に係る労使委員会）に規定する決議を労働者に周知させなければならないが，その周知は，対象労働者に対してのみ義務付けられている。

C 労働基準監督官は，労働基準法違反の罪について，刑事訴訟法に規定する司法警察官の職務を行うほか，労働基準法第24条に定める賃金並びに同法第37条に定める時間外，休日及び深夜の割増賃金の不払については，不払をしている事業主の財産を仮に差し押さえる職務を行う。

D 労働基準法及びこれに基づく命令に定める許可，認可，認定又は指定の申請書は，各々2通これを提出しなければならない。

E 使用者は，事業を開始した場合又は廃止した場合は，遅滞なくその旨を労働基準法施行規則の定めに従い所轄労働基準監督署長に報告しなければならない。

キリトリ線

正解チェック欄	／	／	／

A　誤　労働基準法及び同法に基づく命令については，その要旨を周知させれば足りるが，「就業規則については，その全文を周知させなければならない」（法106条1項）。

労働科目 134p

B　誤　本肢の協定及び決議は，「全労働者」に周知させなければならない（法106条1項）。

労働科目 134p

C　誤　労働基準監督官は，労働基準法違反の罪について，刑事訴訟法に規定する司法警察官の職務を行うとされているが，本肢後段にある「財産を仮に差し押さえる職務を行うこととはされていない」（法102条）。

労働科目 132p

D　正　本肢のとおりである（則59条）。なお，労働基準法及びこれに基づく命令に定める許可，認可，認定若しくは指定の申請，届出，報告，労働者名簿又は賃金台帳に用いるべき様式（一定のもの除く）は，必要な事項の最小限度を記載すべきことを定めるものであって，横書，縦書その他異なる様式を用いることを妨げるものではない（則59条の2第1項）。

E　誤　使用者は，事業を開始した場合には，遅滞なく，その事実を所轄労働基準監督署長に報告しなければならないが，「事業を廃止した場合には，報告義務は課せられていない」（則57条1項）。

第 2 編

労働安全衛生法

過去10年間の出題傾向

労働安全衛生法

□…選択式　○…択一式

出題項目＼年度	平成27年	平成28年	平成29年	平成30年	令和元年	令和２年	令和３年	令和４年	令和５年	令和６年
総則	□	○	○	□	□		○	□		
安全衛生管理体制	○	□	○		□○		○	○		○
労働者の危険又は健康障害を防止するための措置	○	○	□			□	□		□	
機械等並びに危険物及び有害物に関する規制				□○	○		○		○	□
労働者の就業に当たっての措置	□○	○					□	□		
健康の保持増進のための措置	○		□	○	○	□○			□○	○
特別安全衛生改善計画・安全衛生改善計画										
計画の届出等							○			○
報告等			○				○			□
罰則			○							
派遣労働者に係る労働安全衛生法の適用に関する特例	○			○						

H28-9	総則等	重要度 A

問 1 労働安全衛生法に関する次の記述のうち，誤っているものはどれか。

A 労働安全衛生法における「事業者」は，労働基準法第10条に規定する「使用者」とはその概念を異にするが，「労働者」は，労働基準法第9条に規定する労働者（同居の親族のみを使用する事業又は事務所に使用される者及び家事使用人を除く。）をいう。

B 労働安全衛生法における「労働災害」は，労働者の就業に係る建設物，設備，原材料，ガス，蒸気，粉じん等により，又は作業行動その他業務に起因して，労働者が負傷し，疾病にかかり，又は死亡することをいうが，例えばその負傷については，事業場内で発生したことだけを理由として「労働災害」とするものではない。

C 労働安全衛生法における事業場の業種の区分については，その業態によって個別に決するものとし，経営や人事等の管理事務をもっぱら行なっている本社，支店などは，その管理する系列の事業場の業種とは無関係に決定するものとしており，たとえば，製鉄所は製造業とされるが，当該製鉄所を管理する本社は，製造業とはされない。

D 厚生労働大臣は，労働政策審議会の意見をきいて，労働災害防止計画を策定しなければならないこととされており，第13次労働災害防止計画において，「死亡災害については，一たび発生すれば取り返しがつかない災害であることを踏まえ，死亡者数を2017年と比較して，2022年までに15％以上減少させること」などを盛り込んだ2018年4月から2023年3月までの5年間にわたる計画が進められていた。

E 労働者は，労働安全衛生法第26条により，事業者が同法の規定に基づき講ずる危険又は健康障害を防止するための措置に応じて，必要な事項を守らなければならないが，その違反に対する罰則の規定は設けられていない。

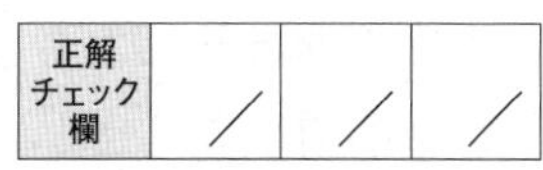

A 正 本肢のとおりである（法2条2号・3号，昭47.9.18発基91号）。労働基準法における「使用者」とは，事業主又は事業の経営担当者その他その事業の労働者に関する事項について，事業主のために行為をするすべての者をいい，労働安全衛生法における「事業者」は，事業を行う者で，労働者を使用するもの（法人企業であれば当該法人，個人企業であれば事業経営主）をいう。

労働科目 147p

B 正 本肢のとおりである（法2条1号）。なお，「作業環境測定」とは，作業環境の実態を把握するため空気環境その他の作業環境について行うデザイン，サンプリング及び分析（解析を含む）をいう。

労働科目 147p

C 正 本肢のとおりである（昭47.9.18発基91号）。労働安全衛生法において，一の事業場であるか否かは，主として場所的観念によって決定すべきもので，同一場所にあるものは原則として一の事業場とされるが，著しく労働の態様を異にする部門が存在する場合に，その部門を主たる部門と切り離して別個の事業場としてとらえることによって，労働安全衛生法がより適切に運用できる場合には，その部門は，別個の事業場としてとらえるものとする。

D 正 本肢のとおりである（法6条，第13次労働災害防止計画）。なお，厚生労働大臣は，労働災害の発生状況，労働災害の防止に関する対策の効果等を考慮して必要があると認めるときは，労働政策審議会の意見をきいて，労働災害防止計画を変更しなければならない。

労働科目 151p

E 誤 労働者は，法26条により，事業者が法の規定に基づき講ずる危険又は健康障害を防止するための措置に応じて，必要な事項を守らなければならないが，この規定に違反した者は，「50万円以下の罰金に処せられる」（法26条，法120条1号）。

キリトリ線

H29-8	総則等	重要度 A

問 2　労働安全衛生法に関する次の記述のうち，誤っているものはどれか。

安衛法

A　労働安全衛生法は，基本的に事業者に措置義務を課しているため，事業者から現場管理を任されている従業者が同法により事業者に課せられている措置義務に違反する行為に及んだ場合でも，事業者が違反の責めを負い，従業者は処罰の対象とならない。

B　労働者が事業場内における負傷により休業した場合は，その負傷が明らかに業務に起因するものではないと判断される場合であっても，事業者は，労働安全衛生規則第97条の労働者死傷病報告書を所轄労働基準監督署長に提出しなければならない。

C　労働安全衛生法は，機械，器具その他の設備を設計し，製造し，又は輸入する者にも，これらの物の設計，製造又は輸入に際して，これらの物が使用されることによる労働災害の発生の防止に資するよう努めることを求めている。

キリトリ線

D　労働安全衛生法は，原材料を製造し，又は輸入する者にも，これらの物の製造又は輸入に際して，これらの物が使用されることによる労働災害の発生の防止に資するよう努めることを求めている。

E　労働安全衛生法は，労働基準法と一体的な関係にあるので，例えば「この法律で定める労働条件の基準は最低のものであるから，」に始まる労働基準法第1条第2項に定めるような労働憲章的部分は，労働安全衛生法の施行においても基本となる。

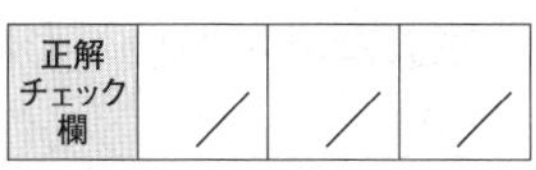

A　誤　本肢の場合，行為者である従業者は，労働安全衛生法に係る「処罰の対象となる」（法122条）。なお，法人の代表者又は法人若しくは人の代理人，使用人その他の従業者が，その法人又は人の業務に関して，法116条，法117条，法119条又は法120条の違反行為をしたときは，「行為者を罰するほか」，その法人又は人に対しても，各本条の「罰金刑」を科するとされている。

労働科目
222~223p

B　正　本肢のとおりである（則97条）。

労働科目
221p

C　正　本肢のとおりである（法3条2項）。なお，労働安全衛生法の「労働災害」とは，労働者の就業に係る建設物，設備，原材料，ガス，蒸気，粉じん等により，又は作業行動その他業務に起因して，労働者が負傷し，疾病にかかり，又は死亡することをいう（法2条1号）。

労働科目
148p

D　正　本肢のとおりである（法3条2項）。なお，事業者は，単に労働安全衛生法で定める労働災害の防止のための最低基準を守るだけでなく，快適な職場環境の実現と労働条件の改善を通じて職場における労働者の安全と健康を確保するようにしなければならない。また，事業者は，国が実施する労働災害の防止に関する施策に協力するようにしなければならない（法3条1項）。

労働科目
148p

E　正　本肢のとおりである（昭47.9.18発基91号）。なお，労働安全衛生法は，労働基準法と相まって，労働災害の防止のための危害防止基準の確立，責任体制の明確化及び自主的活動の促進の措置を講ずる等その防止に関する総合的計画的な対策を推進することにより職場における労働者の安全と健康を確保するとともに，快適な職場環境の形成を促進することを目的とされている（法1条）。

R3-9	安全衛生管理体制	重要度 A

問 3　**総括安全衛生管理者に関する次の記述のうち，正しいものはいくつあるか。**

ア　総括安全衛生管理者は，労働安全衛生法施行令で定める業種の事業場の企業全体における労働者数を基準として，企業全体の安全衛生管理を統括管理するために，その選任が義務づけられている。

イ　総括安全衛生管理者は，労働者の危険又は健康障害を防止するための措置に関することを統括管理する。

ウ　総括安全衛生管理者は，労働者の安全又は衛生のための教育の実施に関することを統括管理する。

エ　総括安全衛生管理者は，健康診断の実施その他健康の保持増進のための措置に関することを統括管理する。

オ　総括安全衛生管理者は，労働災害の原因の調査及び再発防止対策に関することを統括管理する。

A　一つ
B　二つ
C　三つ
D　四つ
E　五つ

正解チェック欄	／	／	／

本問アからオまでのそれぞれの記述の正誤は以下のとおりである。したがって，正しい記述はイ，ウ，エ及びオの4つであり，Dが解答となる。

ア　誤　労働安全衛生法は「事業場を単位」として適用され，事業場ごとの業種，規模等に応じて安全衛生管理体制の規定が適用される。したがって，総括安全衛生管理者は，労働安全衛生法施行令で定める業種の「事業場ごと」の労働者数を基準として，「事業場ごと」の安全衛生管理を統括管理する（昭47.9.18発基91号）。

労働科目 153p

イ　正　本肢のとおりである（法10条1項1号）。なお，総括安全衛生管理者が統括管理するものとして，他に安全衛生に関する方針の表明に関すること等がある（則3条の2第1号）。

労働科目 153p

ウ　正　本肢のとおりである（法10条1項2号）。なお，総括安全衛生管理者が統括管理するものとして，他に法28条の2第1項又は法57条の3第1項及び第2項に規定する事業者が行うべき危険性又は有害性等の調査及びその結果に基づき講ずる措置に関すること等がある（則3条の2第2号）。

労働科目 153p

エ　正　本肢のとおりである（法10条1項3号）。なお，総括安全衛生管理者が統括管理するものとして，他に安全衛生に関する計画の作成，実施，評価及び改善に関すること等がある（則3条の2第3号）。

労働科目 153p

オ　正　本肢のとおりである（法10条1項4号）。

労働科目 153p

H29-9	安全衛生管理体制	重要度 B

問 4 次に示す業態を取る株式会社についての安全衛生管理に関する記述のうち，正しいものはどれか。なお，衛生管理者及び産業医については，選任の特例（労働安全衛生規則第8条及び同規則第13条第3項）を考えないものとする。

Ｘ市に本社を置き，人事，総務等の管理業務と営業活動を行っている。

使用する労働者数　　常時40人

Ｙ市に工場を置き，食料品を製造している。

工場は24時間フル操業で，1グループ150人で構成する4つのグループ計600人の労働者が，1日を3つに区分した時間帯にそれぞれ順次交替で就業するいわゆる4直3交替で，業務に従事している。したがって，この600人の労働者は全て，1月に4回以上輪番で深夜業に従事している。なお，労働基準法第36条第1項ただし書きに規定する健康上特に有害な業務に従事する者はいない。

Ｚ市に2店舗を置き，自社製品を小売りしている。

Ｚ1店舗　使用する労働者数　　常時15人

Ｚ2店舗　使用する労働者数　　常時15人（ただし，この事業場のみ，うち12人は1日4時間労働の短時間労働者）

A　Ｘ市にある本社には，総括安全衛生管理者，衛生管理者及び産業医を選任しなければならない。

B　Ｙ市にある工場には，安全委員会及び衛生委員会を設置しなければならず，それぞれの委員会の設置に代えて，安全衛生委員会を設置することができるが，産業医については，その工場に専属の者を選任しなければならない。

C　Ｙ市にある工場には衛生管理者を3人選任しなければならないが，そのうち少なくとも1人を衛生工学衛生管理者免許を受けた者のうちから選任しなければならない。

D　Ｘ市にある本社に衛生管理者が選任されていれば，Ｚ市にあるＺ1店舗には衛生推進者を選任しなくてもよい。

E　Ｚ市にあるＺ2店舗には衛生推進者の選任義務はない。

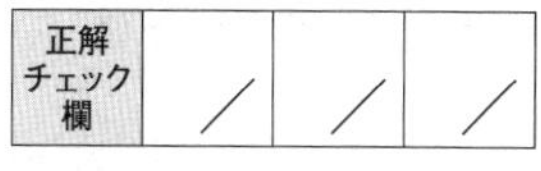

A　誤　本肢の本社は，常時40人の労働者を使用する事業場であるため，総括安全衛生管理者，衛生管理者及び産業医を選任する必要はない（令2条，令4条，令5条）。

労働科目 153, 156, 160p

B　正　本肢のとおりである（法19条1項，令8条，令9条，則13条1項3号）。本肢の工場は，食料品の製造業であり常時100人以上の労働者を使用する事業場であるため安全委員会の設置が必要であり，衛生委員会も設置する必要があるが，これらの委員会の設置に代えて安全衛生委員会を設置することもできる。また，深夜業を含む業務に常時500人以上の労働者を従事させているため，産業医については，その工場に専属の者を選任しなければならない。

労働科目 160〜161, 164〜166p

C　誤　本肢の工場では，常時600人の労働者を使用しているため，衛生管理者を3人以上選任しなければならないが，坑内労働又は労働基準法施行規則18条1号，3号から5号まで若しくは9号に掲げる業務（深夜業は含まれていない）に常時30人以上の労働者を「従事させてはいない」ため，衛生管理者のうち少なくとも1人を衛生工学衛生管理者免許を受けた者のうちから選任する「必要はない」（令4条，則7条1項4号・6号）。

労働科目 156p

D　誤　本肢のような規定は設けられていない（法12条1項，法12条の2，平18.3.31基発0331005号ほか）。なお，本肢の本社は，安全管理者を選任すべき業種以外の業種であって常時10人以上50人未満の労働者を使用する事業場であることから，衛生推進者を選任しなければならず，本肢のＺ1店舗は，常時10人以上50人未満の労働者を使用する事業場であることから，衛生推進者を選任しなければならない。

労働科目 158〜159p

E　誤　本肢のＺ２店舗は，常時10人以上50人未満の労働者を使用する事業場であるため，衛生推進者をしなければならない（法12条の２，則12条の２，昭47.9.18基発602号ほか）。なお，本肢の労働者数の算定は，日雇労働者，パートタイマー等の臨時的労働者の数も含めて，常態として使用する労働者の数を算定することとされている。

労働科目
158～159p

MEMO

R6-8 **安全衛生管理体制** 重要度 **A**

問 5 次に示す業態をとる株式会社についての安全衛生管理に関する記述のうち，誤っているものはどれか。なお，衛生管理者については，選任の特例（労働安全衛生規則第8条）を考えないものとする。

W市に本社を置き，人事，総務等の管理業務を行っている。
　使用する労働者数　　常時30人
X市に第1工場を置き，金属部品の製造及び加工を行っている。
・工場は1直7:00～15:00及び2直15:00～23:00の2交替で操業しており，1グループ150人計300人の労働者が交替で就業している。
・工場には動力により駆動されるプレス機械が10台設置され，当該機械による作業が行われている。
Y市に第2工場を置き，金属部品の製造及び加工を行っている。
・工場は1直7:00～15:00及び2直15:00～23:00の2交替で操業しており，1グループ40人計80人の労働者が交替で就業している。
・工場には動力により駆動されるプレス機械が5台設置され，当該機械による作業が行われている。
Z市に営業所を置き，営業活動を行っている。
　使用する労働者数　　常時12人（ただし，この事業場のみ，うち6人は1日4時間労働の短時間労働者）

A　W市にある本社には，安全管理者も衛生管理者も選任する義務はない。
B　W市にある本社には，総括安全衛生管理者を選任しなければならない。
C　X市にある第1工場及びY市にある第2工場には，それぞれ安全管理者及び衛生管理者を選任しなければならないが，X市にある第1工場には，衛生管理者を二人以上選任しなければならない。
D　X市にある第1工場及びY市にある第2工場には，プレス機械作業主任者を，それぞれの工場に，かつ1直2直それぞれに選任しなければならない。
E　Z市にある営業所には，衛生推進者を選任しなければならない。

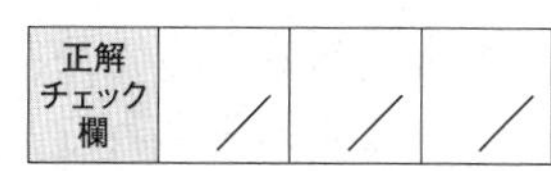

正解チェック欄	／	／	／

A　正　本肢のとおりである（令3条，令4条）。本肢の本社は安全管理者を選任すべき業種に該当しない「その他の業種」に該当するため，使用する労働者数にかかわらず，安全管理者を選任する義務はない。また，常時50人以上の労働者を使用していないため，衛生管理者を選任する義務もない。

労働科目 154, 156p

B　誤　本肢の本社は「その他の業種」に該当するため，常時1,000人以上の労働者を使用する場合に総括安全衛生管理者の選任義務が生じるところ，本肢の本社は常時30人の労働者しか使用していないため，「総括安全衛生管理者を選任する必要はない」（令2条）。

労働科目 153p

C　正　本肢のとおりである（令3条，令4条，則7条1項）。本肢の第1工場及び第2工場はともに安全管理者を選任すべき業種である「製造業」に該当する。したがって，常時50人以上の労働者を使用している第1工場及び第2工場ともに安全管理者を選任しなければならない。また，常時50人以上の労働者を使用している第1工場及び第2工場ともに衛生管理者を選任しなければならない。

労働科目 154, 156p

D　正　本肢のとおりである（令6条，則133条）。動力により駆動されるプレス機械を5台以上有する事業場において行う当該機械による作業については，プレス機械作業主任者を選任しなければならない。

E　正　本肢のとおりである（則12条の2，昭47.9.18基発602号）。本肢の営業所は「その他の業種」に該当し，常時10人以上50人未満の労働者を使用しているため，衛生推進者を選任しなければならない。なお，「常時使用する労働者数」は，日雇労働者，パートタイム労働者等の臨時的労働者の数を含めた常態としての使用労働者数をいうため，本肢の営業所は常時12人の労働者を使用しているものとされる。

労働科目 159p

キリトリ線

R元-8	安全衛生管理体制	重要度 B

問 6 次に示す建設工事現場における安全衛生管理に関する記述のうち，誤っているものはどれか。

甲社：本件建設工事の発注者

乙社：本件建設工事を甲社から請け負って当該建設工事現場で仕事をしている事業者。常時10人の労働者が現場作業に従事している。

丙社：乙社から工事の一部を請け負って当該建設工事現場で仕事をしているいわゆる一次下請事業者。常時30人の労働者が現場作業に従事している。

丁社：丙社から工事の一部を請け負って当該建設工事現場で仕事をしているいわゆる二次下請事業者。常時20人の労働者が現場作業に従事している。

A　乙社は，自社の労働者，丙社及び丁社の労働者の作業が同一の場所において行われることによって生ずる労働災害を防止するため，協議組織を設置しなければならないが，この協議組織には，乙社が直接契約を交わした丙社のみならず，丙社が契約を交わしている丁社も参加させなければならず，丙社及び丁社はこれに参加しなければならない。

B　乙社は，特定元方事業者として統括安全衛生責任者を選任し，その者に元方安全衛生管理者の指揮をさせなければならない。

C　丙社及び丁社は，それぞれ安全衛生責任者を選任しなければならない。

D　丁社の労働者が，当該仕事に関し，労働安全衛生法に違反していると認めるときに，その是正のために元方事業者として必要な指示を行う義務は，丙社に課せられている。

E　乙社が足場を設置し，自社の労働者のほか丙社及び丁社の労働者にも使用させている場合において，例えば，墜落により労働者に危険を及ぼすおそれのある箇所に労働安全衛生規則で定める足場用墜落防止設備が設けられていなかった。この場合，乙社，丙社及び丁社は，それぞれ事業者として自社の労働者の労働災害を防止するための措置義務を負うほか，乙社は，丙社及び丁社の労働者の労働災害を防止するため，注文者としての措置義務も負う。

正解チェック欄	／	／	／

キリトリ線

A　正　本肢のとおりである（法15条1項，法30条1項，則635条）。本肢の乙社（特定元方事業者）は，特定元方事業者及びすべての関係請負人が参加する協議組織を設置しなければならず，関係請負人は，特定元方事業者が設置する当該協議組織に参加しなければならない。なお，特定元方事業者とは，元方事業者のうち，建設業その他政令で定める業種に属する事業（特定事業）を行う者をいい，関係請負人には，元方事業者の事業の仕事が数次の請負契約によって行われるときは，当該請負人の請負契約の後次のすべての請負契約の当事者である請負人を含むものとされている。 労働科目 175p

---

B　正　本肢のとおりである（法15条1項，令7条）。本肢の建設工事現場は，労働者数が常時60人であることから，特定元方事業者である乙社は，統括安全衛生責任者を選任し，その者に元方安全衛生管理者の指揮をさせなければならない。 労働科目 167p

---

C　正　本肢のとおりである（法16条1項）。統括安全衛生責任者を選任すべき事業者以外の請負人で，当該仕事を自ら行うものは，安全衛生責任者を選任しなければならない。 労働科目 169p

---

D　誤　元方事業者は，関係請負人又は関係請負人の労働者が，当該仕事に関し，労働安全衛生法又はこれに基づく命令の規定に違反していると認めるときは，是正のため必要な指示を行わなければならないものとされているが，元方事業者とは，事業者で，一の場所において行う事業の仕事の一部を請負人に請け負わせているもの（当該事業の仕事の一部を請け負わせる契約が2以上あるため，その者が2以上あることとなるときは，当該請負契約のうち最も先次の請負契約における注文者）をいうため，本肢の場合，元方事業者は乙社であり，本肢の指示を行う義務は，「乙社」に課せられている（法15条1項，法29条2項）。 労働科目 174p

E　正　本肢のとおりである（法21条2項，法31条，則563条1項）。事業者は，労働者が墜落するおそれのある場所等に係る危険を防止するため必要な措置を講じなければならず，特定事業の仕事を自ら行う注文者は，建設物等（足場など）を，当該仕事を行う場所においてその請負人（当該仕事が数次の請負契約によって行われるときは，当該請負人の請負契約の後次のすべての請負契約の当事者である請負人を含む）の労働者に使用させるときは，当該建設物等について，当該労働者の労働災害を防止するため必要な措置を講じなければならない。

労働科目
172p

キリトリ線

MEMO

H29-10	安全衛生管理体制	重要度 C

問 7 労働安全衛生法第14条において作業主任者を選任すべきものとされている作業として，誤っているものは次のうちどれか。

A　木材加工用機械（丸のこ盤，帯のこ盤，かんな盤，面取り盤及びルーターに限るものとし，携帯用のものを除く。）を5台以上（当該機械のうちに自動送材車式帯のこ盤が含まれている場合には，3台以上）有する事業場において行う当該機械による作業

B　高さが2メートル以上のはい（倉庫，上屋又は土場に積み重ねられた荷（小麦，大豆，鉱石等のばら物の荷を除く。）の集団をいう。）のはい付け又ははい崩しの作業（荷役機械の運転者のみによって行われるものを除く。）

C　つり足場（ゴンドラのつり足場を除く。），張出し足場又は高さが5メートル以上の構造の足場の組立て，解体又は変更の作業

D　動力により駆動されるプレス機械を5台以上有する事業場において行う当該機械による作業

※**E**　屋内において鋼材をアーク溶接する作業

A　正　本肢の作業は，作業主任者を選任すべきものとされている作業である（令6条6号）。なお，作業主任者は，作業の区分に応じて，次のいずれかに該当する者でなければならない（法14条）。
①都道府県労働局長の免許を受けた者
②都道府県労働局長の登録を受けた者が行う技能講習を修了した者

B　正　本肢の作業は，作業主任者を選任すべきものとされている作業である（令6条12号）。なお，事業者は，作業主任者の氏名及びその者に行わせる事項を作業場の見やすい箇所に掲示する等により関係労働者に周知させなければならない（則18条）。

C　正　本肢の作業は，作業主任者を選任すべきものとされている作業である（令6条15号）。

D　正　本肢の作業は，作業主任者を選任すべきものとされている作業である（令6条7号）。なお，作業主任者の職務は，労働災害を防止するための管理を必要とする作業に従事する労働者の指揮等とされている（法14条）。

※**E　正**　出題当時は誤りの記述であったが，改正により，金属をアーク溶接する際に発生する溶接ヒューム（金属アーク溶接等作業において過熱により発生する粒子状物質）は，令6条（作業主任者を選任すべき作業）18号の「特定化学物質を製造し，又は取り扱う作業（一定のものを除く）」の特定化学物質に含まれたため，本肢の作業は，作業主任者を選任すべきものとされている作業である（令6条18号，令別表第3）。

R4-9	安全衛生管理体制	重要度 C

問 8 労働安全衛生法に定める作業主任者に関する次の記述のうち，正しいものはどれか。

A 労働安全衛生法施行令第6条第18号に該当する特定化学物質を取り扱う作業については特定化学物質作業主任者を選任しなければならないが，作業が交替制で行われる場合，作業主任者は各直ごとに選任する必要がある。

B 特定化学物質作業主任者の職務は，作業に従事する労働者が特定化学物質に汚染され，又はこれらを吸入しないように，作業の方法を決定し，労働者を指揮することにあり，当該作業のために設置されているものであっても，局所排気装置，除じん装置等の装置を点検することは，その職務に含まれない。

C 労働安全衛生法施行令第6条第18号に該当する特定化学物質を取り扱う作業については特定化学物質作業主任者を選任しなければならないが，金属製品を製造する工場において，関係請負人の労働者が当該作業に従事する場合，作業主任者は元方事業者が選任しなければならない。

D 事業者は，作業主任者を選任したときは，当該作業主任者の氏名及びその者に行わせる事項を作業場の見やすい箇所に掲示する等により関係労働者に周知するよう努めなければならないとされている。

E 労働安全衛生法第14条において，作業主任者は，選任を必要とする作業について，経験，知識，技能を勘案し，適任と判断される者のうちから，事業者が選任することと規定されている。

安衛法

キリトリ線

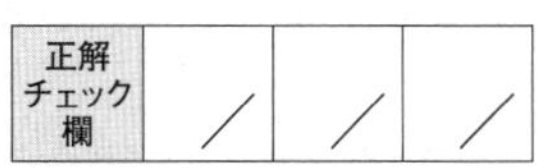

A　正　本肢のとおりである（法14条，令6条，特定化学物質障害予防規則27条1項，昭47.12.23基発799号ほか）。なお，事業者は，特定化学物質作業主任者に，保護具の使用状況を監視することなどを行わせなければならない（特定化学物質障害予防規則28条3号）。

B　誤　特定化学物質作業主任者の職務には，「局所排気装置，除じん装置等の装置を点検することが含まれる」。その他の記述は正しい（特定化学物質障害予防規則28条）。

C　誤　作業主任者は，選任を必要とする作業について，作業の区分に応じて「事業者」が選任しなければならないものとされており，本肢の場合，「本肢の作業を行う労働者に係る関係請負人である事業者」が，作業主任者を選任しなければならない」（法14条，令6条，特定化学物質障害予防規則27条1項ほか）。

D　誤　事業者は，作業主任者を選任したときは，当該作業主任者の氏名及びその者に行わせる事項を作業場の見やすい箇所に掲示する等により関係労働者に「周知させなければならない」（則18条）。

労働科目
164p

E　誤　作業主任者は，選任を必要とする作業について，「都道府県労働局長の免許を受けた者又は都道府県労働局長の登録を受けた者が行う技能講習を修了した者」のうちから，厚生労働省令で定めるところにより，当該作業の区分に応じて，事業者が選任しなければならない（法14条）。

労働科目
163p

R4-10	安全衛生管理体制	重要度 B

問 9 労働安全衛生法に定める安全委員会，衛生委員会及び安全衛生委員会に関する次の記述のうち，正しいものはどれか。

A 衛生委員会は，企業全体で常時50人以上の労働者を使用する企業において，当該企業全体を統括管理する事業場に設置しなければならないとされている。

B 安全委員会は，政令で定める業種に限定してその設置が義務付けられているが，製造業，建設業，運送業，電気業，ガス業，通信業，各種商品小売業及び旅館業はこれに含まれる。

C 安全委員会及び衛生委員会を設けなければならないとされている場合において，事業者はそれぞれの委員会の設置に代えて，安全衛生委員会を設置することができるが，これは，企業規模が300人以下の場合に限られている。

D 安全委員会及び衛生委員会の委員には，労働基準法第41条第２号に定める監督若しくは管理の地位にある者又は機密の事務を取り扱う者を選任してはならないとされている。

E 事業者は，安全衛生委員会を構成する委員には，安全管理者及び衛生管理者のうちから指名する者を加える必要があるが，産業医を委員とすることについては努力義務とされている。

正解チェック欄	／	／	／

安衛法

キリトリ線

A 誤 衛生委員会は，常時50人以上の労働者を使用する「事業場ごとに」，設置しなければならない（法18条1項，令9条）。 労働科目165p

---

B 正 本肢のとおりである（法17条1項，令8条）。なお，安全委員会は，労働者の危険を防止するための基本となるべき対策に関する事項などを調査審議し，事業者に対し意見を述べることとされている（法17条1項1号）。 労働科目164p

---

C 誤 安全衛生委員会については，「企業規模の要件は設けられていない」。事業者は，安全委員会及び衛生委員会を設けなければならないときは，それぞれの委員会の設置に代えて，安全衛生委員を設置することができる（法19条1項）。 労働科目166p

---

D 誤 安全委員会及び衛生委員会の委員には，労働基準法41条2号に定める監督若しくは管理の地位にある者又は機密の事務を取り扱う者を選任してはならないという規定は「設けられていない」（法17条2項，法18条2項）。 労働科目165～166p

---

E 誤 安全衛生委員会を構成する委員には，産業医のうちから事業者が指名した者を委員とすることが「義務とされている」。その他の記述は正しい（法19条2項）。

R4-8	安全衛生管理体制	重要度 A

問 10

下記に示す事業者が一の場所において行う建設業の事業に関する次の記述のうち，誤っているものはどれか。
なお，この場所では甲社の労働者及び下記乙①社から丙②社までの4社の労働者が作業を行っており，作業が同一の場所において行われることによって生じる労働災害を防止する必要がある。

甲社　鉄骨造のビル建設工事の仕事を行う元方事業者
　　当該場所において作業を行う労働者数　常時5人
乙①社　甲社から鉄骨組立工事一式を請け負っている事業者
　　当該場所において作業を行う労働者数　常時10人
乙②社　甲社から壁面工事一式を請け負っている事業者
　　当該場所において作業を行う労働者数　常時10人
丙①社　乙①社から鉄骨組立作業を請け負っている事業者
　　当該場所において作業を行う労働者数　常時14人
丙②社　乙②社から壁材取付作業を請け負っている事業者
　　当該場所において作業を行う労働者数　常時14人

A　甲社は，統括安全衛生責任者を選任しなければならない。

B　甲社は，元方安全衛生管理者を選任しなければならない。

C　甲社は，当該建設工事の請負契約を締結している事業場に，当該建設工事における安全衛生の技術的事項に関する管理を行わせるため店社安全衛生管理者を選任しなければならない。

D　甲社は，労働災害を防止するために協議組織を設置し運営しなければならないが，この協議組織には自社が請負契約を交わした乙①社及び乙②社のみならず丙①社及び丙②社も参加する組織としなければならない。

E　甲社は，丙②社の労働者のみが使用するために丙②社が設置している足場であっても，その設置について労働安全衛生法又はこれに基づく命令の規定に違反しないよう必要な指導を行わなければならない。

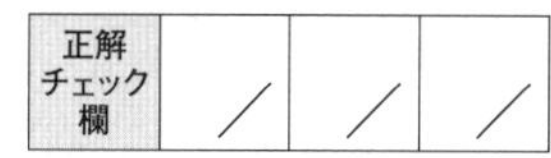

A　正　本肢のとおりである（法15条1項，令7条2項）。本肢の場所において作業を行う労働者の数は，常時50人以上であるため，特定元方事業者である甲社は，統括安全衛生責任者を選任しなければならない。

労働科目 167p

B　正　本肢のとおりである（法15条の2第1項）。甲社は，統括安全衛生責任者の選任義務があり，かつ，建設業であることから，元方安全衛生管理者を選任しなければならない。

労働科目 168p

C　誤　本肢の事業場については，甲社は，「店社安全衛生管理者を選任する必要はない」（法15条の3第1項）。

労働科目 170p

D　正　本肢のとおりである（法30条1項，法36条，則635条1項）。特定元方事業者である甲社は，その労働者及び関係請負人の労働者の作業が同一の場所において行われることによって生ずる労働災害を防止するため，本肢の措置のほかに，作業間の連絡及び調整を行うこと及び作業場所を巡視することなどの措置も講じなければならない。

労働科目 175p

E　正　本肢のとおりである（法29条1項）。元方事業者は，関係請負人及び関係請負人の労働者が，当該仕事に関し，労働安全衛生法又はこれに基づく命令の規定に違反しないよう必要な指導を行わなければならない。

労働科目 174p

キリトリ線

H28-8 労働者の危険又は健康障害を防止するための措置 重要度 C

問 11 労働安全衛生法に定める労働者の危険を防止するための措置に関する次の記述のうち，誤っているものはどれか。

A 事業者は，回転中の研削といしが労働者に危険を及ぼすおそれのあるときは，覆いを設けなければならない。ただし，直径が50ミリメートル未満の研削といしについては，この限りでない。

B 事業者は，木材加工用丸のこ盤（製材用丸のこ盤及び自動送り装置を有する丸のこ盤を除く。）には，歯の接触予防装置を設けなければならない。

C 事業者は，機械（刃部を除く。）の掃除，給油，検査，修理又は調整の作業を行う場合において，労働者に危険を及ぼすおそれのあるときは，機械の運転を停止しなければならない。ただし，機械の運転中に作業を行わなければならない場合において，危険な箇所に覆いを設ける等の措置を講じたときは，この限りでない。

D 事業者は，ボール盤，面取り盤等の回転する刃物に作業中の労働者の手が接触するおそれのあるときは，当該労働者に手袋を使用させなければならない。

E 事業者は，屋内に設ける通路について，通路面は，用途に応じた幅を有することとするほか，つまずき，すべり，踏抜等の危険のない状態に保持すると共に，通路面から高さ1.8メートル以内に障害物を置かないようにしなければならない。

安衛法

正解チェック欄	／	／	／

A 正 本肢のとおりである（則117条）。なお，事業者は，研削といしについては，その日の作業を開始する前には，1分間以上，研削といしを取り替えたときには，3分間以上試運転をしなければならない（則118条）。

B 正 本肢のとおりである（則123条）。なお，事業者は，木材加工用丸のこ盤（横切用丸のこ盤その他反ぱつにより労働者に危険を及ぼすおそれのないものを除く）には，割刃その他の反ぱつ予防装置を設けなければならない（則122条）。

C 正 本肢のとおりである（則107条1項）。なお，本肢の規定により機械の運転を停止したときは，当該機械の起動装置に錠を掛け，当該機械の起動装置に表示板を取り付ける等本肢の作業に従事する労働者以外の者が当該機械を運転することを防止するための措置を講じなければならない（則107条2項）。

D 誤 事業者は，ボール盤，面取り盤等の回転する刃物に作業中の労働者の手が「巻き込まれる」おそれのあるときは，労働者に手袋を「使用させてはならない」（則111条1項）。なお，労働者は，本肢の場合において，手袋の使用を禁止されたときは，これを使用してはならない（則111条2項）。

E 正 本肢のとおりである（則542条）。また，事業者は，作業場に通ずる場所及び作業場内には，労働者が使用するための安全な通路を設け，かつ，これを常時有効に保持しなければならない（則540条1項）。

H27-8	労働者の危険又は健康障害を防止するための措置	重要度	C

問 12

労働安全衛生法に定める労働者の危険又は健康障害を防止するための措置に関する次の記述のうち，誤っているものはどれか。

A　事業者は，高さが2メートル以上の作業床の端，開口部等で墜落により労働者に危険を及ぼすおそれのある箇所には，囲い，手すり，覆い等を設けなければならず，それが著しく困難なとき又は作業の必要上臨時に囲い等を取りはずすときは，防網を張り，労働者に安全帯を使用させる等墜落による労働者の危険を防止するための措置を講じなければならない。

B　事業者は，機械の原動機，回転軸，歯車，プーリー，ベルト等の労働者に危険を及ぼすおそれのある部分には，覆い，囲い，スリーブ，踏切橋等を設けなければならない。

C　特定元方事業者は，その労働者及び関係請負人の労働者の作業が同一の場所において行われることによって生ずる労働災害を防止するために，作業期間中少なくとも1週間に1回，作業場所を巡視しなければならない。

D　事業者は，事務所の室（感光材料の取扱い等特殊な作業を行う室を除く。）における一般的な事務作業を行う作業面の照度を，300ルクス以上としなければならない。

E　事業者は，一の荷でその重量が100キログラム以上のものを貨物自動車に積む作業又は貨物自動車から卸す作業を行うときは，当該作業を指揮する者を定め，その者に，作業手順及び作業手順ごとの作業の方法を決定し作業を直接指揮することなど所定の事項を行わせなければならない。

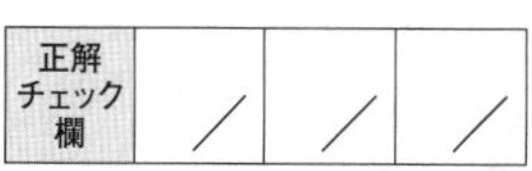

A　正　本肢のとおりである（則519条）。本肢の場合において，労働者は安全帯等の使用を命じられたときは，これを使用しなければならない（則520条）。

B　正　本肢のとおりである（則101条1項）。なお，事業者は，ベルトの継目には，突出した止め具を使用してはならない（則101条3項）。

C　誤　特定元方事業者は，その労働者及び関係請負人の労働者の作業が同一の場所において行われることによって生ずる労働災害を防止するために，「毎作業日に少なくとも1回」，作業場所を巡視しなければならない（則637条）。

D　正　本肢のとおりである（事務所則10条）。事業者は，事務所の室（感光材料の取扱い等特殊な作業を行う室を除く）の作業面の照度を，下表の左欄に掲げる作業の区分に応じて，同表の右欄に掲げる基準に適合させなければならない。

作業の区分	基準
一般的な事務作業	300ルクス以上
付随的な事務作業	150ルクス以上

E　正　本肢のとおりである（則151条の70）。

R5-8	特定機械等	重要度 B

問 13 労働安全衛生法第37条第1項の「特定機械等」（特に危険な作業を必要とする機械等であって，これを製造しようとする者はあらかじめ都道府県労働局長の許可を受けなければならないもの）として，労働安全衛生法施行令に掲げられていないものはどれか。ただし，いずれも本邦の地域内で使用されないことが明らかな場合を除くものとする。

A　「ボイラー（小型ボイラー並びに船舶安全法の適用を受ける船舶に用いられるもの及び電気事業法（昭和39年法律第170号）の適用を受けるものを除く。）」

B　「つり上げ荷重が3トン以上（スタツカー式クレーンにあつては，1トン以上）のクレーン」

C　「つり上げ荷重が3トン以上の移動式クレーン」

D　「積載荷重（エレベーター（簡易リフト及び建設用リフトを除く。以下同じ。），簡易リフト又は建設用リフトの構造及び材料に応じて，これらの搬器に人又は荷をのせて上昇させることができる最大の荷重をいう。以下同じ。）が1トン以上のエレベーター」

E　「機体重量が3トン以上の車両系建設機械」

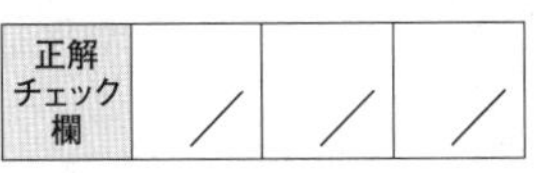

A　誤　本肢の機械等は，法37条1項の「特定機械等」として，労働安全衛生法施行令に掲げられている（令12条1項）。 労働科目 179p

---

B　誤　本肢の機械等は，法37条1項の「特定機械等」として，労働安全衛生法施行令に掲げられている（令12条1項）。 労働科目 179p

---

C　誤　本肢の機械等は，法37条1項の「特定機械等」として，労働安全衛生法施行令に掲げられている（令12条1項）。 労働科目 179p

---

D　誤　本肢の機械等は，法37条1項の「特定機械等」として，労働安全衛生法施行令に掲げられている（令12条1項）。 労働科目 179p

---

E　正　本肢のとおりである。本肢の機械等は，法37条1項の「特定機械等」に該当しない（令12条1項）。 労働科目 179p

R元-9	特定機械等以外の機械等	重要度 C

労働安全衛生法第42条により，厚生労働大臣が定める規格又は安全装置を具備しなければ，譲渡し，貸与し，又は設置してはならないとされているものとして掲げた次の機械等（本邦の地域内で使用されないことが明らかな場合を除く。）のうち，誤っているものはどれか。

A プレス機械又はシャーの安全装置

B 木材加工用丸のこ盤及びその反発予防装置又は歯の接触予防装置

C 保護帽

D 墜落制止用器具

E 天板の高さが1メートル以上の脚立

正解チェック欄	／	／	／

労働科目
182p

A 正 本肢の機械等は，厚生労働大臣が定める規格又は安全装置を具備しなければ，譲渡し，貸与し，又は設置してはならないとされている（法別表2第5号，令13条4項）。

B 正 本肢の機械等は，厚生労働大臣が定める規格又は安全装置を具備しなければ，譲渡し，貸与し，又は設置してはならないとされている（法別表2第10号，令13条4項）。

C 正 本肢の機械等は，厚生労働大臣が定める規格又は安全装置を具備しなければ，譲渡し，貸与し，又は設置してはならないとされている（法別表2第15号，令13条4項）。

D 正 本肢の機械等は，厚生労働大臣が定める規格又は安全装置を具備しなければ，譲渡し，貸与し，又は設置してはならないとされている（令13条3項28号，令13条4項）。

E 誤 本肢の機械等は，厚生労働大臣が定める規格又は安全装置を具備しなければ，譲渡し，貸与し，又は設置してはならないとされている機械等ではない（法別表2，令13条3項・4項）。

H30-9

自主検査

重要度 C

安衛法

問 15 **労働安全衛生法第45条に定める定期自主検査に関する次の記述のうち，正しいものはどれか。**

A 事業者は，現に使用している動力プレスについては，1年以内ごとに1回，定期に，労働安全衛生規則で定める自主検査を行わなければならないとされているが，加工材料に加える圧力が3トン未満の動力プレスは除かれている。

B 事業者は，現に使用しているフォークリフトについては，1年を超えない期間ごとに1回，定期に，労働安全衛生規則で定める自主検査を行わなければならないとされているが，最大荷重が1トン未満のフォークリフトは除かれている。

C 作業床の高さが2メートル以上の高所作業車は，労働安全衛生法第45条第2項に定める特定自主検査の対象になるので，事業者は，その使用する労働者には当該検査を実施させることが認められておらず，検査業者に実施させなければならない。

D 屋内作業場において，有機溶剤中毒予防規則に定める第1種有機溶剤等又は第2種有機溶剤等を用いて行う印刷の業務に労働者を従事させている事業者は，当該有機溶剤作業を行っている場所で稼働させている局所排気装置について，1年以内ごとに1回，定期に，定められた事項について自主検査を行わなければならない。

E 事業者は，定期自主検査を行ったときは，その結果を記録し，これを5年間保存しなければならない。

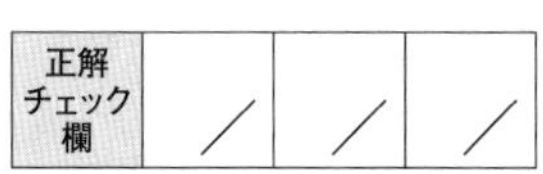

正解チェック欄	/	/	/

A　誤　本肢後段のような例外規定はなく，「加工材料に加える圧力が3トン未満の動力プレス」も定期自主検査（特定自主検査）の対象である（法45条1項，則134条の3第1項）。

B　誤　本肢後段のような例外規定はなく，「最大荷重が1トン未満のフォークリフト」も定期自主検査（特定自主検査）の対象である（法45条1項，則151条の21第1項，則151条の22第1項）。

C　誤　特定自主検査は，検査業者のみならず，「事業者が使用する労働者で厚生労働省令で定める資格を有するもの」にも実施させることが「できる」。その他の記述は正しい（法45条2項，令15条2項）。

労働科目
185p

D　正　本肢のとおりである（有機溶剤中毒予防規則5条，同規則20条2項）。なお，1年を超える期間使用しない本肢の局所排気装置の当該使用しない期間については，定期自主検査を行う必要はないとされている。

E　誤　事業者は，定期自主検査を行ったときは，その結果を記録し，これを「3年間」保存しなければならない（法45条1項，則135条の2ほか）。

R2-10	安全衛生教育等	重要度 A

問 16 労働安全衛生法に定める安全衛生教育に関する次の記述のうち，誤っているものはどれか。

A 事業者は，常時使用する労働者を雇い入れたときは，当該労働者に対し，厚生労働省令で定めるところにより，その従事する業務に関する安全又は衛生のための教育を行わなければならない。臨時に雇用する労働者については，同様の教育を行うよう努めなければならない。

B 事業者は，作業内容を変更したときにも新規に雇い入れたときと同様の安全衛生教育を行わなければならない。

C 安全衛生教育の実施に要する時間は労働時間と解されるので，当該教育が法定労働時間外に行われた場合には，割増賃金が支払われなければならない。

D 事業者は，最大荷重1トン未満のフォークリフトの運転（道路交通法（昭和35年法律第105号）第2条第1項第1号の道路上を走行させる運転を除く。）の業務に労働者を就かせるときは，当該業務に関する安全又は衛生のための特別の教育を行わなければならない。

E 事業者は，その事業場の業種が金属製品製造業に該当するときは，新たに職務に就くこととなった職長その他の作業中の労働者を直接指導又は監督する者（作業主任者を除く。）に対し，作業方法の決定及び労働者の配置に関すること等について，厚生労働省令で定めるところにより，安全又は衛生のための教育を行わなければならない。

正解チェック欄	／	／	／

A　誤　雇入れ時の安全衛生教育は，臨時に雇用する労働者を含めた「すべての労働者に対して行わなければならない」(法59条1項)。

労働科目 191p

B　正　本肢のとおりである（法59条2項，則35条1項)。なお，事業者は，本肢の安全衛生教育に係る一定の事項の全部又は一部に関し十分な知識及び技能を有していると認められる労働者については，当該事項についての教育を省略することができる（則35条2項)。

労働科目 191p

C　正　本肢のとおりである（昭47.9.18基発602号)。なお，本肢の安全衛生教育は，労働者がその業務に従事する場合の労働災害の防止を図るため，事業者の責任において実施されなければならないものであり，したがって，安全衛生教育については所定労働時間に行うことを原則としている。

D　正　本肢のとおりである（則36条5号)。なお，事業者は，最大荷重1トン未満のショベルローダー又はフォークローダーの運転（本肢の道路上を走行させる運転を除く）の業務に労働者を就かせるときについても，当該業務に関する安全又は衛生のための特別の教育を行わなければならない（同条5号の2)。

労働科目 192p

E　正　本肢のとおりである（法60条，令19条)。

労働科目 193p

H28-10	就業制限	重要度 C

問 17 労働安全衛生法第61条に定める就業制限に関する次の記述のうち，正しいものはどれか。

A 産業労働の場において，事業者は，例えば最大荷重が1トン以上のフォークリフトの運転（道路上を走行させる運転を除く。）の業務については，都道府県労働局長の登録を受けた者が行うフォークリフト運転技能講習を修了した者その他厚生労働省令で定める資格を有する者でなければ，当該業務に就かせてはならないが，個人事業主である事業者自らが当該業務を行うことについては制限されていない。

B 建設機械の一つである機体重量が3トン以上のブル・ドーザーの運転（道路上を走行させる運転を除く。）の業務に係る就業制限は，建設業以外の事業を行う事業者には適用されない。

C つり上げ荷重が5トンのクレーンのうち床上で運転し，かつ，当該運転をする者が荷の移動とともに移動する方式のものの運転の業務は，クレーン・デリック運転士免許を受けていなくても，床上操作式クレーン運転技能講習を修了した者であればその業務に就くことができる。

D クレーン・デリック運転士免許を受けた者は，つり上げ荷重が5トンの移動式クレーンの運転（道路上を走行させる運転を除く。）の業務に就くことができる。

E 作業床の高さが5メートルの高所作業車の運転（道路上を走行させる運転を除く。）の業務は，高所作業車運転技能講習を修了した者でなければその業務に就くことはできない。

正解チェック欄	／	／	／

A 誤 最大荷重が1トン以上のフォークリフトの運転（道路上を走行させる運転を除く）の業務については，都道府県労働局長の登録を受けた者が行うフォークリフト運転技能講習を修了した者その他厚生労働省令で定める資格を有する者でなければ，当該業務に就かせてはならず，「個人事業主である事業者自らが当該業務を行う場合についても同様である」（法61条1項・2項，令20条11号）。 労働科目 194p

---

B 誤 建設機械の一つである機体重量が3トン以上のブル・ドーザーの運転（道路上を走行させる運転を除く）の業務に係る就業制限は，建設業以外の事業を行う事業者にも「適用される」（法61条1項，令20条12号，令別表7）。

C 正 本肢のとおりである（法61条1項，令20条6号，クレーン等安全規則22条，則41条，則別表3）。なお，つり上げ荷重が5トン以上のクレーンの業務は，原則として，クレーン・デリック運転士免許を受けた者でなければ，当該業務に就かせてはならないが，つり上げ荷重が5トン以上のクレーンのうち「床上で運転し，かつ，当該運転をする者が荷の移動とともに移動する方式のものの運転の業務」については，本肢のように床上操作式クレーン運転技能講習を修了した者であれば，その業務に就くことができるとされている。 労働科目 194p

---

D 誤 つり上げ荷重が1トン以上の移動式クレーンの運転（道路上を走行させる運転を除く）の業務には，「移動式クレーン運転士免許を受けた者」でなければ就くことができない（法61条1項，令20条7号，則41条，則別表3）。 労働科目 194p

---

E 誤 作業床の高さが「10メートル以上」の高所作業車の運転（道路上を走行させる運転を除く）の業務には，高所作業車運転技能講習を修了した者その他厚生労働大臣が定める者でなければ就くことができない（法61条1項，令20条15号，則41条，則別表3）。

H27-10	健康診断	重要度 A

安衛法

問 18 **労働安全衛生法に定める健康診断に関する次のアからオまでの記述のうち，正しいものの組合せは，後記ＡからＥまでのうちどれか。**

ア　常時使用する労働者に対して，事業者の実施することが義務づけられている健康診断は，通常の労働者と同じ所定労働時間で働く労働者であっても1年限りの契約で雇い入れた労働者については，その実施義務の対象から外されている。

イ　事業者は，深夜業を含む業務に常時従事する労働者については，当該業務への配置換えの際及び6月以内ごとに1回，定期に，労働安全衛生規則に定める項目について健康診断を実施しなければならない。

ウ　事業者は，高さ10メートル以上の高所での作業に従事する労働者については，当該業務への配置換えの際及び6月以内ごとに1回，定期に，労働安全衛生規則に定める項目について健康診断を実施しなければならない。

エ　事業者は，労働安全衛生規則に定める健康診断については，その結果に基づき健康診断個人票を作成して，その個人票を少なくとも3年間保存しなければならない。

オ　健康診断の受診に要した時間に対する賃金の支払について，労働者一般に対し行われるいわゆる一般健康診断の受診に要した時間については当然には事業者の負担すべきものとされていないが，特定の有害な業務に従事する労働者に対し行われるいわゆる特殊健康診断の実施に要する時間については労働時間と解されているので，事業者の負担すべきものとされている。

A　（アとウ）　　**B**　（アとエ）　　**C**　（イとエ）
D　（イとオ）　　**E**　（ウとオ）

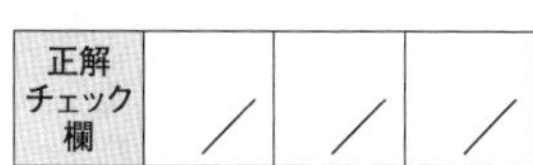

本問のアからオまでのそれぞれの記述の正誤は以下のとおりであり，したがって，イとオを正しいとするDが解答となる。

ア　誤　期間の定めのある労働契約により使用される者であって，当該契約の契約期間が「1年以上」であるもの等であって，かつ，その者の1週間の労働時間数が当該事業場において同種の業務に従事する通常の労働者の1週間の所定労働時間数の4分の3以上であるときは，定期健康診断の対象者となる（平5.12.1基発663号）。 労働科目 198p

---

イ　正　本肢のとおりである（則45条）。 労働科目 200p

ウ　誤　高さ10メートル以上の高所での作業は，特定業務従事者に対する健康診断の対象業務とされていないため，事業者は本肢の労働者に対しては，1年以内ごとに1回，定期に健康診断を行えば足りる（則44条，則45条）。 労働科目 200p

---

エ　誤　事業者は，健康診断の結果に基づき，健康診断個人票を作成して，これを，原則として，「5年間」保存しなければならない（則51条）。 労働科目 204p

---

オ　正　本肢のとおりである（昭47.9.18基発602号）。 労働科目 204p

R元-10	健康診断	重要度 C

問 19

労働安全衛生法第66条の定めに基づいて行う健康診断に関する次の記述のうち，正しいものはどれか。

A　事業者は，常時使用する労働者に対し，定期に，所定の項目について医師による健康診断を行わなければならないとされているが，その費用については，事業者が全額負担すべきことまでは求められていない。

B　事業者は，常時使用する労働者を雇い入れるときは，当該労働者に対し，所定の項目について医師による健康診断を行わなければならないが，医師による健康診断を受けた後，6か月を経過しない者を雇い入れる場合において，その者が当該健康診断の結果を証明する書面を提出したときは，当該健康診断の項目については，この限りでない。

C　期間の定めのない労働契約により使用される短時間労働者に対する一般健康診断の実施義務は，1週間の労働時間数が当該事業場において同種の業務に従事する通常の労働者の1週間の所定労働時間数の4分の3以上の場合に課せられているが，1週間の労働時間数が当該事業場において同種の業務に従事する通常の労働者の1週間の所定労働時間数のおおむね2分の1以上である者に対しても実施することが望ましいとされている。

D　産業医が選任されている事業場で法定の健康診断を行う場合は，産業医が自ら行うか，又は産業医が実施の管理者となって健診機関に委託しなければならない。

E　事業者は，厚生労働省令で定めるところにより，受診したすべての労働者の健康診断の結果を記録しておかなければならないが，健康診断の受診結果の通知は，何らかの異常所見が認められた労働者に対してのみ行えば足りる。

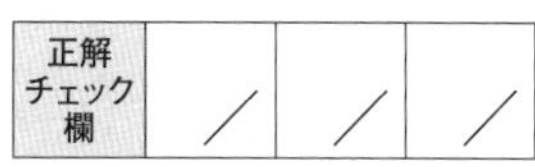

A 誤 本肢の健康診断の費用については，法で事業者に健康診断の実施の義務を課している以上，当然に「事業者が負担すべきもの」とされている（則44条1項，昭47.9.18基発602号）。

B 誤 本肢の場合，医師による健康診断を受けた後，「3月」を経過しない者を雇い入れる場合において，その者が当該健康診断の結果を証明する書面を提出したときは，当該健康診断の項目に相当する項目については，本肢の健康診断を行う必要はないものとされている（則43条1項）。 労働科目 198～199p

---

C 正 本肢のとおりである（法66条1項，平5.12.1基発663号）。

D 誤 法66条の法定の健康診断は，「医師（一定の場合，歯科医師）」による健康診断とされており，産業医が選任されている事業場における当該健康診断の実施について，「産業医が自ら行うか，又は産業医が実施の管理者となって健診機関に委託しなければならないという規定は，設けられていない」（法66条1項ほか）。 労働科目 198p

---

E 誤 事業者は，法66条1項から4項まで（一般健康診断，特殊健康診断及び臨時の健康診断）の規定により行う「健康診断を受けた労働者」に対し，厚生労働省令で定めるところにより，健康診断の結果を通知しなければならないものとされており，当該通知は，何らかの異常所見が認められた労働者に対してのみ行えば足りるもの「ではない」。本肢前段の記述は正しい（法66条の3，法66条の6ほか）。 労働科目 204～205p

キリトリ線

R5-10	健康診断	重要度 A

安衛法

問 20 労働安全衛生法の健康診断に係る規定に関する次の記述のうち，正しいものはどれか。

A 事業者は，労働安全衛生法第66条第１項の規定による健康診断の結果（当該健康診断の項目に異常の所見があると診断された労働者に係るものに限る。）に基づき，当該労働者の健康を保持するために必要な措置について，厚生労働省令で定めるところにより，医師又は歯科医師の意見を聴かなければならない。

B 事業者は，常時使用する労働者を雇い入れるときは，当該労働者に対し，所定の項目について医師による健康診断を行わなければならないが，医師による健康診断を受けた後，６月を経過しない者を雇い入れる場合において，その者が当該健康診断の結果を証明する書面を提出したときは，当該健康診断の項目に相当する項目については，この限りでない。

C 事業者（常時100人以上の労働者を使用する事業者に限る。）は，労働安全衛生規則第44条の定期健康診断又は同規則第45条の特定業務従事者の健康診断（定期のものに限る。）を行ったときは，遅滞なく，所定の様式の定期健康診断結果報告書を所轄労働基準監督署長に提出しなければならない。

D 事業者は，労働安全衛生規則第44条の定期健康診断を受けた労働者に対し，遅滞なく，当該健康診断の結果（当該健康診断の項目に異常の所見があると診断された労働者に係るものに限る。）を通知しなければならない。

E 労働者は，労働安全衛生法の規定により事業者が行う健康診断を受けなければならない。ただし，事業者の指定した医師又は歯科医師が行う健康診断を受けることを希望しない場合において，その旨を明らかにする書面を事業者に提出したときは，この限りでない。

キリトリ線

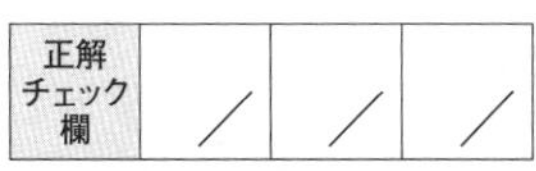

正解チェック欄	／	／	／

正解 A

A　正　本肢のとおりである（法66条の4）。

労働科目 204p

B　誤　医師による健康診断を受けた後，「3月」を経過しない者を雇い入れる場合において，その者が当該健康診断の結果を証明する書面を提出したときは，当該健康診断の項目に相当する項目については，本肢の健康診断を受ける必要はない。本肢前段の記述は正しい（則43条）。

労働科目 198p

C　誤　常時「50人以上」の労働者を使用する事業者は，定期健康診断又は特定業務従事者の健康診断（定期のものに限る）を行ったときは，遅滞なく，定期健康診断結果報告書を所轄労働基準監督署長に提出しなければならない（則52条1項）。

労働科目 204p

D　誤　事業者は，定期健康診断を受けた労働者に対し，遅滞なく，当該健康診断の結果を通知しなければならないとされており，この通知は，「異常の所見があると診断された労働者以外の労働者に対しても行わなければならない」（則51条の4）。

労働科目 205p

E　誤　事業者の指定した医師又は歯科医師が行う健康診断を受けることを希望しない場合において，「他の医師又は歯科医師の行う労働安全衛生法の規定による健康診断に相当する健康診断を受け，その結果を証明する書面」を事業者に提出したときは，労働安全衛生法の規定により事業者が行う健康診断を受けなくてもよい。本肢前段の記述は正しい（法66条5項）。

労働科目 203p

キリトリ線

R2-8	面接指導	重要度 A

問 21 労働安全衛生法第66条の8から第66条の8の4までに定める面接指導等に関する次の記述のうち，正しいものはどれか。

安衛法

A 事業者は，休憩時間を除き1週間当たり40時間を超えて労働させた場合におけるその超えた時間が1月当たり60時間を超え，かつ，疲労の蓄積が認められる労働者から申出があった場合は，面接指導を行わなければならない。

B 事業者は，研究開発に係る業務に従事する労働者については，休憩時間を除き1週間当たり40時間を超えて労働させた場合におけるその超えた時間が1月当たり80時間を超えた場合は，労働者からの申出の有無にかかわらず面接指導を行わなければならない。

C 事業者は，労働基準法第41条の2第1項の規定により労働する労働者（いわゆる高度プロフェッショナル制度により労働する労働者）については，その健康管理時間（同項第3号に規定する健康管理時間をいう。）が1週間当たり40時間を超えた場合におけるその超えた時間が1月当たり100時間を超えるものに対し，労働者からの申出の有無にかかわらず医師による面接指導を行わなければならない。

キリトリ線

D 事業者は，労働安全衛生法に定める面接指導を実施するため，厚生労働省令で定めるところにより，労働者の労働時間の状況を把握しなければならないが，労働基準法第41条によって労働時間等に関する規定の適用が除外される労働者及び同法第41条の2第1項の規定により労働する労働者（いわゆる高度プロフェッショナル制度により労働する労働者）はその対象から除いてもよい。

E 事業者は，労働安全衛生法に定める面接指導の結果については，当該面接指導の結果の記録を作成して，これを保存しなければならないが，その保存すべき年限は3年と定められている。

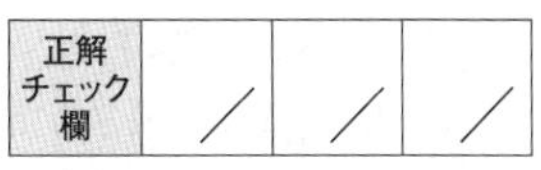

A　誤　事業者は，休憩時間を除き1週間当たり40時間を超えて労働させた場合におけるその超えた時間が1月あたり「80時間」を超え，かつ，疲労の蓄積が認められる労働者から申出があった場合は，面接指導を行わなければならない（法66条の8第1項，則52条の2第1項，則52条の3第1項）。

労働科目 206p

B　誤　事業者は，研究開発に係る業務に従事する労働者については，休憩時間を除き1週間当たり40時間を超えて労働させた場合におけるその超えた時間が1月あたり「100時間」を超えた場合は，労働者からの申出の有無にかかわらず，面接指導を行わなければならない（法66条の8の2第1項，則52条の7の2）。

労働科目 207p

C　正　本肢のとおりである（法66条の8の4第1項，則52条の7の4第1項）。なお，事業者は，特定高度専門業務・成果型労働制適用者に係る面接指導の結果に基づき，当該労働者の健康を保持するために必要な措置について，当該面接指導が行われた後，遅滞なく，医師の意見を聴かなければならない（則52条の7の4第2項）。

労働科目 208p

D　誤　事業者は，労働安全衛生法所定の面接指導を実施するため，厚生労働省令で定める方法により，労働者の労働時間の状況を把握しなければならず，「労働基準法41条によって労働時間等に関する規定の適用が除外される労働者（管理監督者等）についても，その労働時間の状況を把握しなければならない」。なお，高度プロフェッショナル制度により労働する労働者については，当該把握の対象とされていない旨の記述は正しい（法66条の8の3）。

労働科目 208p

E　誤　事業者は，面接指導の結果に基づき，当該面接指導の結果の記録を作成して，これを「5年間」保存しなければならない（則52条の6第1項，則52条の7の2第2項，則52条の7の4第2項，則52条の18第1項）。

労働科目 207, 209, 211p

R6-9

面接指導

重要度 B

問 22 長時間労働者に対する医師による面接指導に関する次の記述のうち，誤っているものはどれか。

A 労働安全衛生法第66条の８第１項において，事業者が医師による面接指導を行わなければならないとされている労働者の要件は，休憩時間を除き１週間当たり40時間を超えて労働させた場合におけるその超えた時間が一月当たり80時間を超え，かつ，疲労の蓄積が認められる者（所定事由に該当する労働者であって面接指導を受ける必要がないと医師が認めたものを除く。）である。

B 労働安全衛生法第66条の８の２において，新たな技術，商品又は役務の研究開発に係る業務に従事する者（労働基準法第41条各号に掲げる者及び労働安全衛生法第66条の８の４第１項に規定する者を除く。）に対して事業者が医師による面接指導を行わなければならないとされている労働時間に関する要件は，休憩時間を除き１週間当たり40時間を超えて労働させた場合におけるその超えた時間が一月当たり100時間を超える者とされている。

C 事業者は，労働安全衛生法の規定による医師による面接指導を実施するため，厚生労働省令で定める方法により労働者の労働時間の状況を把握しなければならないとされているが，この労働者には，労働基準法第41条第２号に規定する監督若しくは管理の地位にある者又は機密の事務を取り扱う者も含まれる。

D 労働安全衛生法第66条の８及び同法第66条の８の２により行われる医師による面接指導に要する費用については，いずれも事業者が負担すべきものであるとされているが，当該面接指導に要した時間に係る賃金の支払については，当然には事業者の負担すべきものではなく，事業者が支払うことが望ましいとされている。

E 派遣労働者に対する医師による面接指導については，派遣元事業主に実施義務が課せられている。

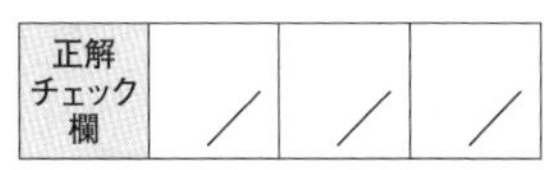

正解チェック欄	／	／	／

A　正　本肢のとおりである（則52条の2第1項）。なお，長時間にわたる労働に関する面接指導は，当該面接指導の対象となる労働者の申出により行うものとされており，事業者は，当該労働者から申出があったときは，遅滞なく，当該面接指導を行わなければならない（則52条の3）。

労働科目 206p

B　正　本肢のとおりである（則52条の7の2第1項）。なお，本肢の研究開発業務従事者に係る面接指導は，超えた時間の算定期日後，遅滞なく，行うものとされており，労働者の申出は，当該面接指導の実施に係る要件とはされていない（同条2項）。

労働科目 207p

C　正　本肢のとおりである（法66条の8の3，平31.3.29基発0329第2号）。なお，事業者は，把握した労働時間の状況の記録を作成し，3年間保存するための必要な措置を講じなければならない（則52条の7の3）。

労働科目 208p

D　誤　法66条の8による面接指導（長時間にわたる労働に関する面接指導）に要した時間に係る賃金の支払については，当然には事業者の負担すべきものではなく，事業者が支払うことが望ましいとされているが，法66条の8の2による面接指導（研究開発業務従事者に係る面接指導）の実施に要する時間は労働時間と解されるため，事業者は「賃金を支払わなければならない」。その他の記述は正しい（平18.2.24基発0224003号，平31.3.29基発0329第2号）。

E　正　本肢のとおりである（平18.2.24基発0224003号）。

労働科目 224p

H30-10	ストレスチェック	重要度 A

問23 労働安全衛生法第66条の10に定める医師等による心理的な負担の程度を把握するための検査（以下本問において「ストレスチェック」という。）等について，誤っているものは次のうちどれか。

A　常時50人以上の労働者を使用する事業者は，常時使用する労働者に対し，1年以内ごとに1回，定期に，ストレスチェックを行わなければならない。

B　ストレスチェックの項目には，ストレスチェックを受ける労働者の職場における心理的な負担の原因に関する項目を含めなければならない。

C　ストレスチェックの項目には，ストレスチェックを受ける労働者への職場における他の労働者による支援に関する項目を含めなければならない。

D　ストレスチェックの項目には，ストレスチェックを受ける労働者の心理的な負担による心身の自覚症状に関する項目を含めなければならない。

E　ストレスチェックを受ける労働者について解雇，昇進又は異動に関して直接の権限を持つ監督的地位にある者は，検査の実施の事務に従事してはならないので，ストレスチェックを受けていない労働者を把握して，当該労働者に直接，受検を勧奨してはならない。

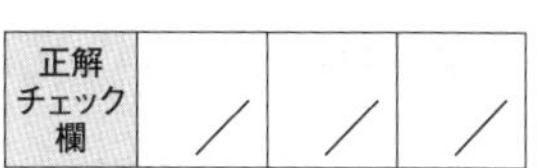

正解チェック欄	／	／	／

正解 E

A 正 本肢のとおりである（法66条の10第1項，則52条の9）。なお，本肢の「常時使用する労働者」には，期間の定めのない労働者だけでなく，期間の定めのある労働契約により使用されている労働者であって，1年（一定の有害業務に従事する場合には6箇月）以上使用されることが予定される者も含まれる。また，この「常時使用する労働者」に該当する限り，短時間労働者であっても，当該短時間労働者の1週間の所定労働時間が，同種の業務に従事する通常の労働者の4分の3以上である場合においては，事業者は健康診断を実施しなければならない。

労働科目 198, 210p

B 正 本肢のとおりである（則52条の9）。なお，医師等による心理的な負担の程度を把握するための検査等は，労働者のメンタルヘルス不調を未然に防止するための制度であり，医師等によるストレスチェックとその結果に基づく面接指導の2つの措置によって主に構成されている。

労働科目 210p

C 正 本肢のとおりである（則52条の9）。なお，本肢の医師等とは，次に掲げる者をいう（則52条の10）。

①医師

②保健師

③検査を行うために必要な知識についての研修であって厚生労働大臣が定めるものを修了した歯科医師，看護師，精神保健福祉士又は公認心理師

労働科目 210p

D 正 本肢のとおりである（則52条の9）。なお，事業者は，ストレスチェックを受けた労働者に対し，ストレスチェックを行った医師等から，遅滞なく，当該検査の結果が通知されるようにしなければならない（法66条の10第2項）。

労働科目 210p

E　誤　本肢の人事に関して直接の権限を持つ監督的地位にある者が従事することができないストレスチェックに係る検査の事務は，ストレスチェックの実施に直接従事すること及び実施に関連してストレスチェックの実施者の指示のもと行われる労働者の健康情報を取り扱う事務をいう。これに該当しない事務については，本肢の監督的地位にある者が従事して差し支えないものとされており，「ストレスチェックを受けていない労働者に対する受検の勧奨」は，本肢の監督的地位にある者が従事して差し支えないものとされている（則52条の10第2項，平27.5.1基発0501第3号）。

MEMO

R2-9	総合問題	重要度 A

問 24　労働安全衛生法に関する次の記述のうち，誤っているものはどれか。

A　労働安全衛生法は，同居の親族のみを使用する事業又は事務所については適用されない。また，家事使用人についても適用されない。

B　労働安全衛生法は，事業場を単位として，その業種，規模等に応じて，安全衛生管理体制，工事計画の届出等の規定を適用することにしており，この法律による事業場の適用単位の考え方は，労働基準法における考え方と同一である。

C　総括安全衛生管理者は，当該事業場においてその事業の実施を統括管理する者をもって充てなければならないが，必ずしも安全管理者の資格及び衛生管理者の資格を共に有する者のうちから選任しなければならないものではない。

D　労働安全衛生法は，事業者の責務を明らかにするだけではなく，機械等の設計者，製造者又は輸入者，原材料の製造者又は輸入者，建設物の建設者又は設計者，建設工事の注文者等についても，それぞれの立場において労働災害の発生の防止に資するよう努めるべき責務を有していることを明らかにしている。

E　労働安全衛生法は，第20条で，事業者は，機械等による危険を防止するため必要な措置を講じなければならないとし，その違反には罰則規定を設けているが，措置義務は事業者に課せられているため，例えば法人の従業者が違反行為をしたときは，原則として当該従業者は罰則の対象としない。

正解チェック欄	／	／	／

A 正 本肢のとおりである（昭47.9.18発基91号）。なお，鉱山保安法の規定による鉱山における保安及び船員法の適用を受ける船員については，労働安全衛生法は適用されない（法115条）。

労働科目 147p

B 正 本肢のとおりである（昭47.9.18発基91号）。なお，本肢の「事業場」とは，工場，鉱山，事務所，店舗等のごとく一定の場所において相関連する組織のもとに継続に行われる作業の一体をいい，一の事業場であるか否かは，主として場所的観念によって決定すべきもので，同一場所にあるものは原則として一の事業場とし，場所的に分散しているものは原則として別個の事業場とする（昭47.9.18発基602号）。

C 正 本肢のとおりである（法10条2項）。総括安全衛生管理者は，特別の資格等は不要である。

労働科目 154p

D 正 本肢のとおりである（昭47.9.18発基91号）。なお，本肢の「建設工事の注文者等」には，建設工事以外の注文者も含まれる（昭47.9.18発基602号）。

労働科目 148p

E 誤 従業者が，その法人の業務に関して，所定の違反行為をしたときは，「行為者を罰する」ほか，両罰規定として，その法人又は人に対しても，各本条の罰金刑が科せられる（法122条）。本肢前段の記述は正しい。

労働科目 222～223p

H27-9	総合問題	重要度 B

問 25 労働安全衛生法の派遣労働者への適用に関する次の記述のうち，正しいものはどれか。

A 事業者は，常時50人以上の労働者を使用する事業場ごとに衛生管理者を選任しなければならないが，この労働者数の算定に当たって，派遣就業のために派遣され就業している労働者については，当該労働者を派遣している派遣元事業場及び当該労働者を受け入れている派遣先事業場双方の労働者として算出する。

B 派遣就業のために派遣される労働者に対する労働安全衛生法第59条第1項の規定に基づくいわゆる雇入れ時の安全衛生教育の実施義務については，当該労働者を受け入れている派遣先の事業者に課せられている。

C 派遣就業のために派遣され就業している労働者に対する労働安全衛生法第59条第3項の規定に基づくいわゆる危険・有害業務に関する特別の教育の実施義務については，当該労働者を派遣している派遣元の事業者及び当該労働者を受け入れている派遣先の事業者の双方に課せられている。

D 派遣就業のために派遣され就業している労働者に対して行う労働安全衛生法に定める医師による健康診断については，同法第66条第1項に規定されているいわゆる一般定期健康診断のほか，例えば屋内作業場において有機溶剤を取り扱う業務等の有害な業務に従事する労働者に対して実施するものなど同条第2項に規定されている健康診断も含めて，その雇用主である派遣元の事業者にその実施義務が課せられている。

E 派遣就業のために派遣され就業している労働者に対して労働安全衛生法第66条の8第1項に基づき行う医師による面接指導については，当該労働者が派遣され就業している派遣先事業場の事業者にその実施義務が課せられている。

正解チェック欄	／	／	／

A　正　本肢のとおりである（法12条1項，令4条，労働者派遣法45条）。事業者は，業種を問わず，常時50人以上の労働者を使用する事業場ごとに，衛生管理者を選任しなければならない。なお，選任すべき人数は，次表のとおりである（則7条1項4号）。

【衛生管理者の選任規模と選任すべき人数】

常時使用する労働者数		選任人数
50人　以上	200人　以下	1人以上
200人　超	500人　以下	2人以上
500人　超	1,000人　以下	3人以上
1,000人　超	2,000人　以下	4人以上
2,000人　超	3,000人　以下	5人以上
3,000人　超		6人以上

B　誤　雇入れ時の安全衛生教育の実施義務者は，「派遣元の事業者」である（法59条1項，労働者派遣法45条）。

労働科目 224p

C　誤　特別教育の実施義務者は「派遣先の事業者のみ」である（法59条3項，労働者派遣法45条）。

労働科目 224p

D　誤　一般定期健康診断の実施義務者は派遣元の事業者であるが，有害な業務に従事する労働者に対して実施されるいわゆる特殊健康診断の実施義務者は「派遣先の事業者」である（法66条1項・2項，労働者派遣法45条）。

労働科目 224p

E　誤　本肢の面接指導の実施義務者は「派遣元の事業者」である（法66条の8第1項，労働者派遣法45条）。

労働科目 224p

H30-8	総合問題	重要度 B

問 26 派遣労働者の安全衛生の確保に関する次の記述のうち，誤っているものはどれか。

A 派遣元事業者は，派遣労働者を含めて常時使用する労働者数を算出し，それにより算定した事業場の規模等に応じて，総括安全衛生管理者，衛生管理者，産業医を選任し，衛生委員会の設置をしなければならない。

B 派遣労働者に関する労働安全衛生法第66条第2項に基づく有害業務従事者に対する健康診断（以下本肢において「特殊健康診断」という。）の結果の記録の保存は，派遣先事業者が行わなければならないが，派遣元事業者は，派遣労働者について，労働者派遣法第45条第11項の規定に基づき派遣先事業者から送付を受けた当該記録の写しを保存しなければならず，また，当該記録の写しに基づき，派遣労働者に対して特殊健康診断の結果を通知しなければならない。

C 派遣労働者に対する労働安全衛生法第59条第1項の規定に基づく雇入れ時の安全衛生教育は，派遣先事業者に実施義務が課せられており，派遣労働者を就業させるに際して実施すべきものとされている。

D 派遣就業のために派遣され就業している労働者に関する機械，器具その他の設備による危険や原材料，ガス，蒸気，粉じん等による健康障害を防止するための措置は，派遣先事業者が講じなければならず，当該派遣中の労働者は当該派遣元の事業者に使用されないものとみなされる。

E 派遣元事業者は，派遣労働者が労働災害に被災したことを把握した場合，派遣先事業者から送付された所轄労働基準監督署長に提出した労働者死傷病報告の写しを踏まえて労働者死傷病報告を作成し，派遣元の事業場を所轄する労働基準監督署長に提出しなければならない。

正解チェック欄	／	／	／

A　正　本肢のとおりである（法10条1項，法12条1項，労働者派遣法45条ほか）。なお，労働者派遣において，安全管理者及び作業主任者の選任義務については，当該労働者を受け入れている派遣先の事業者に課せられている。

労働科目
224p

B　正　本肢のとおりである（法66条の3，法66条の6，労働者派遣法45条）。なお，労働者派遣において，安全委員会の設置義務については，当該労働者を受け入れている派遣先の事業者に課せられている。

労働科目
224p

C　誤　派遣労働者に対する雇入れ時の安全衛生教育は，派遣先事業者には「実施義務は課せられていない」（法59条1項，労働者派遣法45条）。

労働科目
224p

D　正　本肢のとおりである（法20条，法22条，労働者派遣法45条3項・5項）。なお，事業者に課されている本肢の健康障害を防止するための措置とは，次の措置をいう。

①原材料，ガス，蒸気，粉じん，酸素欠乏空気，病原体等による健康障害

②放射線，高温，低温，超音波，騒音，振動，異常気圧等による健康障害

③計器監視，精密工作等の作業による健康障害

④排気，排液又は残さい物による健康障害

E　正　本肢のとおりである（法100条1項，則97条1項，労働者派遣法45条）。なお，労働基準監督官は，労働安全衛生法を施行するため必要があると認めるときは，事業者又は労働者に対し，必要な事項を報告させ，又は出頭を命ずることができる（法100条3項）。

安衛法

R3-8	総合問題

問 27 労働安全衛生法に関する次の記述のうち，正しいものはどれか。

A 労働安全衛生法では，「労働者」は，労働基準法第9条に規定する労働者だけをいうものではなく，建設業におけるいわゆる一人親方（労災保険法第35条第1項の規定により保険給付を受けることができることとされた者）も下請負人として建設工事の業務に従事する場合は，元方事業者との関係において労働者としている。

B 二以上の建設業に属する事業の事業者が，一の場所において行われる当該事業の仕事を共同連帯して請け負った場合においては，厚生労働省令で定めるところにより，そのうちの一人を代表者として定め，これを都道府県労働局長に届け出なければならないが，この場合においては，当該事業をその代表者のみの事業と，当該代表者のみを当該事業の事業者と，当該事業の仕事に従事する労働者を下請負人の労働者も含めて当該代表者のみが使用する労働者とそれぞれみなして，労働安全衛生法が適用される。

C 労働安全衛生法では，事業者は，作業方法又は作業手順を新規に採用し，又は変更したときは，1か月以内に建設物，設備，原材料，ガス，蒸気，粉じん等による，又は作業行動その他業務に起因する危険性又は有害性等を調査し，その結果に基づいて，労働安全衛生法又はこれに基づく命令の規定による措置を講ずるほか，労働者の危険又は健康障害を防止するため必要な措置を講ずるように努めなければならないとされている。

D 労働安全衛生法では，化学物質による労働者の健康障害を防止するため，新規化学物質を製造し，又は輸入しようとする事業者は，あらかじめ，厚生労働省令で定めるところにより，厚生労働大臣の定める基準に従って有害性の調査（当該新規化学物質が労働者の健康に与える影響についての調査をいう。）を行うよう努めなければならないとされている。

重要度 A

E　労働安全衛生法では，厚生労働大臣は，化学物質で，がんその他の重度の健康障害を労働者に生ずるおそれのあるものについて，当該化学物質による労働者の健康障害を防止するため必要があると認めるときは，厚生労働省令で定めるところにより，当該化学物質を製造し，輸入し，又は使用している事業者その他厚生労働省令で定める事業者に対し，政令で定める有害性の調査（当該化学物質が労働者の健康障害に及ぼす影響についての調査をいう。）を行い，その結果を報告すべきことを指示することができることとされ，また，その指示を行おうとするときは，あらかじめ，厚生労働省令で定めるところにより，学識経験者の意見を聴かなければならないとされている。

安衛法

正解チェック欄	／	／	／

A　誤　労働安全衛生法における「労働者」とは，労働基準法9条に規定する労働者（同居の親族のみを使用する事業又は事務所に使用される者及び家事使用人を除く）をいい，建設業における「一人親方等は労働者に当たらない」（法2条2号，平29.6.9基発0609第7号）。

労働科目 147p

B　誤　本肢の場合であっても，「下請負人の労働者は代表者が使用する労働者とみなされない」。その他の記述は正しい（法5条4項）。

C　誤　本肢の場合の危険性又は有害性等の調査は，「作業方法又は作業手順を新規に採用し，又は変更するときに行う」ものとされている（則24条の11第1項）。

D　誤　化学物質による労働者の健康障害を防止するため，新規化学物質を製造し，又は輸入しようとする事業者は，あらかじめ，厚生労働省令で定めるところにより，厚生労働大臣の定める基準に従って有害性の調査を「行わなければならない」（法57条の4第1項）。

労働科目 189p

E　正　本肢のとおりである（法57条の5第1項・3項）。なお，本肢の結果を報告すべきことの指示について意見を求められた学識経験者は，当該指示に関して知り得た秘密を漏らしてはならない。ただし，労働者の健康障害を防止するためやむを得ないときは，この限りでない（同条5項）。

労働科目 190p

R3-10	総合問題	重要度 B

問 28 労働安全衛生関係法令等の周知に関する次の記述のうち，正しいものはどれか。

A 事業者は，この法律及びこれに基づく命令の要旨を各作業場の見やすい場所に掲示し，又は備え付けることその他の厚生労働省令で定める方法により，労働者に周知させなければならないが，この義務は常時10人以上の労働者を使用する事業場に課せられている。

B 産業医を選任した事業者は，その事業場における産業医に対する健康相談の申出の方法などを，常時各作業場の見やすい場所に掲示し，又は備え付けることその他の厚生労働省令で定める方法により，労働者に周知させなければならないが，この義務は常時100人以上の労働者を使用する事業場に課せられている。

C 事業者は，労働安全衛生法第57条の2第1項の規定（労働者に危険又は健康障害を生ずるおそれのある物で政令で定めるもの等通知対象物を譲渡又は提供する者に課せられた危険有害性等に関する文書の交付等義務）により通知された事項を，化学物質，化学物質を含有する製剤その他の物で当該通知された事項に係るものを取り扱う各作業場の見やすい場所に常時掲示し，又は備え付けることその他の厚生労働省令で定める方法により，当該物を取り扱う労働者に周知させる義務がある。

D 安全管理者又は衛生管理者を選任した事業者は，その事業場における安全管理者又は衛生管理者の業務の内容その他の安全管理者又は衛生管理者の業務に関する事項で厚生労働省令で定めるものを，常時各作業場の見やすい場所に掲示し，又は備え付けることその他の厚生労働省令で定める方法により，労働者に周知させる義務がある。

E 事業者は，労働者が労働災害により死亡し，又は4日以上休業したときは，その発生状況及び原因その他の厚生労働省令で定める事項を各作業場の見やすい場所に掲示し，又は備え付けることその他の厚生労働省令で定める方法により，労働者に周知させる義務がある。

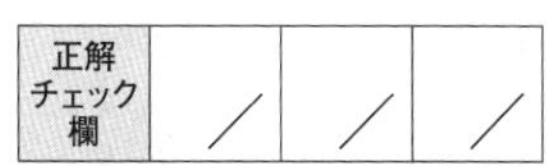

A 誤 事業者は，労働安全衛生法及びこれに基づく命令の要旨を常時各作業場の見やすい場所に掲示し，又は備え付けることその他の厚生労働省令で定める方法により，労働者に周知させなければならないが，この周知義務は「常時使用する労働者数にかかわらず」，事業者に課せられている（法101条1項）。

B 誤 産業医を選任した事業者は，その事業場における産業医の業務の内容その他の産業医の業務に関する事項で厚生労働省令で定めるもの（産業医に対する健康相談の申出の方法等）を，常時各作業場の見やすい場所に掲示し，又は備え付けることその他の厚生労働省令で定める方法により，労働者に周知させなければならないが，この周知義務は「常時使用する労働者数にかかわらず」，産業医を選任した事業者に課せられている（法101条2項，則98条の2第2項）。

C 正 本肢のとおりである（法101条4項）。なお，本肢の規定に違反した者は，50万円以下の罰金に処される（法120条1号）。

D 誤 本肢のような規定はない（則4条2項）。なお，事業者は，安全管理者を選任したときは，遅滞なく，報告書を所轄労働基準監督署長に提出しなければならない。

E 誤 本肢のような規定はない（則97条1項）。なお，事業者は，労働者が労働災害その他就業中又は事業場内若しくはその附属建設物内における負傷，窒息又は急性中毒により死亡し，又は休業したときは，遅滞なく，報告書を所轄労働基準監督署長に提出しなければならない。

労働科目 221p

総合問題

重要度 C

問29 **労働安全衛生法の対象となる作業・業務について，同法に基づく規則に関する次の記述のうち，誤っているものはどれか。**

A 金属をアーク溶接する作業には，特定化学物質障害予防規則の適用がある。

B 自然換気が不十分な場所におけるはんだ付けの業務には，鉛中毒予防規則の適用がある。

C 重量の5パーセントを超えるトルエンを含む塗料を用いて行う塗装の業務には，有機溶剤中毒予防規則の適用がある。

D 潜水業務（潜水器を用い，かつ，空気圧縮機若しくは手押しポンプによる送気又はボンベからの給気を受けて，水中において行う業務をいう。）には，酸素欠乏症等防止規則の適用がある。

E フォークリフトを用いて行う作業には，労働安全衛生規則の適用がある。

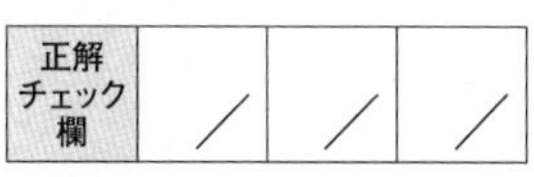

A　正　本肢のとおりである（特化則38条の21）。なお，事業者は，金属アーク溶接等作業に労働者を従事させるときは，当該労働者に有効な呼吸用保護具を使用させなければならない（同条5項）。

B　正　本肢のとおりである（鉛則16条）。事業者は，屋内作業場において，自然換気が不十分な場所におけるはんだ付けの業務に労働者を従事させるときは，当該業務を行なう作業場所に，局所排気装置，プッシュプル型換気装置又は全体換気装置を設けなければならない。

C　正　本肢のとおりである（有機則29条3項，有機則別表）。

D　誤　潜水業務については，「高気圧作業安全衛生規則」の適用がある（高圧則8条ほか）。なお，事業者は，潜水業務従事者に，空気圧縮機により送気するときは，当該空気圧縮機による送気を受ける潜水業務従事者ごとに，送気を調節するための空気槽及び事故の場合に必要な空気をたくわえてある空気槽（予備空気槽）を設けなければならない（高圧則8条1項）。

E　正　本肢のとおりである（則151条の16ほか）。なお，事業者は，フォークリフトについては，前照灯及び後照灯を備えたものでなければ使用してはならない。ただし，作業を安全に行うため必要な照度が保持されている場所においては，この限りでない。

R6-10	総合問題	重要度 B

安衛法

問 30 労働安全衛生法第88条の計画の届出に関する次の記述のうち，正しいものはどれか。

A 労働安全衛生法第88条第1項柱書きは，「事業者は，機械等で，危険若しくは有害な作業を必要とするもの，危険な場所において使用するもの又は危険若しくは健康障害を防止するため使用するもののうち，厚生労働省令で定めるものを設置し，若しくは移転し，又はこれらの主要構造部分を変更しようとするときは，その計画を当該工事の開始の日の14日前までに，厚生労働省令で定めるところにより，労働基準監督署長に届け出なければならない。」と定めている。

B 事業者は，建設業に属する事業の仕事のうち重大な労働災害を生ずるおそれがある特に大規模な仕事で，厚生労働省令で定めるものを開始しようとするときは，その計画を当該仕事の開始の日の30日前までに，厚生労働省令で定めるところにより，都道府県労働局長に届け出なければならない。

C 事業者は，建設業に属する事業の仕事（重大な労働災害を生ずるおそれがある特に大規模な仕事で，厚生労働省令で定めるものを除く。）で，厚生労働省令で定めるものを開始しようとするときは，その計画を当該仕事の開始の日の14日前までに，厚生労働省令で定めるところにより，労働基準監督署長に届け出なければならない。

D 機械等で，危険な作業を必要とするものとして計画の届出が必要とされるものにはクレーンが含まれるが，つり上げ荷重が1トン未満のものに限り，当該クレーンから除かれている。

E 機械等で，危険な作業を必要とするものとして計画の届出が必要とされるものには動力プレス（機械プレスでクランク軸等の偏心機構を有するもの及び液圧プレスに限る。）が含まれるが，圧力能力が5トン未満のものは除かれる。

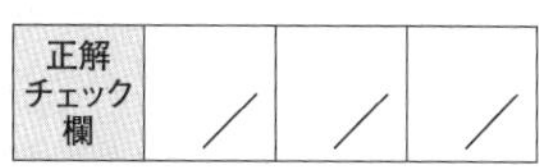

正解チェック欄	/	/	/

A 誤 本肢の計画は，当該工事の開始の日の「30日前」までに，労働基準監督署長に届け出なければならない。(法88条1項)。

労働科目 218p

B 誤 本肢の計画は，当該仕事の開始の日の30日前までに，「厚生労働大臣」に届け出なければならない（法88条2項)。

労働科目 218p

C 正 本肢のとおりである（法88条3項)。なお，事業者は，本肢の届出に係る仕事のうち厚生労働省令で定める仕事の計画を作成するときは，当該工事に係る建設物若しくは機械等又は当該仕事から生ずる労働災害の防止を図るため，厚生労働省令で定める資格を有する者を参画させなければならない（同条4項)。

労働科目 219p

D 誤 機械等で危険な作業を必要とするものとして計画の届出が必要とされるものにはクレーンが含まれるが，つり上げ荷重が「3トン未満」のものは，当該届出の対象となるクレーンから除かれている（令12条1項，クレーン則5条)。

E 誤 機械等で危険な作業を必要とするものとして計画の届出が必要とされるものには動力プレス（機械プレスでクランク軸等の偏心機構を有するもの及び液圧プレスに限る）が含まれるが，このうちから「圧力能力が5トン未満のものは除かれていない」(則86条1項，則別表7)。

第3編

労働者災害補償保険法

過去10年間の出題傾向

労働者災害補償保険法

□…選択式　○…択一式

出題項目＼年度	平成27年	平成28年	平成29年	平成30年	令和元年	令和2年	令和3年	令和4年	令和5年	令和6年
総則	○	○	○	○	□					
業務災害及び通勤災害	○	□○	○	○	○	□	□○	○	○	○
給付基礎日額									○	○
保険給付の通則	○		○	○	○	○	□			□
支給制限・費用徴収	○	□	○		□	○				○
第三者行為の災害	□		○							
療養補償給付	○	□		○	○					
休業補償給付		○		○		○			□	○
傷病補償年金	○		○	○		○				
障害補償給付				○		○	○	□		□
介護補償給付				○		○				
遺族補償給付	○	○				○	□○		○	□○
葬祭料										
通勤災害に関する保険給付			○		□					
二次健康診断等給付				○						
他の制度との調整			○			○			○	
社会復帰促進等事業			○		○			○	□	
特別支給金	○	○				○				
保険料及び国庫補助					○					
特別加入	□		○	□		○	○	□○		○
不服申立て			□						○	
雑則・罰則	○		□	○	○	○				

R元-選択　労働者・保険給付の種類・事業主からの費用徴収

問 1　次の文中の［　　］の部分を選択肢の中の最も適切な語句で埋め，完全な文章とせよ。

1　労災保険法第1条によれば，労働者災害補償保険は，業務上の事由，複数事業労働者の2以上の事業の業務を要因とする事由又は通勤による労働者の負傷，疾病，障害，死亡等に対して迅速かつ公正な保護をするため，必要な保険給付を行うこと等を目的とする。同法の労働者とは，［ A ］法上の労働者であるとされている。そして同法の保険給付とは，業務災害に関する保険給付，複数業務要因災害に関する保険給付，通勤災害に関する保険給付及び［ B ］給付の4種類である。保険給付の中には一時金ではなく年金として支払われるものもあり，通勤災害に関する保険給付のうち年金として支払われるのは，障害年金，遺族年金及び［ C ］年金である。

2　労災保険の適用があるにもかかわらず，労働保険徴収法第4条の2第1項に規定する労災保険に係る保険関係成立届（以下本問において「保険関係成立届」という。）の提出が行われていない間に労災事故が生じた場合において，事業主が故意又は重大な過失により保険関係成立届を提出していなかった場合は，政府は保険給付に要した費用に相当する金額の全部又は一部を事業主から徴収することができる。事業主がこの提出について，所轄の行政機関から直接指導を受けていたにもかかわらず，その後［ D ］以内に保険関係成立届を提出していない場合は，故意が認定される。事業主がこの提出について，保険手続に関する行政機関による指導も，都道府県労働保険事務組合連合会又はその会員である労働保険事務組合による加入勧奨も受けていない場合において，保険関係が成立してから［ E ］を経過してなお保険関係成立届を提出していないときには，原則，重大な過失と認定される。

重要度 A

選択肢

A	① 労働関係調整	② 労働基準
	③ 労働組合	④ 労働契約
B	① 求職者	② 教育訓練
	③ 失業等	④ 二次健康診断等
C	① 厚　生	② 国　民
	③ 傷　病	④ 老　齢
D	① 3　日	② 5　日
	③ 7　日	④ 10　日
E	① 3ヵ月	② 6ヵ月
	③ 9ヵ月	④ 1　年

正解チェック欄	／	／	／

【解　答】

A　② 労働基準

B　④ 二次健康診断等

C　③ 傷病

D　④ 10日

E　④ 1年

【解　説】

本問1は，労災保険法（以下本問において「法」とする）上の労働者及び保険給の種類に関する問題であり，法3条，法7条1項，法12条の8第3項及び法18条1項ほかからの出題である。

労災保険法第1条によれば，労働者災害補償保険は，業務上の事由，複数事業労働者の2以上の事業の業務を要因とする事由又は通勤による労働者の負傷，疾病，障害，死亡等に対して迅速かつ公正な保護をするため，必要な保険給付を行うこと等を目的とする。同法の労働者とは，労働基準法上の労働者であるとされている。そして同法の保険給付とは，業務災害に関する保険給付，複数業務要因災害に関する保険給付，通勤災害に関する保険給付及び二次健康診断等給付の4種類である。保険給付の中には一時金ではなく年金として支払われるものもあり，通勤災害に関する保険給付のうち年金として支払われるのは，障害年金，遺族年金及び傷病年金である。

労働科目 235, 238p

労働科目 293p

本問2は，事業主からの費用徴収に関する問題であり，平17.9.22基発0922001号ほかからの出題である。

労災保険の適用があるにもかかわらず，労働保険徴収法第4条の2第1項に規定する労災保険に係る保険関係成立届（以下本問において「保険関係成立届」という。）の提出が行われていない間に労災事故が生じた場合において，事業主が故意又は重大な過失により保険関係成立届を提出していなかった場合は，政府は保険給付に要した費用に相当する金額の全部又は一部を事業主から徴収することができる。事業主がこの提出について，所轄の行政機関から直接指導を受けていたにもかかわらず，その後10日以内に保険関係成立届を提出していない場合は，故意が認定される。事業主がこの提出について，保険手続に関する行政機関による指導も，都道府県労働保険事務組合連合会又はその会員である労働保険事務組合による加入勧奨も受けていない場合において，保険関係が成立してから1年を経過してなお保険関係成立届を提出していないときには，原則，重大な過失と認定される。

労働科目 309p

R3-選択　複数事業労働者・年金たる保険給付の支給停止期間等

問2　次の文中の［　　］の部分を選択肢の中の最も適切な語句で埋め，完全な文章とせよ。

1　労災保険法は，令和2年に改正され，複数事業労働者（事業主が同一人でない2以上の事業に使用される労働者。以下同じ。）の2以上の事業の業務を要因とする負傷，疾病，障害又は死亡（以下「複数業務要因災害」という。）についても保険給付を行う等の制度改正が同年9月1日から施行された。複数事業労働者については，労災保険法第7条第1項第2号により，これに類する者も含むとされており，その範囲については，労災保険法施行規則第5条において，［　A　］と規定されている。複数業務要因災害による疾病の範囲は，労災保険法施行規則第18条の3の6により，労働基準法施行規則別表第1の2第8号及び第9号に掲げる疾病その他2以上の事業の業務を要因とすることの明らかな疾病と規定されている。複数業務要因災害に係る事務の所轄は，労災保険法第7条第1項第2号に規定する複数事業労働者の2以上の事業のうち，［　B　］の主たる事務所を管轄する都道府県労働局又は労働基準監督署となる。

2　年金たる保険給付は，その支給を停止すべき事由が生じたときは，［　C　］の間は，支給されない。

3　遺族補償年金を受けることができる遺族は，労働者の配偶者，子，父母，孫，祖父母及び兄弟姉妹であって，労働者の死亡の当時その収入によって生計を維持していたものとする。ただし，妻（婚姻の届出をしていないが，事実上婚姻関係と同様の事情にあった者を含む。以下同じ。）以外の者にあっては，労働者の死亡の当時次の各号に掲げる要件に該当した場合に限るものとする。

一　夫（婚姻の届出をしていないが，事実上婚姻関係と同様の事情にあった者を含む。以下同じ。），父母又は祖父母については，［　D　］歳以上であること。

二　子又は孫については，［　E　］歳に達する日以後の最初の3月31日までの間にあること。

三　兄弟姉妹については，［　E　］歳に達する日以後の最初の3月31日まで

キリトリ線

の間にあること又は[D]歳以上であること。

四　前三号の要件に該当しない夫，子，父母，孫，祖父母又は兄弟姉妹については，厚生労働省令で定める障害の状態にあること。

選択肢

① 15　② 16　③ 18　④ 20　⑤ 55　⑥ 60　⑦ 65　⑧ 70

⑨ その事由が生じた月からその事由が消滅した月まで

⑩ その事由が生じた月の翌月からその事由が消滅した月まで

⑪ その事由が生じた日からその事由が消滅した日まで

⑫ その事由が生じた日の翌日からその事由が消滅した日まで

⑬ その収入が当該複数事業労働者の生計を維持する程度の最も高いもの

⑭ 当該複数事業労働者が最も長い期間勤務しているもの

⑮ 当該複数事業労働者の住所に最も近いもの

⑯ 当該複数事業労働者の労働時間が最も長いもの

⑰ 負傷，疾病，障害又は死亡の原因又は要因となる事由が生じた時点以前1か月の間継続して事業主が同一人でない2以上の事業に同時に使用されていた労働者

⑱ 負傷，疾病，障害又は死亡の原因又は要因となる事由が生じた時点以前3か月の間継続して事業主が同一人でない2以上の事業に同時に使用されていた労働者

⑲ 負傷，疾病，障害又は死亡の原因又は要因となる事由が生じた時点以前6か月の間継続して事業主が同一人でない2以上の事業に同時に使用されていた労働者

⑳ 負傷，疾病，障害又は死亡の原因又は要因となる事由が生じた時点において事業主が同一人でない2以上の事業に同時に使用されていた労働者

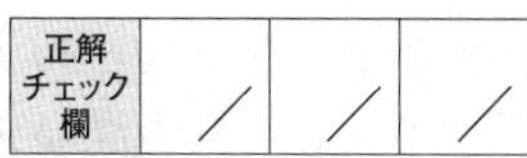

正解チェック欄	／	／	／

解答・解説

【解　答】

A　⑳ 負傷，疾病，障害又は死亡の原因又は要因となる事由が生じた時点において事業主が同一人でない2以上の事業に同時に使用されていた労働者

B　⑬ その収入が当該複数事業労働者の生計を維持する程度の最も高いもの

C　⑩ その事由が生じた月の翌月からその事由が消滅した月まで

D　⑥ 60

E　③ 18

【解　説】

本問1は，複数事業労働者及び複数業務要因災害に関する問題であり，労災保険法施行規則1条2項2号，同則5条からの出題である。

労災保険法は，令和2年に改正され，複数事業労働者（事業主が同一人でない2以上の事業に使用される労働者。以下同じ）の2以上の事業の業務を要因とする負傷，疾病，障害又は死亡（以下「複数業務要因災害」という）についても保険給付を行う等の制度改正が同年9月1日から施行された。複数事業労働者については，労災保険法第7条第1項第2号により，これに類する者も含むとされており，その範囲については，労災保険法施行規則第5条において，負傷，疾病，障害又は死亡の原因又は要因となる事由が生じた時点において事業主が同一人でない2以上の事業に同時に使用されていた労働者と規定されている。複数業務要因災害による疾病の範囲は，労災保険法施行規則18条の3の6により，労働基準法施行規則別表第1の2第8号及び第9号に掲げる疾病その他2以上の事業の業務を要因とすることの明らかな疾病と規定されている。複数業務要因災害に係る事務の所轄は，労災保険法第7条第1項第2号に規定する複数事業労働者の2以上の事業のうち，その収入が当該複数事業労働者の生計を維持する程度の最も高いものの主たる事務所を管轄する都道府県労働局又は労働基準監督署となる。

労働科目
245p

本問2は，年金たる保険給付の支給停止期間に関する問題であり，労災保険法9条2項からの出題である。

年金たる保険給付は，その支給を停止すべき事由が生じたときは，その事由が生じた月の翌月からその事由が消滅した月までの間は，支給されない。

労働科目
298p

本問3は，遺族補償年金を受けることができる遺族の範囲に関する問題であり，労災保険法16条の2第1項からの出題である。

遺族補償年金を受けることができる遺族は，労働者の配偶者，子，父母，孫，祖父母及び兄弟姉妹であって，労働者の死亡の当時その収入によって生計を維持していたものとする。ただし，妻（婚姻の届出をしていないが，事実上婚姻関係と同様の事情にあった者を含む。以下同じ）以外の者にあっては，労働者の死亡の当時次の各号に掲げる要件に該当した場合に限るものとする。

一　夫（婚姻の届出をしていないが，事実上婚姻関係と同様の事情にあった者を含む。以下同じ），父母又は祖父母については，60歳以上であること。

労働科目
282p

二　子又は孫については，18歳に達する日以後の最初の3月31日までの間にあること。

三　兄弟姉妹については，18歳に達する日以後の最初の3月31日までの間にあること又は60歳以上であること。

四　前三号の要件に該当しない夫，子，父母，孫，祖父母又は兄弟姉妹については，厚生労働省令で定める障害の状態にあること。

なお，附則45条の規定に基づき遺族補償年金を受けることができる遺族の範囲が改定されるまでの間，労働者の夫（婚姻の届出をしていないが，事実上婚姻関係と同様の事情にあった者を含む），父母，祖父母及び兄弟姉妹であって，労働者の死亡の当時，その収入によって生計を維持し，かつ，55歳以上60歳未満であったもの（法16条の2第1項4号に規定する者であって，法16条の4第1項6号に該当しないものを除く）は，法16条の2第1項の規定にかかわらず，同法の規定による遺族補償年金を受けることができる遺族とする。

R2-選択	通勤災害における通勤

問 3 次の文中の［　　］の部分を選択肢の中の最も適切な語句で埋め，完全な文章とせよ。

通勤災害における通勤とは，労働者が，就業に関し，住居と就業の場所との間の往復等の移動を，［ A ］な経路及び方法により行うことをいい，業務の性質を有するものを除くものとされるが，住居と就業の場所との間の往復に先行し，又は後続する住居間の移動も，厚生労働省令で定める要件に該当するものに限り，通勤に当たるとされている。

厚生労働省令で定める要件の中には，［ B ］に伴い，当該［ B ］の直前の住居と就業の場所との間を日々往復することが当該往復の距離等を考慮して困難となったため住居を移転した労働者であって，次のいずれかに掲げるやむを得ない事情により，当該［ B ］の直前の住居に居住している配偶者と別居することとなったものによる移動が挙げられている。

イ　配偶者が，［ C ］にある労働者又は配偶者の父母又は同居の親族を［ D ］すること。

ロ　配偶者が，学校等に在学し，保育所若しくは幼保連携型認定こども園に通い，又は公共職業能力開発施設の行う職業訓練を受けている同居の子（［ E ］歳に達する日以後の最初の3月31日までの間にある子に限る。）を養育すること。

ハ　配偶者が，引き続き就業すること。

ニ　配偶者が，労働者又は配偶者の所有に係る住宅を管理するため，引き続き当該住宅に居住すること。

ホ　その他配偶者が労働者と同居できないと認められるイからニまでに類する事情

重要度 A

選択肢

① 12	② 15
③ 18	④ 20
⑤ 介　護	⑥ 経済的
⑦ 効率的	⑧ 合理的
⑨ 孤立状態	⑩ 支　援
⑪ 失業状態	⑫ 就　職
⑬ 出　張	⑭ 常態的
⑮ 転　職	⑯ 転　任
⑰ 貧困状態	⑱ 扶　養
⑲ 保　護	⑳ 要介護状態

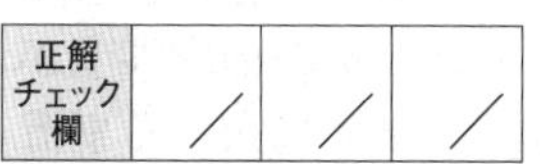

【解　答】

A　⑧ 合理的

B　⑯ 転任

C　⑳ 要介護状態

D　⑤ 介護

E　③ 18

【解　説】

本問は，労災保険法（以下本問において「法」とする）における通勤に関する問題であり，法7条2項及び法施行規則7条1号からの出題である。

通勤災害における通勤とは，労働者が，就業に関し，住居と就業の場所との間の往復等の移動を，合理的な経路及び方法により行うことをいい，業務の性質を有するものを除くものとされるが，住居と就業の場所との間の往復に先行し，又は後続する住居間の移動も，厚生労働省令で定める要件に該当するものに限り，通勤に当たるとされている。 労働科目 246p

厚生労働省令で定める要件の中には，転任に伴い，当該転任の直前の住居と就業の場所との間を日々往復することが当該往復の距離等を考慮して困難となったため住居を移転した労働者であって，次のいずれかに掲げるやむを得ない事情により，当該転任の直前の住居に居住している配偶者と別居することとなったものによる移動が挙げられている。 労働科目 248p

イ　配偶者が，要介護状態にある労働者又は配偶者の父母又は同居の親族を介護すること。

ロ　配偶者が，学校等に在学し，保育所若しくは幼保連携型認定こども園に通い，又は公共職業能力開発施設の行う職業訓練を受けている同居の子（18歳に達する日以後の最初の3月31日までの間にある子に限る。）を養育すること。

ハ　配偶者が，引き続き就業すること。

ニ　配偶者が，労働者又は配偶者の所有に係る住宅を管理するため，引き続き当該住宅に居住すること。

ホ　その他配偶者が労働者と同居できないと認められるイからニまでに類する事情

R5-選択	休業補償給付・社会復帰促進等事業

問 4 次の文中の[　　]の部分を選択肢の中の最も適切な語句で埋め，完全な文章とせよ。

1 労災保険法第14条第1項は，「休業補償給付は，労働者が業務上の負傷又は疾病による[A]のため労働することができないために賃金を受けない日の第[B]日目から支給するものとし，その額は，一日につき給付基礎日額の[C]に相当する額とする。ただし，労働者が業務上の負傷又は疾病による[A]のため所定労働時間のうちその一部分についてのみ労働する日若しくは賃金が支払われる休暇（以下この項において「部分算定日」という。）又は複数事業労働者の部分算定日に係る休業補償給付の額は，給付基礎日額（第8条の2第2項第2号に定める額（以下この項において「最高限度額」という。）を給付基礎日額とすることとされている場合にあつては，同号の規定の適用がないものとした場合における給付基礎日額）から部分算定日に対して支払われる賃金の額を控除して得た額（当該控除して得た額が最高限度額を超える場合にあつては，最高限度額に相当する額）の[C]に相当する額とする。」と規定している。

2 社会復帰促進等事業とは，労災保険法第29条によれば，①療養施設及びリハビリテーション施設の設置及び運営その他被災労働者の円滑な社会復帰促進に必要な事業，②被災労働者の療養生活・介護の援護，その遺族の就学の援護，被災労働者及びその遺族への資金貸付けによる援護その他被災労働者及びその遺族の援護を図るために必要な事業，③業務災害防止活動に対する援助，[D]に関する施設の設置及び運営その他労働者の安全及び衛生の確保，保険給付の適切な実施の確保並びに[E]の支払の確保を図るために必要な事業である。

重要度 A

選択肢

① 100分の50	② 100分の60	③ 100分の70
④ 100分の80	⑤ 2	⑥ 3
⑦ 4	⑧ 7	⑨ 苦痛
⑩ 健康診断	⑪ 災害時避難	⑫ 食費
⑬ 治療費	⑭ 賃金	⑮ 通院
⑯ 能力喪失	⑰ 防災訓練	⑱ 保護具費
⑲ 療養	⑳ 老人介護	

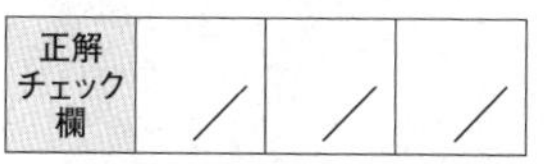

【解　答】

A　⑲ 療養

B　⑦ 4

C　② 100分の60

D　⑩ 健康診断

E　⑭ 賃金

【解　説】

本問1は，休業補償給付に関する問題であり，労災保険法14条1項からの出題である。

労災保険法14条1項は，「休業補償給付は，労働者が業務上の負傷又は疾病による療養のため労働することができないために賃金を受けない日の第4日目から支給するものとし，その額は，一日につき給付基礎日額の100分の60に相当する額とする。ただし，労働者が業務上の負傷又は疾病による療養のため所定労働時間のうちその一部分についてのみ労働する日若しくは賃金が支払われる休暇（以下この項において「部分算定日」という。）又は複数事業労働者の部分算定日に係る休業補償給付の額は，給付基礎日額（第8条の2第2項2号に定める額（以下この項において「最高限度額」という。）を給付基礎日額とすることとされている場合にあつては，同号の規定の適用がないものとした場合における給付基礎日額）から部分算定日に対して支払われる賃金の額を控除して得た額（当該控除して得た額が最高限度額を超える場合にあつては，最高限度額に相当する額）の100分の60に相当する額とする。」と規定している。

労働科目
264, 266p

本問2は，社会復帰促進等事業に関する問題であり，労災保険法29条からの出題である。

社会復帰促進等事業とは，労災保険法29条によれば，①療養施設及びリハビリテーション施設の設置及び運営その他被災労働者の円滑な社会復帰促進に必要な事業，②被災労働者の療養生活・介護の援護，その遺族の就学の援護，被災労働者及びその遺族への資金貸付けによる援護その他被災労働者及びその遺族の援護を図るために必要な事業，③業務災害防止活動に対する援助，健康診断に関する施設の設置及び運営その他労働者の安全及び衛生の確保，保険給付の適切な実施の確保並びに賃金の支払の確保を図るために必要な事業である。

労働科目
318p

H28-選択	療養補償給付・支給制限及び業務上の疾病

問 5　次の文中の［　　］の部分を選択肢の中の適当な語句で埋め，完全な文章とせよ。

1　労災保険法第13条第3項によれば，政府は，療養の補償給付として療養の給付をすることが困難な場合，療養の給付に代えて［ A ］を支給することができる。労災保険法第12条の2の2第2項によれば，「労働者が故意の犯罪行為若しくは重大な過失により，又は正当な理由がなくて［ B ］に従わないことにより」，負傷の回復を妨げたときは，政府は，保険給付の全部又は一部を行わないことができる。

2　厚生労働省労働基準局長通知（「血管病変等を著しく増悪させる業務による脳血管疾患及び虚血性疾患等の認定基準について」令和3年9月14日付け基発第0914第1号）において，発症前の長期間にわたって，著しい疲労の蓄積をもたらす特に過重な業務に就労したことによる明らかな過重負荷を受けたことにより発症した脳血管疾患及び虚血性疾患等（負傷に起因するものを除く。）は，業務上の疾病として取り扱うこととされている。業務の過重性の評価にあたっては，発症前の一定期間の就労実態等を考察し，発症時における疲労の蓄積がどの程度であったかという観点から判断される。

「発症前の長期間とは，発症前おおむね［ C ］をいう」とされている。疲労の蓄積をもたらす要因は種々あるが，最も重要な要因と考えられる労働時間に着目すると，「発症前［ D ］におおむね100時間又は発症前［ E ］にわたって，1か月あたりおおむね80時間を超える時間外労働が認められる場合は，業務と発症との関連性が強いと評価できること」を踏まえて判断される。ここでいう時間外労働時間数は，1週間当たり40時間を超えて労働した時間数である。

重要度 A

選択肢

① 業務命令	② 就業規則	③ 治療材料
④ 薬　剤	⑤ リハビリ用品	⑥ 療養に関する指示
⑦ 療養の費用	⑧ 労働協約	⑨ 3か月間
⑩ 6か月間	⑪ 12か月間	⑫ 1～3か月間
⑬ 1週間	⑭ 2週間	⑮ 4週間
⑯ 1か月間	⑰ 1か月間ないし6か月間	
⑱ 1か月間ないし12か月間	⑲ 2か月間ないし6か月間	
⑳ 2か月間ないし12か月間		

労災法

正解チェック欄	／	／	／

【解　答】

A　⑦ 療養の費用

B　⑥ 療養に関する指示

C　⑩ 6か月間

D　⑯ 1か月間

E　⑲ 2か月間ないし6か月間

【解　説】

本問1は，療養補償給付のうち療養の費用の支給及び支給制限に関する問題であり，労災保険法（以下本問において「法」とする）13条3項及び法12条の2の2第2項からの出題である。

法第13条第3項によれば，政府は，療養の補償給付として療養の給付をすることが困難な場合，療養の給付に代えて療養の費用を支給することができる。法12条の2の2第2項によれば，「労働者が故意の犯罪行為若しくは重大な過失により，又は正当な理由がなくて療養に関する指示に従わないことにより」，負傷の回復を妨げたときは，政府は，保険給付の全部又は一部を行わないことができる。

労働科目
263, 306p

本問2は，「血管病変等を著しく増悪させる業務による脳血管疾患及び虚血性疾患等の認定基準について」令3.9.14基発0914第1号からの出題である。

厚生労働省労働基準局長通知（「血管病変等を著しく増悪させる業務による脳血管疾患及び虚血性疾患等の認定基準について」令和3年9月14日付け基発第0914第1号）において，発症前の長期間にわたって，著しい疲労の蓄積をもたらす特に過重な業務に就労したことによる明らかな過重負荷を受けたことにより発症した脳血管疾患及び虚血性心疾患等（負傷に起因するものを除く）は，業務上の疾病として取り扱うこととされている。業務の過重性の評価にあたっては，発症前の一定期間の就労実態等を考察し，発症時における疲労の蓄積がどの程度であったかという観点から判断される。

「発症前の長期間とは，発症前おおむね6か月間をいう」とされている。疲労の蓄積をもたらす要因は種々あるが，最も重要な要因と考えられる労働時間に着目すると，「発症前1か月間におおむね100時間又は発症前2か月間ないし6か月間にわたって，1か月あたりおおむね80時間を超える時間外労働が認められる場合は，業務と発症との関連性が強いと評価できること」を踏まえて判断される。ここでいう時間外労働時間数は，1週間当たり40時間を超えて労働した時間数である。

労働科目
243p

R6-選択	障害補償給付・遺族補償年金・通則

問 6 次の文中の[　　]の部分を選択肢の中の最も適切な語句で埋め，完全な文章とせよ。

1 労災保険法施行規則第14条第1項は，「障害補償給付を支給すべき身体障害の障害等級は，別表第1に定めるところによる。」と規定し，同条第2項は，「別表第1に掲げる身体障害が2以上ある場合には，重い方の身体障害の該当する障害等級による。」と規定するが，同条第3項柱書きは，「第[A]級以上に該当する身体障害が2以上あるとき」は「前2項の規定による障害等級」を「2級」繰り上げた等級（同項第2号），「第[B]級以上に該当する身体障害が2以上あるとき」は「前2項の規定による障害等級」を「3級」繰り上げた等級（同項第3号）によるとする。

2 年金たる保険給付の支給は，支給すべき事由が生じた[C]から始め，支給を受ける権利が消滅した月で終わるものとする。また，保険給付を受ける権利を有する者が死亡した場合において，その死亡した者に支給すべき保険給付でまだその者に支給しなかったものがあるときは，その者の配偶者，子，父母，孫，祖父母又は兄弟姉妹であって，その者の死亡の当時その者と生計を同じくしていたものは，[D]の名で，その未支給の保険給付の支給を請求することができる。

3 最高裁判所は，遺族補償年金に関して次のように判示した。「労災保険法に基づく保険給付は，その制度の趣旨目的に従い，特定の損害について必要額を塡補するために支給されるものであり，遺族補償年金は，労働者の死亡による遺族の[E]を塡補することを目的とするものであって（労災保険法1条，16条の2から16条の4まで），その塡補の対象とする損害は，被害者の死亡による逸失利益等の消極損害と同性質であり，かつ，相互補完性があるものと解される。〔…（略）…〕

したがって，被害者が不法行為によって死亡した場合において，その損害賠償請求権を取得した相続人が遺族補償年金の支給を受け，又は支給を受けることが確定したときは，損害賠償額を算定するに当たり，上記の遺族補償年金につき，その塡補の対象となる[E]による損害と同性質であり，かつ，相互補完性を有する逸失利益等の消極損害の元本と

キリトリ線

の間で，損益相殺的な調整を行うべきものと解するのが相当である。」

選択肢

① 3	② 5	③ 6	④ 7
⑤ 8	⑥ 10	⑦ 12	⑧ 13
⑨ 事業主		⑩ 自己	
⑪ 死亡した者		⑫ 生活基盤の喪失	
⑬ 精神的損害		⑭ 世帯主	
⑮ 相続財産の喪失		⑯ 月	
⑰ 月の翌月		⑱ 日	
⑲ 日の翌日		⑳ 被扶養利益の喪失	

正解チェック欄	／	／	／

【解　答】

A　⑤ 8

B　② 5

C　⑰ 月の翌月

D　⑩ 自己

E　⑳ 被扶養利益の喪失

【解　説】

本問1は，障害補償給付に係る併合繰上げに関する問題であり，労災保険法施行規則14条3項2号・3号からの出題である。

労災保険法施行規則14条1項は，「障害補償給付を支給すべき身体障害の障害等級は，別表1に定めるところによる。」と規定し，同条第2項は，「別表第1に掲げる身体障害が2以上ある場合には，重い方の身体障害の該当する障害等級による。」と規定するが，同条3項柱書きは，「第8級以上に該当する身体障害が2以上あるとき」は「前2項の規定による障害等級」を「2級」繰り上げた等級（同項2号），「第5級以上に該当する身体障害が2以上あるとき」は「前2項の規定による障害等級」を「3級」繰り上げた等級（同項3号）によるとする。 労働科目 272p

本問2は，年金たる保険給付の支給期間及び未支給の保険給付に関する問題であり，労災保険法9条1項及び同法11条1項からの出題である。

年金たる保険給付の支給は，支給すべき事由が生じた月の翌月から始め，支給を受ける権利が消滅した月で終わるものとする。また，保険給付を受ける権利を有する者が死亡した場合において，その死亡した者に支給すべき保険給付でまだその者に支給しなかったものがあるときは，その者の配偶者，子，父母，孫，祖父母又は兄弟姉妹であって，その者の死亡の当時その者と生計を同じくしていたものは，自己の名で，その未支給の保険給付の支給を請求するこ 労働科目 298, 300p

とができる。

本問3は，遺族補償年金に関する問題であり，最高裁大法廷判決平27.3.4 損害賠償請求事件からの出題である。

最高裁判所は，遺族補償年金に関して次のように判示した。「労災保険法に基づく保険給付は，その制度の趣旨目的に従い，特定の損害について必要額を塡補するために支給されるものであり，遺族補償年金は，労働者の死亡による遺族の被扶養利益の喪失を塡補することを目的とするものであって（労災保険法1条，16条の2から16条の4まで），その塡補の対象とする損害は，被害者の死亡による逸失利益等の消極損害と同性質であり，かつ，相互補完性があるものと解される。〔…（略）…〕

したがって，被害者が不法行為によって死亡した場合において，その損害賠償請求権を取得した相続人が遺族補償年金の支給を受け，又は支給を受けることが確定したときは，損害賠償額を算定するに当たり，上記の遺族補償年金につき，その塡補の対象となる被扶養利益の喪失による損害と同性質であり，かつ，相互補完性を有する逸失利益等の消極損害の元本との間で，損益相殺的な調整を行うべきものと解するのが相当である。」

R4-選択	併合繰上げ・特別加入等

問 7 次の文中の［　　］の部分を選択肢の中の最も適切な語句で埋め，完全な文章とせよ。

1 業務災害により既に1下肢を1センチメートル短縮していた（13級の8）者が，業務災害により新たに同一下肢を3センチメートル短縮（10級の7）し，かつ1手の小指を失った（12級の8の2）場合の障害等級は［ A ］級であり，新たな障害につき給付される障害補償の額は給付基礎日額の［ B ］日分である。

なお，8級の障害補償の額は給付基礎日額の503日分，9級は391日分，10級は302日分，11級は223日分，12級は156日分，13級は101日分である。

2 最高裁判所は，中小事業主が労災保険に特別加入する際に成立する保険関係について，次のように判示している（作題に当たり一部改変）。

労災保険法（以下「法」という。）が定める中小事業主の特別加入の制度は，労働者に関し成立している労災保険の保険関係（以下「保険関係」という。）を前提として，当該保険関係上，中小事業主又はその代表者を［ C ］とみなすことにより，当該中小事業主又はその代表者に対する法の適用を可能とする制度である。そして，法第3条第1項，労働保険徴収法第3条によれば，保険関係は，労働者を使用する事業について成立するものであり，その成否は当該事業ごとに判断すべきものであるところ，同法第4条の2第1項において，保険関係が成立した事業の事業主による政府への届出事項の中に「事業の行われる場所」が含まれており，また，労働保険徴収法施行規則第16条第1項に基づき労災保険率の適用区分である同施行規則別表第1所定の事業の種類の細目を定める労災保険率適用事業細目表において，同じ建設事業に附帯して行われる事業の中でも当該建設事業の現場内において行われる事業とそうでない事業とで適用される労災保険率の区別がされているものがあることなどに鑑みると，保険関係の成立する事業は，主として場所的な独立性を基準とし，当該一定の場所において一定の組織の下に相関連して行われる作業の一体を単位として区分されるものと解される。そうすると，土木，建築その他の

重要度 A

工作物の建設，改造，保存，修理，変更，破壊若しくは解体又はその準備の事業（以下「建設の事業」という。）を行う事業主については，個々の建設等の現場における建築工事等の業務活動と本店等の事務所を拠点とする営業，経営管理その他の業務活動とがそれぞれ別個の事業であって，それぞれその業務の中に［ D ］を前提に，各別に保険関係が成立するものと解される。

したがって，建設の事業を行う事業主が，その使用する労働者を個々の建設等の現場における事業にのみ従事させ，本店等の事務所を拠点とする営業等の事業に従事させていないときは，営業等の事業につき保険関係の成立する余地はないから，営業等の事業について，当該事業主が特別加入の承認を受けることはできず，［ E ］に起因する事業主又はその代表者の死亡等に関し，その遺族等が法に基づく保険給付を受けることはできないものというべきである。

選択肢

① 8	② 9	③ 10	④ 11
⑤ 122	⑥ 201	⑦ 290	⑧ 402

⑨ 営業等の事業に係る業務
⑩ 建設及び営業等以外の事業に係る業務
⑪ 建設及び営業等の事業に係る業務
⑫ 建設の事業に係る業務
⑬ 事業主が自ら行うものがあること
⑭ 事業主が自ら行うものがないこと
⑮ 使用者　　⑯ 特別加入者
⑰ 一人親方　　⑱ 労働者
⑲ 労働者を使用するものがあること
⑳ 労働者を使用するものがないこと

正解チェック欄	／	／	／

労災法

【解　答】

A　② 9

B　⑦ 290

C　⑱ 労働者

D　⑲ 労働者を使用するものがあること

E　⑨ 営業等の事業に係る業務

【解　説】

本問1は，併合繰り上げ及び加重に関する問題であり，労災保険法施行規則則14条3項・5項からの出題である。

業務災害により既に1下肢を1センチメートル短縮していた（13級の8）者が，業務災害により新たに同一下肢を3センチメートル短縮（10級の7）し，かつ1手の小指を失った（12級の8の2）場合の障害等級は9級であり，新たな障害につき給付される障害補償の額は給付基礎日額の290日分である。

労働科目 272～273p

なお，8級の障害補償の額は給付基礎日額の503日分，9級は391日分，10級は302日分，11級は223日分，12級は156日分，13級は101日分である。

本問2は，特別加入に関する問題であり，最高裁第二小法廷判決平24.2.24 労働災害補償金不支給決定処分取消請求事件からの出題である。

最高裁判所は，中小事業主が労災保険に特別加入する際に成立する保険関係について，次のように判示している（作題に当たり一部改変）。

労災保険法（以下「法」という。）が定める中小事業主の特別加入の制度は，労働者に関し成立している労災保険の保険関係（以下「保険関係」という。）を前提として，当該保険関係上，中小事業主又はその代表者を労働者とみなすことにより，当該中小事業主又はその代表者に対する法の適用を可能とする制度である。そして，法

第3条第1項，労働保険徴収法第3条によれば，保険関係は，労働者を使用する事業について成立するものであり，その成否は当該事業ごとに判断すべきものであるところ，同法第4条の2第1項において，保険関係が成立した事業の事業主による政府への届出事項の中に「事業の行われる場所」が含まれており，また，労働保険徴収法施行規則第16条第1項に基づき労災保険率の適用区分である同施行規則別表第1所定の事業の種類の細目を定める労災保険率適用事業細目表において，同じ建設事業に附帯して行われる事業の中でも当該建設事業の現場内において行われる事業とそうでない事業とで適用される労災保険率の区別がされているものがあることなどに鑑みると，保険関係の成立する事業は，主として場所的な独立性を基準とし，当該一定の場所において一定の組織の下に相関連して行われる作業の一体を単位として区分されるものと解される。そうすると，土木，建築その他の工作物の建設，改造，保存，修理，変更，破壊若しくは解体又はその準備の事業（以下「建設の事業」という。）を行う事業主については，個々の建設等の現場における建築工事等の業務活動と本店等の事務所を拠点とする営業，経営管理その他の業務活動とがそれぞれ別個の事業であって，それぞれその業務の中に労働者を使用するものがあることを前提に，各別に保険関係が成立するものと解される。

したがって，建設の事業を行う事業主が，その使用する労働者を個々の建設等の現場における事業にのみ従事させ，本店等の事務所を拠点とする営業等の事業に従事させていないときは，営業等の事業につき保険関係の成立する余地はないから，営業等の事業について，当該事業主が特別加入の承認を受けることはできず，営業等の事業に係る業務に起因する事業主又はその代表者の死亡等に関し，その遺族等が法に基づく保険給付を受けることはできないものというべきである。

H30-選択	特別加入

問 8 次の文中の[ ]の部分を選択肢の中の最も適切な語句で埋め，完全な文章とせよ。

1 労災保険法においては，労働基準法適用労働者には当たらないが，業務の実態，災害の発生状況等からみて，労働基準法適用労働者に準じて保護するにふさわしい一定の者に対して特別加入の制度を設けている。まず，中小事業主等の特別加入については，主たる事業の種類に応じ，厚生労働省令で定める数以下の労働者を使用する事業の事業主で[A]に労働保険事務の処理を委託している者及びその事業に従事する者である。この事業の事業主としては，卸売業又は[B]を主たる事業とする事業主の場合は，常時100人以下の労働者を使用する者が該当する。この特別加入に際しては，中小事業主が申請をし，政府の承認を受ける必要がある。給付基礎日額は，当該事業に使用される労働者の賃金の額その他の事情を考慮して厚生労働大臣が定める額とされており，最高額は[C]である。

また，労災保険法第33条第3号及び第4号により，厚生労働省令で定める種類の事業を労働者を使用しないで行うことを常態とする者とその者が行う事業に従事する者は特別加入の対象となる。この事業の例としては，[D]の事業が該当する。また，同条第5号により厚生労働省令で定める種類の作業に従事する者についても特別加入の対象となる。特別加入はこれらの者（一人親方等及び特定作業従事者）の団体が申請をし，政府の承認を受ける必要がある。

2 通勤災害に関する保険給付は，一人親方等及び特定作業従事者の特別加入者のうち，住居と就業の場所との間の往復の状況等を考慮して厚生労働省令で定める者には支給されない。[E]はその一例に該当する。

重要度 B

選択肢

A	① 社会保険事務所 ② 商工会議所 ③ 特定社会保険労務士 ④ 労働保険事務組合
B	① 小売業 ② サービス業 ③ 不動産業 ④ 保険業
C	① 20,000円 ② 22,000円 ③ 24,000円 ④ 25,000円
D	① 介護事業 ② 畜産業 ③ 養蚕業 ④ 林 業
E	① 医薬品の配置販売の事業を行う個人事業者 ② 介護作業従事者 ③ 個人タクシー事業者 ④ 船員法第1条に規定する船員

正解チェック欄	／	／	／

【解　答】

A　④ 労働保険事務組合

B　② サービス業

C　④ 25,000円

D　④ 林業

E　③ 個人タクシー事業者

【解　説】

本問1は，中小事業主等の特別加入の範囲，特別加入者の給付基礎日額，一人親方等の特別加入の範囲に関する問題であり，労災保険法（以下本問において「法」とする）33条，法34条，則46条の16，則46条の20ほかからの出題である。

労災保険法においては，労働基準法適用労働者には当たらないが，業務の実態，災害の発生状況等からみて，労働基準法適用労働者に準じて保護するにふさわしい一定の者に対して特別加入の制度を設けている。まず，中小事業主等の特別加入については，主たる事業の種類に応じ，厚生労働省令で定める数以下の労働者を使用する事業の事業主で労働保険事務組合に労働保険事務の処理を委託している者及びその事業に従事する者である。この事業の事業主としては，卸売業又はサービス業を主たる事業とする事業主の場合は，常時100人以下の労働者を使用する者が該当する。この特別加入に際しては，中小事業主が申請をし，政府の承認を受ける必要がある。給付基礎日額は，当該事業に使用される労働者の賃金の額その他の事情を考慮して厚生労働大臣が定める額とされており，最高額は25,000円である。

労働科目 332~333p

労働科目 338p

また，労災保険法第33条第3号及び第4号により，厚生労働省令で定める種類の事業を労働者を使用しないで行うことを常態とする者とその者が行う事業に従事する者は特別加入の対象となる。この事業の例としては，林業の事業が該当する。また，同条第5号により厚生労働省令で定める種類の作業に従事する者についても特別加入の対象となる。特別加入はこれらの者（一人親方等及び特定作業従事者）の団体が申請をし，政府の承認を受ける必要がある。

本問2は，特別加入における通勤災害の適用除外に関する問題であり，法35条，則46条の22の2からの出題である。

通勤災害に関する保険給付は，一人親方等及び特定作業従事者の特別加入者のうち，住居と就業の場所との間の往復の状況等を考慮して厚生労働省令で定める者には支給されない。個人タクシー事業者はその一例に該当する。

H27-選択	特別加入・第三者行為災害

問 9 次の文中の[ ]の部分を選択肢の中の最も適切な語句で埋め，完全な文章とせよ。

1 労災保険法第33条第5号によれば，厚生労働省令で定められた種類の作業に従事する者（労働者である者を除く。）は，特別加入が認められる。労災保険法施行規則第46条の18は，その作業として，農業における一定の作業，国又は地方公共団体が実施する訓練として行われる一定の作業，労働組合等の常勤の役員が行う一定の作業，[A]関係業務に係る一定の作業と並び，家内労働法第2条第2項の家内労働者又は同条第4項の[B]が行う一定の作業（同作業に従事する家内労働者又はその[B]を以下「家内労働者等」という。）を挙げている。

労災保険法及び労災保険法施行規則によれば，[C]が，家内労働者等の業務災害に関して労災保険の適用を受けることにつき申請をし，政府の承認があった場合，家内労働者等が当該作業により負傷し，疾病に罹患し，障害を負い，又は死亡したとき等は労働基準法第75条から第77条まで，第79条及び第80条に規定する災害補償の事由が生じたものとみなされる。

2 最高裁判所は，労災保険法第12条の4について，同条は，保険給付の原因である事故が第三者の行為によって生じた場合において，受給権者に対し，政府が先に保険給付をしたときは，受給権者の第三者に対する損害賠償請求権はその給付の価額の限度で当然国に移転し，第三者が先に損害賠償をしたときは，政府はその価額の限度で保険給付をしないことができると定め，受給権者に対する第三者の損害賠償義務と政府の保険給付義務とが[D]の関係にあり，同一の事由による損害の[E]を認めるものではない趣旨を明らかにしているものである旨を判示している。

キリトリ線

重要度 C

選択肢

① 委託者	② 委託者の団体
③ 移　転	④ 医　療
⑤ 請負的仲介人	⑥ 介　護
⑦ 家内労働者等の団体	⑧ 減　額
⑨ 在宅労働者	⑩ 使用人
⑪ 相互補完	⑫ 仲介人
⑬ 重　複	⑭ 独　立
⑮ 二重填補	⑯ 福　祉
⑰ 並　立	⑱ 保　健
⑲ 補助者	⑳ 立　証

キリトリ線

正解チェック欄	／	／	／

【解　答】

A　⑥ 介護

B　⑲ 補助者

C　⑦ 家内労働者等の団体

D　⑪ 相互補完

E　⑮ 二重填補

【解　説】

本問1は，特定作業従事者の特別加入に関する問題であり，法33条5号からの出題である。

労災保険法33条5号によれば，厚生労働省令で定められた種類の作業に従事する者（労働者である者を除く）は，特別加入が認められることとされており，当該厚生労働省令においては，その作業として，次のものが掲げられている（則46条の18）。

①農業における一定の作業

②国又は地方公共団体が実施する訓練として行われる一定の作業

③労働組合等の常勤の役員が行う一定の作業

④介護関係業務に係る一定の作業

⑤家内労働法2条2項の家内労働者又は同条4項の補助者が行う一定の作業（同作業に従事する家内労働者又はその補助者を以下「家内労働者等」という）

労働科目 334p

また，労災保険法及び労災保険法施行規則によれば，家内労働者等の団体が，家内労働者等の業務災害に関して労災保険の適用を受けることにつき申請をし，政府の承認があった場合，家内労働者等が当該作業により負傷し，疾病にり患し，障害を負い，又は死亡したとき等は労働基準法75条から77条まで，79条及び80条に規定する災害補償の事由が生じたものとみなされる（昭45.10.12基発745号）。

本問2は，第三者行為災害に関する問題であり，最高裁小法廷 昭

50㈤からの出題である。

最高裁判所は，労災保険法12条の4については，同条は，保険給付の原因である事故が第三者の行為によって生じた場合において，受給権者に対し，政府が先に保険給付をしたときは，受給権者の第三者に対する損害賠償請求権はその給付の価額の限度で当然国に移転し，第三者が先に損害賠償をしたときは，政府はその価額の限度で保険給付をしないことができると定め，受給権者に対する第三者の損害賠償義務と政府の保険給付義務とが相互補完の関係にあり，同一事由による損害の二重填補を認めるものではない趣旨を明らかにしている。

H29-選択	不服申立て・時効

問 10 次の文中の［　　］の部分を選択肢の中の最も適切な語句で埋め，完全な文章とせよ。

1 労災保険の保険給付に関する決定に不服のある者は，［ A ］に対して審査請求をすることができる。審査請求は，正当な理由により所定の期間内に審査請求することができなかったことを疎明した場合を除き，原処分のあったことを知った日の翌日から起算して3か月を経過したときはすることができない。審査請求に対する決定に不服のある者は，［ B ］に対して再審査請求をすることができる。審査請求をしている者は，審査請求をした日から［ C ］を経過しても審査請求についての決定がないときは，［ A ］が審査請求を棄却したものとみなすことができる。

2 労災保険法第42条によれば，「療養補償給付，休業補償給付，葬祭料，介護補償給付，複数事業労働者療養給付，複数事業労働者休業給付，複数事業労働者葬祭給付，複数事業労働者介護給付，療養給付，休業給付，葬祭給付，介護給付及び二次健康診断等給付を受ける権利は，これらを行使することができる時から［ D ］を経過したとき，障害補償給付，遺族補償給付，複数事業労働者障害給付，複数事業労働者遺族給付，障害給付及び遺族給付を受ける権利は，これらを行使することができる時から［ E ］を経過したときは，時効によって消滅する。」とされている。

キリトリ線

重要度 A

選択肢

① 60日	② 90日
③ 1か月	④ 2か月
⑤ 3か月	⑥ 6か月
⑦ 1年	⑧ 2年
⑨ 3年	⑩ 5年
⑪ 7年	⑫ 10年
⑬ 厚生労働大臣	⑭ 中央労働委員会
⑮ 都道府県労働委員会	⑯ 都道府県労働局長
⑰ 労働基準監督署長	⑱ 労働者災害補償保険審査会
⑲ 労働者災害補償保険審査官	⑳ 労働保険審査会

正解チェック欄	／	／	／

【解　答】

A　⑲ 労働者災害補償保険審査官

B　⑳ 労働保険審査会

C　⑤ 3か月

D　⑧ 2年

E　⑩ 5年

【解　説】

本問1は，不服申立てに関する問題であり，労災保険法（以下本問において「法」とする）38条ほかからの出題である。

労災保険の保険給付に関する決定に不服のある者は，労働者災害補償保険審査官に対して審査請求をすることができる。審査請求は，正当な理由により所定の期間内に審査請求することができなかったことを疎明した場合を除き，原処分のあったことを知った日の翌日から起算して3か月を経過したときはすることができない。審査請求に対する決定に不服のある者は，労働保険審査会に対して再審査請求をすることができる。審査請求をしている者は，審査請求をした日から3か月を経過しても審査請求についての決定がないときは，労働者災害補償保険審査官が審査請求を棄却したものとみなすことができる。

労働科目
340~341p

本問2は，時効に関する問題であり，法42条からの出題である。

労災保険法第42条によれば，「療養補償給付，休業補償給付，葬祭料，介護補償給付，複数事業労働者療養給付，複数事業労働者休業給付，複数事業労働者葬祭給付，複数事業労働者介護給付，療養給付，休業給付，葬祭給付，介護給付及び二次健康診断等給付を受ける権利は，これらを行使することができる時から2年を経過したとき，障害補償給付，遺族補償給付，複数事業労働者障害給付，複数事業労働者遺族給付，障害給付及び遺族給付を受ける権利は，これらを行使することができる時から5年を経過したときは，時効によって消滅する。」とされている。

労働科目
342p

キリトリ線

H28-1	適　用	重要度 A

問 1 労災保険法の適用に関する次の記述のうち，誤っているものはどれか。

A 障害者総合支援法に基づく就労継続支援を行う事業場と雇用契約を締結せずに就労の機会の提供を受ける障害者には，基本的には労災保険法が適用されない。

B 法人のいわゆる重役で業務執行権又は代表権を持たない者が，工場長，部長の職にあって賃金を受ける場合は，その限りにおいて労災保険法が適用される。

C 個人開業の医院が，2，3名の者を雇用して看護師見習の業務に従事させ，かたわら家事その他の業務に従事させる場合は，労災保険法が適用されない。

D インターンシップにおいて直接生産活動に従事しその作業の利益が当該事業場に帰属し，かつ事業場と当該学生との間に使用従属関係が認められる場合には，当該学生に労災保険法が適用される。

E 都道府県労働委員会の委員には，労災保険法が適用されない。

労災法

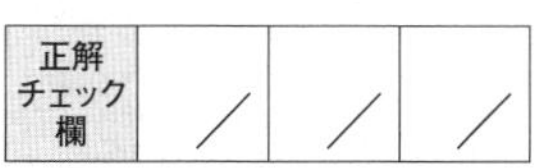

正解チェック欄	／	／	／

A 正 本肢のとおりである（平19.5.17基発0517002号）。

B 正 本肢のとおりである（昭23.3.17基発461号）。本肢の者は，適用事業に使用される者で賃金を支払われるものとして労災保険を適用するものとされる。

労働科目
236p

C 誤 本肢の者は，家事使用人には該当せず，労災保険法が適用「される」（昭63.3.14基発150号ほか）。

D 正 本肢のとおりである（平9.9.18基発636号）。本肢における事業場と当該学生との間には使用従属関係が認められるので，労災保険法を適用するものとされる。

E 正 本肢のとおりである（昭25.8.28基収2414号）

H29-4	適　　用	重要度 A

問 2　労災保険法の適用に関する次の記述のうち，正しいものはどれか。

A　労災保険法は，市の経営する水道事業の非常勤職員には適用されない。

B　労災保険法は，行政執行法人の職員に適用される。

C　労災保険法は，非現業の一般職の国家公務員に適用される。

D　労災保険法は，国の直営事業で働く労働者には適用されない。

E　労災保険法は，常勤の地方公務員に適用される。

正解チェック欄	／	／	／

A 誤 現業かつ非常勤の地方公務員には，労災保険法が「適用される」(昭42.10.27基発1000号)。 労働科目 236p

---

B 誤 労災保険法は，行政執行法人の職員には「適用されない」(独立行政法人通則法59条１項)。 労働科目 236p

C 誤 労災保険法は，非現業の一般職の国家公務員には「適用されない」(法３条２項ほか)。 労働科目 236p

D 正 本肢のとおりである（3条2項)。 労働科目 236p

E 誤 労災保険法は，常勤の地方公務員には「適用されない」(法３条２項ほか)。 労働科目 236p

H28-2	業務災害	重要度 A

問 3 業務起因性に関する次の記述のうち，誤っているものはどれか。

A 道路清掃工事の日雇い労働者が，正午からの休憩時間中に同僚と作業場内の道路に面した柵にもたれて休憩していたところ，道路を走っていた乗用車が運転操作を誤って柵に激突した時に逃げ遅れ，柵と自動車に挟まれて胸骨を骨折した場合，業務上の負傷と認められる。

B 炭鉱で採掘の仕事に従事している労働者が，作業中泥に混じっているのを見つけて拾った不発雷管を，休憩時間中に針金でつついて遊んでいるうちに爆発し，手の指を負傷した場合，業務上の負傷と認められる。

C 戸外での作業の開始15分前に，いつもと同様に，同僚とドラム缶に薪を投じて暖をとっていた労働者が，あまり薪が燃えないため，若い同僚が機械の掃除用に作業場に置いてあった石油を持ってきて薪にかけて燃やした際，火が当該労働者のズボンに燃え移って火傷した場合，業務上の負傷と認められる。

D 建設中のクレーンが未曽有の台風の襲来により倒壊するおそれがあるため，暴風雨のおさまるのを待って倒壊を防ぐ応急措置を施そうと，監督者が労働者16名に，建設現場近くの，山腹谷合の狭地にひな壇式に建てられた労働者の宿舎で待機するよう命じたところ，風で宿舎が倒壊しそこで待機していた労働者全員が死亡した場合，その死亡は業務上の死亡と認められる。

E 以前にも退勤時に約10分間意識を失ったことのある労働者が，工場の中の2℃の場所で作業している合間に暖を採るためストーブに近寄り，急な温度変化のために貧血を起こしてストーブに倒れ込み火傷により死亡した場合，業務上の死亡と認められる。

正解チェック欄	／	／	／

労災法

A　正　本肢のとおりである（昭25.6.8基災収1252号）。

B　誤　本肢の負傷は，業務上の負傷とは認められず，「業務外」とされる（昭27.12.1基災収3907号）。

C　正　本肢のとおりである（昭23.6.1基発1458号）。

D　正　本肢のとおりである（昭29.11.24基収5564号）。労働者の宿舎で待機を命じていることから，業務遂行性，業務起因性が認められる。

E　正　本肢のとおりである（昭38.9.30基収2868号）。

H29-1	業務災害	重要度 B

問 4 業務災害に関する次の記述のうち，誤っているものはどれか。

A 企業に所属して，労働契約に基づき労働者として野球を行う者が，企業の代表選手として実業団野球大会に出場するのに備え，事業主が定めた練習計画以外の自主的な運動をしていた際に負傷した場合，業務上として取り扱われる。

B A会社の大型トラックを運転して会社の荷物を運んでいた労働者Bは，Cの運転するD会社のトラックと出会ったが，道路の幅が狭くトラックの擦れ違いが不可能であったため，D会社のトラックはその後方の待避所へ後退するため約20メートルバックしたところで停止し，徐行に相当困難な様子であった。これを見かねたBが，Cに代わって運転台に乗り，後退しようとしたが運転を誤り，道路から断崖を墜落し即死した場合，業務上として取り扱われる。

C 乗組員6名の漁船が，作業を終えて帰港途中に，船内で夕食としてフグ汁が出された。乗組員のうち，船酔いで食べなかった1名を除く5名が食後，中毒症状を呈した。海上のため手当てできず，そのまま帰港し，直ちに医師の手当てを受けたが重傷の1名が死亡した。船中での食事は，会社の給食として慣習的に行われており，フグの給食が慣習になっていた。この場合，業務上として取り扱われる。

D 会社が人員整理のため，指名解雇通知を行い，労働組合はこれを争い，使用者は裁判所に被解雇者の事業場立入禁止の仮処分申請を行い，労働組合は裁判所に協議約款違反による無効確認訴訟を提起し，併せて被解雇者の身分保全の仮処分を申請していたところ，労働組合は裁判所の決定を待たずに被解雇者らを就労させ，作業中に負傷事故が発生した。この場合，業務外として取り扱われる。

E 川の護岸築堤工事現場で土砂の切取り作業をしていた労働者が，土蜂に足を刺され，そのショックで死亡した。蜂の巣は，土砂の切取り面先約30センチメートル程度の土の中にあったことが後でわかり，当日は数匹の蜂が付近を飛び回っており，労働者も使用者もどこかに巣があるのだろうと思っていた。この場合，業務上として取り扱われる。

正解チェック欄	／	／	／

労災法

A　誤　本肢の場合，「業務上としては取り扱われない」（平12.5.18基発366号）。運動競技の練習に伴う災害が業務災害と認められるためには，一定の要件に加え，労働者が行う練習が，事業主があらかじめ定めた練習計画に従って行われるものであることが必要とされる。したがって，当該練習計画とは別に，労働者が自らの意思で行う運動は，業務災害が認められる「運動競技の練習」には該当しないものとされている。

B　正　本肢のとおりである（昭31.3.31基収5597号）。

C　正　本肢のとおりである（昭26.2.16基災発111号）。なお，事業場施設の利用中，その利用に起因して災害が発生したときは，それが当該施設又はその管理に起因していることが証明されれば業務起因性が認められることとなる。

D　正　本肢のとおりである（昭28.12.18基収4466号）。

E　正　本肢のとおりである（昭25.10.27基収2693号）。なお，作業中に発生した災害は，大部分が業務災害と認定されるが，その災害が私的行為や業務逸脱行為，天災地変等（業務外の原因）により発生した場合や，業務離脱中，担当業務外の行為に従事中等に発生した場合には，業務外とされることがある。

R3-1	業務災害	重要度 B

問 5 業務災害に関する次の記述のうち，誤っているものはどれか。

A 業務上左脛骨横骨折をした労働者が，直ちに入院して加療を受け退院した後に，医師の指示により通院加療を続けていたところ，通院の帰途雪の中ギプスなしで歩行中に道路上で転倒して，ゆ合不完全の状態であった左脛骨を同一の骨折線で再骨折した場合，業務災害と認められる。

B 業務上右大腿骨を骨折し入院手術を受け退院して通院加療を続けていた労働者が，会社施設の浴場に行く途中，弟の社宅に立ち寄り雑談した後に，浴場へ向かうため同社宅の玄関から土間に降りようとして転倒し，前回の骨折部のやや上部を骨折したが，既に手術後は右下肢の短縮と右膝関節の硬直を残していたため，通常の者より転倒しやすく，また骨が幾分細くなっていたため骨折しやすい状態だった場合，業務災害と認められる。

C 業務上右腓骨を不完全骨折し，病院で手当を受け，帰宅して用便のため松葉伺を使用して土間を隔てた便所へ行き，用便後便所から土間へ降りる際に松葉伺が滑って転倒し当初の骨折を完全骨折した場合，業務災害と認められる。

D 業務上脊髄を損傷し入院加療中の労働者が，医師の指示に基づき療養の一環としての手動式自転車に乗車する機能回復訓練中に，第三者の運転する軽四輪貨物自動車に自転車を引っかけられ転倒し負傷した場合，業務災害と認められる。

E 業務上右大腿骨を骨折し入院治療を続けて骨折部のゆ合がほぼ完全となりマッサージのみを受けていた労働者が，見舞いに来た友人のモーターバイクに乗って運転中に車体と共に転倒し，右大腿部を再度骨折した場合，業務災害と認められない。

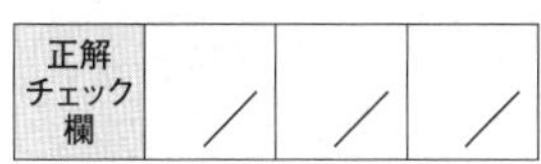

労災法

A　正　本肢のとおりである（昭34.5.11基収2212号）。本肢の通達において，医師の意見では再骨折の骨折線は，当初のそれと同一であること，当初の骨折はまだ治ゆしておらず，ゆ合不完全の状態であったことから，このような状態においてギブスもつけず長距離を歩行すれば一寸した拍子で再骨折しかねないことを認めていることから，本件は業務災害と認められる。

労働科目
241p

B　誤　本肢の場合は，業務外の災害とされる（昭27.6.5基災収1241号）。

C　正　本肢のとおりである（昭34.10.13基収5040号）。本肢に係る再骨折は，当初の不完全骨折の療養の過程における必要な日常の動作によって，当初の骨折部を再骨折したものと認められるから，当初の骨折との間に因果関係の中断がないものと認められる。

D　正　本肢のとおりである（昭42.1.24　41基収7808号）。本肢の災害は，入院療養中の労働者が，医師の指示にもとづき療養の一環としての機能回復訓練中に発生したもので，当初の業務上の負傷との間に相当因果関係が認められる。

E　正　本肢のとおりである（昭32.12.25基収6636号）。本肢の災害は，事業主の支配下にない労働者の私的行為に基づくものである。

R4-4	業務災害	重要度 B

問 6 業務災害に関する次の記述のうち，正しいものはいくつあるか。

ア　工場に勤務する労働者が，作業終了後に更衣を済ませ，班長に挨拶して職場を出て，工場の階段を降りる途中に足を踏み外して転落して負傷した場合，業務災害と認められる。

イ　日雇労働者が工事現場での一日の作業を終えて，人員点呼，器具の点検の後，現場責任者から帰所を命じられ，器具の返還と賃金受領のために事業場事務所へと村道を歩き始めた時，交通事故に巻き込まれて負傷した場合，業務災害と認められる。

ウ　海岸道路の開設工事の作業に従事していた労働者が，12時に監督者から昼食休憩の指示を受け，遠く離れた休憩施設ではなく，いつもどおり，作業場のすぐ近くの崖下の日陰の平らな場所で同僚と昼食をとっていた時に，崖を落下してきた岩石により負傷した場合，業務災害と認められる。

エ　仕事で用いるトラックの整備をしていた労働者が，ガソリンの出が悪いため，トラックの下にもぐり，ガソリンタンクのコックを開いてタンクの掃除を行い，その直後に職場の喫煙所でたばこを吸うため，マッチに点火した瞬間，ガソリンのしみこんだ被服に引火し火傷を負った場合，業務災害と認められる。

オ　鉄道事業者の乗客係の労働者が，T駅発N駅行きの列車に乗車し，折り返しのT駅行きの列車に乗車することとなっており，N駅で帰着点呼を受けた後，指定された宿泊所に赴き，数名の同僚と飲酒・雑談ののち就寝し，起床後，宿泊所に食事の設備がないことから，食事をとるために，同所から道路に通じる石段を降りる途中，足を滑らせて転倒し，負傷した場合，業務災害と認められる。

A　一つ
B　二つ
C　三つ
D　四つ
E　五つ

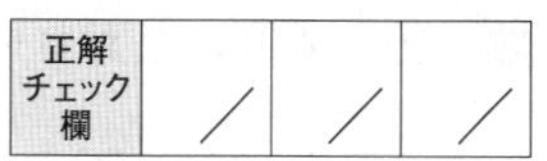

労災法

本問アからオまでのそれぞれの記述の正誤は以下のとおりである。したがって，正しい記述はア，イ，ウ，エ及びオの5つであり，Eが正解となる。

ア　正　本肢のとおりである（昭50.12.25基収1724号）。本件は，①事業場施設内における業務に就くための出勤又は業務を終えた後の退勤で「業務」と接続しているものは，業務行為そのものではないが，業務に通常附随する準備後始末と認められること，②本件に係る退勤は，終業直後の行為であって，業務と接続する行為と認められること，当該業務災害が労働者の積極的な私的行為又は恣意行為によるものとは認められないこと及び当該業務災害は，通常発生しうるような業務災害であることからみて事業主の支配下に伴う危険が具現化した業務災害であると認められる。したがって，本件は，業務災害と認められる。

イ　正　本肢のとおりである（昭28.11.14基収5088号ほか）。なお，適用事業に使用され，賃金を支払われている場合は，その雇用形態にかかわらず，労災保険の適用労働者とされる。したがって，本肢の日雇労働者についても，労働者に該当する限り，労災保険の適用労働者となる。

ウ　正　本肢のとおりである（昭27.10.13基災収3552号ほか）。本肢の休憩は，事業主の管理下において行動していることから，事業主の支配下を離れていないと判断された。

エ　正　本肢のとおりである（昭30.5.12基発298号）。

オ　正　本肢のとおりである（昭41.6.8基災収38号ほか）。

H28-3	通勤災害	重要度 A

問 7 通勤災害に関する次の記述のうち，誤っているものはどれか。

A 商店が閉店した後は人通りがなくなる地下街入口付近の暗いところで，勤務先からの帰宅途中に，暴漢に後頭部を殴打され財布をとられたキャバレー勤務の労働者が負った後頭部の裂傷は，通勤災害と認められる。

B 会社からの退勤の途中に，定期的に病院で，比較的長時間の人工透析を受ける場合も，終了して直ちに合理的経路に復した後については，通勤に該当する。

C 午前の勤務を終了し，平常通り，会社から約300メートルのところにある自宅で昼食を済ませた労働者が，午後の勤務に就くため12時45分頃に自宅を出て県道を徒歩で勤務先会社に向かう途中，県道脇に駐車中のトラックの脇から飛び出した野犬に下腿部をかみつかれて負傷した場合，通勤災害と認められる。

D 勤務を終えてバスで退勤すべくバス停に向かった際，親しい同僚と一緒になったので，お互いによく利用している会社の隣の喫茶店に立ち寄り，コーヒーを飲みながら雑談し，40分程度過ごした後，同僚の乗用車で合理的な経路を通って自宅まで送られた労働者が，車を降りようとした際に乗用車に追突され負傷した場合，通勤災害と認められる。

E マイカー通勤をしている労働者が，勤務先会社から市道を挟んだところにある同社の駐車場に車を停車し，徒歩で職場に到着しタイムカードを押した後，フォグライトの消し忘れに気づき，徒歩で駐車場へ引き返すべく市道を横断する途中，市道を走ってきた軽自動車にはねられ負傷した場合，通勤災害と認められる。

正解チェック欄	／	／	／

A　正　本肢のとおりである（昭49.6.19基収1276号）。

B　正　本肢のとおりである（法7条3項，則8条ほか）。

労働科目
249~250p

C　正　本肢のとおりである（昭53.5.30基収1172号）。

D　誤　本肢の負傷は，「通勤災害とは認められない」（昭49.11.15基収1867号）。被災労働者が喫茶店に立ち寄って過ごした行為は，通常通勤の途中で行うような「ささいな行為」には該当せず，また，「日用品の購入その他これに準ずる日常生活上必要な行為をやむを得ない事由により行うための最小限度のもの」とも認められないので，中断後の災害に該当する。よって，通勤災害とは認められない

E　正　本肢のとおりである（昭49.6.19基収1739号）。

H29-5	通勤災害	重要度 B

問 8 通勤災害に関する次の記述のうち，正しいものはどれか。

A 退勤時に長男宅に立ち寄るつもりで就業の場所を出たものであれば，就業の場所から普段利用している通勤の合理的経路上の災害であっても，通勤災害とは認められない。

B 療養給付を受ける労働者は，一部負担金を徴収されることがある。

C 移動の途中の災害であれば，業務の性質を有する場合であっても，通勤災害と認められる。

D 通勤災害における合理的な経路とは，住居等と就業の場所等との間を往復する場合の最短距離の唯一の経路を指す。

E 労働者が転任する際に配偶者が引き続き就業するため別居することになった場合の，配偶者が住む居宅は，「住居」と認められることはない。

正解チェック欄	／	／	／

A　誤　通勤とは，被災労働者の行為を外形的，かつ，客観的にとらえて判断するものであり，たとえ長男宅に立ち寄るつもりで就業の場所を出たものであっても，いまだ通常の合理的な通勤経路上にある限りにおいては，当該被災労働者の行為は通勤と認められるのが妥当であるとされており，本肢の場合は，「通勤災害と認められる」(昭50.1.17基収2653号)。なお，労働者が，法7条2項各号の移動を逸脱し又は中断した場合は，当該逸脱又は中断の間及びその後の移動は，原則として，通勤とされない(法7条3項)。

B　正　本肢のとおりである（法31条2項)。

労働科目 294p

C　誤　移動のうち業務の性質を有するものは通勤とはされないため，本肢の場合，「通勤災害とは認められない」(法7条2項)。

労働科目 246p

D　誤　通勤災害における合理的な経路とは，住居等と就業の場所等との間を往復する場合の最短距離の唯一の経路に「限られるわけではない」(平18.3.31基発0331042号ほか)。例えば，タクシー等を利用する場合に，通常利用することが考えられる経路が2，3あるような場合には，その経路は，いずれも合理的な経路となる。

労働科目 246p

E　誤　本肢の配偶者が住む住居は，通勤災害における「住居と認められることがある」(法7条2項，則7条1号，平18.3.31基発0331042号ほか)。一定の要件を満たした赴任先住居と帰省先住居との間の移動については，その移動に反復・継続性（おおむね毎月1回以上の移動）が認められるときは，通勤と認められる。また，単身赴任者が就業の場所と家族の住む家屋との間を往復する場合のその往復行為に反復・継続性（おおむね毎月1回以上の往復）が認められるときは，当該家屋は住居として認められる。

労働科目 247~248p

キリトリ線

R3-2	通勤災害	重要度 B

問 9 通勤災害に関する次の記述のうち，誤っているものはどれか。

A 3歳の子を養育している一人親世帯の労働者がその子をタクシーで託児所に預けに行く途中で追突事故に遭い，負傷した。その労働者は，通常，交通法規を遵守しつつ自転車で託児所に子を預けてから職場に行っていたが，この日は，大雨であったためタクシーに乗っていた。タクシーの経路は，自転車のときとは違っていたが，車であれば，よく利用される経路であった。この場合は，通勤災害と認められる。

B 腰痛の治療のため，帰宅途中に病院に寄った労働者が転倒して負傷した。病院はいつも利用している駅から自宅とは反対方向にあり，負傷した場所はその病院から駅に向かう途中の路上であった。この場合は，通勤災害と認められない。

C 従業員が業務終了後に通勤経路の駅に近い自動車教習所で教習を受けて駅から自宅に帰る途中で交通事故に遭い負傷した。この従業員の勤める会社では，従業員が免許取得のため自動車教習所に通う場合，奨励金として費用の一部を負担している。この場合は，通勤災害と認められる。

D 配偶者と小学生の子と別居して単身赴任し，月に1～2回，家族の住む自宅に帰っている労働者が，1週間の夏季休暇の1日目は交通機関の状況等は特段の問題はなかったが単身赴任先で洗濯や買い物等の家事をし，2日目に家族の住む自宅へ帰る途中に交通事故に遭い負傷した。この場合は，通勤災害と認められない。

E 自家用車で通勤していた労働者Xが通勤途中，他の自動車との接触事故で負傷したが，労働者Xは所持している自動車運転免許の更新を失念していたため，当該免許が当該事故の1週間前に失効しており，当該事故の際，労働者Xは，無免許運転の状態であった。この場合は，諸般の事情を勘案して給付の支給制限が行われることはあるものの，通勤災害と認められる可能性はある。

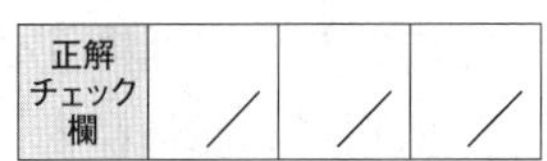

正解チェック欄	／	／	／

労災法

キリトリ線

A　正　本肢のとおりである（昭48.11.22基発644号ほか）。本肢のようにタクシー等を利用する場合に，通常利用することが考えられる経路が2，3あるようなときには，その経路は，いずれも法7条2項に規定する「合理的な経路」に該当する。

労働科目 246p

B　正　本肢のとおりである（法7条3項，則8条）。本肢の逸脱は，日常生活上必要な行為であって厚生労働省令で定めるものをやむを得ない事由により行うための最小限度のものであるが，本肢の場合，いまだ合理的な通勤の経路に復していない逸脱の間に負傷しており，通勤災害と認められない。

C　誤　本肢の自動車教習所に通う行為は，日常生活上必要な行為であって厚生労働省令で定めるものには該当しないため，本肢の場合，「通勤災害とは認められない」（法7条3項，則8条，昭48.11.22基発644号ほか）。

労働科目 250p

D　正　本肢のとおりである（法7条2項3号，昭48.11.22基発644号，平18.3.31基労官発0331001号ほか）。転任の場合における赴任先住居から帰省先住居への移動については，実態等を踏まえて，当該移動が業務に従事した当日又は翌日に行われた場合は，就業との関連性が認められるが，本肢の移動は，交通機関の状況等の合理的な理由もなく業務に従事した翌々日に行われており，就業との関連性は認められない。

E　正　本肢のとおりである（昭48.11.22基発644号ほか）。本肢のように免許更新忘れによる無免許運転の場合のほか，飲酒運転の場合，単なる免許証不携帯の場合とは，必ずしも，合理性を欠くものとして取り扱う必要はないが，諸般の事情を勘案し，給付の支給制限が行われる。

労働科目 246~247p

R4-5	通勤災害	重要度 A

問 10 労働者が，就業に関し，住居と就業の場所との間の往復を，合理的な経路及び方法により行うことによる負傷，疾病，障害又は死亡は，通勤災害に当たるが，この「住居」，「就業の場所」に関する次の記述のうち，誤っているものはどれか。

A 同一市内に住む長女が出産するため，15日間，幼児2人を含む家族の世話をするために長女宅に泊まり込んだ労働者にとって，長女宅は，就業のための拠点としての性格を有する住居と認められる。

B アパートの2階の一部屋に居住する労働者が，いつも会社に向かって自宅を出発する時刻に，出勤するべく靴を履いて自室のドアから出て1階に降りようとした時に，足が滑り転倒して負傷した場合，通勤災害に当たらない。

C 一戸建ての家に居住している労働者が，いつも退社する時刻に仕事を終えて自宅に向かってふだんの通勤経路を歩き，自宅の門をくぐって玄関先の石段で転倒し負傷した場合，通勤災害に当たらない。

D 外回りの営業担当の労働者が，夕方，得意先に物品を届けて直接帰宅する場合，その得意先が就業の場所に当たる。

E 労働者が，長期入院中の夫の看護のために病院に1か月間継続して宿泊した場合，当該病院は就業のための拠点としての性格を有する住居と認められる。

正解チェック欄	／	／	／

A　正　本肢のとおりである（昭52.12.23基収1027号）。本肢の場合，被災労働者が長女宅に居住しそこから通勤する行為は，客観的に一定の持続性が認められるので，当該長女宅は被災労働者にとっての就業のための拠点としての性格を有する住居と認められる。

労働科目 247〜249p

B　誤　アパートの場合，部屋の外戸が住居と通勤経路との境界であるので，当該アパートの階段は，通勤の経路と認められるため，本肢の場合，「通勤災害と認められる」（昭49.4.9基収314号）。

労働科目 247p

C　正　本肢のとおりである（昭49.7.15基収2110号）。一戸建ての屋敷構えの住居の玄関先は，住居内であって，住居と就業場所との間とは言えないため，本肢の場合，通勤災害に当たらない。

労働科目 247p

D　正　本肢のとおりである（昭48.11.22基発644号ほか）。

労働科目 247p

E　正　本肢のとおりである（昭52.12.23基収981号）。

労働科目 247p

R4-6	通勤災害	重要度 B

問 11　通勤災害に関する次の記述のうち，正しいものはどれか。

A　労働者が上司から直ちに2泊3日の出張をするよう命じられ，勤務先を出てすぐに着替えを取りに自宅に立ち寄り，そこから出張先に向かう列車に乗車すべく駅に向かって自転車で進行中に，踏切で列車に衝突し死亡した場合，その路線が通常の通勤に使っていたものであれば，通勤災害と認められる。

B　労働者が上司の命により，同じ社員寮に住む病気欠勤中の同僚の容体を確認するため，出勤してすぐに社員寮に戻る途中で，電車にはねられ死亡した場合，通勤災害と認められる。

C　通常深夜まで働いている男性労働者が，半年ぶりの定時退社の日に，就業の場所からの帰宅途中に，ふだんの通勤経路を外れ，要介護状態にある義父を見舞うために義父の家に立ち寄り，一日の介護を終えた妻とともに帰宅の途につき，ふだんの通勤経路に復した後は，通勤に該当する。

D　マイカー通勤の労働者が，経路上の道路工事のためにやむを得ず通常の経路を迂回して取った経路は，ふだんの通勤経路を外れた部分についても，通勤災害における合理的な経路と認められる。

E　他に子供を監護する者がいない共稼ぎ労働者が，いつもどおり親戚に子供を預けるために，自宅から徒歩10分ほどの勤務先会社の前を通り過ぎて100メートルのところにある親戚の家まで，子供とともに歩き，子供を預けた後に勤務先会社まで歩いて戻る経路のうち，勤務先会社と親戚の家との間の往復は，通勤災害における合理的な経路とは認められない。

A 誤 本肢の場合は，業務災害と認められる（昭34.7.15基収2980号ほか）。出張中は，特別の事情がない限り，出張過程の全般について事業主の支配下にあると言ってよく，その過程全般（積極的な私的行為，恣意的行為等を除く）が業務行為とみられる。

労働科目 240p

B 誤 本肢の場合，「業務災害」と認められる（昭24.12.15基収3001号ほか）。

労働科目 240p

C 誤 本肢の場合，「通勤に該当しない」（法7条3項，則8条）。労働者が通勤の経路を逸脱した場合であっても，当該逸脱が日常生活上必要な行為であって厚生労働省令で定めるものをやむを得ない事由により行うための最小限度のものである場合は，当該逸脱の間を除き，通常の経路に復した後は通勤とされるが，本肢の「要介護状態にある労働者の配偶者の父の介護」は，継続的に又は反復して行われるものではなく，「日常生活上必要な行為であって厚生労働省令で定めるもの」には該当しない。したがって，本肢の通勤経路に復した後は「通勤に該当しない」。

労働科目 250p

D 正 本肢のとおりである（昭48.11.22.基発644号ほか）。

労働科目 246p

E 誤 本肢の勤務先と親戚の家との間の往復は，通勤災害における「合理的な経路と認められる」（昭48.11.22.基発644号ほか）。

労働科目 246p

R6-2	通勤災害	重要度 B

問 12　通勤災害に関する次の記述のうち，正しいものはどれか。

A　マイカー通勤をしている労働者が，勤務先会社から市道を挟んだところにある同社の駐車場に車を停車し，徒歩で職場に到着しタイムカードを打刻した後，フォグライトの消し忘れに気づき，徒歩で駐車場へ引き返すべく市道を横断する途中，市道を走ってきた軽自動車にはねられ負傷した場合，通勤災害とは認められない。

B　マイカー通勤をしている労働者が，同一方向にある配偶者の勤務先を経由するため，通常通り自分の勤務先を通り越して通常の通勤経路を450メートル走行し，配偶者の勤務先で配偶者を下車させて自分の勤務先に向かって走行中，踏切で鉄道車両と衝突して負傷した場合，通勤災害とは認められない。

C　頸椎を手術した配偶者の看護のため，手術後1か月ほど姑と交替で1日おきに病院に寝泊まりしていた労働者が，当該病院から徒歩で出勤する途中，横断歩道で軽自動車にはねられ負傷した場合，当該病院から勤務先に向かうとすれば合理的である経路・方法をとり逸脱・中断することなく出勤していたとしても，通勤災害とは認められない。

D　労働者が，退勤時にタイムカードを打刻し，更衣室で着替えをして事業場施設内の階段を降りる途中，ズボンの裾が靴に絡んだために足を滑らせ，階段を5段ほど落ちて腰部を強打し負傷した場合，通勤災害とは認められない。

E　長年営業に従事している労働者が，通常通りの時刻に通常通りの経路を徒歩で勤務先に向かっている途中に突然倒れ，急性心不全で死亡した場合，通勤災害と認められる。

正解チェック欄	／	／	／

A　誤　本肢のようにマイカー通勤者が車のライト消し忘れなどに気づき駐車場に引き返すことは一般にあり得ることであって，通勤とかけ離れた行為でなく，この場合，いったん事業場構内に入った後であっても，まだ時間の経過もほとんどないことなどから「通勤災害として取り扱う」ことが妥当とされている（昭49.6.19基収1739号）。

B　誤　マイカー通勤の共稼ぎの労働者で勤務先が同一方向にあって，しかも夫の通勤経路からさほど離れていなければ，2人の通勤をマイカーの相乗りで行い，妻の勤務先を経由することは通常行われることであり，このような場合は合理的な経路として扱うのが妥当とされているため，本肢の災害は「通勤災害と認められる」（昭49.3.4基収289号）。

C　誤　看護のために配偶者が病院に寝泊まりすることは社会慣習上通常行われることであり，かつ，手術当日から長期間継続して寝泊まりしていた事実があることからして，被災当日の当該病院は，被災労働者にとって就業のための拠点としての性格を有する住居と認められる。したがって，本肢の災害は「通勤災害と認められる」（昭52.12.25基収981号）。

D　正　本肢のとおりである（昭49.4.9基収314号）。本肢の災害は事業主の支配管理下において発生した災害であり，住居と就業の場所との間の災害に該当しないため，通勤災害とは認められない。

E　誤　本肢の急性心不全による死亡については，特に発病の原因となるような通勤による負傷又は通勤に関連する突発的なできごと等が認められないことから「通勤に伴う危険が具体化したもの」とは認められないため，「通勤災害とは認められない」（昭50.6.9基収4039号）。

R6-1	通勤災害	重要度 B

問 13 労災保険法第7条に規定する通勤の途中で合理的経路を逸脱・中断した場合でも，当該逸脱・中断が日常生活上必要な行為であって，厚生労働省令で定めるものをやむを得ない事由により最小限度の範囲で行う場合には，当該逸脱・中断の後，合理的な経路に復した後は，同条の通勤と認められることとされている。この日常生活上必要な行為として，同法施行規則第8条が定めるものに含まれない行為はどれか。

A 経路の近くにある公衆トイレを使用する行為
B 帰途で惣菜等を購入する行為
C はり師による施術を受ける行為
D 職業能力開発校で職業訓練を受ける行為
E 要介護状態にある兄弟姉妹の介護を継続的に又は反復して行う行為

労災法

正解チェック欄	／	／	／

A　正　本肢の行為は日常生活上必要な行為に含まれない（則8条，昭48.11.22基発644号）。本肢の行為は通常経路の途中で行うようなささいな行為に該当し，そもそも逸脱・中断に該当しない。 労働科目 249～250p

---

B　誤　本肢の行為は日常生活上必要な行為に含まれる（則8条，昭48.11.22基発644号）。 労働科目 250p

C　誤　本肢の行為は日常生活上必要な行為に含まれる（則8条，昭48.11.22基発644号）。 労働科目 250p

D　誤　本肢の行為は日常生活上必要な行為に含まれる（則8条，昭48.11.22基発644号）。 労働科目 250p

E　誤　本肢の行為は日常生活上必要な行為に含まれる（則8条）。 労働科目 250p

R元-3	業務上の疾病	重要度 B

問 14 厚生労働省労働基準局長通知（「血管病変等を著しく増悪させる業務による脳血管疾患及び虚血性疾患等の認定基準について」令和3年9月14日付け基発第0914第1号）において，発症に近接した時期において，特に過重な業務（以下「短期間の過重業務」という。）に就労したことによる明らかな過重負荷を受けたことにより発症した脳・心臓疾患は，業務上の疾病として取り扱うとされている。「短期間の過重業務」に関する次の記述のうち，誤っているものはどれか。

A 特に過重な業務とは，日常業務に比較して特に過重な身体的，精神的負荷を生じさせたと客観的に認められる業務をいうものであり，ここでいう日常業務とは，通常の所定労働時間内の所定業務内容をいう。

B 発症に近接した時期とは，発症前おおむね1週間をいう。

C 特に過重な業務に就労したと認められるか否かについては，業務量，業務内容，作業環境等を考慮し，同僚労働者又は同種労働者（以下「同僚等」という。）にとっても，特に過重な身体的，精神的負荷と認められるか否かという観点から，客観的かつ総合的に判断することとされているが，ここでいう同僚等とは，当該疾病を発症した労働者と同程度の年齢，経験等を有する健康な状態にある者をいい，基礎疾患を有する者は含まない。

D 業務の過重性の具体的な評価に当たって十分検討すべき負荷要因の一つとして，拘束時間の長い勤務が挙げられており，拘束時間数，実労働時間数，労働密度（実作業時間と手待時間との割合等），業務内容，休憩・仮眠時間数，休憩・仮眠施設の状況（広さ，空調，騒音等）等の観点から検討し，評価することとされている。

E 業務の過重性の具体的な評価に当たって十分検討すべき負荷要因の一つとして，精神的緊張を伴う業務が挙げられており，精神的緊張と脳・心臓疾患の発症との関連性については，医学的に十分な解明がなされていないこと，精神的緊張は業務以外にも多く存在すること等から，精神的緊張の程度が特に著しいと認められるものについて評価することとされている。

正解チェック欄	／	／	／

労災法

A 正 本肢のとおりである（令3.9.14基発0914第1号）。なお，本肢の日常業務に就労する上で受ける負荷の影響は，血管病変等の自然経過の範囲にとどまるものとされている。

B 正 本肢のとおりである（令3.9.14基発0914第1号）。なお，本肢の短期間の過重業務と発症との関連性を時間的にみた場合，医学的には，発症に近いほど影響が強く，発症から遡るほど関連性は希薄となるとされている。

C 誤 本肢の「同僚等」とは，当該労働者と同程度の年齢，経験等を有する健康な状態にある者のほか，「基礎疾患を有していたとしても日常業務を支障なく遂行できる者」をいう。本肢前段の記述は正しい（令3.9.14基発0914第1号）。

D 正 本肢のとおりである（令3.9.14基発0914第1号）。なお，業務の過重性の具体的な評価に当たって十分検討すべき負荷要因の一つとして，不規則な勤務が挙げられており，予定された業務スケジュールの変更の頻度・程度，事前の通知状況，予測の度合，業務内容の変更の程度等の観点から検討し，評価することとされている。

E 正 本肢のとおりである（令3.9.14基発0914第1号）。なお，業務の過重性の具体的な評価に当たって十分検討すべき負荷要因の一つとして，出張の多い業務が挙げられており，出張中の業務内容，出張（特に時差のある海外出張）の頻度，交通手段，移動時間及び移動時間中の状況，宿泊の有無，宿泊施設の状況，出張中における睡眠を含む休憩・休息の状況，出張による疲労の回復状況等の観点から検討し，評価することとされている。

キリトリ線

R4-1	業務上の疾病	重要度 A

問 15 「血管病変等を著しく増悪させる業務による脳血管疾患及び虚血性心疾患等の認定基準（令和3年9月14日付け基発0914第1号）」に関する次の記述のうち，正しいものはどれか。

A 発症前1か月間におおむね100時間又は発症前2か月間ないし6か月間にわたって，1か月当たりおおむね80時間を超える時間外労働が認められない場合には，これに近い労働時間が認められたとしても，業務と発症との関連性が強いと評価することはできない。

B 心理的負荷を伴う業務については，精神障害の業務起因性の判断に際して，負荷の程度を評価する視点により検討，評価がなされるが，脳・心臓疾患の業務起因性の判断に際しては，同視点による検討，評価の対象外とされている。

C 短期間の過重業務については，発症直前から前日までの間に特に過度の長時間労働が認められる場合や，発症前おおむね1週間継続して深夜時間帯に及ぶ時間外労働を行うなど過度の長時間労働が認められる場合に，業務と発症との関連性が強いと評価できるとされている。

D 急激な血圧変動や血管収縮等を引き起こすことが医学的にみて妥当と認められる「異常な出来事」と発症との関連性については，発症直前から1週間前までの間が評価期間とされている。

E 業務の過重性の検討，評価に当たり，2以上の事業の業務による「長期間の過重業務」については，異なる事業における労働時間の通算がなされるのに対して，「短期間の過重業務」については労働時間の通算はなされない。

労災法

キリトリ線

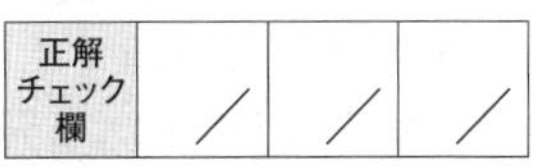

A 誤 労働時間以外の負荷要因において一定の負荷が認められる場合には，労働時間の状況をも総合的に考慮し，業務と発症との関連性が強いといえるかどうかを適切に判断することとされており，その際，本肢前段の時間外労働時間の水準には至らないがこれに近い時間外労働が認められる場合には，特に他の負荷要因の状況を十分考慮し，そのような時間外労働に加えて一定の労働時間以外の負荷が認められるときには，業務と発症との関連性が強いと評価できることを踏まえて判断することとされており，本肢の場合であっても，業務と発症との関連性が「強いと評価することができる場合がある」（令3.9.14基発0914第1号）。

労働科目 243p

B 誤 心理的負荷を伴う業務については，「脳・心臓疾患の業務起因性の判断に際しても」，本肢の認定基準の別表1及び別表2に掲げられている日常的に心理的負荷を伴う業務又は心理的負荷を伴う具体的出来事等について，「負荷の程度を評価する視点により検討し，評価することとされている」（令3.9.14基発0914第1号）。

C 正 本肢のとおりである（令3.9.14基発0914第1号）。なお，労働時間の長さは，業務量の大きさを示す指標であり，また，過重性の評価の最も重要な要因であるので，評価期間における労働時間については十分に考慮し，発症直前から前日までの間の労働時間数，発症前1週間の労働時間数，休日の確保の状況等の観点から検討し，評価されるが，労働時間の長さのみで過重負荷の有無を判断できない場合には，労働時間と労働時間以外の負荷要因を総合的に考慮して判断する必要があるとされている。

労働科目 243p

D 誤 本肢の異常な出来事と発症との関連性についての評価期間は，「発症直前から前日までの間」とされている（令3.9.14基発0914第1号）。

労働科目 243p

E 誤 業務の過重性の検討，評価に当たり，2以上の事業の業務による『長期間の過重業務』についてのみならず，「『短期間の過重業務』についても」，異なる事業における労働時間の通算がなされる（令3.9.14基発0914第1号）。

R5-3	業務上の疾病	重要度 C

問 16 「血管病変等を著しく増悪させる業務による脳血管疾患及び虚血性心疾患等の認定基準について」（令和3年9月14日付け基発0914第1号）で取り扱われる対象疾病に含まれるものは，次のアからオの記述のうちいくつあるか。

ア　狭心症

イ　心停止（心臓性突然死を含む。）

ウ　重篤な心不全

エ　くも膜下出血

オ　大動脈解離

A　一つ

B　二つ

C　三つ

D　四つ

E　五つ

正解チェック欄	／	／	／

本問アからオまでのそれぞれの記述の正誤は以下のとおりである。したがって，対象疾病に含まれるものはア，イ，ウ，エ及びオの5つであり，Eが解答となる。

ア　正　本肢のとおりである。狭心症は，虚血性心疾患等として，血管病変等を著しく増悪させる業務による脳血管疾患及び虚血性心疾患等の認定基準における対象疾病に該当する（令3.9.14基発0914第1号）。

イ　正　本肢のとおりである。心停止（心臓性突然死を含む）は，虚血性心疾患等として，血管病変等を著しく増悪させる業務による脳血管疾患及び虚血性心疾患等の認定基準における対象疾病に該当する（令3.9.14基発0914第1号）

ウ　正　本肢のとおりである。重篤な心不全は，虚血性心疾患等として，血管病変等を著しく増悪させる業務による脳血管疾患及び虚血性心疾患等の認定基準における対象疾病に該当する（令3.9.14基発0914第1号）。

エ　正　本肢のとおりである。くも膜下出血は，脳血管疾患として，血管病変等を著しく増悪させる業務による脳血管疾患及び虚血性心疾患等の認定基準における対象疾病に該当する（令3.9.14基発0914第1号）。

オ　正　本肢のとおりである。大動脈解離は，虚血性心疾患等として，血管病変等を著しく増悪させる業務による脳血管疾患及び虚血性心疾患等の認定基準における対象疾病に該当する（令3.9.14基発0914第1号）。

H27-1	業務上の疾病	重要度 C

問 17 厚生労働省労働基準局長通知（「心理的負荷による精神障害の認定基準について」（令和5年9月1日付け基発0901第2号），以下「認定基準」という。）に関する次の記述のうち，正しいものはどれか。

A 認定基準においては，うつ病エピソードの発病直前の2か月間連続して1月当たりおおむね80時間の時間外労働を行い，その業務内容が通常その程度の労働時間を要するものであった場合，心理的負荷の総合評価は「強」と判断される。

B 認定基準においては，同僚から治療を要する程度のひどい暴行を受けてうつ病エピソードを発病した場合，心理的負荷の総合評価は「強」と判断される。

C 認定基準においては，身体接触のない性的発言のみのセクシュアルハラスメントである場合には，これによりうつ病エピソードを発病しても，心理的負荷の総合評価が「強」になることはない。

D 認定基準においては，発病前おおむね6か月の間の出来事について評価することから，胸を触るなどのセクシュアルハラスメントを繰り返し受け続けて9か月あまりでうつ病エピソードを発病した場合，6か月より前の出来事については，評価の対象にならない。

E 認定基準においては，うつ病エピソードを発病した労働者がセクシュアルハラスメントを受けていた場合の心理的負荷の程度の判断は，その労働者がその出来事及び出来事後の状況が持続する程度を主観的にどう受け止めたかで判断される。

正解チェック欄	／	／	／

A　誤　本肢の場合，「80時間」を「120時間」に読み替えると正しい記述となる（令5.9.1基発0901第２号）。

B　正　本肢のとおりである（令5.9.1基発0901第２号）。

C　誤　身体接触のない性的発言のみのセクシャルハラスメントであっても，発言の中に人格を否定するようなものを含み，かつ，継続してなされた場合などは心理的負荷の総合評価は「強」となる（令5.9.1基発0901第２号）。

D　誤　本肢のセクシュアルハラスメントのように，出来事が繰り返されるものについては，発病の6か月よりも前にそれが開始されている場合でも，発病前6か月以内の期間にも継続しているときは，開始時からのすべての行為を評価の対象とすることとされている（令5.9.1基発0901第２号）。

E　誤　うつ病エピソードを発病した労働者がセクシャルハラスメントを受けていた場合の心理的負荷の程度の判断は，その労働者がその出来事及び出来事後の状況が持続する程度を主観的にどう受け止めたかで判断するのではなく，「同種の労働者が一般的にどう受け止めるかという観点」から評価される（令5.9.1基発0901第２号）。

H30-1	業務上の疾病	重要度 B

問 18 厚生労働省労働基準局長通知（「心理的負荷による精神障害の認定基準について」令和5年9月1日付け基発0901第2号。以下「認定基準」という。）に関する次の記述のうち，正しいものはどれか。
なお，本問において「対象疾病」とは，「認定基準で対象とする疾病」のことである。

A 認定基準においては，次の①，②，③のいずれの要件も満たす対象疾病は，労働基準法施行規則別表第1の2第9号に規定する精神及び行動の障害又はこれに付随する疾病に該当する業務上の疾病として取り扱うこととされている。

① 対象疾病を発病していること。

② 対象疾病の発病前おおむね6か月の間に，業務による強い心理的負荷が認められること。

③ 業務以外の心理的負荷及び個体側要因により対象疾病を発病したとは認められないこと。

B 認定基準において，業務による強い心理的負荷とは，精神障害を発病した労働者がその出来事及び出来事後の状況が持続する程度を主観的にどう受け止めたかという観点から評価されるものであるとされている。

C 認定基準においては，業務による心理的負荷の強度の判断に当たっては，精神障害発病前おおむね6か月の間に，対象疾病の発病に関与したと考えられる業務によるどのような出来事があり，また，その後の状況がどのようなものであったのかを具体的に把握し，それらによる心理的負荷の強度はどの程度であるかについて，「業務による心理的負荷評価表」を指標として「強」，「弱」の二段階に区分することとされている。

D 認定基準においては，「極度の長時間労働は，心身の極度の疲弊，消耗を来し，うつ病等の原因となることから，発病日から起算した直前の1か月間におおむね120時間を超える時間外労働を行った場合等には，当該極度の長時間労働に従事したことのみで心理的負荷の総合評価を「強」とする。」とされている。

E 認定基準においては，「いじめやセクシュアルハラスメントのように，出来事が繰り返されるものについては，発病の6か月よりも前にそれが開始されている場合でも，発病前6か月以内の行為のみを評価の対象とする。」とされている。

正解チェック欄	／	／	／

A　正　本肢のとおりである（令5.9.1基発0901第２号）。なお，本肢の対象疾病の発病に至る原因の考え方は，「ストレス－脆弱性理論」に依拠している。 労働科目 243p

---

B　誤　業務による強い心理的負荷とは，精神障害を発病した労働者がその出来事及び出来事後の状況が持続する程度を主観的にどう受け止めたかではなく，「同種の労働者が一般的にどう受け止めるかという観点」から評価されるものである（令5.9.1基発0901第２号）。

C　誤　心理的負荷の強度は「強」，『中』，「弱」の「３段階」に区分される。その他の記述は正しい（令5.9.1基発0901第２号）。

D　誤　極度の長時間労働は，心身の極度の疲弊，消耗を来し，うつ病等の原因となることから，発病日から起算した直前の１か月間におおむね「160時間」を超える時間外労働を行った場合等には，当該極度の長時間労働に従事したことのみで心理的負荷の総合評価は「強」となる（令5.9.1基発0901第２号）。 労働科目 244p

---

E　誤　いじめやセクシュアルハラスメントのように，出来事が繰り返されるものについては，発病の６か月よりも前にそれが開始されている場合でも，発病前６か月以内の期間にも継続しているときは，「開始時からのすべての行為」が評価の対象となる（令5.9.1基発0901第２号）。 労働科目 243p

R3-4	業務上の疾病	重要度 B

問 19 心理的負荷による精神障害の認定基準（令和5年9月1日付け基発0901第2号）の業務による心理的負荷評価表の「平均的な心理的負荷の強度」の「具体的出来事」の1つである「上司等から身体的攻撃，精神的攻撃等のパワーハラスメントを受けた」の，「心理的負荷の強度を『弱』『中』『強』と判断する具体例」に関する次の記述のうち，誤っているものはどれか。

A 人格や人間性を否定するような，業務上明らかに必要性がない精神的攻撃が行われたが，その行為が反復・継続していない場合，他に会社に相談しても適切な対応がなく改善されなかった等の事情がなければ，心理的負荷の程度は「中」になるとされている。

B 人格や人間性を否定するような，業務の目的を逸脱した精神的攻撃が行われたが，その行為が反復・継続していない場合，他に会社に相談しても適切な対応がなく改善されなかった等の事情がなければ，心理的負荷の程度は「中」になるとされている。

C 他の労働者の面前における威圧的な叱責など，態様や手段が社会通念に照らして許容される範囲を超える精神的攻撃が行われたが，その行為が反復・継続していない場合，他に会社に相談しても適切な対応がなく改善されなかった等の事情がなければ，心理的負荷の程度は「中」になるとされている。

D 治療等を要さない程度の暴行による身体的攻撃が行われた場合，その行為が反復・継続していなくても，また，他に会社に相談しても適切な対応がなく改善されなかった等の事情がなくても，心理的負荷の程度は「強」になるとされている。

E 「上司等」には，同僚又は部下であっても業務上必要な知識や豊富な経験を有しており，その者の協力が得られなければ業務の円滑な遂行を行うことが困難な場合，同僚又は部下からの集団による行為でこれに抵抗又は拒絶することが困難である場合も含む。

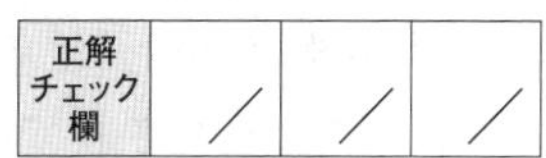

正解 D

A　正　本肢のとおりである（令5.9.1基発0901第2号）。なお，本肢の場合であっても，会社に相談しても適切な対応がなく改善されなかったときは，心理的負荷の程度は「強」になるとされている。

B　正　本肢のとおりである（令5.9.1基発0901第2号）。なお，「必要以上に長時間にわたる厳しい叱責，他の労働者の面前における大声での威圧的な叱責など，態様や手段が社会通念に照らして許容される範囲を超える精神的攻撃」を反復・継続するなどして執拗に受けたときは，心理的負荷の程度は「強」になるとされている。

C　正　本肢のとおりである（令5.9.1基発0901第2号）。なお，本肢の認定基準の業務による心理的負荷評価表の「平均的な心理的負荷の強度」の「具体的出来事」の1つである「上司とのトラブルがあった」のうち，「業務をめぐる方針等において，周囲からも客観的に認識されるような大きな対立が上司との間に生じ，その後の業務に大きな支障を来した」ときは，心理的負荷の程度は「強」になるとされている。

D　誤　本肢の心理的負荷の程度は「中」となる（令5.9.1基発0901第2号）。

E　正　本肢のとおりである（令5.9.1基発0901第2号）。なお，本肢の認定基準の業務による心理的負荷評価表の「平均的な心理的負荷の強度」の「具体的出来事」の1つである「同僚等から，暴行又は（ひどい）いじめ・嫌がらせを受けた」のうち，「同僚等から，治療を要さない程度の暴行を受け，行為が反復・継続していない場合」であって，他に会社に相談しても適切な対応がなく改善されなかった等の事情がなければ，心理的負荷の程度は「中」になるとされている。

キリトリ線

R5-1	業務上の疾病	重要度 C

問 20 「心理的負荷による精神障害の認定基準について」(令和5年9月1日付け基発0901第2号)における「業務による心理的負荷の強度の判断」のうち，出来事が複数ある場合の全体評価に関する次の記述のうち誤っているものはどれか。

A 複数の出来事のうち，いずれかの出来事が「強」の評価となる場合は，業務による心理的負荷を「強」と判断する。

B 複数の出来事が関連して生じている場合，「中」である出来事があり，それに関連する別の出来事（それ単独では「中」の評価）が生じた場合には，後発の出来事は先発の出来事の出来事後の状況とみなし，当該後発の出来事の内容，程度により「強」又は「中」として全体を評価する。

C 単独の出来事の心理的負荷が「中」である複数の出来事が関連なく生じている場合，全体評価は「中」又は「強」となる。

D 単独の出来事の心理的負荷が「中」である出来事一つと，「弱」である複数の出来事が関連なく生じている場合，原則として全体評価も「中」となる。

E 単独の出来事の心理的負荷が「弱」である複数の出来事が関連なく生じている場合，原則として全体評価は「中」又は「弱」となる。

労災法

正解チェック欄	／	／	／

A 正 本肢のとおりである（令5.9.1基発0901第2号）。なお，業務による心理的負荷の評価に当たっては，業務上の傷病により6か月を超えて療養中の者が，その傷病によって生じた強い苦痛や社会復帰が困難な状況を原因として対象疾病を発病したと判断される場合には，当該苦痛等の原因となった傷病が生じた時期は発病の6か月よりも前であったとしても，発病前おおむね6か月の間に生じた苦痛等が，ときに強い心理的負荷となることにかんがみ，特に当該苦痛等を出来事とみなす。

B 正 本肢のとおりである（令5.9.1基発0901第2号）。なお，本肢の認定基準において，いずれの出来事でも単独では「強」の評価とならない場合であって，それらの複数の出来事が関連して生じているときには，その全体を一つの出来事として評価することとし，原則として最初の出来事を「具体的出来事」として当該認定基準の別表1に当てはめ，関連して生じた各出来事は出来事後の状況とみなす方法により，その全体評価を行う。

C 正 本肢のとおりである（令5.9.1基発0901第2号）。なお，本肢の認定基準において，いずれの出来事でも単独では「強」の評価とならない場合であって，一つの出来事のほかに，それとは関連しない他の出来事が生じているときには，主としてそれらの出来事の数，各出来事の内容（心理的負荷の強弱），各出来事の時間的な近接の程度を元に，その全体的な心理的負荷を評価する。

D 正 本肢のとおりである（令5.9.1基発0901第2号）。なお，業務による心理的負荷の評価に当たっては，本人が主張する出来事の発生時期は発病の6か月より前である場合であっても，発病前おおむね6か月の間における出来事の有無等についても調査し，例えば当該期間における業務内容の変化や新たな業務指示等が認められるときは，これを出来事として発病前おおむね6か月の間の心理的負荷を評価する。

E 誤 「弱」である複数の出来事が関連なく生じている場合には，原則として全体評価は『弱』となる。（令5.9.1基発0901第2号）。

MEMO

労災法

R6-3	業務上の疾病

問 21 厚生労働省労働基準局長通知「心理的負荷による精神障害の認定基準」（令和5年9月1日付け基発0901第2号。以下本問において「認定基準」という。）に関する次の記述のうち，正しいものはいくつあるか。なお，本問において「対象疾病」とは「認定基準で対象とする疾病」のことである。

ア　対象疾病には，統合失調症や気分障害等のほか，頭部外傷等の器質性脳疾患に付随する精神障害，及びアルコールや薬物等による精神障害も含まれる。

イ　対象疾病を発病して治療が必要な状態にある者について，認定基準別表1の特別な出来事があり，その後おおむね6か月以内に対象疾病が自然経過を超えて著しく悪化したと医学的に認められる場合には，当該特別な出来事による心理的負荷が悪化の原因であると推認し，当該悪化した部分について業務起因性を認める。

ウ　対象疾病を発病して治療が必要な状態にある者について，認定基準別表1の特別な出来事がない場合には，対象疾病の悪化の前おおむね6か月以内の業務による強い心理的負荷によって当該対象疾病が自然経過を超えて著しく悪化したものと精神医学的に判断されたとしても，当該悪化した部分について業務起因性は認められない。

エ　対象疾病の症状が現れなくなった又は症状が改善し安定した状態が一定期間継続している場合や，社会復帰を目指して行ったリハビリテーション療法等を終えた場合であって，通常の就労が可能な状態に至ったときには，投薬等を継続していても通常は治ゆ（症状固定）の状態にあると考えられるところ，対象疾病がいったん治ゆ（症状固定）した後において再びその治療が必要な状態が生じた場合は，新たな疾病と取り扱う。

重要度 B

オ　業務によりうつ病を発病したと認められる者が自殺を図り死亡した場合には，当該疾病によって正常の認識，行為選択能力が著しく阻害され，あるいは自殺行為を思いとどまる精神的抑制力が著しく阻害されている状態に至ったものと推定し，当該死亡につき業務起因性を認める。

A　一つ
B　二つ
C　三つ
D　四つ
E　五つ

正解チェック欄	／	／	／

本問アからオまでのそれぞれの記述の正誤は以下のとおりである。したがって，正しい記述はイ，エ及びオの3つであり，Cが解答となる。

ア　誤　統合失調症や気分障害等は対象疾病に含まれるが，頭部外傷等の器質性脳疾患による精神障害やアルコール，薬物等による精神障害は「対象疾病に含まれない」(令5.9.1基発0901第2号)。

イ　正　本肢のとおりである（令5.9.1基発0901第2号)。なお，本肢の「特別な出来事」として，生死にかかわる，極度の苦痛を伴う，又は永久労働不能となる後遺障害を残す業務上の病気やケガをした（業務上の傷病による療養中に症状が急変し極度の苦痛を伴った場合を含む）場合がある。

ウ　誤　対象疾病を発病して治療が必要な常態にある者について，特別な出来事がない場合であっても，悪化の前に業務による強い心理的負荷が認められる場合には，当該業務による強い心理的負荷，本人の個体側要因と業務以外の心理的負荷，悪化の態様やこれに至る経緯等を十分に検討し，業務による強い心理的負荷によって精神障害が自然経過を超えて著しく悪化したものと精神医学的に判断されるときには，悪化した部分について「業務起因性を認める」(令5.9.1基発0901第2号)。

エ　正　本肢のとおりである（令5.9.1基発0901第2号)。なお，治ゆ後に増悪の予防のため診察や投薬等が必要とされる場合には，アフターケア（平19.4.23基発0423002号）を，一定の障害を残した場合には障害（補償）等給付（法15条）を，それぞれ適切に実施するものとされている。

オ　正　本肢のとおりである（令5.9.1基発0901第2号)。

労働科目 243p

R3-7	業務上の疾病	重要度 C

問 22 上肢作業に基づく疾病の業務上外の認定基準（平成9年2月3日付け基発第65号）によれば，⑴上肢等に負担のかかる作業を主とする業務に相当期間従事した後に発症したものであること，⑵発症前に過重な業務に就労したこと，⑶過重な業務への就労と発症までの経過が，医学上妥当なものと認められることのいずれの要件も満たし，医学上療養が必要であると認められる上肢障害は，労働基準法施行規則別表第1の2第3号4又は5に該当する疾病として取り扱うこととされている。この認定要件の運用基準又は認定に当たっての留意事項に関する次の記述のうち，誤っているものはどれか。

A 「相当期間」とは原則として6か月程度以上をいうが，腱鞘炎等については，作業従事期間が6か月程度に満たない場合でも，短期間のうちに集中的に過度の負担がかかった場合には，発症することがあるので留意することとされている。

B 業務以外の個体要因（例えば年齢，素因，体力等）や日常生活要因（例えば家事労働，育児，スポーツ等）をも検討した上で，上肢作業者が，業務により上肢を過度に使用した結果発症したと考えられる場合に，業務に起因することが明らかな疾病として取り扱うものとされている。

C 上肢障害には，加齢による骨・関節系の退行性変性や関節リウマチ等の類似疾病が関与することが多いことから，これが疑われる場合には，専門医からの意見聴取や鑑別診断等を実施することとされている。

D 「上肢等に負担のかかる作業」とは，⑴上肢の反復動作の多い作業，⑵上肢を上げた状態で行う作業，⑶頸部，肩の動きが少なく，姿勢が拘束される作業，⑷上肢等の特定の部位に負担のかかる状態で行う作業のいずれかに該当する上肢等を過度に使用する必要のある作業をいうとされている。

E 一般に上肢障害は，業務から離れ，あるいは業務から離れないまでも適切な作業の指導・改善等を行い就業すれば，症状は軽快し，また，適切な療養を行うことによっておおむね1か月程度で症状が軽快すると考えられ，手術が施行された場合でも一般的におおむね3か月程度の療養が行われれば治ゆするものと考えられるので留意することとされている。

正解チェック欄	／	／	／

A 正 本肢のとおりである（平9.2.3基発65号）。なお，本肢の認定基準が対象とする疾病は，上肢等に過度の負担の係る業務によって，後頭部，頸部，肩甲帯，上腕，前腕，手及び指に発生した運動器の障害（上肢障害）とされている。

B 正 本肢のとおりである（平9.2.3基発65号）。

C 正 本肢のとおりである（平9.2.3基発65号）。なお，上肢障害と類似の症状を呈する疾病としては，頸・背部の脊椎，脊髄あるいは周辺軟部の腫瘍等が原因とする場合が考えられるが，これらは，上肢障害に該当しない。しかしながら，これらに該当する疾病の中には，上肢障害以外の疾病として，別途業務起因性の判断を要するものもあることに留意することとされている。

D 正 本肢のとおりである（平9.2.3基発65号）。

E 誤 一般的に上肢障害は，適切な療養を行うことによっておおむね「3か月」程度で症状が軽快すると考えられ，手術が施行された場合でも一般的におおむね「6か月」程度の療養が行われれば治ゆするものと考えられるとされている。本肢前段の記述は正しい（平9.2.3基発65号）。

H27-3	業務災害及び通勤災害	重要度 B

問 23 業務災害及び通勤災害に関する次の記述のうち，誤っているものはどれか。

A 勤務時間中に，作業に必要な私物の眼鏡を自宅に忘れた労働者が，上司の了解を得て，家人が届けてくれた眼鏡を工場の門まで自転車で受け取りに行く途中で，運転を誤り，転落して負傷した場合，業務上の負傷に該当する。

B 会社の休日に行われている社内の親睦野球大会で労働者が転倒し負傷した場合，参加が推奨されているが任意であるときには，業務上の負傷に該当しない。

C 配管工が，早朝に，前夜運搬されてきた小型パイプが事業場の資材置場に乱雑に荷下ろしされていたためそれを整理していた際，材料が小型のため付近の草むらに投げ込まれていないかと草むらに探しに入ったところ，その草むらの中に棲息していた毒蛇に足を咬まれて負傷した場合，業務上の負傷に該当する。

D 業務終了後に，労働組合の執行委員である労働者が，事業場内で開催された賃金引上げのための労使協議会に6時間ほど出席した後，帰宅途上で交通事故にあった場合，通勤災害とは認められない。

E 会社からの退勤の途中で美容院に立ち寄った場合，髪のセットを終えて直ちに合理的な経路に復した後についても，通勤に該当しない。

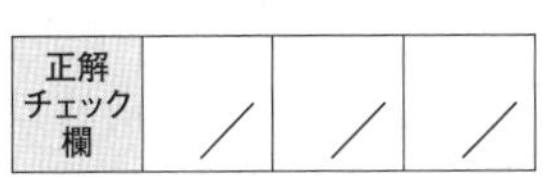

A　正　本肢のとおりである（昭32.7.20基収3615号）。

B　正　本肢のとおりである（平12.5.18基発366号）。

C　正　本肢のとおりである（昭27.9.6基災収3026号）。作業中に発生した災害は，大部分が業務災害と認定される。ただし，その災害が私的行為や業務逸脱行為，天災地変等（業務外の原因）により発生した場合や，業務離脱中，担当業務外の行為に従事中等に発生した場合には，業務外とされることがある。本肢の事例の場合は業務上と認定された。

労働科目
239p

D　正　本肢のとおりである（昭50.11.4基収2043号）。

E　誤　会社からの退勤の途中で美容院に立ち寄った行為は，労災保険法施行規則8条に規定する「日常生活上必要な行為」の範囲に含まれるため，本肢のように，当該行為後，直ちに合理的な経路に復した後については，通勤に該当する（法7条3項，則8条，昭58.8.2基発420号ほか）。

労働科目
249~250p

H28-5	業務災害及び通勤災害	重要度 A

問24 業務災害及び通勤災害に関する次の記述のうち，正しいものはいくつあるか。

ア 業務上の疾病の範囲は，労働基準法施行規則別表第一の二の各号に掲げられているものに限定されている。

イ 業務に従事している労働者が緊急行為を行ったとき，事業主の命令がある場合には，当該業務に従事している労働者として行うべきものか否かにかかわらず，その行為は業務として取り扱われる。

ウ 業務に従事していない労働者が，使用されている事業の事業場又は作業場等において災害が生じている際に，業務に従事している同僚労働者等とともに，労働契約の本旨に当たる作業を開始した場合には，事業主から特段の命令がないときであっても，当該作業は業務に当たると推定される。

エ 業務上の疾病が治って療養の必要がなくなった場合には，その後にその疾病が再発しても，新たな業務上の事由による発病でない限り，業務上の疾病とは認められない。

オ 労災保険法第7条に規定する通勤の途中で合理的経路を逸脱した場合でも，日常生活上必要な行為であって厚生労働省令で定めるものをやむを得ない事由により行うための最小限度のものである場合は，当該逸脱の間も含め同条の通勤とする。

A 一つ
B 二つ
C 三つ
D 四つ
E 五つ

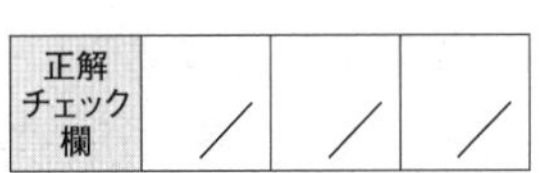

本問のアからオまでのそれぞれの記述の正誤は以下のとおりであり，ア，イ及びウの3つが正しい記述となる。したがって，Cが解答となる。

ア　正　本肢のとおりである（法7条，法12条の8第2項，労働基準法施行規則別表1の2，昭53.3.30基発186号ほか）。労働基準法施行規則別表1の2及びこれに基づく告示においては，一定の疾病を例示列挙するとともに包括的な救済規定を補足的に設けている。

労働科目 241～242p

イ　正　本肢のとおりである（労働者災害補償保険法コンメンタールほか）。

ウ　正　本肢のとおりである（労働者災害補償保険法コンメンタールほか）。

エ　誤　業務上の負傷又は疾病が再発した場合の取扱いについては，再発は，原因である業務上の負傷又は疾病の連続であって，独立した別個の負傷又は疾病ではないから引続き災害補償は行われるべきであるとされており，業務上の疾病が再発した場合には，新たな業務上の事由による疾病でなくても，業務上の疾病と「認められる」（昭23.1.9基災発13号）。

オ　誤　労働者が通勤に係る移動の経路を逸脱した場合には，原則として，当該逸脱の間及びその後の移動は通勤とされないが，当該逸脱が，日常生活上必要な行為であって厚生労働省令で定めるものをやむを得ない事由により行うための最小限度のものである場合は，当該逸脱の「間を除き」，通常の経路に復した後は通勤と認められる（法7条3項）。

労働科目 249p

R5-7	給付基礎日額	重要度 C

問 25 新卒で甲会社に正社員として入社した労働者Ｐは，入社１年目の終了時に，脳血管疾患を発症しその日のうちに死亡した。Ｐは死亡前の１年間，毎週月曜から金曜に１日８時間甲会社で働くと同時に，学生時代からパートタイム労働者として勤務していた乙会社との労働契約も継続し，日曜に乙会社で働いていた。また，死亡６か月前から４か月前は丙会社において，死亡３か月前から死亡時までは丁会社において，それぞれ３か月の期間の定めのある労働契約でパートタイム労働者として，毎週月曜から金曜まで甲会社の勤務を終えた後に働いていた。Ｐの遺族は，Ｐの死亡は業務災害又は複数業務要因災害によるものであるとして所轄労働基準監督署長に対し遺族補償給付又は複数事業労働者遺族給付の支給を求めた。当該署長は，甲会社の労働時間のみでは業務上の過重負荷があったとはいえず，Ｐの死亡は業務災害によるものとは認められず，また甲会社と乙会社の労働時間を合計しても業務上の過重負荷があったとはいえないが，甲会社と丙会社・丁会社の労働時間を合計した場合には業務上の過重負荷があったと評価でき，個体側要因や業務以外の過重負荷により発症したとはいえないことから，Ｐの死亡は複数業務要因災害によるものと認められると判断した。Ｐの遺族への複数事業労働者遺族給付を行う場合における給付基礎日額の算定に当たって基礎とする額に関する次の記述のうち，正しいものはどれか。

A 甲会社につき算定した給付基礎日額である。

B 甲会社・乙会社それぞれにつき算定した給付基礎日額に相当する額を合算した額である。

C 甲会社・丁会社それぞれにつき算定した給付基礎日額に相当する額を合算した額である。

D 甲会社・丙会社・丁会社それぞれにつき算定した給付基礎日額に相当する額を合算した額である。

E 甲会社・乙会社・丁会社それぞれにつき算定した給付基礎日額に相当する額を合算した額である。

正解チェック欄	／	／	／

労災法

A 誤 労働者Pは複数事業労働者に該当する。複数事業労働者の給付基礎日額は，原則として，当該複数事業労働者を使用する事業ごとに算定した給付基礎日額に相当する額を合算した額である。本問の場合，脳血管疾患を発症して死亡した日が算定事由発生日となり，その算定事由発生日前3か月間に支払われた賃金額を基礎として各事業ごとの給付基礎日額相当額を算定，合算して給付基礎日額を算定する。なお，算定事由発生日時点において複数業務要因災害に係る事業場の一部について既に離職している場合であっても，現在就業中の事業場がある場合は，算定事由発生日前3か月間に支払われた賃金額を基礎として給付基礎日額を算定するため，算定事由発生日から3か月前の時点において既に離職し，賃金の支払を受けていない丙会社における賃金額は給付基礎日額の算定の基礎に算入されない。したがって，「甲会社，乙会社及び丁会社」それぞれにつき算定した給付基礎日額に相当する額を合算した額が，労働者Pの給付基礎日額となる（則9条の2の2，令2.8.21基発0821第2号）。

労働科目 253～254p

B 誤 「甲会社，乙会社及び丁会社」それぞれにつき算定した給付基礎日額に相当する額を合算した額が，労働者Pの給付基礎日額となる。本問A肢解説参照（則9条の2の2，令2.8.21基発0821第2号）。

労働科目 253～254p

C 誤 「甲会社，乙会社及び丁会社」それぞれにつき算定した給付基礎日額に相当する額を合算した額が，労働者Pの給付基礎日額となる。本問A肢解説参照（則9条の2の2，令2.8.21基発0821第2号）。

労働科目 253～254p

D 誤 「甲会社，乙会社及び丁会社」それぞれにつき算定した給付基礎日額に相当する額を合算した額が，労働者Pの給付基礎日額となる。本問A肢解説参照（則9条の2の2，令2.8.21基発0821第2号）。

労働科目 253～254p

E 正 本肢のとおりである。本問A肢解説参照（則9条の2の2，令2.8.21基発0821第2号）。

労働科目 253～254p

キリトリ線

R2-1	保険給付（業務災害）	重要度 A

問 26 業務災害の保険給付に関する次の記述のうち，誤っているものはどれか。

A 業務遂行中の負傷であれば，労働者が過失により自らの負傷の原因となった事故を生じさせた場合，それが重大な過失でない限り，政府は保険給付の全部又は一部を行わないとすることはできない。

B 業務遂行中の負傷であれば，負傷の原因となった事故が，負傷した労働者の故意の犯罪行為によって生じた場合であっても，政府は保険給付の全部又は一部を行わないとすることはできない。

C 業務遂行中の負傷であれば，労働者が過失により自らの負傷を生じさせた場合，それが重大な過失でない限り，政府は保険給付の全部又は一部を行わないとすることはできない。

D 業務起因性の認められる疾病に罹患した労働者が，療養に関する指示に従わないことにより疾病の程度を増進させた場合であっても，指示に従わないことに正当な理由があれば，政府は保険給付の全部又は一部を行わないとすることはできない。

E 業務起因性の認められる疾病に罹患した労働者が，療養に関する指示に従わないことにより疾病の回復を妨げた場合であっても，指示に従わないことに正当な理由があれば，政府は保険給付の全部又は一部を行わないとすることはできない。

正解チェック欄	／	／	／

キリトリ線

A　正　本肢のとおりである（法12条の2の2第2項）。なお，本肢の規定は，保険給付の「全部又は一部を行わないことができる」ものとされ（裁量的給付制限），法12条の2の2第1項は，保険給付「そのものを行わない」ものとされている（絶対的給付制限）。

労働科目
306p

B　誤　業務遂行中の負傷であっても，負傷の原因となった事故が，負傷した労働者の故意の犯罪行為によって生じた場合には，政府は，保険給付の全部又は一部を行わないことが「できる」（法12条の2の2第2項）。

労働科目
306p

C　正　本肢のとおりである（法12条の2の2第2項）。なお，故意の犯罪行為又重大な過失に当たるものとして保険給付の支給制限の対象とするのは，事故発生の直接の原因となった行為が，労働基準法等における危害防止に関する規定で罰則の付されているものに違反すると認められる場合とされている（昭40.7.31基発906号）。

労働科目
306p

D　正　本肢のとおりである（法12条の2の2第2項）。なお，本肢の規定の適用に当たっては，療養の指示に従わないため，当該傷病の程度を増進させ又は回復を妨げることが，医学上明らかに認められることを要する。

労働科目
306p

E　正　本肢のとおりである（法12条の2の2第2項）。なお，本肢の「正当な理由」とは，そのような事情があれば誰しもが療養の指示に従うことができなかったであろうと認められる場合をいい，労働者の単なる主観的事情は含まれない（昭40.7.31基発906号）。

労働科目
306p

キリトリ線

R2-6	保険給付（業務災害）	重要度 B

問 27 業務災害の保険給付に関する次の記述のうち，正しいものはどれか。

A　労働者が業務上の負傷又は疾病による療養のため所定労働時間のうちその一部分のみについて労働し，当該労働に対して支払われる賃金の額が給付基礎日額の20％に相当する場合，休業補償給付と休業特別支給金とを合わせると給付基礎日額の100％となる。

B　業務上負傷し，又は疾病にかかった労働者が，当該負傷又は疾病に係る療養の開始後3年を経過した日において傷病補償年金を受けている場合に限り，その日において，使用者は労働基準法第81条の規定による打切補償を支払ったものとみなされ，当該労働者について労働基準法第19条第1項の規定によって課せられた解雇制限は解除される。

C　業務上の災害により死亡した労働者Ｙには2人の子がいる。1人はＹの死亡の当時19歳であり，Ｙと同居し，Ｙの収入によって生計を維持していた大学生で，もう1人は，Ｙの死亡の当時17歳であり，Ｙと離婚した元妻と同居し，Ｙが死亡するまで，Ｙから定期的に養育費を送金されていた高校生であった。2人の子は，遺族補償年金の受給資格者であり，同順位の受給権者となる。

D　障害補償給付を支給すべき身体障害の障害等級については，同一の業務災害により身体障害が2以上ある場合で，一方の障害が第14級に該当するときは，重い方の身体障害の該当する障害等級による。

E　介護補償給付は，親族又はこれに準ずる者による介護についても支給されるが，介護の費用として支出した額が支給されるものであり，「介護に要した費用の額の証明書」を添付しなければならないことから，介護費用を支払わないで親族又はこれに準ずる者による介護を受けた場合は支給されない。

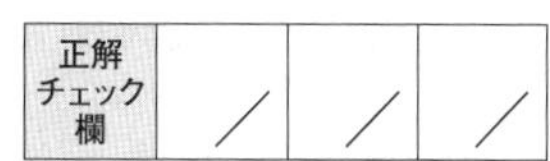

労災法

A 誤 所定労働時間のうちその一部分についてのみ労働する日（以下「部分算定日」とする）に係る休業補償給付の額は，給付基礎日額から当該部分算定日に対して支払われる賃金の額を控除して得た額の100分の60に相当する額であり，当該部分算定日に係る休業特別支給金の額は，給付基礎日額から当該部分算定日に対して支払われる賃金の額を控除して得た額の100分の20に相当する額とされるため，当該休業補償給付と当該休業特別支給金とを合わせると，給付基礎日額から当該部分算定日に対して支払われる賃金の額を控除して得た額の100の80に相当する額となり，「給付基礎日額の100％とはならない」。本肢の場合，休業補償給付の額は，（給付基礎日額の100％－支払われた賃金の額である給付基礎日額の20％）×60％＝給付基礎日額の48％であり，休業特別支給金の額は，（給付基礎日額の100％－支払われた賃金の額である給付基礎日額の20％）×20％＝給付基礎日額の16％である。これらを合わせると，給付基礎日額の64％となる（法14条1項ただし書，特別支給金規則3条1項ただし書）。

労働科目 265～266p

B 誤 本肢の場合のみならず，「業務上傷病に係る療養開始後3年を経過した日後において傷病補償年金を受けることとなった場合についても」，当該「傷病補償年金を受けることとなった日」において，使用者は，労働基準法81条の規定による打切補償を支払ったものとみなされ，当該労働者について労働基準法19条1項の規定によって課せられた解雇制限は解除される（法19条）。

労働科目 269p

C 誤 本肢の場合，死亡したYの子2人のうち「19歳の子は，遺族補償年金の受給資格者及び受給権者にならない」（法16条の2第1項）。

労働科目 282～283p

D　誤　本肢は，障害等級第13級以上の身体障害が２以上ある場合もあることから，則14条３項（いわゆる併合繰上げ）の規定が適用される余地があり，必ずしも「重い方の身体障害の該当する障害等級によるわけではない」(則14条２項ほか)。

労働科目
272p

E　誤　その月において介護に要する費用を支出して介護を受けた日がない場合であっても，親族又はこれに準ずる者による介護を受けた日があるときは，支給すべき事由が生じた月を除き，最低保証額の適用があることから，本肢の場合，「介護補償給付が支給され得る」(法19条の２，則18条の３の４)。

労働科目
279～280p

キリトリ線

R4-7	保険給付（業務災害）	重要度 C

問 28

業務起因性が認められる傷病が一旦治ゆと認定された後に「再発」した場合は，保険給付の対象となるが，「再発」であると認定する要件として次のアからエの記述のうち，正しいものの組合せは，後記AからEまでのうちどれか。

ア　当初の傷病と「再発」とする症状の発現との間に医学的にみて相当因果関係が認められること

イ　当初の傷病の治ゆから「再発」とする症状の発現までの期間が3年以内であること

ウ　療養を行えば，「再発」とする症状の改善が期待できると医学的に認められること

エ　治ゆ時の症状に比べ「再発」時の症状が増悪していること

A　（アとイ）　**B**　（アとエ）　**C**　（アとイとエ）
D　（アとウとエ）　**E**　（アとイとウとエ）

労災法

キリトリ線

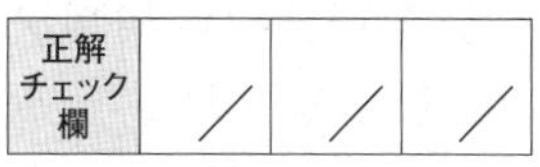

本問アからエまでのそれぞれの記述の正誤は以下のとおりである。したがって，ア，ウとエを正しい記述とするDが正解となる。

ア　正　本肢の要件は，再発であるとする要件として正しい（昭51.1.16神戸地裁判決　療養補償給付不支給処分取消請求事件ほか)。判例によると，「再発が治ゆによって一旦消滅した労災保険法上の療養補償給付義務を再び発生させるものである以上および前記治ゆの定義からみて，①現傷病と業務上の傷病である旧傷病との間に医学上の相当因果関係が存在し，②治ゆ時の症状に比し現傷病の症状が増悪しており，③かつ治療効果が期待できるものでなければならず，かつこれをもって足ると解するのが相当である」とされている。なお，当該判例では，「右再発の要件①の存否については，労災保険法が労働者の業務上の傷病等につき『迅速かつ公正な保護（同法第1条)』を目的としている点，および，再発が業務上の傷病の連続であり，独立した別個の負傷または疾病でない点に照らすと，旧傷病が現傷病の一原因となっておりかつそれが医学上相当程度有力な原因であることが認められれば足るものと解する」とされている。

イ　誤　本肢の要件は，再発であるとする要件ではない（昭51.1.16神戸地裁判決　療養補償給付不支給処分取消事件ほか)。ア肢解説参照。

ウ　正　本肢の要件は，再発であるとする要件として正しい（昭51.1.16神戸地裁判決　療養補償給付不支給処分取消事件ほか)。ア肢解説参照。

エ　正　本肢の要件は，再発であるとする要件として正しい（昭51.1.16神戸地裁判決　療養補償給付不支給処分取消事件ほか)。ア肢解説参照。

H27-2	療養の給付	重要度 A

問 29 療養補償給付及び療養給付に関する次の記述のうち，正しいものはどれか。

A 療養の給付は，社会復帰促進等事業として設置された病院若しくは診療所又は都道府県労働局長の指定する病院若しくは診療所，薬局若しくは訪問看護事業者において行われる。

B 療養の給付は，その傷病が療養を必要としなくなるまで行われるので，症状が安定して疾病が固定した状態になり，医療効果が期待しえない状態になっても，神経症状のような傷病の症状が残っていれば，療養の給付が行われる。

C 療養補償給付たる療養の給付を受けようとする者は，厚生労働省令に規定された事項を記載した請求書を，直接，所轄労働基準監督署長に提出しなければならない。

D 事業主は，療養補償給付たる療養の給付を受けるべき者から保険給付を受けるために必要な証明を求められたときは，30日以内に証明しなければならない旨，厚生労働省令で規定されている。

E 政府が療養給付を受ける労働者から徴収する一部負担金は，第三者の行為によって生じた交通事故により療養給付を受ける者からも徴収する。

正解チェック欄	／	／	／

正解 A

A 正 本肢のとおりである（則11条1項）。

必修基本書 労働科目 263p

B 誤 療養の給付は，その傷病が療養を必要としなくなるまで行われることとされており，症状が安定して疾病が固定した状態になり，医療効果が期待しえない状態になった場合には，それ以降は行われることはない。なお，本肢のように，神経症状のような傷病の症状が残っている場合には，障害として障害（補償）等給付の対象となり得る（昭23.1.13基災発3号）。

C 誤 療養補償給付たる療養の給付を受けようとする者は，厚生労働省令に規定された事項を記載した請求書を，「療養の給付を受けようとする指定病院等を経由して」，所轄労働基準監督署長に提出しなければならない（則12条）。

労働科目 263p

D 誤 療養補償給付たる療養の給付を受ける労働者は，一定の事項につき事業主から証明を受けなければならないが，当該事業主が当該証明を求められた場合において，30日以内に証明をしなければならない旨の規定はない（則12条）。

E 誤 政府が療養給付を受ける労働者から徴収する一部負担金は，第三者の行為によって生じた交通事故により療養給付を受ける者からは徴収しないこととされている（則44条の2第1号）。

労働科目 294p

R元-5	療養の給付	重要度 B

問 30 療養補償給付又は療養給付に関する次の記述のうち，誤っているものはどれか。

A　療養の給付は，社会復帰促進等事業として設置された病院若しくは診療所又は都道府県労働局長の指定する病院若しくは診療所，薬局若しくは訪問看護事業者（「指定病院等」という。以下本問において同じ。）において行われ，指定病院等に該当しないときは，厚生労働大臣が健康保険法に基づき指定する病院であっても，療養の給付は行われない。

B　療養の給付を受ける労働者は，当該療養の給付を受けている指定病院等を変更しようとするときは，所定の事項を記載した届書を，新たに療養の給付を受けようとする指定病院等を経由して所轄労働基準監督署長に提出するものとされている。

C　病院等の付属施設で，医師が直接指導のもとに行う温泉療養については，療養補償給付の対象となることがある。

D　被災労働者が，災害現場から医師の治療を受けるために医療機関に搬送される途中で死亡したときは，搬送費用が療養補償給付の対象とはなり得ない。

E　療養給付を受ける労働者から一部負担金を徴収する場合には，労働者に支給される休業給付であって最初に支給すべき事由の生じた日に係るものの額から一部負担金の額に相当する額を控除することにより行われる。

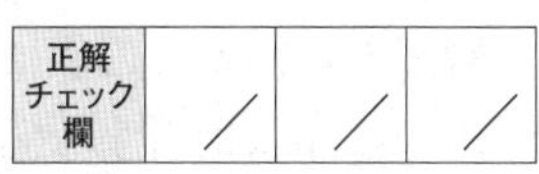

A　正　本肢のとおりである（則11条1項）。なお，都道府県労働局長は，本肢の指定病院等に係る指定を取り消すときは，以下の事項を公告しなければならない（同条2項）。
①病院若しくは診療所，薬局若しくは訪問看護事業者の名称及び所在地
②診療科名

労働科目 263p

B　正　本肢のとおりである（則12条3項）。なお，本肢の所定の事項とは，以下の事項である。
①労働者の氏名，生年月日及び住所
②事業の名称及び事業場の所在地
③負傷又は発病の年月日
④災害の原因及び発生状況
⑤療養の給付を受けていた指定病院等及び新たに療養の給付を受けようとする指定病院等の名称及び所在地
⑥労働者が複数事業労働者である場合は，その旨

労働科目 263~264p

C　正　本肢のとおりである（昭25.10.6基発916号）。医師が直接の指導を行わない温泉療養については，原則として，療養補償給付の対象とならないが，病院等の付属施設で医師が直接指導のもとに行うものについては，療養補償給付の対象となる。

D　誤　被災労働者が死亡に至るまでに要した搬送の費用は，療養のためのものと認められるので，移送たる療養補償給付の対象となる（昭30.7.13基収841号）。

E　正　本肢のとおりである（法22条の2第3項，則44条の2第3項）。なお，一部負担金の額は，原則として，200円（健康保険法の日雇特例被保険者は100円）とされる。ただし，現に療養に要した費用の総額がこの額に満たない場合には，当該現に療養に要した費用の総額に相当する額となる（法31条2項，則44条の2第2項）。

労働科目 294p

H28-4	休業補償給付	重要度 A

問 31 労災保険給付に関する次の記述のうち，誤っているものはどれか。

A 被災労働者が，災害現場で医師の治療を受けず医療機関への搬送中に死亡した場合，死亡に至るまでに要した搬送費用は，療養のためのものと認められるので移送費として支給される。

B 労働者が遠隔地において死亡した場合の火葬料及び遺骨の移送に必要な費用は，療養補償費の範囲には属さない。

C 業務災害の発生直後，救急患者を災害現場から労災病院に移送する場合，社会通念上妥当と認められる場合であれば移送に要した費用全額が支給される。

D 死体のアルコールによる払拭のような本来葬儀屋が行うべき処置であっても，医師が代行した場合は療養補償費の範囲に属する。

E 医師が直接の指導を行わない温泉療養については，療養補償費は支給されない。

正解チェック欄	／	／	／

正解 D

A　正　本肢のとおりである（昭30.7.13基収841号）。被災労働者の医療機関への搬送は，療養行為のためであるため本肢の移送は療養のためとされ，支給対象となる。

B　正　本肢のとおりである（昭24.7.22基収2303号）。火葬料及び遺骨の移送は療養行為に伴う移送ではないため療養（補償）等給付の範囲に属さない。

C　正　本肢のとおりである（昭37.9.18基発951号ほか）。

D　誤　本肢の場合の費用は，「葬祭料」の範囲に属するものとみるべきであるとされている（昭23.7.10基災発97号）。

E　正　本肢のとおりである（昭25.10.6基発916号）。なお，病院等の付属施設で医師の直接指導のもとに行う温泉療養については，療養補償給付の支給が認められる。

労働科目
263～264p

H30-5	休業補償給付	重要度 A

問 32 休業補償給付に関する次の記述のうち，誤っているものはどれか。

A 休業補償給付は，業務上の傷病による療養のため労働できないために賃金を受けない日の4日目から支給されるが，休業の初日から第3日目までの期間は，事業主が労働基準法第76条に基づく休業補償を行わなければならない。

B 業務上の傷病により，所定労働時間の全部労働不能で半年間休業している労働者に対して，事業主が休業中に平均賃金の6割以上の金額を支払っている場合には，休業補償給付は支給されない。

C 休業補償給付と傷病補償年金は，併給されることはない。

D 会社の所定休日においては，労働契約上賃金請求権が生じないので，業務上の傷病による療養中であっても，当該所定休日分の休業補償給付は支給されない。

E 業務上の傷病により，部分算定日（所定労働時間のうちその一部分についてのみ労働する日又は賃金が支払われる休暇をいう。以下同じ。）の休業補償給付の額は，療養開始後1年6か月未満の場合には，休業給付基礎日額から当該部分算定日に対して支払われる賃金の額を控除して得た額の100分の60に相当する額である。

正解チェック欄	／	／	／

A　正　本肢のとおりである（法14条1項，労働基準法76条1項）。なお，疾病が旧事業場における業務上の疾病の再発と認定される限り，平均賃金の算定は旧事業場で支払われた賃金によって旧事業場の事業主が補償すべきである（昭25.5.13基収843号）。

労働科目 266p

B　正　本肢のとおりである（法14条1項）。本肢の場合は「賃金を受けない日」に該当しないため，休業補償給付は支給されない。

労働科目 264~265p

C　正　本肢のとおりである（法18条2項）。休業補償給付及び傷病補償年金は，ともに治ゆ前の給付であり，いずれも所得保障を目的としているため，同一目的の給付は調整されるという原則により基づき，併給はされない。

労働科目 269p

D　誤　所定休日であっても，その日が「業務上の負傷又は疾病による療養のため労働することができないために賃金を受けない日の第4日目以後の日」である限り，休業補償給付は支給される（法14条1項）。

労働科目 266p

E　正　本肢のとおりである（法14条1項）。なお，業務上の傷病による療養のため，そのすべてにおいて労働することができない場合（全部労働不能）に係る休業補償給付の額は，休業1日につき休業給付基礎日額の100分の60に相当する額とされている。

労働科目 265~266p

H29-2 **傷病補償年金** 重要度 **A**

問33 傷病補償年金に関する次の記述のうち，誤っているものはどれか。

A 所轄労働基準監督署長は，業務上の事由により負傷し，又は疾病にかかった労働者が療養開始後1年6か月経過した日において治っていないときは，同日以降1か月以内に，当該労働者から「傷病の状態等に関する届」に医師又は歯科医師の診断書等の傷病の状態の立証に関し必要な資料を添えて提出させるものとしている。

B 傷病補償年金の支給要件について，障害の程度は，6か月以上の期間にわたって存する障害の状態により認定するものとされている。

C 傷病補償年金の受給者の障害の程度が軽くなり，厚生労働省令で定める傷病等級に該当しなくなった場合には，当該傷病補償年金の受給権は消滅するが，なお療養のため労働できず，賃金を受けられない場合には，労働者は休業補償給付を請求することができる。

D 傷病補償年金を受ける労働者の障害の程度に変更があり，新たに他の傷病等級に該当するに至った場合には，所轄労働基準監督署長は，裁量により，新たに該当するに至った傷病等級に応ずる傷病補償年金を支給する決定ができる。

E 業務上負傷し，又は疾病にかかった労働者が，当該負傷又は疾病に係る療養の開始後3年を経過した日において傷病補償年金を受けている場合には，労働基準法第19条第1項の規定の適用については，当該使用者は，当該3年を経過した日において同法第81条の規定による打切補償を支払ったものとみなされる。

正解チェック欄	／	／	／

必修基本書

A　正　本肢のとおりである（則18の2第2項・3項）。労働科目 268p

B　正　本肢のとおりである（則18条2項）。なお，傷病補償年金は，業務上負傷し，又は疾病にかかった労働者が，その傷病に係る療養の開始後1年6箇月を経過した日，又は同日後において，次のいずれにも該当するときに支給される（法12条の8第3項）。

①当該傷病が治っていないこと

②当該傷病による障害の程度が傷病等級表に定める傷病等級（第1級～第3級）に該当していること 労働科目 267p

C　正　本肢のとおりである（法14条1項，則18条の2第1項ほか）。なお，傷病補償年金は，以下の傷病等級に応じた額が支給される。

傷病等級	傷病補償年金の額	支払方法
第1級	給付基礎日額の313日分	年6期に分割して支払われる
第2級	給付基礎日額の277日分	
第3級	給付基礎日額の245日分	

労働科目 269p

D　誤　本肢の場合，所轄労働基準監督署長は，「裁量により」，新たに該当するに至った傷病等級に応ずる傷病補償年金を支給する「決定ができる」わけではなく，「職権により」，傷病等級の変更による傷病補償年金の変更に関する「決定をしなければならない」（則18条の3）。労働科目 269p

---

E　正　本肢のとおりである（法19条）。本肢の打切補償の額は，平均賃金の1,200日分とされている。労働科目 269p

H30-6	障害補償給付	重要度 A

問 34 障害補償給付に関する次の記述のうち，誤っているものはどれか。

A 厚生労働省令で定める障害等級表に掲げるもの以外の身体障害は，その障害の程度に応じて，同表に掲げる身体障害に準じて障害等級を定めることとされている。

B 障害補償一時金を受けた者については，障害の程度が自然的経過により増進しても，障害補償給付の変更が問題となることはない。

C 既に業務災害による障害補償年金を受ける者が，新たな業務災害により同一の部位について身体障害の程度を加重した場合には，現在の障害の該当する障害等級に応ずる障害補償年金の額から，既存の障害の該当する障害等級に応ずる障害補償年金の額を差し引いた額の障害補償年金が支給され，その差額の年金とともに，既存の障害に係る従前の障害補償年金も継続して支給される。

D 同一の負傷又は疾病が再発した場合には，その療養の期間中は，障害補償年金の受給権は消滅する。

E 障害等級表に該当する障害が2以上あって厚生労働省令の定める要件を満たす場合には，その障害等級は，厚生労働省令の定めに従い繰り上げた障害等級による。具体例は次の通りである。

①	第5級，第7級，第9級の3障害がある場合	第3級
②	第4級，第5級の2障害がある場合	第2級
③	第8級，第9級の2障害がある場合	第7級

正解チェック欄	／	／	／

A　正　本肢のとおりである（則14条4項）。厚生労働省令で定める障害等級表には，類型的な障害を定めているにすぎないことから，本肢の規定が設けられている。

労働科目
271p

B　正　本肢のとおりである（法15条の2）。本肢の規定（障害補償給付の改定）が適用されるのは，労働者が障害補償年金を受けている場合に限られる。

労働科目
274p

C　正　本肢のとおりである（則14条5項）。なお，本肢の「加重」とは，業務上の負傷又は疾病によって障害等級が加重することをいい，自然的経過によって障害の程度を重くしたとしても，当該加重には該当しない。

労働科目
272～273p

D　正　本肢のとおりである（平27.12.22基補発1222第1号）。なお，再発した傷病の再治ゆ後に残った障害に係る障害補償給付は，従前に受けていたものが障害補償年金であれば改定の取扱いに準じ，従前に受けていたものが障害補償一時金の場合であって，再治ゆ後に残った障害の程度が従前の障害の程度より悪化したときは，加重の取扱いに準ずる。

労働科目
275p

E　誤　本肢の具体例による場合，併合繰上げ後の障害等級は次のとおりである（則14条3項）。

①第5級，第7級，第9級の3障害がある場合
…第8級以上に該当する身体障害が2以上ある場合に該当するため，最も重い等級である第5級を2級繰り上げる　→　第3級

②第4級，第5級の2障害がある場合
…第5級以上に該当する身体障害が2以上ある場合に該当するため，重い方の障害等級である第4級を3級繰り上げる　→「第1級」

③第8級，第9級の2障害がある場合
…第13級以上に該当する身体障害が2以上ある場合に該当するため，重い方の障害等級である第8級を1級繰り上げる　→　第7級

労働科目
272p

R2-5	障害補償給付	重要度 B

問 35

障害等級認定基準についての行政通知によれば，既に右示指の用を廃していた（障害等級第12級の9，障害補償給付の額は給付基礎日額の156日分）者が，新たに同一示指を亡失した場合には，現存する身体障害に係る障害等級は第11級の6（障害補償給付の額は給付基礎日額の223日分）となるが，この場合の障害補償給付の額に関する次の記述のうち，正しいものはどれか。

A 給付基礎日額の67日分

B 給付基礎日額の156日分

C 給付基礎日額の189日分

D 給付基礎日額の223日分

E 給付基礎日額の379日分

正解チェック欄	／	／	／

A　正　本肢のとおりである（則14条5項）。本問は，「加重」に係る障害補償給付の額に関する問題である。既に身体障害のあった者が，傷病により同一の部位について障害の程度を加重した場合における当該事由に係る障害補償給付の額は，現在の身体障害の該当する障害等級に応ずる障害補償給付の額から，既にあった身体障害の該当する障害等級に応ずる障害補償給付の額（現在の身体障害の該当する障害等級に応ずる障害補償給付が障害補償年金であって，既にあった身体障害の該当する障害等級に応ずる障害補償給付が障害補償一時金である場合には，その障害補償一時金の額を25で除して得た額）を差し引いた額によるとされる。本問の場合，現存する身体障害に係る障害補償給付（12級の9）及び既存障害に係る障害補償給付（11級の6）はともに障害補償一時金であるため，本問の障害補償給付の額は，現存する身体障害に係る障害補償給付の額（給付基礎日額の223日分）から，既存障害に係る障害補償給付の額（給付基礎日額の156日分）を差し引いた額である「給付基礎日額の67日分」となる。 労働科目 272~273p

---

B　誤　本肢の障害補償給付の額は，「給付基礎日額の67日分」である（則14条5項）。なお，本肢の「加重」とは，既存の身体障害と同一の部位について，業務上の負傷又は疾病によって障害の程度がさらに重くなることをいう。したがって，自然的経過によって障害の程度が重くなった場合であっても加重には当たらない。 労働科目 272~273p

---

C　誤　本肢の障害補償給付の額は，「給付基礎日額の67日分」である（則14条5項）。なお，同一部位に障害等級に該当する身体障害が新たに加わっても，その結果，既存の身体障害の該当する障害等級よりも現存する身体障害の該当する障害等級が高くなければ，本肢の加重にならない。 労働科目 272~273p

D　誤　本肢の障害補償給付の額は，「給付基礎日額の67日分」である（則14条5項）。

労働科目
272～273p

E　誤　本肢の障害補償給付の額は，「給付基礎日額の67日分」である（則14条5項）。

労働科目
272～273p

R3-5	障害補償給付	重要度 B

問 36

業務上の災害により既に1上肢の手関節の用を廃し第8級の6（給付基礎日額の503日分）と障害等級を認定されていた者が，復帰直後の新たな業務上の災害により同一の上肢の手関節を亡失した場合，現存する障害は第5級の2（当該障害の存する期間1年につき給付基礎日額の184日分）となるが，この場合の障害補償の額は，当該障害の存する期間1年につき給付基礎日額の何日分となるかについての次の記述のうち，正しいものはどれか。

A 163.88日分

B 166.64日分

C 184日分

D 182.35日分

E 182.43日分

労災法

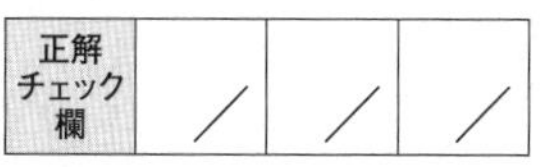

A　正　本肢のとおりである（則14条5項）。本肢は，障害補償給付の加重についての問題であり，本問の障害補償給付（年金）の額は，現在の身体障害の該当する障害等級5級の障害補償年金の額（給付基礎日額の184日分）から，既存の身体障害の該当する障害等級8級の障害補償一時金の額（給付基礎日額の503日分）を25で除して得た額を差し引いた額（給付基礎日額の「163.88日分」）となる。 労働科目 272～273p

---

B　誤　本肢の額は，本問の障害補償給付（年金）の額ではない。A肢解説を参照（則14条5項）。 労働科目 272～273p

C　誤　本肢の額は，本問の障害補償給付（年金）の額ではない。A肢解説を参照（則14条5項）。 労働科目 272～273p

D　誤　本肢の額は，本問の障害補償給付（年金）の額ではない。A肢解説を参照（則14条5項）。 労働科目 272～273p

E　誤　本肢の額は，本問の障害補償給付（年金）の額ではない。A肢解説を参照（則14条5項）。 労働科目 272～273p

R5-2	障害補償給付	重要度 A

業務上の災害により，ひじ関節の機能に障害を残し（第12級の6），かつ，四歯に対し歯科補てつを加えた（第14級の2）場合の，障害補償給付を支給すべき身体障害の障害等級として正しいものはどれか。

A 併合第10級

B 併合第11級

C 併合第12級

D 併合第13級

E 併合第14級

正解チェック欄	／	／	／

労災法

A 誤 同一の事故によって系列を異にする2以上の身体障害を残した場合，併合により，「重い方」の身体障害の該当する障害等級が，その複数の身体障害の障害等級となる。したがって，本問の身体障害の障害等級は「併合第12級」となる（則14条2項）。なお，併合繰上げは，同一の事故によって系列を異にする第13級以上の身体障害を2以上残した場合に行われるため，本問の場合には併合繰上げは行われない。 労働科目 272p

---

B 誤 誤りの記述である。本問A肢解説参照（則14条2項）。 労働科目 272p

C 正 本肢のとおりである。本問A肢解説参照（則14条2項）。 労働科目 272p

D 誤 誤りの記述である。本問A肢解説参照（則14条2項）。 労働科目 272p

E 誤 誤りの記述である。本問A肢解説参照（則14条2項）。 労働科目 272p

H30-2	介護補償給付等	重要度 A

問 38 業務災害に係る保険給付に関する次の記述のうち，正しいものはどれか。

A 傷病補償年金は，業務上負傷し，又は疾病にかかった労働者が，当該負傷又は疾病に係る療養の開始後1年を経過した日において次の①，②のいずれにも該当するとき，又は同日後次の①，②のいずれにも該当することとなったときに，その状態が継続している間，当該労働者に対して支給する。

①当該負傷又は疾病が治っていないこと。

②当該負傷又は疾病による障害の程度が厚生労働省令で定める傷病等級に該当すること。

B 介護補償給付は，障害補償年金又は傷病補償年金を受ける権利を有する労働者が，その受ける権利を有する障害補償年金又は傷病補償年金の支給事由となる障害であって厚生労働省令で定める程度のものにより，常時又は随時介護を要する状態にあり，かつ，常時又は随時介護を受けているときに，当該介護を受けている間，当該労働者に対し，その請求に基づいて行われるものであり，病院又は診療所に入院している間も行われる。

C 介護補償給付は，月を単位として支給するものとし，その月額は，常時又は随時介護を受ける場合に通常要する費用を考慮して厚生労働大臣が定める額とする。

D 療養補償給付としての療養の給付の範囲には，病院又は診療所における療養に伴う世話その他の看護のうち，政府が必要と認めるものは含まれるが，居宅における療養に伴う世話その他の看護が含まれることはない。

E 療養補償給付たる療養の費用の支給を受けようとする者は，①労働者の氏名，生年月日及び住所，②事業の名称及び事業場の所在地，③負傷又は発病の年月日，④災害の原因及び発生状況，⑤傷病名及び療養の内容，⑥療養に要した費用の額，⑦療養の給付を受けなかった理由，⑧労働者が複数事業労働者である場合は，その旨を記載した請求書を，所轄労働基準監督署長に提出しなければならないが，そのうち③及び⑥について事業主の証明を受けなければならない。

正解チェック欄	／	／	／

A 誤 傷病補償年金は，業務上負傷し，又は疾病にかかった労働者が，当該負傷又は疾病に係る療養の開始後「1年6箇月」を経過した日において本肢①及び②のいずれにも該当するとき，又は同日後本肢①及び②のいずれにも該当することとなったときに，その状態が継続している間，当該労働者に対して支給される（法12条の8第3項）。

労働科目 267p

B 誤 介護補償給付は，病院又は診療所に入院している間は，行われない。その他の記述は正しい（法12条の8第4項）。

労働科目 281p

C 正 本肢のとおりである（法19条の2）。なお，介護補償給付の月額は，介護を要する状態の区分及び介護に要する費用の支出に関する区分に従い，定められている。

労働科目 279p

D 誤 療養補償給付としての療養の給付の範囲には，「居宅における療養上の管理及びその療養に伴う世話その他の看護が含まれる」。本肢前段の記述は正しい（法13条2項）。

労働科目 263p

E 誤 療養補償給付たる療養の費用の支給を受けようとする場合において，請求書に記載する事項のうち，事業主の証明を受けなければならないものは，③負傷又は発病の年月日及び「④災害の原因及び発生状況」である。本肢前段の記述は正しい（則12条の2第1項・2項）。

H28-6

遺族補償給付

重要度 A

問 39 **遺族補償給付に関する次の記述のうち，誤っているものの組合せは，後記AからEまでのうちどれか。**

ア　傷病補償年金の受給者が当該傷病が原因で死亡した場合には，その死亡の当時その収入によって生計を維持していた妻は，遺族補償年金を受けることができる。

イ　労働者が業務災害により死亡した場合，当該労働者と同程度の収入があり，生活費を分担して通常の生活を維持していた妻は，一般に「労働者の死亡当時その収入によって生計を維持していた」ものにあたらないので，遺族補償年金を受けることはできない。

ウ　遺族補償年金を受ける権利は，その権利を有する遺族が，自分の伯父の養子となったときは，消滅する。

エ　遺族補償年金の受給権を失権したものは，遺族補償一時金の受給権者になることはない。

オ　労働者が業務災害により死亡した場合，その兄弟姉妹は，当該労働者の死亡の当時，その収入により生計を維持していなかった場合でも，遺族補償一時金の受給者となることがある。

A　(アとウ)　**B**　(イとエ)　**C**　(ウとオ)
D　(アとエ)　**E**　(イとオ)

正解チェック欄	／	／	／

本問のアからオまでのそれぞれの記述の正誤は以下のとおりであり，イ及びエが誤った記述となる。したがって，Bが解答となる。

ア　正　本肢のとおりである（法16条，法16条の2）。 労働科目 282~283p

イ　誤　労働者の死亡の当時における遺族の生活水準が年齢，職業等の事情が類似する一般人のそれをいちじるしく上回る場合を除き，当該遺族が死亡労働者の収入によって消費生活の全部又は一部を営んでいた関係（「生計依存関係」という）が認められる限り，当該遺族と死亡労働者との間に「生計維持関係」があったものと認めて差し支えないとされており，本肢の妻は，「労働者の死亡の当時その収入によって生計を維持していたものにあたり」，遺族補償年金を受けることが「できる」（昭41.10.22基発1108号）。 労働科目 282~283p

---

ウ　正　本肢のとおりである（法16条の4第1項3号）。遺族補償年金を受ける権利は，その権利を有する遺族が直系血族又は直系姻族「以外の者」の養子（届出をしていないが，事実上養子縁組関係と同様の事情にある者を含む）となったときは，消滅することとされている。伯父は直系血族又は直系姻族ではないことから，本肢の遺族補償年金を受ける権利は消滅する。 労働科目 285p

---

エ　誤　遺族補償一時金を受けることができる遺族は，労働者の死亡の当時の身分によるものとされており，労働者の死亡の当時その身分を有していた者であれば，遺族補償年金の受給権者が失権した場合であっても，遺族補償一時金の受給権者と「なることがある」（法16条の7，昭41.1.31基発73号）。 労働科目 287~288p

---

オ　正　本肢のとおりである（法16条の7）。 労働科目 287~288p

R3-6	遺族補償給付	重要度 A

問 40 遺族補償一時金を受けるべき遺族の順位に関する次の記述のうち，誤っているものはどれか。

A 労働者の死亡当時その収入によって生計を維持していた父母は，労働者の死亡当時その収入によって生計を維持していなかった配偶者より先順位となる。

B 労働者の死亡当時その収入によって生計を維持していた祖父母は，労働者の死亡当時その収入によって生計を維持していなかった父母より先順位となる。

C 労働者の死亡当時その収入によって生計を維持していた孫は，労働者の死亡当時その収入によって生計を維持していなかった子より先順位となる。

D 労働者の死亡当時その収入によって生計を維持していた兄弟姉妹は，労働者の死亡当時その収入によって生計を維持していなかった子より後順位となる。

E 労働者の死亡当時その収入によって生計を維持していた兄弟姉妹は，労働者の死亡当時その収入によって生計を維持していなかった父母より後順位となる。

正解チェック欄	／	／	／

A　誤　本肢の父母は，本肢の配偶者より「後順位」となる。遺族補償一時金を受けることができる遺族の順位は，①配偶者，②労働者の死亡の当時その収入によって生計を維持していた子，父母，孫及び祖父母，③前記②に該当しない子，父母，孫及び祖父母，④兄弟姉妹とされており，②及び③に掲げる者のうちにあっては，それぞれ，②及び③に掲げる順序によるものとされている（法16条の7）。 労働科目 287～288p

---

B　正　本肢のとおりである（法16条の7）。A肢解説を参照。 労働科目 287～288p

C　正　本肢のとおりである（法16条の7）。A肢解説を参照。 労働科目 287～288p

D　正　本肢のとおりである（法16条の7）。A肢解説を参照。 労働科目 287～288p

E　正　本肢のとおりである（法16条の7）。A肢解説を参照。 労働科目 287～288p

R5-5	遺族補償給付	重要度 A

問 41 遺族補償年金に関する次の記述のうち，正しいものはどれか。

A 妻である労働者の死亡当時，無職であった障害の状態にない50歳の夫は，労働者の死亡の当時その収入によって生計を維持していたものであるから，遺族補償年金の受給資格者である。

B 労働者の死亡当時，負傷又は疾病が治らず，身体の機能又は精神に労働が高度の制限を受ける程度以上の障害があるものの，障害基礎年金を受給していた子は，労働者の死亡の当時その収入によって生計を維持していたものとはいえないため，遺族補償年金の受給資格者ではない。

C 労働者の死亡当時，胎児であった子は，労働者の死亡の当時その収入によって生計を維持していたものとはいえないため，出生後も遺族補償年金の受給資格者ではない。

D 労働者が就職後極めて短期間の間に死亡したため，死亡した労働者の収入で生計を維持するに至らなかった遺族でも，労働者が生存していたとすればその収入によって生計を維持する関係がまもなく常態となるに至ったであろうことが明らかな場合は，遺族補償年金の受給資格者である。

E 労働者の死亡当時，30歳未満であった子のない妻は，遺族補償年金の受給開始から5年が経つと，遺族補償年金の受給権を失う。

正解チェック欄	／	／	／

A　誤　夫が遺族補償年金の受給資格者となるためには，労働者の死亡の当時労働者の収入によって生計を維持し，かつ，その死亡の当時55歳以上であるか，又は所定の障害の状態にあることが必要となる。本肢の夫は労働者の死亡の当時55歳未満（50歳）であり，障害の状態にもないため，本肢の夫は「遺族補償年金の受給資格者とならない」（法16条の２第１項，昭40法附則43条１項）。

労働科目 282p

B　誤　「労働者の死亡の当時その収入によって生計を維持していた」とは，労働者の死亡当時において，その収入によって日常の消費生活の全部又は一部を営んでおり，死亡労働者の収入がなければ通常の生活水準を維持することが困難となるような関係が常態であったかにより判断し，また，死亡労働者が遺族と同居し，ともに収入を得ていた場合においては相互に生計維持関係がないことが明らかに認められる場合を除き，生計維持関係を認めて差し支えないこととされている。したがって，障害基礎年金を受給していたからといって直ちに生計維持関係が否定されるわけではないため，本肢の子は遺族補償年金の受給資格者ではないとはいえない（昭41.10.22基発1108号）。

労働科目 282p

C　誤　労働者の死亡の当時胎児であった子が出生したときは，将来に向かって，その子は，労働者の死亡の当時その収入によって生計を維持していた子とみなされるため，「遺族補償年金の受給資格者となる」（法16条の２第２項）。

労働科目 282p

D　正　本肢のとおりである（昭41.10.22基発1108号）。

E　誤　本肢のような規定はない（法16条の４第１項）。

労働科目 285p

R6-5	遺族補償給付	重要度 A

問 42 遺族補償年金の受給権に関する次の記述のうち，正しいものはいくつあるか。なお，本問において，「遺族補償年金を受ける権利を有する遺族」を「当該遺族」という。

ア　遺族補償年金の受給権は，当該遺族が死亡したときには消滅する。

イ　遺族補償年金の受給権は，当該遺族が婚姻（届出をしていないが，事実上婚姻関係と同様の事情にある者を含む。）をしたときには消滅する。

ウ　遺族補償年金の受給権は，当該遺族が直系血族又は直系姻族以外の者の養子（届出をしていないが，事実上養子縁組関係と同様の事情にある者を含む。）となったときには消滅する。

エ　遺族補償年金の受給権は，当該遺族である子・孫が18歳に達した日以後の最初の3月31日が終了したときには消滅する。

オ　遺族補償年金の受給権は，当該遺族である兄弟姉妹が18歳に達した日以後の最初の3月31日が終了したときには消滅する。

A　一つ
B　二つ
C　三つ
D　四つ
E　五つ

正解チェック欄	／	／	／

本問アからオまでのそれぞれの記述の正誤は以下のとおりである。したがって，正しい記述はア，イ及びウの3つであり，Cが解答となる。

ア　正　本肢のとおりである（法16条の4第1項）。 労働科目 285p

イ　正　本肢のとおりである（法16条の4第1項）。 労働科目 285p

ウ　正　本肢のとおりである（法16条の4第1項）。なお，本肢の直系血族とは，遺族補償年金の受給権者の父母，祖父母，曽祖父母など直系の尊属又は卑属の者であり，血族については自然血族又は法定血族の別を問わない。 労働科目 285p

---

エ　誤　労働者の死亡の時から引き続き所定の障害の状態にある子又は孫である場合は，18歳に達した日以後の最初の3月31日が終了しても遺族補償年金の受給権は消滅しない（法16条の4第1項）。 労働科目 285p

---

オ　誤　労働者の死亡の時から引き続き所定の障害の状態にある兄弟姉妹である場合は，18歳に達した日以後の最初の3月31日が終了しても遺族補償年金の受給権は消滅しない（法16条の4第1項）。 労働科目 285p

H30-7	二次健康診断等給付	重要度 A

問 43 労災保険法の二次健康診断等給付に関する次の記述のうち，誤っているものはどれか。

A 一次健康診断の結果その他の事情により既に脳血管疾患又は心臓疾患の症状を有すると認められる場合には，二次健康診断等給付は行われない。

B 特定保健指導は，医師または歯科医師による面接によって行われ，栄養指導もその内容に含まれる。

C 二次健康診断の結果その他の事情により既に脳血管疾患又は心臓疾患の症状を有すると認められる労働者については，当該二次健康診断に係る特定保健指導は行われない。

D 二次健康診断を受けた労働者から，当該二次健康診断の実施の日から3か月以内にその結果を証明する書面の提出を受けた事業者は，二次健康診断の結果に基づき，当該健康診断項目に異常の所見があると診断された労働者につき，当該労働者の健康を保持するために必要な措置について，医師の意見をきかなければならない。

E 二次健康診断等給付を受けようとする者は，所定の事項を記載した請求書をその二次健康診断等給付を受けようとする健診給付病院等を経由して所轄都道府県労働局長に提出しなければならない。

正解チェック欄	／	／	／

A　正　本肢のとおりである（法26条1項）。なお，一次健康診断とは労働安全衛生法66条1項の規定による健康診断等のうち，直近のものをいう。

労働科目 296p

B　誤　特定保健指導は，医師又は「保健師」による面接によって行われる。その他の記述は正しい（法26条2項2号，平13.3.30基発233号）。

労働科目 297p

C　正　本肢のとおりである（法26条3項）。なお，脳血管疾患及び心臓疾患の発生の予防を目的としたものであることから，本肢の労働者については，特定保健指導は行われず，健康保険法の保険給付や療養（補償）等給付の対象となりうる。

労働科目 297p

D　正　本肢のとおりである（法27条，則18条の17，則18条の18，労働安全衛生法66条の4）。なお，本肢の異常の所見とは，原則として，二次健康診断に係る検査の数値が高い場合（HDLコレステロールにあっては，低い場合）であって，「異常なし」以外の所見をいう（平13.3.30基発233号）。

労働科目 297p

E　正　本肢のとおりである（則18条の19第1項）。なお，本肢の健診給付病院等とは，社会復帰促進等事業として設置された病院若しくは診療所又は都道府県労働局長の指定する病院若しくは診療所をいう（則11条の3第1項）。

労働科目 296p

MEMO

H27-4	保険給付の通則

問 44 労災保険の適用があるにもかかわらず，労働保険徴収法第4条の2第1項に規定する労災保険に係る保険関係成立届（以下，本問において「保険関係成立届」という。）の提出を行わない事業主に対する費用徴収のための故意又は重大な過失の認定に関する次の記述のうち，誤っているものはどれか。

なお，本問の「保険手続に関する指導」とは，所轄都道府県労働局，所轄労働基準監督署又は所轄公共職業安定所の職員が，保険関係成立届の提出を行わない事業主の事業場を訪問し又は当該事業場の事業主等を呼び出す方法等により，保険関係成立届の提出ほか所定の手続をとるよう直接行う指導をいう。また，「加入勧奨」とは，厚生労働省労働基準局長の委託する労働保険適用促進業務を行う一般法人全国労働保険事務組合連合会の支部である都道府県労働保険事務組合連合会（以下「都道府県労保連」という。）又は同業務を行う都道府県労保連の会員である労働保険事務組合が，保険関係成立届の提出ほか所定の手続について行う勧奨をいう。

A 事業主が，労災保険法第31条第1項第1号の事故に係る事業に関し，保険手続に関する指導を受けたにもかかわらず，その後10日以内に保険関係成立届を提出していなかった場合，「故意」と認定した上で，原則，費用徴収率を100％とする。

B 事業主が，労災保険法第31条第1項第1号の事故に係る事業に関し，加入勧奨を受けたにもかかわらず，その後10日以内に保険関係成立届を提出していなかった場合，「故意」と認定した上で，原則，費用徴収率を100％とする。

C 事業主が，労災保険法第31条第1項第1号の事故に係る事業に関し，保険手続に関する指導又は加入勧奨を受けておらず，労働保険徴収法第3条に規定する保険関係が成立した日から1年を経過してなお保険関係成立届を提出していなかった場合，原則，「重大な過失」と認定した上で，費用徴収率を40％とする。

キリトリ線

重要度 C

D 事業主が，保険手続に関する指導又は加入勧奨を受けておらず，かつ，事業主が，その雇用する労働者について，取締役の地位にある等労働者性の判断が容易でないといったやむを得ない事情のために，労働者に該当しないと誤認し，労働保険徴収法第３条に規定する保険関係が成立した日から１年を経過してなお保険関係成立届を提出していなかった場合，その事業において，当該保険関係成立日から１年を経過した後に生じた事故については，労災保険法第31条第１項第１号の「重大な過失」と認定しない。

E 事業主が，労災保険法第31条第１項第１号の事故に係る事業に関し，保険手続に関する指導又は加入勧奨を受けておらず，かつ，事業主が，本来独立した事業として取り扱うべき出張所等について，独立した事業には該当しないと誤認したために，当該事業の保険関係について直近上位の事業等他の事業に包括して手続をとり，独立した事業としては，労働保険徴収法第３条に規定する保険関係が成立した日から１年を経過してなお保険関係成立届を提出していなかった場合，「重大な過失」と認定した上で，原則，費用徴収率を40％とする。

労災法

キリトリ線

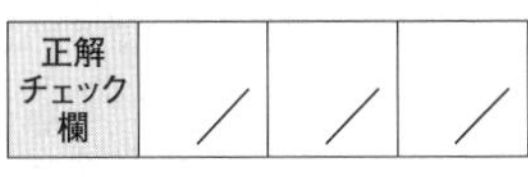

正解チェック欄	／	／	／

A　正　本肢のとおりである（平17.9.22基発0922001号）。

労働科目 308~309p

B　正　本肢のとおりである（平17.9.22基発0922001号）。

労働科目 308~309p

C　正　本肢のとおりである（平17.9.22基発0922001号）。

労働科目 308~309p

D　正　本肢のとおりである（平17.9.22基発0922001号）。

労働科目 308~309p

E　誤　本肢のように，事業主が，本来独立した事業として取り扱うべき出張所等について，独立した事業には該当しないと誤認したために，当該事業の保険関係について直近上位の事業等他の事業に包括して手続をとっている場合には，「重大な過失」と認定しないこととされており，費用徴収も行われないこととされている（平17.9.22基発0922001号）。

労働科目 308~309p

H30-4	保険給付の通則	重要度 A

問 45 労災保険に関する次の記述のうち，誤っているものはいくつあるか。

ア　労災保険法に基づく遺族補償年金を受ける権利を有する者が死亡した場合において，その死亡した者に支給すべき遺族補償年金でまだその者に支給しなかったものがあるときは，当該遺族補償年金を受けることができる他の遺族は，自己の名で，その未支給の遺族補償年金の支給を請求することができる。

イ　労災保険法に基づく遺族補償年金を受ける権利を有する者が死亡した場合において，その死亡した者が死亡前にその遺族補償年金を請求していなかったときは，当該遺族補償年金を受けることができる他の遺族は，自己の名で，その遺族補償年金を請求することができる。

ウ　労災保険法に基づく保険給付を受ける権利を有する者が死亡し，その者が死亡前にその保険給付を請求していなかった場合，未支給の保険給付を受けるべき同順位者が2人以上あるときは，その1人がした請求は，全員のためその全額につきしたものとみなされ，その1人に対してした支給は，全員に対してしたものとみなされる。

エ　労災保険法又は同法に基づく政令及び厚生労働省令に規定する期間の計算については，同省令において規定された方法によることとされており，民法の期間の計算に関する規定は準用されない。

オ　試みの使用期間中の者にも労災保険法は適用される。

A　一つ
B　二つ
C　三つ
D　四つ
E　五つ

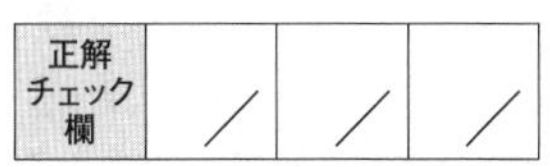

本問のアからオまでのそれぞれの記述の正誤は以下のとおりであり，エの1つのみが誤りの記述となる。したがって，Aが解答となる。

ア　正　本肢のとおりである（法11条1項）。なお，本肢に規定する未支給の保険給付の請求権者がいない場合には，死亡した受給権者の民法上の相続人が未支給の保険給付の請求権者となる（昭41.1.31基発73号）。

労働科目 300p

イ　正　本肢のとおりである（法11条1項・2項）。なお，未支給の保険給付の請求権者が，その未支給の保険給付を受けないうちに死亡した場合には，その死亡した未支給の保険給付の請求権者の相続人が請求権者となる（昭41.1.31基発73号）。

労働科目 300p

ウ　正　本肢のとおりである（法11条4項）。なお，本肢の「未支給の保険給付」とは，支給事由が生じた保険給付であって，①その請求されていないもの，②その請求があったがまだ支給決定がないもの及び③支給決定はあったがまだ現実に支払われていないものをいう（昭41.1.31基発73号）。

労働科目 301p

エ　誤　労災保険法又は同法に基づく政令及び厚生労働省令に規定する期間の計算については，民法の期間の計算に関する規定を「準用する」（法43条）。

オ　正　本肢のとおりである（法3条，労働基準法9条）。なお，労災保険の適用労働者の範囲は，労働基準法9条（労働者）に準じており，「適用事業に使用される者で，賃金を支払われる者」とされている。

労働科目 236p

キリトリ線

R2-2	保険給付の通則	重要度 A

問 46 労災保険に関する次の記述のうち，誤っているものはどれか。

A 船舶が沈没した際現にその船舶に乗っていた労働者の死亡が3か月以内に明らかとなり，かつ，その死亡の時期がわからない場合には，遺族補償給付，葬祭料，遺族給付及び葬祭給付の支給に関する規定の適用については，その船舶が沈没した日に，当該労働者は，死亡したものと推定する。

B 航空機に乗っていてその航空機の航行中行方不明となった労働者の生死が3か月間わからない場合には，遺族補償給付，葬祭料，遺族給付及び葬祭給付の支給に関する規定の適用については，労働者が行方不明となって3か月経過した日に，当該労働者は，死亡したものと推定する。

C 偽りその他不正の手段により労災保険に係る保険給付を受けた者があるときは，政府は，その保険給付に要した費用に相当する金額の全部又は一部をその者から徴収することができる。

D 偽りその他不正の手段により労災保険に係る保険給付を受けた者があり，事業主が虚偽の報告又は証明をしたためその保険給付が行われたものであるときは，政府は，その事業主に対し，保険給付を受けた者と連帯してその保険給付に要した費用に相当する金額の全部又は一部である徴収金を納付すべきことを命ずることができる。

E 労災保険法に基づく保険給付を受ける権利を有する者が死亡した場合において，その死亡した者に支給すべき保険給付でまだその者に支給しなかったものがあるときは，その者の配偶者（婚姻の届出をしていないが，事実上婚姻関係と同様の事情にあった者を含む。），子，父母，孫，祖父母又は兄弟姉妹であって，その者の死亡の当時その者と生計を同じくしていたもの（遺族補償年金については当該遺族補償年金を受けることができる他の遺族，複数事業労働者遺族年金については当該複数事業労働者遺族年金を受けることができる他の遺族，遺族年金については当該遺族年金を受けることができる他の遺族）は，自己の名で，その未支給の保険給付の支給を請求することができる。

正解チェック欄	／	／	／

労災法

A　正　本肢のとおりである（法10条）。なお，本肢の規定は，しばしば生死不明の事故のみられる船舶及び航空機に乗り込む労働者について，民法に定める失踪宣告及び行政庁による死亡認定に対する特例として短期の死亡推定規定を設け，迅速な補償を行うことにより，遺族等の保護を図っている。 労働科目 299p

---

B　誤　本肢の労働者は，「行方不明となった日」に，死亡したものと推定する（法10条）。 労働科目 299p

C　正　本肢のとおりである（法12条の3第1項）。なお，本肢の「偽りその他不正の手段」とは，保険給付を受ける手段として不正が行われた場合のすべてをいい，その不正行為は保険給付を受けた者の行為に限らない。 労働科目 310p

---

D　正　本肢のとおりである（法12条の3第2項）。なお，本肢の「保険給付を受けた者」とは，偽りその他不正の手段により，現実に，かつ，直接に保険給付を受けた者をいい，受給権を有する者に限らない。 労働科目 310p

---

E　正　本肢のとおりである（法11条1項）。なお，未支給の保険給付については，手続きを簡素化するため，同順位者が2人以上ある場合について，特別の規定が設けられているので，請求人の1人に全額を支給すればよいことになるが，2人以上が同時に請求した場合に，請求人の人数で等分して各人に支給することを排除する趣旨のものではない。 労働科目 300p

R6-7	保険給付の通則	重要度 A

問 47 労災保険給付に関する次のアからオの記述のうち，正しいものの組合せは，後記AからEまでのうちどれか。

ア　労働者が，重大な過失により，負傷，疾病，障害若しくは死亡又はこれらの原因となった事故を生じさせたときは，政府は，保険給付の全部又は一部を行わないことができる。

イ　労働者を重大な過失により死亡させた遺族補償給付の受給資格者は，遺族補償給付を受けることができる遺族としない。

ウ　労働者が，懲役，禁固若しくは拘留の刑の執行のため刑事施設に拘置されている場合には，休業補償給付は行わない。

エ　労働者が退職したときは，保険給付を受ける権利は消滅する。

オ　偽りその他不正の手段により労働者が保険給付を受けたときは，政府は，その保険給付に要した費用に相当する金額の全部又は一部を当該労働者を使用する事業主から徴収することができる。

A　(アとイ)　　**B**　(アとウ)　　**C**　(イとエ)

D　(ウとオ)　　**E**　(エとオ)

正解チェック欄	／	／	／

労災法

本問アからオまでのそれぞれの記述の正誤は以下のとおりである。したがって，アとウを正しい記述とするBが解答となる。

ア　正　本肢のとおりである（法12条の2の2第2項）。

労働科目 306p

イ　誤　労働者を「故意」に死亡させた者は，遺族補償給付を受けることができる遺族としない（法16条の9第1項）。

労働科目 288p

ウ　正　本肢のとおりである（法14条の2，則12条の4）。なお，本肢の休業補償給付独自の支給制限の規定は，複数事業労働者休業給付及び休業給付についても準用されている（法20条の4第2項，法22条の2第2項）。

労働科目 267p

エ　誤　保険給付を受ける権利は，労働者の退職によって変更されることはないとされているため，労働者が退職しても保険給付を受ける権利は「消滅しない」（法12条の5第1項）。

労働科目 305p

オ　誤　偽りその他不正の手段により保険給付を受けた者があるときは，政府は，その保険給付に要した費用に相当する金額の全部又は一部を「その者（不正受給者）」から徴収することができる（法12条の3第1項）。

労働科目 310p

R5-4	保険給付の通則	重要度 C

問 48 労災年金と厚生年金・国民年金との間の併給調整に関する次のアからオの記述のうち，正しいものはいくつあるか。
なお，昭和60年改正前の厚生年金保険法，船員保険法又は国民年金法の規定による年金給付が支給される場合については，考慮しない。また，調整率を乗じて得た額が，調整前の労災年金額から支給される厚生年金等の額を減じた残りの額を下回る場合も考慮しない。

ア　同一の事由により障害補償年金と障害厚生年金及び障害基礎年金を受給する場合，障害補償年金の支給額は，0.73の調整率を乗じて得た額となる。

イ　障害基礎年金のみを既に受給している者が新たに障害補償年金を受け取る場合，障害補償年金の支給額は，0.83の調整率を乗じて得た額となる。

ウ　障害基礎年金のみを受給している者が遺族補償年金を受け取る場合，遺族補償年金の支給額は，0.88の調整率を乗じて得た額となる。

エ　同一の事由により遺族補償年金と遺族厚生年金及び遺族基礎年金を受給する場合，遺族補償年金の支給額は，0.80の調整率を乗じて得た額となる。

オ　遺族基礎年金のみを受給している者が障害補償年金を受け取る場合，障害補償年金の支給額は，0.88の調整率を乗じて得た額となる。

A　一つ
B　二つ
C　三つ
D　四つ
E　五つ

労災法

本問アからオまでのそれぞれの記述の正誤は以下のとおりである。したがって，正しい記述はア及びエの2つであり，Bが解答となる。

ア　正　本肢のとおりである（令2条）。 労働科目 311p

イ　誤　労災保険法による年金給付と国民年金法及び厚生年金保険法による年金給付との併給調整は「同一の事由」により，これらの年金給付の受給権が生じた場合に行われるものである。本肢においては「新たに」との記載から同一の事由ではないと判断できるため，本肢の場合，「減額されない障害補償年金が支給される」（法別表1）。 労働科目 311p

---

ウ　誤　障害基礎年金と遺族補償年金との間では併給調整は行われないため，本肢の場合，「減額されない遺族補償年金が支給される」（法別表1）。 労働科目 311p

---

エ　正　本肢のとおりである（令2条）。 労働科目 311p

オ　誤　遺族基礎年金と障害補償年金との間では併給調整は行われないため，本肢の場合，「減額されない障害補償年金が支給される」（法別表1）。 労働科目 311p

H29-3	社会復帰促進等事業	重要度 C

問 49 社会復帰促進等事業に関する次の記述のうち，正しいものはいくつあるか。

ア　社会復帰促進等事業は，業務災害を被った労働者に関する事業であり，通勤災害を被った労働者は対象とされていない。

イ　政府は，社会復帰促進等事業のうち，事業場における災害の予防に係る事項並びに労働者の健康の保持増進に係る事項及び職業性疾病の病因，診断，予防その他の職業性疾病に係る事項に関する総合的な調査及び研究を，独立行政法人労働者健康安全機構に行わせる。

ウ　アフターケアは，対象傷病にり患した者に対して，症状固定後においても後遺症状が動揺する場合があること，後遺障害に付随する疾病を発症させるおそれがあることから，必要に応じて予防その他の保健上の措置として診察，保健指導，検査などを実施するものである。

エ　アフターケアの対象傷病は，厚生労働省令によってせき髄損傷等20の傷病が定められている。

オ　アフターケアを受けるためには，アフターケア手帳が必要であり，新規にこの手帳の交付を受けるには，事業場の所在地を管轄する都道府県労働局長に「健康管理手帳交付申請書」を提出することとされている。

A　一つ
B　二つ
C　三つ
D　四つ
E　五つ

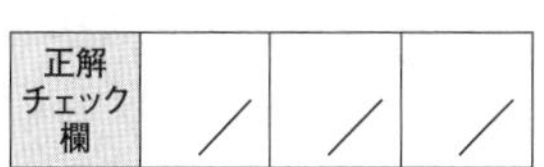

本問のアからオまでのそれぞれの記述の正誤は以下のとおりであり，イ，ウ及びオの3つが正しい記述となる。したがって，Cが解答となる。

ア　誤　社会復帰促進等事業は，「労災保険の適用事業に係る労働者及びその遺族」について行うことができるものとされており，業務災害を被った労働者のみならず，「通勤災害を被った労働者もその対象とされている」（法29条1項ほか）。

労働科目 318p

イ　正　本肢のとおりである（法29条3項，独立行政法人労働者健康安全機構法12条1項）。

労働科目 319p

ウ　正　本肢のとおりである（平19.4.23基発0423002号，社会復帰促進等事業としてのアフターケア実施要領ほか）。

エ　誤　アフターケアの対象傷病は，「社会復帰促進等事業としてのアフターケア実施要領の制定について」平成19年4月23日付け基発第0423002号に基づき，当該要領において，せき髄損傷等20の傷病が定められている（平19.4.23基発0423002号，社会復帰促進等事業としてのアフターケア実施要領ほか）。

オ　正　本肢のとおりである（平19.4.23基発0423002号，社会復帰促進等事業としてのアフターケア実施要領ほか）。

キリトリ線

R元-7	社会復帰促進等事業	重要度 B

問 50

政府が労災保険の適用事業に係る労働者及びその遺族について行う社会復帰促進等事業として誤っているものは，次のうちどれか。

A 被災労働者に係る葬祭料の給付

B 被災労働者の受ける介護の援護

C 被災労働者の遺族の就学の援護

D 被災労働者の遺族が必要とする資金の貸付けによる援護

E 業務災害の防止に関する活動に対する援助

キリトリ線

正解チェック欄	／	／	／

A　誤　被災労働者に係る葬祭料の給付は,「業務災害に関する保険給付」として行われるものであり，社会復帰促進等事業として行われるものではない（法12条の8第1項)。 労働科目 318~319p

---

B　正　本肢のとおりである（法29条1項2号)。なお，社会復帰促進等事業は，①社会復帰促進事業，②被災労働者等援護事業及び③安全衛生・労働条件等確保事業に分けられる。 労働科目 318~319p

---

C　正　本肢のとおりである（法29条1項2号)。なお，被災労働者の遺族の就学の援護は，被災労働者等援護事業の1つであり，政府が行うものとされている。 労働科目 318~319p

---

D　正　本肢のとおりである（法29条1項2号)。 労働科目 318~319p

E　正　本肢のとおりである（法29条1項3号)。なお，業務災害の防止に関する活動に対する援助は，安全衛生・労働条件等確保事業の1つであり，政府が行うものとされている。 労働科目 318~319p

R4-2	社会復帰促進等事業	重要度 C

問 51 労災保険法施行規則第33条に定める労災就学援護費に関する次の記述のうち，誤っているものはどれか。

A 労災就学援護費の支給対象には，傷病補償年金を受ける権利を有する者のうち，在学者等である子と生計を同じくしている者であり，かつ傷病の程度が重篤な者であって，当該在学者等に係る学資の支給を必要とする状態にあるものが含まれる。

B 労災就学援護費の支給対象には，障害年金を受ける権利を有する者のうち，在学者等である子と生計を同じくしている者であって，当該在学者等に係る職業訓練に要する費用の支給を必要とする状態にあるものが含まれる。

C 労災就学援護費の額は，支給される者と生計を同じくしている在学者等である子が中学校に在学する者である場合は，小学校に在学する者である場合よりも多い。

D 労災就学援護費の額は，支給される者と生計を同じくしている在学者等である子が特別支援学校の小学部に在学する者である場合と，小学校に在学する者である場合とで，同じである。

E 労災就学援護費は，支給される者と生計を同じくしている在学者等である子が大学に在学する者である場合，通信による教育を行う課程に在学する者か否かによって額に差はない。

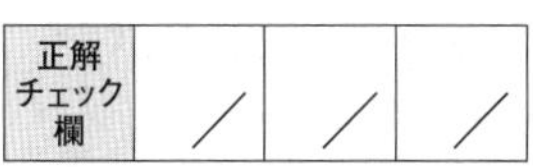

A　正　本肢のとおりである（則33条1項5号）。なお，労災就学援護費の支給対象には，本肢のほかに，遺族（補償）等年金を受ける権利を有する者のうち，労働者の死亡の当時その収入によって生計を維持していた当該労働者の子（当該労働者の死亡の当時胎児であった子を含む）で現に在学者等であるものと生計を同じくしている者であって，当該在学者等に係る学資等の支給を必要とする状態にあるものが含まれている（同項2号）。

B　正　本肢のとおりである（則33条1項4号）。なお，労災就学援護費の支給対象には，本肢のほかに，別表第一の障害等級第1級，第2級若しくは第3級の障害（補償）等年金を受ける権利を有する者のうち，在学者等であって，学資等の支給を必要とする状態にあるものが含まれている（同項3号）。

C　正　本肢のとおりである（則33条2項1号・2号）。

D　正　本肢のとおりである（則33条2項1号）。労災就学援護費の額は，支給される者と生計を同じくしている在学者等である子が，小学校に在学する者である場合も特別支援学校の小学部に在学する者である場合も，その額は，対象者1人につき月額1万5千円とされている。

E　誤　労災就学援護費の額は，支給される者と生計を同じくしている在学者等である子が，大学に在学する者である場合は対象者1人につき月額3万9千円，（ただし通信による教育を行う課程に在学する者である場合にあっては対象者1人につき月額3万円）とされており，これらの対象者に係る額には「差がある」（則33条2項4号）。

H28-7	特別支給金	重要度 A

問 52 特別支給金に関する次の記述のうち，誤っているものはどれか。

A 休業特別支給金の支給の申請に際しては，特別給与の総額について事業主の証明を受けたうえで，これを記載した届書を所轄労働基準監督署長に提出しなければならない。

B 休業特別支給金の額は，1日につき算定基礎日額の100分の20に相当する額とされる。

C 傷病特別支給金は，受給権者の申請に基づいて支給決定されることになっているが，当分の間，事務処理の便宜を考慮して，傷病（補償）等年金の支給を受けた者は，傷病特別支給金の申請を行ったものとして取り扱って差し支えないこととされている。

D 特別給与を算定基礎とする特別支給金は，特別加入者には支給されない。

E 障害補償年金前払一時金が支給されたため，障害補償年金が支給停止された場合であっても，障害特別年金は支給される。

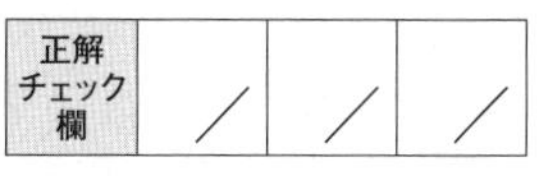

A 正 本肢のとおりである（特別支給金支給規則12条）。

B 誤 休業特別支給金の額は，原則として，1日につき「給付基礎日額」の100分の20に相当する額とされる（特別支給金支給規則3条）。 労働科目 320p

---

C 正 本肢のとおりである（昭56.6.27基発393号ほか）。 労働科目 321p

D 正 本肢のとおりである（特別支給金支給規則19条）。 労働科目 327p

E 正 本肢のとおりである（法附則59条3項，特別支給金支給規則7条ほか）。障害特別年金には前払一時金の制度はないため障害補償年金前払一時金が支給されたことにより，障害補償年金の支給が停止されている場合であっても，障害特別年金は支給される。 労働科目 324p

キリトリ線

R元-6	特別支給金	重要度 B

問 53 特別支給金に関する次の記述のうち，正しいものはいくつあるか。

ア　既に身体障害のあった者が，業務上の事由又は通勤による負傷又は疾病により同一の部位について障害の程度を加重した場合における当該事由に係る障害特別支給金の額は，現在の身体障害の該当する障害等級に応ずる障害特別支給金の額である。

イ　傷病特別支給金の支給額は，傷病等級に応じて定額であり，傷病等級第1級の場合は，114万円である。

ウ　休業特別支給金の支給を受けようとする者は，その支給申請の際に，所轄労働基準監督署長に，特別給与の総額を記載した届書を提出しなければならない。特別給与の総額については，事業主の証明を受けなければならない。

エ　特別加入者にも，傷病特別支給金に加え，特別給与を算定基礎とする傷病特別年金が支給されることがある。

オ　特別支給金は，社会復帰促進等事業の一環として被災労働者等の福祉の増進を図るために行われるものであり，譲渡，差押えは禁止されている。

A　一つ
B　二つ
C　三つ
D　四つ
E　五つ

労災法

正解チェック欄	／	／	／

本問のアからオまでのそれぞれの記述の正誤は以下のとおりであり，イ及びウの2つが正しい記述となる。したがって，Bが解答となる。

ア　誤　同一の部位について障害の程度を加重した場合における障害特別支給金の額は，現在の身体障害の該当する障害等級に応ずる障害特別支給金の額から，「既にあった身体障害の該当する障害等級に応ずる障害特別支給金の額を差し引いた額」による（特別支給金支給規則4条2項）。

労働科目 321p

イ　正　本肢のとおりである（特別支給金支給規則別表1の2）。なお，傷病特別支給金の額は，傷病等級に応じて，以下のように定められている。

傷病等級	額（一時金）
第1級	114万円
第2級	107万円
第3級	100万円

労働科目 321p

ウ　正　本肢のとおりである（特別支給金支給規則12条）。なお，休業特別支給金の支給申請は，休業特別支給金の支給の対象となる日の翌日から起算して2年以内に行わなければならない（特別支給金規則3条6項）。

エ　誤　特別加入者に対しては，「傷病特別年金は支給されない」（特別支給金支給規則19条）。

労働科目 327p

オ　誤　特別支給金の譲渡，差押えは「禁止されていない」（特別支給金支給規則20条ほか）。

労働科目 327p

R2-7	特別支給金	重要度 A

問 54 労災保険の特別支給金に関する次の記述のうち，誤っているものはどれか。

A 労災保険特別支給金支給規則第6条第1項に定める特別支給金の額の算定に用いる算定基礎年額（複数事業労働者に係る特別支給金の算定に用いる算定基礎年額を除く。）は，負傷又は発病の日以前1年間（雇入後1年に満たない者については，雇入後の期間）に当該労働者に対して支払われた特別給与（労働基準法第12条第4項の3か月を超える期間ごとに支払われる賃金をいう。）の総額とするのが原則であるが，いわゆるスライド率（労災保険法第8条の3第1項第2号の厚生労働大臣が定める率）が適用される場合でも，算定基礎年額が150万円を超えることはない。

B 特別支給金の支給の申請は，原則として，関連する保険給付の支給の請求と同時に行うこととなるが，傷病特別支給金，傷病特別年金の申請については，当分の間，休業特別支給金の支給の申請の際に特別給与の総額についての届出を行っていない者を除き，傷病（補償）等年金の支給の決定を受けた者は，傷病特別支給金，傷病特別年金の申請を行ったものとして取り扱う。

C 第三者の不法行為によって業務上負傷し，その第三者から同一の事由について損害賠償を受けていても，特別支給金は支給申請に基づき支給され，調整されることはない。

D 休業特別支給金の支給は，社会復帰促進等事業として行われているものであることから，その申請は支給の対象となる日の翌日から起算して5年以内に行うこととされている。

E 労災保険法による障害補償年金，傷病補償年金，遺族補償年金を受ける者が，同一の事由により厚生年金保険法の規定による障害厚生年金，遺族厚生年金等を受けることとなり，労災保険からの支給額が減額される場合でも，障害特別年金，傷病特別年金，遺族特別年金は減額されない。

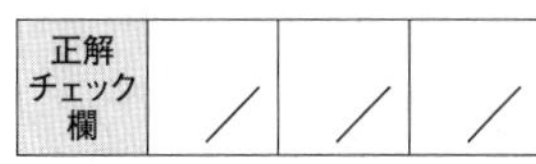

労災法

A　正　本肢のとおりである（特別支給金規則6条1項・3～5項）。複数事業労働者に係る特別支給金の算定に用いる算定基礎年額は，本肢の規定にかかわらず，原則として，当該複数事業労働者を使用する事業ごとに算定した算定基礎年額に相当する額を合算した額とされている（特別支給金規則6条2項）。

労働科目 323p

B　正　本肢のとおりである（昭56.6.27基発393号，昭56.7.4基発415号ほか）。なお，傷病（補償）等年金に係る傷病等級の変更が行われた場合には，傷病特別年金の変更も行われる（特別支給金規則11条3項）。

労働科目 321, 323p

C　正　本肢のとおりである（法12条の4ほか）。なお，年金たる特別支給金には，年金たる保険給付における法12条（年金の内払）及び法12条の2（過誤払による返還金債権への充当）と同様の規定がある（特別支給金規則14条，同則14条の2）。

労働科目 327p

D　誤　休業特別支給金の支給の申請は，その支給の対象となる日の翌日から起算して「2年以内」に行わなければならない（特別支給金規則3条6項）。

労働科目 343p

E　正　本肢のとおりである（法別表第1ほか）。なお，労災保険の年金たる保険給付は，同一の事由について国民年金や厚生年金保険の年金給付が支給されるときは，その額に政令で定める率を乗じて減額した額とされる。

労働科目 327p

キリトリ線

R2-3	特別加入	重要度 C

問 55 労災保険法第33条第5号の「厚生労働省令で定める種類の作業に従事する者」は労災保険に特別加入することができるが，「厚生労働省令で定める種類の作業」に当たる次の記述のうち，誤っているものはどれか。

A 国又は地方公共団体が実施する訓練として行われる作業のうち求職者を作業環境に適応させるための訓練として行われる作業

B 家内労働法第2条第2項の家内労働者又は同条第4項の補助者が行う作業のうち木工機械を使用して行う作業であって，仏壇又は木製若しくは竹製の食器の製造又は加工に係るもの

C 農業（畜産及び養蚕の事業を含む。）における作業のうち，厚生労働大臣が定める規模の事業場における土地の耕作若しくは開墾，植物の栽培若しくは採取又は家畜（家きん及びみつばちを含む。）若しくは蚕の飼育の作業であって，高さが1メートル以上の箇所における作業に該当するもの

D 日常生活を円滑に営むことができるようにするための必要な援助として行われる作業であって，炊事，洗濯，掃除，買物，児童の日常生活上の世話及び必要な保護その他家庭において日常生活を営むのに必要な行為

E 労働組合法第2条及び第5条第2項の規定に適合する労働組合その他これに準ずるものであって厚生労働大臣が定めるもの（常時労働者を使用するものを除く。以下「労働組合等」という。）の常勤の役員が行う集会の運営，団体交渉その他の当該労働組合等の活動に係る作業であって，当該労働組合等の事務所，事業場，集会場又は道路，公園その他の公共の用に供する施設におけるもの（当該作業に必要な移動を含む。）

労災法

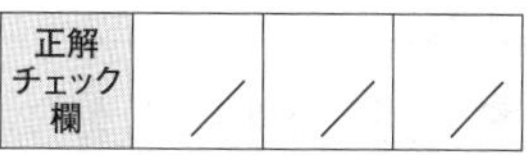

正解チェック欄	／	／	／

A　正　本肢のとおりである（則46条の18第2号イ）。本肢の「厚生労働省令で定める種類の作業」には，国又は地方公共団体が実施する訓練として行われる作業のうち，求職者の就職を容易にするために必要な技能を修得させるための職業訓練であって事業主又は事業主の団体に委託されたもの（厚生労働大臣が定めるものに限る）として行われる作業も含まれる（同号ロ）。 労働科目 334p

---

B　正　本肢のとおりである（則46条の18第3号へ）。本肢の「厚生労働省令で定める種類の作業」には，家内労働法第2条第2項の家内労働者又は同条第4項の補助者が行う作業のうち，合成樹脂，皮，ゴム，布又は紙の加工の作業も含まれる（同号イ）。 労働科目 334p

---

C　誤　本肢の作業は，本問の「厚生労働省令で定める種類の作業」には該当しない。なお，農業（畜産及び養蚕の事業を含む）における作業のうち，厚生労働大臣が定める規模の事業場における土地の耕作若しくは開墾，植物の栽培若しくは採取又は家畜（家きん及びみつばちを含む）若しくは蚕の飼育の作業であって，高さが「2メートル」以上の箇所における作業に該当するものは，本問の「厚生労働省令で定める種類の作業」に該当する（則46条の18第1号イ(2)）。 労働科目 334p

---

D　正　本肢のとおりである（則46条の18第5号ロ）。本肢の「厚生労働省令で定める種類の作業」には，日常生活を円滑に営むことができるようにするための必要な援助として行われる作業であって，介護労働者の雇用管理の改善等に関する法律に規定する介護関係業務に係る作業であって，入浴，排せつ，食事等の介護その他の日常生活上の世話，機能訓練又は看護に係るものも含まれる（同号ロ）。 労働科目 334p

---

E　正　本肢のとおりである（則46条の18第4号）。 労働科目 334p

R3-3	特別加入	重要度 B

問 56 特別加入に関する次の記述のうち，正しいものはどれか。

A 特別加入者である中小事業主が高齢のため実際には就業せず，専ら同業者の事業主団体の会合等にのみ出席するようになった場合であっても，中小企業の特別加入は事業主自身が加入する前提であることから，事業主と当該事業に従事する他の者を包括して加入しなければならず，就業実態のない事業主として特別加入者としないことは認められない。

B 労働者を使用しないで行うことを常態とする特別加入者である個人貨物運送業者については，その住居とその就業の場所との間の往復の実態を明確に区別できることにかんがみ，通勤災害に関する労災保険の適用を行うものとされている。

C 特別加入している中小事業主が行う事業に従事する者（労働者である者を除く。）が業務災害と認定された。その業務災害の原因である事故が事業主の故意又は重大な過失により生じさせたものである場合は，政府は，その業務災害と認定された者に対して保険給付を全額支給し，厚生労働省令で定めるところにより，その保険給付に要した費用に相当する金額の全部又は一部を事業主から徴収することができる。

D 日本国内で行われている有期事業でない事業を行う事業主から，海外（業務災害，複数業務要因災害及び通勤災害に関する保護制度の状況その他の事情を考慮して厚生労働省令で定める国の地域を除く。）の現地法人で行われている事業に従事するため派遣された労働者について，急な赴任のため特別加入の手続きがなされていなかった。この場合，海外派遣されてからでも派遣元の事業主（日本国内で実施している事業について労災保険の保険関係が既に成立している事業主）が申請すれば，政府の承認があった場合に特別加入することができる。

E 平成29年から介護作業従事者として特別加入している者が，訪問先の家庭で介護者以外の家族の家事支援作業をしているときに火傷し負傷した場合は，業務災害と認められることはない。

正解チェック欄	／	／	／

労災法

A　誤　本肢の就業実態のない事業主が，「自らを包括加入の対象から除外することを申し出た場合には，当該事業主を特別加入者としない」こととされており，この場合，当該事業主と当該事業に従事する他の者を「包括して加入する必要はない」（平15.5.20基発0520002号）。

B　誤　本肢の者は，その住居と就業の場所との間の往復の実態が明確でないこと等から，「通勤災害に関しては労災保険を適用しない」ものとされている（法35条1項，則46条の22の2ほか）。

労働科目
337p

C　誤　本肢の場合，政府は，「当該事故に係る保険給付の全部又は一部を行わないことができる」（法34条1項4号）。

労働科目
338～339p

D　正　本肢のとおりである（昭52.3.30基発192号）。海外派遣者として特別加入できる者は，新たに派遣される者に限られず，既に海外の事業に派遣されている者を特別加入させることも可能である。ただし，現地採用者は，海外派遣としての特別加入制度の趣旨及びその加入要件からみて，特別加入の資格がない。

E　誤　一人親方等の特別加入のうち特定作業従事者の特別加入の対象となる作業として，「介護作業及び家事支援作業」があるが，介護作業従事者として特別加入している者は，この「介護作業及び家事支援作業」に係る特別加入者として承認を受けているものとみなし，当該者は，介護作業のみならず，家事支援作業（炊事，洗濯，掃除，買物，児童の日常生活上の世話及び必要な保護その他家庭において日常生活を営むのに必要な行為を代行し又は補助する業務）の「いずれの作業にも従事するものとして取り扱われる」。したがって，本肢の災害は，「業務災害として認められ得る」（則46条の18第5号，平30.2.8基発0208第1号）。

R4-3	特別加入	重要度 A

問 57 厚生労働省令で定める数以下の労働者を使用する事業の事業主で，労働保険徴収法第33条第3項の労働保険事務組合に同条第1項の労働保険事務の処理を委託するものである者（事業主が法人その他の団体であるときは，代表者）は労災保険に特別加入することができるが，労災保険法第33条第1号の厚生労働省令で定める数以下の労働者を使用する事業の事業主に関する次の記述のうち，正しいものはどれか。

A 金融業を主たる事業とする事業主については常時100人以下の労働者を使用する事業主

B 不動産業を主たる事業とする事業主については常時100人以下の労働者を使用する事業主

C 小売業を主たる事業とする事業主については常時100人以下の労働者を使用する事業主

D サービス業を主たる事業とする事業主については常時100人以下の労働者を使用する事業主

E 保険業を主たる事業とする事業主については常時100人以下の労働者を使用する事業主

労災法

正解チェック欄	／	／	／

A 誤 金融業を主たる事業とする事業主については，常時「50人以下」の労働者を使用する事業主が，本問の中小事業主等の特別加入をすることができる（法33条1項1号，則46条の16）。

労働科目 332~333p

B 誤 不動産業を主たる事業とする事業主については，常時「50人以下」の労働者を使用する事業主が，本問の中小事業主等の特別加入をすることができる（法33条1項1号，則46条の16）。

労働科目 332~333p

C 誤 小売業を主たる事業とする事業主については，常時「50人以下」の労働者を使用する事業主が，本問の中小事業主等の特別加入をすることができる（法33条1項1号，則46条の16）。

労働科目 332~333p

D 正 本肢のとおりである（法33条1項1号，則46条の16）。なお，常時100人以下の労働者を使用する卸売業を主たる事業とする事業主であって，労働保険徴収法33条3項の労働保険事務組合に同条第1項の労働保険事務の処理を委託するものである者（事業主が法人その他の団体であるときは，代表者）は，労災保険に特別加入することができる。

労働科目 332~333p

E 誤 保険業を主たる事業とする事業主については，常時「50人以下」の労働者を使用する事業主が，本問の中小事業主等の特別加入をすることができる（法33条1項1号，則46条の16）。

労働科目 332~333p

キリトリ線

R6-6	特別加入	重要度 C

問 58 労災保険の海外派遣特別加入制度に関する次の記述のうち，誤っているものはどれか。

A 海外派遣者は，派遣元の団体又は事業主が，海外派遣者を特別加入させることについて政府の承認を申請し，政府の承認があった場合に特別加入することができる。

B 海外派遣者と派遣元の事業との雇用関係が，転勤，在籍出向，移籍出向等のいずれの形態で処理されていても，派遣元の事業主の命令で海外の事業に従事し，その事業との間に現実の労働関係をもつ限りは，特別加入の資格に影響を及ぼすものではない。

C 海外派遣者として特別加入している者が，同一の事由について派遣先の 事業の所在する国の労災保険から保険給付が受けられる場合には，わが国 の労災保険給付との間で調整がなされなければならない。

D 海外派遣者として特別加入している者の赴任途上及び帰任途上の災害については，当該特別加入に係る保険給付は行われない。

E 海外出張者として特段の加入手続を経ることなく当然に労災保険の保護を与えられるのか，海外派遣者として特別加入しなければ保護が与えられないのかは，単に労働の提供の場が海外にあるにすぎず国内の事業場に所属し，当該事業場の使用者の指揮に従って勤務するのか，海外の事業場に所属して当該事業場の使用者の指揮に従って勤務することになるのかという点からその勤務の実態を総合的に勘案して判定されるべきものである。

キリトリ線

正解チェック欄	／	／	／

A　正　本肢のとおりである（法36条1項）。

B　正　本肢のとおりである（法33条）。なお，海外派遣者の特別加入に係る申請は，当該申請に係る事業の労働保険番号及び名称並びに事業場の所在地等の所定の事項を記載した申請書を所轄労働基準監督署長を経由して所轄都道府県労働局長に提出することによって行わなければならない（則46条の25の2第1項）。

C　誤　海外派遣の特別加入者が，同一の事由について派遣先の事業の所在する国の労災保険から保険給付が受けられる場合であっても，我が国の労災保険給付との間の「調整は行う必要はない」（昭52.3.30基発192号）。

D　誤　海外派遣者として特別加入している者の災害業務上外の認定については，国内の労働者の場合に準ずることから，当該者に係る赴任途上及び帰任途上の災害であっても，保険給付が行われ得る（平3.2.1基発75号）。

E　正　本肢のとおりである（昭52.3.30基発192号）。お，海外派遣者の特別加入については，対象者全員を包括して加入申請することは要件とされておらず，申請を行う団体又は事業主は，対象者の中から任意に選択した者について特別加入の申請を行うことができる。

R5-6	不服申立て	重要度 A

問 59 労災保険給付に関する決定（処分）に不服がある場合の救済手続に関する次の記述のうち，正しいものはどれか。

A 労災保険給付に関する決定に不服のある者は，都道府県労働局長に対して審査請求を行うことができる。

B 審査請求をした日から1か月を経過しても審査請求についての決定がないときは，審査請求は棄却されたものとみなすことができる。

C 処分の取消しの訴えは，再審査請求に対する労働保険審査会の決定を経た後でなければ，提起することができない。

D 医師による傷病の治ゆ認定は，療養補償給付の支給に影響を与えることから，審査請求の対象となる。

E 障害補償給付の不支給処分を受けた者が審査請求前に死亡した場合，その相続人は，当該不支給処分について審査請求人適格を有する。

正解チェック欄	／	／	／

A　誤　保険給付に関する決定に不服のある者は，「労働者災害補償保険審査官」に対して審査請求をすることができる（法38条1項）。

労働科目 340p

B　誤　審査請求をした日から「3箇月」を経過しても審査請求についての決定がないときは，労働者災害補償保険審査官が審査請求を棄却したものとみなすことができる（法38条2項）。

労働科目 340p

C　誤　処分の取消しの訴えは，当該処分についての「審査請求に対する労働者災害補償保険審査官」の決定を経た後でなければ，提起することができない（法40条）。

労働科目 341p

D　誤　審査請求の対象となる「保険給付に関する決定」とは，直接，受給権者の権利に法律的効果を及ぼす処分をいう。したがって，傷病の治ゆの認定など決定の前提にすぎない単なる要件事実の認定は，ここにいう「決定に該当せず，審査請求の対象とならない」（法38条1項）。

労働科目 340p

E　正　本肢のとおりである（法38条1項）。

H30-3	雑　則	重要度 C

問 60　労災保険法に関する次の記述のうち，誤っているものはどれか。

A　市町村長（特別区の区長を含むものとし，地方自治法第252条の19第1項の指定都市においては，区長又は総合区長とする。）は，行政庁又は保険給付を受けようとする者に対して，当該市（特別区を含む。）町村の条例で定めるところにより，保険給付を受けようとする者又は遺族の戸籍に関し，無料で証明を行うことができる。

B　行政庁は，厚生労働省令で定めるところにより，保険関係が成立している事業に使用される労働者（労災保険法第34条第1項第1号，第35条第1項第3号又は第36条第1項第1号の規定により当該事業に使用される労働者とみなされる者を含む。）又は保険給付を受け，若しくは受けようとする者に対して，労災保険法の施行に関し必要な報告，届出，文書その他の物件の提出又は出頭を命ずることができる。

C　行政庁は，厚生労働省令で定めるところにより，労働者派遣法第44条第1項に規定する派遣先の事業主に対して，労災保険法の施行に関し必要な報告，文書の提出又は出頭を命ずることができる。

D　行政庁は，労災保険法の施行に必要な限度において，当該職員に，適用事業の事業場に立ち入り，関係者に質問させ，又は帳簿書類その他の物件を検査させることができ，立入検査をする職員は，その身分を示す証明書を携帯し，関係者に提示しなければならない。

E　行政庁は，保険給付を受け，又は受けようとする者（遺族（補償）等年金の額の算定の基礎となる者を含む。）の診療を担当した医師その他の者に対して，その行った診療に関する事項について，報告を命ずることはできない。

正解チェック欄	／	／	／

A　正　本肢のとおりである（法45条）。本肢の規定は，労災保険給付を円滑に行うこと及び労災保険給付の受ける者の便益のため，労災保険給付の請求時に用いる戸籍に関する証明について，各地方公共団体の制定する条例によって無料とすることができる旨を規定している。

B　正　本肢のとおりである（法47条）。本肢中「労災保険法第34条第1項第1号，第35条第1項第3号又は第36条第1項第1号の規定により当該事業に使用される労働者とみなされる者」とは，特別加入をしたことにより，労働者とみなされる者をいう。

C　正　本肢のとおりである（法46条）。なお，本肢の規定に違反した場合，派遣先の事業主は，6月以下の懲役又は30万円以下の罰金に処される（法51条1号）。

D　正　本肢のとおりである（法48条）。なお，本肢の帳簿書類とは，賃金台帳，労働者名簿等の労災保険法上必要とされる一切の帳簿書類である。

E　誤　行政庁は，本肢の医師その他の者に対して，その行った診療に関する事項について，報告を命ずることが「できる」（法49条1項）。

キリトリ線

R2-4	罰　　則	重要度 C

労災法

問 61 **労災保険法の罰則規定に関する次の記述のうち，正しいものはいくつあるか。**

ア　事業主が，行政庁から厚生労働省令で定めるところにより労災保険法の施行に関し必要な報告を命じられたにもかかわらず，報告をしなかった場合，6月以下の懲役又は30万円以下の罰金に処される。

イ　事業主が，行政庁から厚生労働省令で定めるところにより労災保険法の施行に関し必要な文書の提出を命じられたにもかかわらず，提出をしなかった場合，6月以下の懲役又は30万円以下の罰金に処される。

ウ　事業主が，行政庁から厚生労働省令で定めるところにより労災保険法の施行に関し必要な文書の提出を命じられた際に，虚偽の記載をした文書を提出した場合，6月以下の懲役又は30万円以下の罰金に処される。

エ　行政庁が労災保険法の施行に必要な限度において，当該職員に身分を示す証明書を提示しつつ事業場に立ち入り質問をさせたにもかかわらず，事業主が当該職員の質問に対し虚偽の陳述をした場合，6月以下の懲役又は30万円以下の罰金に処される。

オ　行政庁が労災保険法の施行に必要な限度において，当該職員に身分を示す証明書を提示しつつ事業場に立ち入り帳簿書類の検査をさせようとしたにもかかわらず，事業主が検査を拒んだ場合，6月以下の懲役又は30万円以下の罰金に処される。

A　一つ
B　二つ
C　三つ
D　四つ
E　五つ

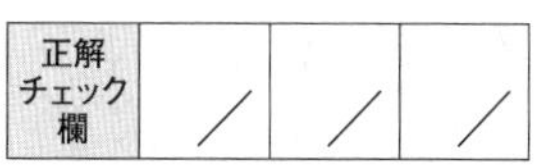

本問のアからオまでのそれぞれの記述の正誤は以下のとおりであり，ア，イ，ウ，エ及びオの5つが正しい記述となる。したがって，Eが解答となる。

ア　正　本肢のとおりである（法51条1号）。なお，行政庁は，厚生労働省令で定めるところにより，労働者を使用する者，労働保険事務組合，特別加入者の団体，派遣先の事業主又は船員派遣の役務の提供を受ける者に対して，労働者災害補償保険法の施行に関し必要な報告，文書の提出又は出頭を命ずることができる（法46条）。

労働科目 343p

イ　正　本肢のとおりである（法51条1号）。なお，法人の代表者又は法人若しくは人の代理人，使用人その他の従業者が，その法人又は人の業務に関して法51条又は法52条に掲げる違反行為をしたときは，行為者を罰するほか，その法人又は人に対しても罰金刑が科される（法54条）。

労働科目 343p

ウ　正　本肢のとおりである（法51条1号）。

エ　正　本肢のとおりである（法51条2号）。なお，行政庁は，労災保険法の施行に必要な限度において，当該職員に，適用事業の事業場，労働保険事務組合若しくは特別加入者の団体の事務所，特定作業従事者の団体の事務所，労働者派遣法の規定による派遣先の事業場又は船員派遣の役務の提供を受ける者の事業場に立ち入り，関係者に質問させ，又は帳簿書類その他の物件を検査させることができる（法48条）。

オ　正　本肢のとおりである（法51条2号）。

H27-5	総合問題

問 62 労災保険制度に関する次の記述のうち，誤っているものはどれか。

A 業務に従事している場合又は通勤途上である場合において被った負傷であって，他人の故意に基づく暴行によるものについては，当該故意が私的怨恨に基づくもの，自招行為によるものその他明らかに業務に起因しないものを除き，業務に起因する又は通勤によるものと推定することとされている。

B 医師，看護師等医療従事者の新型インフルエンザの予防接種（以下，本肢において「予防接種」という。）については，必要な医療体制を維持する観点から業務命令等に基づいてこれを受けざるを得ない状況にあると考えられるため，予防接種による疾病，障害又は死亡（以下，本肢において「健康被害」という。）が生じた場合（予防接種と健康被害との間に医学的な因果関係が認められる場合に限る。），当該予防接種が明らかに私的な理由によるものと認められる場合を除き，労働基準法施行規則第35条別表第1の2の6号の5の業務上疾病又はこれに起因する死亡等と取り扱うこととされている。

C 出向労働者が，出向先事業の組織に組み入れられ，出向先事業場の他の労働者と同様の立場（身分関係及び賃金関係を除く。）で，出向先事業主の指揮監督を受けて労働に従事し，出向元事業主と出向先事業主とが行った契約等により当該出向労働者が出向元事業主から賃金名目の金銭給付を受けている場合に，出向先事業主が当該金銭給付を出向先事業の支払う賃金として当該事業の賃金総額に含め保険料を納付する旨を申し出たとしても，当該金銭給付を出向先事業から受ける賃金とみなし当該出向労働者を出向先事業に係る保険関係によるものとして取り扱うことはできないこととされている。

重要度 **B**

D 船舶が沈没し，転覆し，滅失し，若しくは行方不明となった際現にその船舶に乗っていた労働者又は船舶に乗っていてその船舶の航行中に行方不明となった労働者の生死が3か月間わからない場合には，遺族補償給付，葬祭料，遺族給付及び葬祭給付の支給に関する規定の適用については，その船舶が沈没し，転覆し，滅失し，若しくは行方不明となった日又は労働者が行方不明となった日に，当該労働者は，死亡したものと推定することとされている。

E 航空機が墜落し，滅失し，若しくは行方不明となった際現にその航空機に乗っていた労働者又は航空機に乗っていてその航空機の航行中行方不明となった労働者の生死が3か月間わからない場合には，遺族補償給付，葬祭料，遺族給付及び葬祭給付の支給に関する規定の適用については，その航空機が墜落し，滅失し，若しくは行方不明となった日又は労働者が行方不明となった日に，当該労働者は，死亡したものと推定することとされている。

正解チェック欄	／	／	／

A 正 本肢のとおりである（昭49.3.4基収69号，昭49.6.19基収1276号ほか）。

B 正 本肢のとおりである（平21.10.30厚生労働省ホームページ新型インフルエンザに関する事業者・職場のＱ＆Ａ）。

C 誤 本肢の場合，出向先事業主が当該金銭給付を出向先事業の支払う賃金として当該事業の賃金総額に含め保険料を納付する旨の申出をしたときは，当該金銭給付を出向先事業から受ける賃金とみなし，当該出向労働者を出向先事業に係る保険関係によるものとして「取り扱うことができる」こととされている（昭35.11.2基発932号）。

D 正 本肢のとおりである（法10条）。「推定する」とは，反証がなされた場合（例えば，後日，労働者の生存が明らかとなった場合や労働者の死亡の時期について推定と異なる事実が明らかとなった場合）には，その明らかとなった事実に基づいて法律関係が処理されることとなるものであり，民法の規定による失踪宣告における「みなす」とは取扱いが異なる。「みなす」は，「推定する」とは異なり，反証を許さない（後にみなした内容と異なる事実が明らかとなった場合であっても法律関係の変更を行わない）ことに特色がある。 労働科目 299p

---

E 正 本肢のとおりである（法10条）。 労働科目 299p

H27-6	総合問題	重要度 A

問 63 労災保険法の保険給付等に関する次の記述のうち，正しいものはいくつあるか。

ア　労災保険給付として支給を受けた金品を標準として租税その他の公課を課することはできない。

イ　労災保険給付を受ける権利は，労働者の退職によって変更されることはない。

ウ　不正の手段により労災保険に係る保険給付を受けた者があるときは，政府は，その保険給付に要した費用に相当する金額の全部又は一部をその者から徴収することができる。

エ　休業特別支給金の支給の申請は，その対象となる日の翌日から起算して2年以内に行わなければならない。

オ　障害補償給付，遺族補償給付，介護補償給付，複数事業労働者障害給付，複数事業労働者遺族給付，複数事業労働者介護給付，障害給付，遺族給付及び介護給付を受ける権利は，これらを行使することができる時から5年を経過したときは，時効によって消滅する。

A　一つ
B　二つ
C　三つ
D　四つ
E　五つ

正解チェック欄	／	／	／

本問のアからオまでのそれぞれの記述の正誤は以下のとおりであり，アからエまでの4つが正しい記述となる。したがって，Dが解答となる。

ア　正　本肢のとおりである（法12条の6）。労働者災害補償保険に関する書類には，印紙税は課されない（法44条）。 労働科目 305p

---

イ　正　本肢のとおりである（法12条の5）。使用者による解雇，労働者の自由意思による任意退職，労働契約の期間満了による自動退職，定年退職，事業の廃止に伴う労働関係の終了等，退職の理由にかかわらず，受給権が変更されることはない。 労働科目 305p

---

ウ　正　本肢のとおりである（法12条の3）。また，事業主が虚偽の報告又は証明をしたため保険給付が行われたものであるときは，政府は，事業主に対し，保険給付を受けた者と連帯して徴収金を納付すべきことを命ずることができる（法12条の3第2項）。 労働科目 310p

---

エ　正　本肢のとおりである（特別支給金支給規則3条6項）。 労働科目 343p

オ　誤　介護補償給付，複数事業労働者介護給付及び介護給付を受ける権利は，これらを行使することができる時から2年を経過したときは時効によって消滅する。その他の記述は正しい（法42条）。 労働科目 342p

H27-7	総合問題	重要度 A

問 64 年金たる保険給付に関する次のアからオまでの記述のうち，誤っているものの組合せは，後記AからEまでのうちどれか。

ア　年金たる保険給付の支給は，支給すべき事由が生じた月から始められ，支給を受ける権利が消滅した月で終了する。

イ　年金たる保険給付の支給に係る給付基礎日額に1円未満の端数があるときは，その端数については切り捨てる。

ウ　傷病補償年金は，休業補償給付と併給されることはない。

エ　遺族補償年金を受ける権利を有する者の所在が1年以上明らかでない場合には，当該遺族補償年金は，同順位者があるときは同順位者の，同順位者がないときは次順位者の申請によって，その所在が明らかでない間，その支給を停止されるが，これにより遺族補償年金の支給を停止された遺族は，いつでも，その支給の停止の解除を申請することができる。

オ　遺族補償年金を受けることができる遺族が，遺族補償年金を受けることができる先順位又は同順位の他の遺族を故意に死亡させたときは，その者は，遺族補償年金を受けることができる遺族でなくなり，この場合において，その者が遺族補償年金を受ける権利を有する者であるときは，その権利は，消滅する。

A（アとイ）　**B**（アとオ）　**C**（イとエ）
D（ウとエ）　**E**（ウとオ）

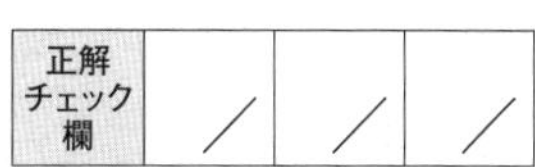

労災法

本問のアからオまでのそれぞれの記述の正誤は以下のとおりであり，ア及びイが誤った記述となる。したがって，Aが解答となる。

ア　誤　年金たる保険給付の支給は，支給すべき事由が生じた「月の翌月」から始められ，支給を受ける権利が消滅した月で終了する（法9条1項）。

労働科目 298p

イ　誤　給付基礎日額に1円未満の端数があるときは，その端数については「1円に切り上げる」こととされている（法8条の5）。

労働科目 260p

ウ　正　本肢のとおりである（法18条2項）。休業補償給付及び傷病補償年金は，ともに治ゆ前の給付であり，いずれも所得保障を目的としている。そのため，同一目的の給付は調整されるという原則により基づき，併給はされない。

労働科目 269p

エ　正　本肢のとおりである（法16条の5）。所在不明による支給停止は，所在不明となった月の翌月から支給停止が解除された月までの間について行われるため，支給停止が解除されたときは，その月の翌月から遺族補償年金の支給が再開される。

労働科目 284p

オ　正　本肢のとおりである（法16条の9）。

労働科目 288～289p

H29-6	総合問題

問 65 労災保険給付と損害賠償の関係に関する次の記述のうち，誤っているものはどれか。

A 政府が被災労働者に対し労災保険法に基づく保険給付をしたときは，当該労働者の使用者に対する損害賠償請求権は，その保険給付と同一の事由については損害の填補がされたものとしてその給付の価額の限度において減縮するが，同一の事由の関係にあることを肯定できるのは，財産的損害のうちの消極損害（いわゆる逸失利益）のみであり，保険給付が消極損害の額を上回るとしても，当該超過分を，財産的損害のうちの積極損害（入院雑費，付添看護費を含む。）及び精神的損害（慰謝料）を填補するものとして，これらとの関係で控除することは許されないとするのが，最高裁判所の判例の趣旨である。

B 労働者が使用者の不法行為によって死亡し，その損害賠償請求権を取得した相続人が遺族補償年金の支給を受けることが確定したときは，損害賠償額を算定するにあたり，当該遺族補償年金の填補の対象となる損害は，特段の事情のない限り，不法行為の時に填補されたものと法的に評価して，損益相殺的な調整をすることが相当であるとするのが，最高裁判所の判例の趣旨である。

C 労災保険法に基づく保険給付の原因となった事故が第三者の行為により惹起され，第三者が当該行為によって生じた損害につき賠償責任を負う場合において，当該事故により被害を受けた労働者に過失があるため損害賠償額を定めるにつきこれを一定の割合で斟酌すべきときは，保険給付の原因となった事由と同一の事由による損害の賠償額を算定するには，当該損害の額から過失割合による減額をし，その残額から当該保険給付の価額を控除する方法によるのが相当であるとするのが，最高裁判所の判例の趣旨である。

重要度 C

D　政府が被災労働者に支給する特別支給金は，社会復帰促進等事業の一環として，被災労働者の療養生活の援護等によりその福祉の増進を図るために行われるものであり，被災労働者の損害を塡補する性質を有するということはできず，したがって，被災労働者の受領した特別支給金を，使用者又は第三者が被災労働者に対し損害賠償すべき損害額から控除することはできないとするのが，最高裁判所の判例の趣旨である。

E　労災保険法に基づく保険給付の原因となった事故が第三者の行為により惹起された場合において，被災労働者が，示談により当該第三者の負担する損害賠償債務を免除した場合でも，政府がその後労災保険給付を行えば，当該第三者に対し損害賠償を請求することができるとするのが，最高裁判所の判例の趣旨である。

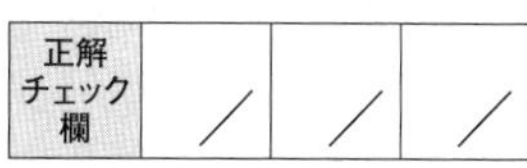

正解チェック欄	／	／	／

A　正　本肢のとおりである（最高裁第二小法廷判決 昭62.7.10 青木鉛鉄事件）。

B　正　本肢のとおりである（最高裁大法廷判決 平27.3.4 フォーカスシステムズ事件ほか）。

C　正　本肢のとおりである（最高裁第三小法廷判決 平元.4.11 高田建設事件）。

D　正　本肢のとおりである（最高裁第二小法廷判決 平8.2.23 コック食品事件）。

E　誤　本肢の被災労働者が示談により第三者の負担する損害賠償債務を免除した場合には，「その限度において損害賠償請求権は消滅するのであるから，政府がその後保険給付をしても，その請求権がなお存することを前提とする労災保険法第12条の4第2項による法定代位権の発生する余地のないことは明らかである」とするのが，最高裁判所の判例の趣旨である（最高裁第三小法廷判決 昭38.6.4 小野運送事件）。なお，当該最高裁判所の判例では，「被災労働者自らが，第三者の自己に対する損害賠償債務の全部又は一部を免除し，その限度において損害賠償請求権を喪失した場合においても，政府は，その限度において保険給付をする義務を免れるべきことは，規定をまつまでもない当然のことである」としている。

H29-7	総合問題	重要度 B

問 66 労災保険制度に関する次の記述のうち，誤っているものはどれか。

A 労災保険法による保険給付は，同法所定の手続により行政機関が保険給付の決定をすることにより給付の内容が具体的に定まり，受給者は，それ以前においては政府に対し具体的な一定の保険給付請求権を有しないとするのが，最高裁判所の判例の趣旨である。

B 労働基準監督署長の行う労災就学援護費の支給又は不支給の決定は，法を根拠とする優越的地位に基づいて一方的に行う公権力の行使とはいえず，被災労働者又はその遺族の権利に直接影響を及ぼす法的効果を有するものではないから，抗告訴訟の対象となる行政処分に当たらないとするのが，最高裁判所の判例の趣旨である。

C 最高裁判所の判例においては，労災保険法第34条第1項が定める中小事業主の特別加入の制度は，労働者に関し成立している労災保険の保険関係を前提として，当該保険関係上，中小事業主又はその代表者を労働者とみなすことにより，当該中小事業主又はその代表者に対する法の適用を可能とする制度である旨解説している。

D 保険給付を受ける権利は，労働者の退職によって変更されることはない。

E 労働者が，故意に負傷，疾病，障害若しくは死亡又はその直接の原因となった事故を生じさせたときは，政府は，保険給付を行わない。

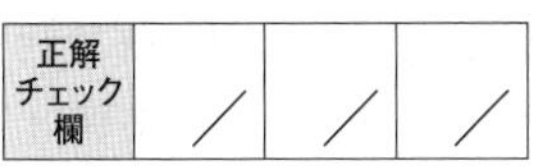

A 正 本肢のとおりである（最高裁第二小法廷判決 昭29.11.26 労働者災害補償保険金給付請求事件）。なお，労災保険の保険給付（傷病（補償）等年金を除く）を受ける権利は，①労働者等が所轄労働基準監督署長に対して保険給付の支給決定を請求する権利（抽象的請求権）と，②所轄労働基準監督署長が支給決定をした結果その者の権利として確定した保険給付の支払いを請求する権利（具体的請求権）との2つに分けて考えることができ，法12条の8に規定する「請求」は，①の抽象的請求権の行使であるとされている。

B 誤 労働基準監督署長の行う労災就学援護費の支給又は不支給の決定は，法を根拠とする優越的地位に基づいて一方的に行う「公権力の行使であり」，被災労働者又はその遺族の権利に直接影響を及ぼす法的効果を「有する」ものであるから，抗告訴訟の対象となる行政処分に「当たる」ものと解するのが相当であるとするのが，最高裁判所の判例の趣旨である（最高裁第一小法廷判決 平15.9.4 労災就学援護費不支給処分取消請求事件）。

C 正 本肢のとおりである（最高裁第二小法廷判決 平24.2.24 労働災害補償金不支給決定処分取消請求事件）。

D 正 本肢のとおりである（法12条の5）。使用者による解雇，労働者の自由意思による任意退職，労働契約の期間満了による自動退職，定年退職，事業の廃止に伴う労働関係の終了等，退職の理由にかかわらず，受給権が変更されることはない。

労働科目 305p

E 正 本肢のとおりである（法12条の2の2第1項）。なお，本肢の「故意」とは，自分の行為が一定の結果を生ずべきことを認識し，かつ，この結果を生ずることを認容することをいう。ただし，被災労働者が結果の発生を認容していても業務との因果関係が認められる事故については，法12条の2の2第1項の適用はない（昭40.7.31基発901号）。

労働科目 306p

R元-4 **総合問題** 重要度 C

問 67 派遣労働者に係る労災保険給付に関する次の記述のうち，誤っているものはどれか。

A 派遣労働者に係る業務災害の認定に当たっては，派遣労働者が派遣元事業主との間の労働契約に基づき派遣元事業主の支配下にある場合及び派遣元事業と派遣先事業との間の労働者派遣契約に基づき派遣先事業主の支配下にある場合には，一般に業務遂行性があるものとして取り扱うこととされている。

B 派遣労働者に係る業務災害の認定に当たっては，派遣元事業場と派遣先事業場との間の往復の行為については，それが派遣元事業主又は派遣先事業主の業務命令によるものであれば一般に業務遂行性が認められるものとして取り扱うこととされている。

C 派遣労働者に係る通勤災害の認定に当たっては，派遣元事業主又は派遣先事業主の指揮命令により業務を開始し，又は終了する場所が「就業の場所」となるため，派遣労働者の住居と派遣元事業場又は派遣先事業場との間の往復の行為は，一般に「通勤」となるものとして取り扱うこととされている。

D 派遣労働者の保険給付の請求に当たっては，当該派遣労働者に係る労働者派遣契約の内容等を把握するため，当該派遣労働者に係る「派遣元管理台帳」の写しを保険給付請求書に添付することとされている。

E 派遣労働者の保険給付の請求に当たっては，保険給付請求書の事業主の証明は派遣先事業主が行うこととされている。

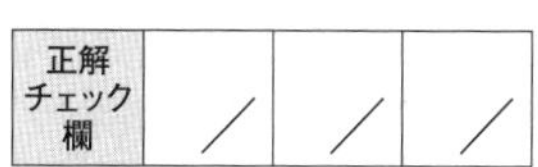

正解チェック欄	／	／	／

A　正　本肢のとおりである（昭61.6.30基発383号）。なお，本肢の労働者が労働契約等に基づいて事業主の支配下にある状態を業務遂行性という。

B　正　本肢のとおりである（昭61.6.30基発383号）。

C　正　本肢のとおりである（昭61.6.30基発383号）。なお，通勤による疾病の範囲については，労災保険法施行規則において「通勤による負傷に起因する疾病その他通勤に起因することの明らかな疾病」と規定されており，業務上の疾病と異なり具体的な疾病名は例示されていない（則18条の4）。

D　正　本肢のとおりである（昭61.6.30基発383号）。なお，療養（補償）等給付のみの請求がなされる場合にあっては，派遣先事業主に，療養（補償）等給付に係る請求書の記載事項のうち，事業主が証明する事項の記載内容が事実と相違ない旨，当該請求書の余白又は裏面に記載することとされている。

E　誤　派遣労働者の保険給付の請求に当たっては，保険給付請求書の事業主の証明は「派遣元事業主」が行うこととされている（昭61.6.30基発383号）。

R元-2	総合問題	重要度 B

問 68 保険給付に関する通知，届出等についての次の記述のうち，正しいものはいくつあるか。

ア　所轄労働基準監督署長は，年金たる保険給付の支給の決定の通知をするときは，①年金証書の番号，②受給権者の氏名及び生年月日，③年金たる保険給付の種類，④支給事由が生じた年月日を記載した年金証書を当該受給権者に交付しなければならない。

イ　保険給付の原因である事故が第三者の行為によって生じたときは，保険給付を受けるべき者は，その事実，第三者の氏名及び住所（第三者の氏名及び住所がわからないときは，その旨）並びに被害の状況を，遅滞なく，所轄労働基準監督署長に届け出なければならない。

ウ　保険給付を受けるべき者が，事故のため，自ら保険給付の請求その他の手続を行うことが困難である場合でも，事業主は，その手続を行うことができるよう助力する義務はない。

エ　事業主は，保険給付を受けるべき者から保険給付を受けるために必要な証明を求められたときは，すみやかに証明をしなければならない。

オ　事業主は，当該事業主の事業に係る業務災害又は通勤災害に関する保険給付の請求について，所轄労働基準監督署長に意見を申し出ることはできない。

A　一つ
B　二つ
C　三つ
D　四つ
E　五つ

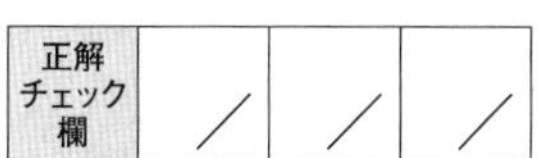

本問のアからオまでのそれぞれの記述の正誤は以下のとおりであり，ア，イ及びエの3つが正しい記述となる。したがって，Cが解答となる。

ア　正　本肢のとおりである（則20条）。なお，年金証書を交付された受給権者は，当該年金証書を亡失し若しくは著しく損傷し，又は受給権者の氏名に変更があったときは，年金証書の再交付を所轄労働基準監督署長に請求することができる（則20条の2第1項）。

イ　正　本肢のとおりである（則22条）。なお，政府は，保険給付の原因である事故が第三者の行為によって生じた場合において，保険給付をしたときは，その給付の価額の限度で，保険給付を受けた者が第三者に対して有する損害賠償の請求権を取得する（法12条の4第1項）。

労働科目 306p

ウ　誤　保険給付を受けるべき者が，事故のため，自ら保険給付の請求その他の手続を行うことが困難である場合には，事業主は，その手続を行うことができるように「助力しなければならない」（則23条1項）。

エ　正　本肢のとおりである（則23条2項）。

オ　誤　事業主は，当該事業主の事業に係る業務災害又は通勤災害に関する保険給付の請求について，所轄労働基準監督署長に意見を申し出ることが「できる」（則23条の2第1項）。

R元-1	総合問題	重要度 A

問 69 労災保険に関する次の記述のうち，誤っているものはどれか。

A 年金たる保険給付の支給は，支給すべき事由が生じた月の翌月から始めるものとされている。

B 事業主は，その事業についての労災保険に係る保険関係が消滅したときは，その年月日を労働者に周知させなければならない。

C 労災保険法，労働者災害補償保険法施行規則並びに労働者災害補償保険特別支給金支給規則の規定による申請書，請求書，証明書，報告書及び届書のうち厚生労働大臣が別に指定するもの並びに労働者災害補償保険法施行規則の規定による年金証書の様式は，厚生労働大臣が別に定めて告示するところによらなければならない。

D 行政庁は，保険給付に関して必要があると認めるときは，保険給付を受け，又は受けようとする者（遺族（補償）等年金の額の算定の基礎となる者を含む。）に対し，その指定する医師の診断を受けるべきことを命ずることができる。

E 労災保険に係る保険関係が成立し，若しくは成立していた事業の事業主又は労働保険事務組合若しくは労働保険事務組合であった団体は，労災保険に関する書類を，その完結の日から5年間保存しなければならない。

正解チェック欄	／	／	／

A 正 本肢のとおりである（法9条1項）。なお，年金たる保険給付の支給は，支給すべき事由が生じた月の翌月から始め，支給を受ける権利が消滅した月で終わるものする。

労働科目 298p

B 正 本肢のとおりである（則49条2項）。なお，事業主は，労災保険に関する法令のうち，労働者に関係のある規定の要旨，労災保険に係る保険関係成立日の年月日及び労働保険番号を常時事業場の見易い場所に掲示し，又は備え付ける等の方法によって，労働者に周知させなければならない（同条1項）。

C 正 本肢のとおりである（則54条）。

D 正 本肢のとおりである（法47条の2）。なお，本肢の命令は，所轄都道府県労働局長又は所轄労働基準監督署長が文書によって行うものとする（則51条の2）。

E 誤 労災保険に係る保険関係が成立し，若しくは成立していた事業の事業主又は労働保険事務組合若しくは労働保険事務組合であった団体は，労災保険に関する書類（労働保険徴収法又は労働保険徴収法施行規則による書類を除く）を，その完結の日から「3年間」保存しなければならない（則51条）。

労働科目 344p

MEMO

R6-4	総合問題

問 70

複数事業労働者（事業主が同一人でない2以上の事業に使用される労働者）の業務災害に係る保険給付に関する次の記述のうち，誤っているものはどれか。なお，A・Bにおいて，休業補償給付は，①「療養のため」②「労働することができない」ために③「賃金を受けない日」という三要件を満たした日の第4日目から支給されるものである（労災保険法第14条第1項本文）。また，C・Dにおいて，複数事業労働者につき，業務災害が発生した事業場を「災害発生事業場」と，それ以外の事業場を「非災害発生事業場」といい，いずれにおいても，当該労働者の離職時の賃金が不明である場合は考慮しない。

A 休業補償給付が支給される三要件のうち「労働することができない」に関して，業務災害に被災した複数事業労働者が，現に一の事業場において労働者として就労しているものの，他方の事業場において当該業務災害に係る通院のため，所定労働時間の全部又は一部について労働することができない場合には，「労働することができない」に該当すると認められることがある。

B 休業補償給付が支給される三要件のうち「賃金を受けない日」に関して，被災した複数事業労働者については，複数の就業先のうち，一部の事業場において，年次有給休暇等により当該事業場における平均賃金相当額（複数事業労働者を使用する事業ごとに算定した平均賃金に相当する額をいう。）の60％以上の賃金を受けることにより「賃金を受けない日」に該当しない状態でありながら，他の事業場において，当該業務災害による傷病等により無給での休業をしているため，「賃金を受けない日」に該当する状態があり得る。

重要度 C

C　複数事業労働者については，その疾病が業務災害による遅発性疾病である場合で，その診断が確定した日において，災害発生事業場を離職している場合の当該事業場に係る平均賃金相当額の算定については，災害発生事業場を離職した日を基準に，その日（賃金の締切日がある場合は直前の賃金締切日をいう。）以前3か月間に災害発生事業場において支払われた賃金により算定し，当該金額を基礎として，診断によって当該疾病発生が確定した日までの賃金水準の上昇又は変動を考慮して算定する。

D　複数事業労働者については，その疾病が業務災害による遅発性疾病である場合で，その診断が確定した日において，災害発生事業場を離職している場合の非災害発生事業場に係る平均賃金相当額については，算定事由発生日に当該事業場を離職しているか否かにかかわらず，遅発性疾病の診断が確定した日から3か月前の日を始期として，当該診断が確定した日までの期間中に，非災害発生事業場から賃金を受けている場合は，その3か月間に非災害発生事業場において支払われた賃金により算定する。

E　複数事業労働者に係る平均賃金相当額の算定において，雇用保険法等の一部を改正する法律（令和2年法律第14号。以下「改正法」という。）の施行日後に発生した業務災害たる傷病等については，当該傷病等の原因が生じた時点が改正法の施行日前であっても，当該傷病等が発生した時点において事業主が同一人でない2以上の事業に使用されていた場合は，給付基礎日額相当額を合算する必要がある。

正解チェック欄	／	／	／

A　正　本肢のとおりである（令3.3.18基管発0318第1号）。なお，本肢の「労働することができない」とは，必ずしも負傷直前と同一の労働ができないという意味ではなく，一般的に働けないことをいうことから，軽作業に就くことによって症状の悪化が認められない場合，あるいはその作業に実際に就労した場合には，休業補償給付の対象とはならない。

B　正　本肢のとおりである（令3.3.18基管発0318第1号）。なお，複数事業労働者の休業（補償）等給付に係る「賃金を受けない日」の判断については，まず複数就業先における事業場ごとに行い，その結果，一部の事業場でも賃金を受けない日に該当する場合には，当該日は法14条1項の「賃金を受けない日」に該当するものとして取り扱う一方，すべての事業場において賃金を受けない日に該当しない場合は，当該日は法14条1項の「賃金を受けない日」に該当せず，保険給付を行わない。

C　正　本肢のとおりである（令2.8.21基発0821第2号）。なお，複数事業労働者の離職時の賃金が不明であるときには，算定事由発生日における同種労働者の1日平均の賃金額等に基づいて算定する。

D　誤　複数事業労働者について，その疾病が業務災害による遅発性疾病である場合で，その診断が確定した日において，災害発生事業場を離職している場合の非災害発生事業場に係る平均賃金相当額については，算定事由発生日に当該事業場を離職しているか否かにかかわらず，「災害発生事業場を離職した日」から3か月前の日を始期として，「災害発生事業場における離職日まで」の期間中に，非災害発生事業場から賃金を受けている場合は，災害発生事業場を離職した日の直前の賃金締切日以前3か月間に非災害発生事業場等において支払われた賃金により算定し当該金額を基礎として，診断によって疾病発生が確定した日までの賃金水準の上昇又は変動を考慮して算定する（令2.8.21基発0821第2号）。

E　正　本肢のとおりである（令2.8.21基発0821第2号）。

第 4 編

雇用保険法

過去10年間の出題傾向

雇用保険法

□…選択式　○…択一式

出題項目＼年度	平成27年	平成28年	平成29年	平成30年	令和元年	令和2年	令和3年	令和4年	令和5年	令和6年
総則		□								
適用事業等		○		○				○		
被保険者	○			○		□○	○		○	□○
雇用保険事務			○		○	□○		○	○	○
失業等給付（通則）	□	○	□○				○			○
求職者給付	○	□○	○	□○	□○	○	□○	□○	□○	□○
給付制限			○			○				○
高年齢被保険者の求職者給付			○					○		
短期雇用特例被保険者の求職者給付							○			
日雇労働被保険者の求職者給付			□						□	
就職促進給付				○	○				○	
教育訓練給付	□○	○					○	□	○	
雇用継続給付	□○			○	□○			○		○
育児休業給付	○		○		□	○	○	○	○	□
雇用保険二事業			□○		○	○				○
費用の負担～罰則		□○		○		○		○		

H28-選択	目的・移転費・国庫負担	重要度 A

問 1　次の文中の□の部分を選択肢の中の適当な語句で埋め，完全な文章とせよ。

1　雇用保険法第1条は，「雇用保険は，労働者が失業した場合及び労働者について雇用の継続が困難となる事由が生じた場合に必要な給付を行うほか，労働者が自ら職業に関する教育訓練を受けた場合並びに労働者が子を養育するための休業及び所定労働時間を短縮することによる就業をした場合に必要な給付を行うことにより，労働者の［ A ］を図るとともに，［ B ］を容易にする等その就職を促進し，あわせて，労働者の職業の安定に資するため，失業の予防，雇用状態の是正及び雇用機会の増大，労働者の能力の開発及び向上その他労働者の［ C ］を図ることを目的とする。」と規定している。

2　雇用保険法第58条第2項は，「移転費の額は，［ D ］の移転に通常要する費用を考慮して，厚生労働省令で定める。」と規定している。

3　雇用保険法第25条第1項の措置が決定された場合には，国庫は，［ E ］を受ける者に係る求職者給付に要する費用の3分の1（同法第66条第1項第1号ロに掲げる場合は30分の1）を負担する。

選択肢

① 求職活動	② 訓練延長給付
③ 経済的社会的地位の向上	④ 広域延長給付
⑤ 雇用の安定	⑥ 雇用の促進
⑦ 受給資格者	⑧ 受給資格者等
⑨ 受給資格者等及びその者により生計を維持されている同居の親族	
⑩ 受給資格者等及び同居の親族	⑪ 職業訓練の実施
⑫ 職業生活の設計	⑬ 職業の選択
⑭ 生活の安定	⑮ 生活及び雇用の安定
⑯ 全国延長給付	
⑰ 全国延長給付及び訓練延長給付	
⑱ 地位の向上	⑲ 福祉の増進　⑳ 保　護

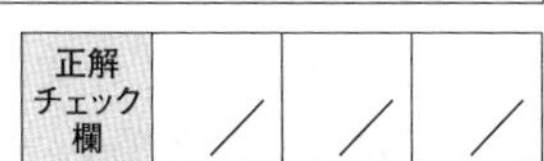

雇用法

【解　答】

A　⑮ 生活及び雇用の安定

B　① 求職活動

C　⑲ 福祉の増進

D　⑨ 受給資格者等及びその者により生計を維持されている同居の親族

E　④ 広域延長給付

【解　説】

本問1は，雇用保険法の目的に関する問題であり，雇用保険法（以下本問において「法」とする）1条からの出題である。

雇用保険法1条は，「雇用保険は，労働者が失業した場合及び労働者について雇用の継続が困難となる事由が生じた場合に必要な給付を行うほか，労働者が自ら職業に関する教育訓練を受けた場合並びに労働者が子を養育するための休業及び所定労働時間を短縮することによる就業をした場合に必要な給付を行うことにより，労働者の生活及び雇用の安定を図るとともに，求職活動を容易にする等その就職を促進し，あわせて，労働者の職業の安定に資するため，失業の予防，雇用状態の是正及び雇用機会の増大，労働者の能力の開発及び向上その他労働者の福祉の増進を図ることを目的とする。」と規定している。

労働科目 353p

本問2は，移転費に関する問題であり，法58条2項からの出題である。

雇用保険法58条2項は，「移転費の額は，受給資格者等及びその者により生計を維持されている同居の親族の移転に通常要する費用を考慮して，厚生労働省令で定める。」と規定している。

本問3は，国庫負担に関する問題であり，法67条ほかからの出題である。雇用保険法25条1項の措置が決定された場合には，国庫は，広域延長給付を受ける者に係る求職者給付に要する費用の3分の1（同法66条1項1号ロに掲げる場合は30分の1）を負担する。

労働科目 469p

MEMO

雇用法

R2-選択	被保険者・届出等

問 2　次の文中の[　　]の部分を選択肢の中の最も適切な語句で埋め，完全な文章とせよ。

1　雇用保険法の適用について，1週間の所定労働時間が[A]であり，同一の事業主の適用事業に継続して[B]雇用されることが見込まれる場合には，同法第6条第3号に規定する季節的に雇用される者，同条第4号に規定する学生又は生徒，同条第5号に規定する船員，同条第6号に規定する国，都道府県，市町村その他これらに準ずるものの事業に雇用される者を除き，パートタイマー，アルバイト，嘱託，契約社員，派遣労働者等の呼称や雇用形態の如何にかかわらず被保険者となる。

2　事業主は，雇用保険法第7条の規定により，その雇用する労働者が当該事業主の行う適用事業に係る被保険者となったことについて，当該事実のあった日の属する月の翌月[C]日までに，雇用保険被保険者資格取得届をその事業所の所在地を管轄する[D]に提出しなければならない。

雇用保険法第38条に規定する短期雇用特例被保険者については，[E]か月以内の期間を定めて季節的に雇用される者が，その定められた期間を超えて引き続き同一の事業主に雇用されるに至ったときは，その定められた期間を超えた日から被保険者資格を取得する。ただし，当初定められた期間を超えて引き続き雇用される場合であっても，当初の期間と新たに予定された雇用期間が通算して[E]か月を超えない場合には，被保険者資格を取得しない。

重要度 A

選択肢

① 1	② 4
③ 6	④ 10
⑤ 12	⑥ 15
⑦ 20	⑧ 30
⑨ 20時間以上	⑩ 21時間以上
⑪ 30時間以上	⑫ 31時間以上
⑬ 28日以上	⑭ 29日以上
⑮ 30日以上	⑯ 31日以上
⑰ 公共職業安定所長	
⑱ 公共職業安定所長又は都道府県労働局長	⑲ 都道府県労働局長
⑳ 労働基準監督署長	

雇用法

キリトリ線

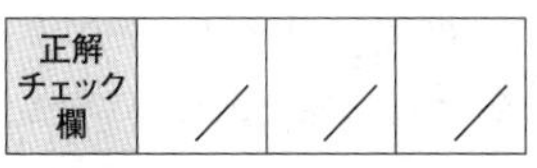

【解　答】

A　⑨ 20時間以上

B　⑯ 31日以上

C　④ 10

D　⑰ 公共職業安定所長

E　② 4

【解　説】

本問1は，被保険者に関する問題であり，雇用保険法（以下「法」とする）6条からの出題である。

雇用保険法の適用について，1週間の所定労働時間が20時間以上であり，同一の事業主の適用事業に継続して31日以上雇用されることが見込まれる場合には，法6条3号に規定する季節的に雇用される者，同条4号に規定する学生又は生徒，同条5号に規定する船員，同条第6号に規定する国，都道府県，市町村その他これらに準ずるものの事業に雇用される者を除き，パートタイマー，アルバイト，嘱託，契約社員，派遣労働者等の呼称や雇用形態の如何にかかわらず被保険者となる。

労働科目 357p

本問2は，雇用保険被保険者資格取得届及び短期雇用特例被保険者に関する問題であり，法6条，法7条，雇用保険法施行規則6条1項及び行政手引20555からの出題である。

事業主は，法7条の規定により，その雇用する労働者が当該事業主の行う適用事業に係る被保険者となったことについて，当該事実のあった日の属する月の翌月10日までに，雇用保険被保険者資格取得届をその事業所の所在地を管轄する公共職業安定所長に提出しなければならない。

労働科目 359p

法38条に規定する短期雇用特例被保険者については，4か月以内の期間を定めて季節的に雇用される者が，その定められた期間を超えて引き続き同一の事業主に雇用されるに至ったときは，その定められた期間を超えた日から被保険者資格を取得する。ただし，当初定められた期間を超えて引き続き雇用される場合であっても，当初の期間と新たに予定された雇用期間が通算して4か月を超えない場合には，被保険者資格を取得しない。

労働科目 407p

MEMO

雇用法

R3-選択	算定対象期間・失業の認定

問 3 次の文中の[　　]の部分を選択肢の中の最も適切な語句で埋め，完全な文章とせよ。なお，本問における認定対象期間とは，基本手当に係る失業の認定日において，原則として前回の認定日から今回の認定日の前日までの期間をいい，雇用保険法第32条の給付制限の対象となっている期間を含む。

---

1 被保険者期間の算定対象期間は，原則として，離職の日以前2年間（受給資格に係る離職理由が特定理由離職者又は特定受給資格者に該当する場合は2年間又は[A]）（以下「原則算定対象期間」という。）であるが，当該期間に疾病，負傷その他一定の理由により引き続き[B]日以上賃金の支払を受けることができなかった被保険者については，当該理由により賃金の支払を受けることができなかった日数を原則算定対象期間に加算した期間について被保険者期間を計算する。

2 被保険者が自己の責めに帰すべき重大な理由によって解雇され，又は正当な理由がなく自己の都合によって退職した場合における給付制限（給付制限期間が1か月となる場合を除く。）満了後の初回支給認定日（基本手当の支給に係る最初の失業の認定日をいう。）以外の認定日について，例えば，次のいずれかに該当する場合には，認定対象期間中に求職活動を行った実績が[C]回以上あれば，当該認定対象期間に属する，他に不認定となる事由がある日以外の各日について失業の認定が行われる。

イ　雇用保険法第22条第2項に規定する厚生労働省令で定める理由により就職が困難な者である場合

ロ　認定対象期間の日数が14日未満となる場合

ハ　[D]を行った場合

ニ　[E]における失業の認定及び市町村長の取次ぎによる失業の認定を行う場合

重要度 B

選択肢

A	① 1年間	② 1年と30日間
	③ 3年間	④ 4年間
B	① 14	② 20
	③ 28	④ 30
C	① 1	② 2
	③ 3	④ 4
D	① 求人情報の閲覧	② 求人への応募書類の郵送
	③ 職業紹介機関への登録	④ 知人への紹介依頼
E	① 巡回職業相談所	② 都道府県労働局
	③ 年金事務所	④ 労働基準監督署

雇用法

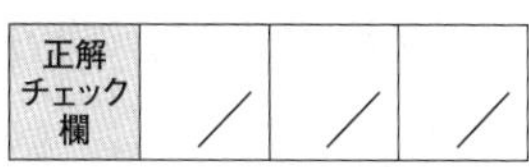

【解　答】

A　① 1年間

B　④ 30

C　① 1

D　② 求人への応募書類の郵送

E　① 巡回職業相談所

【解　説】

本問1は，算定対象期間に関する問題であり，雇用保険法13条からの出題である。

被保険者期間の算定対象期間は，原則として，離職の日以前2年間（受給資格に係る離職理由が特定理由離職者又は特定受給資格者に該当する場合は2年間又は1年間）（以下「原則算定対象期間」という）であるが，当該期間に疾病，負傷その他一定の理由により引き続き30日以上賃金の支払を受けることができなかった被保険者については，当該理由により賃金の支払を受けることができなかった日数を原則算定対象期間に加算した期間について被保険者期間を計算する。

労働科目
371~372p

本問2は，失業の認定に係る求職活動の実績に関する問題であり，行政手引51254からの出題である。

被保険者が自己の責めに帰すべき重大な理由によって解雇され，又は正当な理由がなく自己の都合によって退職した場合における給付制限（給付制限期間が1か月となる場合を除く）満了後の初回支給認定日（基本手当の支給に係る最初の失業の認定日をいう）以外の認定日について，例えば，次のいずれかに該当する場合には，認定対象期間中に求職活動を行った実績が1回以上あれば，当該認定対象期間に属する，他に不認定となる事由がある日以外の各日について失業の認定が行われる。

イ　雇用保険法22条２項に規定する厚生労働省令で定める理由により就職が困難な者である場合

ロ　認定対象期間の日数が14日未満となる場合

ハ　求人への応募書類の郵送を行った場合

ニ　巡回職業相談所における失業の認定及び市町村長の取次ぎによる失業の認定を行う場合

MEMO

R元-選択	待期・育児休業給付金	重要度 A

問 4 次の文中の［　　］の部分を選択肢の中の最も適切な語句で埋め，完全な文章とせよ。

1 雇用保険法第21条は，「基本手当は，受給資格者が当該基本手当の受給資格に係る離職後最初に公共職業安定所に求職の申込みをした日以後において，失業している日（［ A ］のため職業に就くことができない日を含む。）が［ B ］に満たない間は，支給しない。」と規定している。

2 育児休業給付金は，被保険者（短期雇用特例被保険者及び日雇労働被保険者を除く。）が，育児休業をした場合において，当該育児休業（当該子について2回以上の育児休業をした場合にあっては，初回の育児休業とする。以下同じ。）［ C ］前2年間（当該育児休業［ C ］前2年間に疾病，負傷その他厚生労働省令で定める理由により［ D ］賃金の支払を受けることができなかった被保険者については，当該理由により賃金の支払を受けることができなかった日数を2年に加算した期間（その期間が4年を超えるときは，4年間））に，みなし被保険者期間が［ E ］以上であったときに，支給単位期間について支給する。

雇用法

選択肢

① を開始する予定の日	② を開始した日
③ を事業主に申し出た日	④ 激甚災害その他の災害
⑤ 疾病又は負傷	⑥ 心身の障害
⑦ 通算して7日	⑧ 通算して10日
⑨ 通算して20日	⑩ 通算して30日
⑪ 通算して6箇月	⑫ 通算して12箇月
⑬ 引き続き7日	⑭ 引き続き10日
⑮ 引き続き20日	⑯ 引き続き30日
⑰ 引き続き6箇月	⑱ 引き続き12箇月
⑲ の申出が事業主に到達した日	⑳ 妊娠，出産又は育児

正解チェック欄	／	／	／

【解　答】

A　⑤ 疾病又は負傷

B　⑦ 通算して7日

C　② を開始した日

D　⑯ 引き続き30日

E　⑫ 通算して12箇月

【解　説】

本問1は，基本手当の待期期間に関する問題であり，雇用保険法（以下本問において「法」とする）21条からの出題である。

雇用保険法第21条は，「基本手当は，受給資格者が当該基本手当の受給資格に係る離職後最初に公共職業安定所に求職の申込みをした日以後において，失業している日（疾病又は負傷のため職業に就くことができない日を含む。）が通算して7日に満たない間は，支給しない。」と規定している。

労働科目 381p

本問2は，育児休業給付金に関する問題であり，法61条の7からの出題である。

育児休業給付金は，被保険者（短期雇用特例被保険者及び日雇労働被保険者を除く。）が，育児休業をした場合において，当該育児休業（当該子について2回以上の育児休業をした場合にあっては，初回の育児休業とする。以下同じ。）を開始した日前2年間（当該育児休業を開始した日前2年間に疾病，負傷その他厚生労働省令で定める理由により引き続き30日賃金の支払を受けることができなかった被保険者については，当該理由により賃金の支払を受けることができなかった日数を2年に加算した期間（その期間が4年を超えるときは，4年間））に，みなし被保険者期間が通算して12箇月以上であったときに，支給単位期間について支給する。

労働科目 449p

H30-選択　被保険者期間・高年齢再就職給付金

問 5　次の文中の［　　］の部分を選択肢の中の最も適切な語句で埋め，完全な文章とせよ。

1　雇用保険法第14条第1項は，「被保険者期間は，被保険者であった期間のうち，当該被保険者でなくなった日又は各月においてその日に応当し，かつ，当該被保険者であった期間内にある日（その日に応当する日がない月においては，その月の末日。以下この項において「喪失応当日」という。）の各前日から各前月の喪失応当日までさかのぼった各期間（賃金の支払の基礎となった日数が11日以上であるものに限る。）を1箇月として計算し，その他の期間は，被保険者期間に算入しない。ただし，当該被保険者となった日からその日後における最初の喪失応当日の前日までの期間の日数が［ A ］以上であり，かつ，当該期間内における賃金の支払の基礎となった日数が［ B ］以上であるときは，当該期間を［ C ］の被保険者期間として計算する。」と規定している。

2　雇用保険法第61条の2第1項は，「高年齢再就職給付金は，受給資格者（その受給資格に係る離職の日における第22条第3項の規定による算定基礎期間が［ D ］以上あり，かつ，当該受給資格に基づく基本手当の支給を受けたことがある者に限る。）が60歳に達した日以後安定した職業に就くことにより被保険者となった場合において，当該被保険者に対し再就職後の支給対象月に支払われた賃金の額が，当該基本手当の日額の算定の基礎となった賃金日額に30を乗じて得た額の100分の75に相当する額を下るに至ったときに，当該再就職後の支給対象月について支給する。ただし，次の各号のいずれかに該当するときは，この限りでない。

一　当該職業に就いた日（次項において「就職日」という。）の前日における支給残日数が，［ E ］未満であるとき。

二　当該再就職後の支給対象月に支払われた賃金の額が，支給限度額以上であるとき。」と規定している。

重要度 A

選択肢

①	8 日	②	9 日
③	10 日	④	11 日
⑤	15 日	⑥	16 日
⑦	18 日	⑧	20 日
⑨	60 日	⑩	90 日
⑪	100 日	⑫	120 日
⑬	4分の1箇月	⑭	3分の1箇月
⑮	2分の1箇月	⑯	1箇月
⑰	3 年	⑱	4 年
⑲	5 年	⑳	6 年

雇用法

正解チェック欄	／	／	／

【解　答】

A　⑤ 15日

B　④ 11日

C　⑮ 2分の1箇月

D　⑲ 5年

E　⑪ 100日

【解　説】

本問1は，被保険者期間に関する問題であり，雇用保険法（以下本問において「法」とする）14条1項からの出題である。

法14条1項は，「被保険者期間は，被保険者であった期間のうち，当該被保険者でなくなった日又は各月においてその日に応当し，かつ，当該被保険者であった期間内にある日（その日に応当する日がない月においては，その月の末日。以下この項において「喪失応当日」という。）の各前日から各前月の喪失応当日までさかのぼった各期間（賃金の支払の基礎となった日数が11日以上であるものに限る。）を1箇月として計算し，その他の期間は，被保険者期間に算入しない。ただし，当該被保険者となった日からその日後における最初の喪失応当日の前日までの期間の日数が15日以上であり，かつ，当該期間内における賃金の支払の基礎となった日数が11日以上であるときは，当該期間を2分の1箇月の被保険者期間として計算する。」と規定している。

労働科目 372p

本問2は，高年齢再就職給付金に関する問題であり，法61条の2第1項からの出題である。

法61条の2第1項は，「高年齢再就職給付金は，受給資格者（その受給資格に係る離職の日における法22条3項の規定による算定基礎期間が5年以上あり，かつ，当該受給資格に基づく基本手当の支給を受けたことがある者に限る。）が60歳に達した日以後安定した職業に就くことにより被保険者となった場合において，当該被保険者に対し再就職後の支給対象月に支払われた賃金の額が，当該基本手当の日額の算定の基礎となった賃金日額に30を乗じて得た額の100分の75に相当する額を下るに至ったときに，当該再就職後の支給対象月について支給する。ただし，次の各号のいずれかに該当するときは，この限りでない。

一　当該職業に就いた日（次項において「就職日」という。）の前日における支給残日数が，100日未満であるとき。

二　当該再就職後の支給対象月に支払われた賃金の額が，支給限度額以上であるとき。」と規定している。

労働科目
440p

R4-選択	賃金日額・教育訓練給付金

問 6 次の文中の［　　］の部分を選択肢の中の最も適切な語句で埋め，完全な文章とせよ。

1 雇用保険法第13条の算定対象期間において，完全な賃金月が例えば12あるときは，［ A ］に支払われた賃金（臨時に支払われる賃金及び3か月を超える期間ごとに支払われる賃金を除く。）の総額を180で除して得た額を賃金日額とするのが原則である。賃金日額の算定は［ B ］に基づいて行われるが，同法第17条第4項によって賃金日額の最低限度額及び最高限度額が規定されているため，算定した賃金日額が2,500円のときの基本手当日額は［ C ］となる。

なお，同法第18条第1項，第2項の規定による賃金日額の最低限度額（自動変更対象額）は2,790円，同法同条第3項の規定による最低賃金日額は2,869円とする。

2 雇用保険法第60条の2に規定する教育訓練給付金に関して，具体例で確認すれば，平成25年中に教育訓練給付金を受給した者が，次のアからエまでの時系列において，いずれかの離職期間中に開始した教育訓練について一般教育訓練に係る給付金の支給を希望するとき，平成26年以降で最も早く支給要件期間を満たす離職の日は［ D ］である。ただし，同条第5項及び同法施行規則第101条の2の9において，教育訓練給付金の額として算定された額が［ E ］ときは，同給付金は支給しないと規定されている。

ア　平成26年6月1日に新たにA社に就職し一般被保険者として就労したが，平成28年7月31日にA社を離職した。このときの離職により基本手当を受給した。

イ　平成29年9月1日に新たにB社へ就職し一般被保険者として就労したが，平成30年9月30日にB社を離職した。このときの離職により基本手当を受給した。

ウ　令和元年6月1日にB社へ再度就職し一般被保険者として就労したが，令和3年8月31日にB社を離職した。このときの離職では基本手当を受給しなかった。

重要度 **B**

エ　令和4年6月1日にB社へ再度就職し一般被保険者として就労したが，令和5年7月31日にB社を離職した。このときの離職では基本手当を受給しなかった。

選択肢

A	①　最後の完全な6賃金月	②　最初の完全な6賃金月
	③　中間の完全な6賃金月	①　任意の完全な6賃金月
B	①　雇用保険被保険者資格取得届	②　雇用保険被保険者資格喪失届
	③　雇用保険被保険者証	④　雇用保険被保険者離職票
C	①　1,395円	②　1,434円
	③　2,232円	④　2,295円
D	①　平成28年7月31日	②　平成30年9月30日
	③　令和3年8月31日	④　令和5年7月31日
E	①　2,000円を超えない	②　2,000円を超える
	③　4,000円を超えない	④　4,000円を超える

雇用法

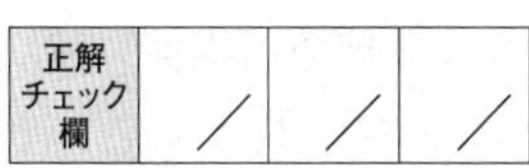

【解　答】

A　① 最後の完全な6賃金月

B　④ 雇用保険被保険者離職票

C　④ 2,295円

D　③ 令和3年8月31日

E　③ 4,000円を超えない

【解　説】

本問1は，賃金日額に関する問題であり，行政手引50451，行政手引50601，行政手引50616からの出題である。

雇用保険法第13条の算定対象期間において，完全な賃金月が例えば12あるときは，最後の完全な6賃金月に支払われた賃金（臨時に支払われる賃金及び3か月を超える期間ごとに支払われる賃金を除く。）の総額を180で除して得た額を賃金日額とするのが原則である。賃金日額の算定は雇用保険被保険者離職票に基づいて行われるが，同法第17条第4項によって賃金日額の最低限度額及び最高限度額が規定されているため，算定した賃金日額が2,500円のときの基本手当日額は2,295円となる。

労働科目 382p

なお，同法第18条第1項，第2項の規定による賃金日額の最低限度額（自動変更対象額）は2,790円，同法同条第3項の規定による最低賃金日額は2,869円とする。

本問2は，賃金日額に関する問題であり，雇用保険施行規則101条の2の5及び同則101条の2の9からの出題である。

雇用保険法第60条の2に規定する教育訓練給付金に関して，具体例で確認すれば，平成25年中に教育訓練給付金を受給した者が，次のアからエまでの時系列において，いずれかの離職期間中に開始した教育訓練について一般教育訓練に係る給付金の支給を希望するとき，平成26年以降で最も早く支給要件期間を満たす離職の日は令和3年8月31日である。ただし，同条第5項及び同法施行規則第101条

労働科目
427p

の2の9において，教育訓練給付金の額として算定された額が4,000円を超えないときは，同給付金は支給しないと規定されている。

ア　平成26年6月1日に新たにA社に就職し一般被保険者として就労したが，平成28年7月31日にA社を離職した。このときの離職により基本手当を受給した。

イ　平成29年9月1日に新たにB社へ就職し一般被保険者として就労したが，平成30年9月30日にB社を離職した。このときの離職により基本手当を受給した。

ウ　令和元年6月1日にB社へ再度就職し一般被保険者として就労したが，令和3年8月31日にB社を離職した。このときの離職では基本手当を受給しなかった。

エ　令和4年6月1日にB社へ再度就職し一般被保険者として就労したが，令和5年7月31日にB社を離職した。このときの離職では基本手当を受給しなかった。

H29-選択	未支給の基本手当の請求手続・日雇労働被保険者・雇用保険二事業	重要度	A

問 7

次の文中の［　　］の部分を選択肢の中の最も適切な語句で埋め，完全な文章とせよ。

1　未支給の基本手当の請求手続に関する雇用保険法第31条第1項は，「第10条の3第1項の規定により，受給資格者が死亡したため失業の認定を受けることができなかった期間に係る基本手当の支給を請求する者は，厚生労働省令で定めるところにより，当該受給資格者について［ A ］の認定を受けなければならない。」と規定している。

2　雇用保険法第43条第2項は，「日雇労働被保険者が前［ B ］の各月において［ C ］以上同一の事業主の適用事業に雇用された場合又は同一の事業主の適用事業に継続して31日以上雇用された場合において，厚生労働省令で定めるところにより公共職業安定所長の認可を受けたときは，その者は，引き続き，日雇労働被保険者となることができる。」と規定している。

3　雇用保険法第64条の2は，「雇用安定事業及び能力開発事業は，被保険者等の［ D ］を図るため，［ E ］の向上に資するものとなるよう留意しつつ，行われるものとする。」と規定している。

選択肢

A	① 失　業		② 死　亡	
	③ 未支給給付請求者		④ 未支給の基本手当支給	
B	① 2　月	② 3　月	③ 4　月	④ 6　月
C	① 11　日	② 16　日	③ 18　日	④ 20　日
D	① 雇用及び生活の安定		② 職業生活の安定	
	③ 職業の安定		④ 生活の安定	
E	① 経済的社会的地位		② 地　位	
	③ 労働条件		④ 労働生産性	

正解チェック欄	／	／	／

雇用法

【解　答】

A　① 失業

B　① 2月

C　③ 18日

D　③ 職業の安定

E　④ 労働生産性

【解　説】

本問1は，未支給の基本手当に関する問題であり，雇用保険法(以下本問において「法」とする）31条1項からの出題である。

未支給の基本手当の請求手続に関する雇用保険法第31条第1項は，「第10条の3第1項の規定により，受給資格者が死亡したため失業の認定を受けることができなかった期間に係る基本手当の支給を請求する者は，厚生労働省令で定めるところにより，当該受給資格者について失業の認定を受けなければならない。」と規定している。

本問2は，日雇労働被保険者であり，法43条2項からの出題である。

雇用保険法第43条第2項は，「日雇労働被保険者が前2月の各月において18日以上同一の事業主の適用事業に雇用された場合又は同一の事業主の適用事業に継続して31日以上雇用された場合において，厚生労働省令で定めるところにより公共職業安定所長の認可を受けたときは，その者は，引き続き，日雇労働被保険者となることができる。」と規定している。

労働科目 410~411p

本問3は，雇用保険二事業に関する問題であり，法64条の2からの出題である。

雇用保険法第64条の2は，「雇用安定事業及び能力開発事業は，被保険者等の職業の安定を図るため，労働生産性の向上に資するものとなるよう留意しつつ，行われるものとする。」と規定している。

労働科目 468p

R5-選択	技能習得手当・日雇労働求職者給付金・受給期間の延長

問 8

次の文中の［　　］の部分を選択肢の中の最も適切な語句で埋め，完全な文章とせよ。

1　技能習得手当は，受給資格者が公共職業安定所長の指示した公共職業訓練等を受ける場合に，その公共職業訓練等を受ける期間について支給する。技能習得手当は，受講手当及び［　A　］とする。受講手当は，受給資格者が公共職業安定所長の指示した公共職業訓練等を受けた日（基本手当の支給の対象となる日（雇用保険法第19条第1項の規定により基本手当が支給されないこととなる日を含む。）に限る。）について，［　B　］分を限度として支給するものとする。

2　雇用保険法第45条において，日雇労働求職者給付金は，日雇労働被保険者が失業した場合において，その失業の日の属する月の前2月間に，その者について，労働保険徴収法第10条第2項第4号の印紙保険料が「［　C　］分以上納付されているとき」に，他の要件を満たす限り，支給することとされている。また，雇用保険法第53条に規定する特例給付について，同法第54条において「日雇労働求職者給付金の支給を受けることができる期間及び日数は，基礎期間の最後の月の翌月以後4月の期間内の失業している日について，［　D　］分を限度とする。」とされている。

3　60歳の定年に達した受給資格者であり，かつ，基準日において雇用保険法第22条第2項に規定する就職が困難なものに該当しない者が，定年に達したことを機に令和4年3月31日に離職し，同年5月30日に6か月間求職の申込みをしないことを希望する旨を管轄公共職業安定所長に申し出て受給期間の延長が認められた後，同年8月1日から同年10月31日まで疾病により引き続き職業に就くことができなかった場合，管轄公共職業安定所長にその旨を申し出ることにより受給期間の延長は令和5年［　E　］まで認められる。

キリトリ線

重要度 B

選択肢

① 7月31日	② 9月30日	③ 10月31日	④ 12月31日
⑤ 30日	⑥ 40日	⑦ 50日	⑧ 60日
⑨ 移転費	⑩ 各月13日	⑪ 各月15日	⑫ 各月26日
⑬ 各月30日		⑭ 寄宿手当	
⑮ 教育訓練給付金		⑯ 通算して26日	
⑰ 通算して30日		⑱ 通算して52日	
⑲ 通算して60日		⑳ 通所手当	

雇用法

正解チェック欄	／	／	／

【解　答】

A　⑳ 通所手当

B　⑥ 40日

C　⑯ 通算して26日

D　⑲ 通算して60日

E　③ 10月31日

【解　説】

本問1は，技能習得手当に関する問題であり，雇用保険法施行規則56条及び同法施行規則57条からの出題である。

技能習得手当は，受給資格者が公共職業安定所長の指示した公共職業訓練等を受ける場合に，その公共職業訓練等を受ける期間について支給する。技能習得手当は，受講手当及び通所手当とする。受講手当は，受給資格者が公共職業安定所長の指示した公共職業訓練等を受けた日（基本手当の支給の対象となる日（雇用保険法19条1項の規定により基本手当が支給されないこととなる日を含む）に限る）について，40日分を限度として支給するものとする。

労働科目 401p

本問2は，日雇労働求職者給付金に関する問題であり，雇用保険法45条及び同法54条からの出題である。

雇用保険法45条において，日雇労働求職者給付金は，日雇労働被保険者が失業した場合において，その失業の日の属する月の前2月間に，その者について，労働保険徴収法10条2項4号の印紙保険料が「通算して26日分以上納付されているとき」に，他の要件を満たす限り，支給することとされている。また，雇用保険法53条に規定する特例給付について，同法54条において「日雇労働求職者給付金の支給を受けることができる期間及び日数は，基礎期間の最後の月の翌月以後4月の期間内の失業している日について，通算して60日分を限度とする。」とされている。

労働科目 412, 414p

本問3は，基本手当に係る受給期間の延長に関する問題であり，雇用保険法20条1項・2項及び行政手引50286からの出題である。

60歳の定年に達した受給資格者であり，かつ，基準日において雇用保険法22条2項に規定する就職が困難なものに該当しない者が，定年に達したことを機に令和4年3月31日に離職し，同年5月30日に6か月間求職の申込みをしないことを希望する旨を管轄公共職業安定所長に申し出て受給期間の延長が認められた後，同年8月1日から同年10月31日まで疾病により引き続き職業に就くことができなかった場合，管轄公共職業安定所長にその旨を申し出ることにより受給期間の延長は令和5年10月31日まで認められる。

労働科目
390～391p

H27-選択　高年齢求職者給付金・教育訓練支援給付金等

問 9　次の文中の［　　］の部分を選択肢の中の最も適切な語句で埋め，完全な文章とせよ。

1　雇用保険法第37条の3第1項は，「高年齢求職者給付金は，高年齢被保険者が失業した場合において，離職の日以前1年間（当該期間に疾病，負傷その他厚生労働省令で定める理由により引き続き30日以上賃金の支払を受けることができなかった高年齢被保険者である被保険者については，当該理由により賃金の支払を受けることができなかった日数を1年に加算した期間（その期間が4年を超えるときは，4年間））に，第14条の規定による被保険者期間が通算して［ A ］以上であったときに，次条に定めるところにより，支給する。」と規定している。

2　雇用保険法附則第11条の2第3項は，「教育訓練支援給付金の額は，第17条に規定する賃金日額（以下この項において単に「賃金日額」という。）に100分の50（2,460円以上4,920円未満の賃金日額（その額が第18条の規定により変更されたときは，その変更された額）については100分の80，4,920円以上12,910円以下の賃金日額（その額が第18条の規定により変更されたときは，その変更された額）については100分の80から100分の50までの範囲で，賃金日額の逓増に応じ，逓減するように厚生労働省令で定める率）を乗じて得た金額に［ B ］を乗じて得た額とする。」と規定している。

3　雇用保険法第10条の3第1項は，「失業等給付の支給を受けることができる者が死亡した場合において，その者に支給されるべき失業等給付でまだ支給されていないものがあるときは，その者の配偶者（婚姻の届出をしていないが，事実上婚姻関係と同様の事情にあった者を含む。），［ C ］は，自己の名で，その未支給の失業等給付の支給を請求することができる。」と規定している。

キリトリ線

重要度 **A**

4 雇用保険法第50条第1項は，「日雇労働求職者給付金は，日雇労働被保険者が失業した日の属する月における失業の認定を受けた日について，その月の前2月間に，その者について納付されている印紙保険料が通算して［ D ］日分以下であるときは，通算して［ E ］日分を限度として支給し，その者について納付されている印紙保険料が［ D ］日分を超えているときは，通算して，［ D ］日分を超える4日分ごとに1日を［ E ］日に加えて得た日数分を限度として支給する。ただし，その月において通算して17日分を超えては支給しない。」と規定している。

選択肢

① 10分の30　② 100分の40　③ 100分の80
④ 100分の60　⑤ 10　⑥ 11
⑦ 12　⑧ 13　⑨ 20　⑩ 28　⑪ 30　⑫ 31
⑬ 3箇月　⑭ 4箇月　⑮ 6箇月　⑯ 12箇月
⑰ 子，父母，孫，祖父母又は兄弟姉妹
⑱ 子，父母，孫，祖父母又は兄弟姉妹であって，その者の死亡の当時その者と生計を同じくしていたもの
⑲ 子，父母，孫，祖父母又はその者の死亡の当時その者と生計を同じくしていた兄弟姉妹
⑳ 子，父母又はその者の死亡の当時その者と生計を同じくしていた孫，祖父母若しくは兄弟姉妹

雇用法

キリトリ線

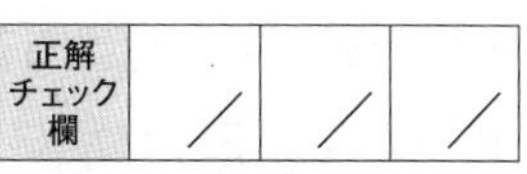

【解　答】

A　⑮ 6箇月

B　③ 100分の80

C　⑱ 子，父母，孫，祖父母又は兄弟姉妹であって，その者の死亡の当時その者と生計を同じくしていたもの

D　⑩ 28

E　⑧ 13

【解　説】

本問1は，高年齢求職者給付金に関する問題であり，雇用保険法（以下本問において「法」とする）37条の3第1項からの出題である。

高年齢求職者給付金は，高年齢被保険者が失業した場合において，離職の日以前1年間（当該期間に疾病，負傷その他厚生労働省令で定める理由により引き続き30日以上賃金の支払を受けることができなかった高年齢被保険者である被保険者については，当該理由により賃金の支払を受けることができなかった日数を1年に加算した期間（その期間が4年を超えるときは，4年間））に，被保険者期間が通算して6箇月以上であったときに，支給する。 労働科目 405p

本問2は，教育訓練支援給付金に関する問題であり，法附則11条の2第3項からの出題である。

教育訓練支援給付金の額は，第17条に規定する賃金日額（以下この項において単に「賃金日額」という。）に100分の50（2,460円以上4,920円未満の賃金日額（その額が第18条の規定により変更されたときは，その変更された額）については100分の80，4,920円以上12,910円以下の賃金日額（その額が第18条の規定により変更されたときは，その変更された額）については100分の80から100分の50までの範囲で，賃金日額の逓増に応じ，逓減するように厚生労働省令で定める率）を乗じて得た金額に100分の80を乗じて得た額とす 労働科目 433p

る。

本問3は，未支給の失業等給付に関する問題であり，法10条の3第1項からの出題である。

失業等給付の支給を受けることができる者が死亡した場合において，その者に支給されるべき失業等給付でまだ支給されていないものがあるときは，その者の配偶者（婚姻の届出をしていないが，事実上婚姻関係と同様の事情にあった者を含む），子，父母，孫，祖父母又は兄弟姉妹であって，その者の死亡の当時その者と生計を同じくしていたものは，自己の名で，その未支給の失業等給付の支給を請求することができる。

労働科目 367p

本問4は，日雇労働求職者給付金に関する問題であり，法50条1項からの出題である。

日雇労働求職者給付金は，日雇労働被保険者が失業した日の属する月における失業の認定を受けた日について，その月の前2月間に，その者について納付されている印紙保険料が通算して28日分以下であるときは，通算して13日分を限度として支給し，その者について納付されている印紙保険料が通算して28日分を超えているときは，28日分を超える4日分ごとに1日を13日に加えて得た日数分を限度として支給される。ただし，その月において通算して17日分を超えては支給されない。

労働科目 414p

R6-選択　出生時育児休業給付金・個別延長給付・被保険者

問 10　次の文中の［　　］の部分を選択肢の中の最も適切な語句で埋め，完全な文章とせよ。

1　被保険者が［ A ］，厚生労働省令で定めるところにより出生時育児休業をし，当該被保険者が雇用保険法第61条の8に規定する出生時育児休業給付金の支給を受けたことがある場合において，当該被保険者が同一の子について3回以上の出生時育児休業をしたとき，［ B ］回目までの出生時育児休業について出生時育児休業給付金が支給される。また，同一の子について当該被保険者がした出生時育児休業ごとに，当該出生時育児休業を開始した日から当該出生時育児休業を終了した日までの日数を合算して得た日数が［ C ］日に達した日後の出生時育児休業については，出生時育児休業給付金が支給されない。

2　被保険者が雇用されていた適用事業所が，激甚災害法第2条の規定による激甚災害の被害を受けたことにより，やむを得ず，事業を休止し，若しくは廃止したことによって離職を余儀なくされた者又は同法第25条第3項の規定により離職したものとみなされた者であって，職業に就くことが特に困難な地域として厚生労働大臣が指定する地域内に居住する者が，基本手当の所定給付日数を超えて受給することができる個別延長給付の日数は，雇用保険法第24条の2により［ D ］日（所定給付日数が雇用保険法第23条第1項第2号イ又は第3号イに該当する受給資格者である場合を除く。）を限度とする。

3　令和4年3月31日以降に就労していなかった者が，令和6年4月1日に65歳に達し，同年7月1日にX社に就職して1週当たり18時間勤務することとなった後，同年10月1日に季節的事業を営むY社に就職して1週当たり12時間勤務し二つの雇用関係を有するに至り，雇用保険法第37条の5第1項に基づく特例高年齢被保険者となることの申出をしていない場合，同年12月1日時点において当該者は［ E ］となる。

キリトリ線

	重要度 B

選択肢

A	① 一般被保険者であるときのみ ② 一般被保険者又は高年齢被保険者であるとき ③ 一般被保険者又は短期雇用特例被保険者であるとき ④ 一般被保険者又は日雇労働被保険者であるとき	
B	① 1 ③ 3	② 2 ④ 4
C	① 14 ③ 28	② 21 ④ 30
D	① 30 ③ 90	② 60 ④ 120
E	① 一般被保険者 ③ 雇用保険法の適用除外	② 高年齢被保険者 ④ 短期雇用特例被保険者

キリトリ線

雇用法

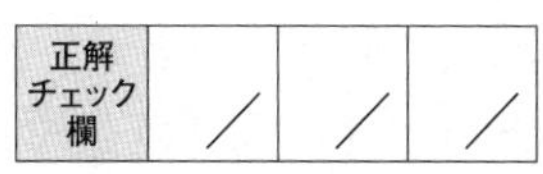

【解　答】

A　② 一般被保険者又は高年齢被保険者であるとき

B　② 2

C　③ 28

D　④ 120

E　③ 雇用保険法の適用除外

【解　説】

本問1は，出生時育児休業給付金に関する問題であり，雇用保険法61条の8第1項・2項からの出題である。

被保険者が一般被保険者又は高年齢被保険者であるとき，厚生労働省令で定めるところにより出生時育児休業をし，当該被保険者が雇用保険法61条の8に規定する出生時育児休業給付金の支給を受けたことがある場合において，当該被保険者が同一の子について3回以上の出生時育児休業をしたとき，2回目までの出生時育児休業について出生時育児休業給付金が支給される。また，同一の子について当該被保険者がした出生時育児休業ごとに，当該出生時育児休業を開始した日から当該出生時育児休業を終了した日までの日数を合算して得た日数が28日に達した日後の出生時育児休業については，出生時育児休業給付金が支給されない。

労働科目
454～455p

本問2は，個別延長給付に関する問題であり，雇用保険法24条の2第1項2号からの出題である。

被保険者が雇用されていた適用事業所が，激甚災害法2条の規定による激甚災害の被害を受けたことにより，やむを得ず，事業を休止し，若しくは廃止したことによって離職を余儀なくされた者又は同法25条3項の規定により離職したものとみなされた者であって，職業に就くことが特に困難な地域として厚生労働大臣が指定する地域内に居住する者が，基本手当の所定給付日数を超えて受給することができる個別延長給付の日数は，雇用保険法24条の2により120

労働科目
395p

日（所定給付日数が雇用保険法23条１項２号イ又は３号イに該当する受給資格者である場合を除く。）を限度とする。

本問３は，被保険者の適用除外に関する問題であり，雇用保険法６条１号，同法37条の５第２項，同法38条１項２号及び行政手引1090等からの出題である。

令和４年３月31日以降に就労していなかった者が，令和６年４月１日に65歳に達し，同年７月１日にＸ社に就職して１週当たり18時間勤務することとなった後，同年10月１日に季節的事業を営むＹ社に就職して１週当たり12時間勤務し二つの雇用関係を有するに至り，雇用保険法37条の５第１項に基づく特例高年齢被保険者となることの申出をしていない場合，同年12月１日時点において当該者は雇用保険法の適用除外となる。

MEMO

キリトリ線

R4-2	適　用	重要度 A

問 1　適用事業に関する次の記述のうち，正しいものはどれか。

A　法人格がない社団は，適用事業の事業主とならない。

B　雇用保険に係る保険関係が成立している建設の事業が労働保険徴収法第8条の規定による請負事業の一括が行われた場合，被保険者に関する届出の事務は元請負人が一括して事業主として処理しなければならない。

C　事業主が適用事業に該当する部門と暫定任意適用事業に該当する部門とを兼営する場合，それぞれの部門が独立した事業と認められるときであっても当該事業主の行う事業全体が適用事業となる。

D　日本国内において事業を行う外国会社（日本法に準拠してその要求する組織を具備して法人格を与えられた会社以外の会社）は，労働者が雇用される事業である限り適用事業となる。

E　事業とは，経営上一体をなす本店，支店，工場等を総合した企業そのものを指す。

正解チェック欄	／	／	／

A　誤　事業主は，自然人であると，法人であると又は法人格がない社団若しくは財団であるとを問わないものとされ，法人格がない社団の場合は，その社団そのものが事業主であることから，当該社団は要件を満たせば「適用事業の事業主となる」。なお，雇用保険の適用事業とは，労働者が雇用される事業をいう（法5条1項，行政手引20002）。

労働科目 354p

B　誤　本肢の請負事業の一括が行われた場合であっても，雇用保険の被保険者に関する届出の事務等雇用保険法の規定に基づく事務については，「元請人，下請人がそれぞれ別個の事業主として処理しなければならない」（法7条，行政手引20002）。

労働科目 495p

C　誤　事業主が適用事業に該当する部門と暫定任意適用事業に該当する部門とを兼業している場合であって，それぞれの部門が独立した事業と認められる場合は，「適用部門のみ」が適用事業となる（行政手引20106）。

D　正　本肢のとおりである（法5条1項，行政手引20051）。

労働科目 354p

E　誤　事業とは，反復継続する意思をもって業として行われるものをいうが，雇用保険法において事業とは，一の経営組織として独立性をもったもの，すなわち，一定の場所において一定の組織のものに有機的に相関連して行われる一体的な経営活動がこれに当たる。したがって，事業とは，経営上一体をなす本店，支店，工場等を総合した企業そのものを指すもの「ではなく」，「個々の本店，支店，工場，鉱山，事務所のように，一つの経営組織として独立性をもった経営体をいう」（行政手引20002）。

H27-1	適　用	重要度 A

問 2　雇用保険の被保険者に関する次の記述のうち，誤っているものはどれか。

A　農業協同組合，漁業協同組合の役員は，雇用関係が明らかでない限り雇用保険の被保険者とならない。

B　当初の雇入れ時に31日以上雇用されることが見込まれない場合であっても，雇入れ後において，雇入れ時から31日以上雇用されることが見込まれることとなった場合には，他の要件を満たす限り，その時点から一般被保険者となる。

C　学校教育法第1条，第124条又は第134条第1項の学校の学生又は生徒であっても，休学中の者は，他の要件を満たす限り雇用保険法の被保険者となる。

D　国家公務員退職手当法第2条第1項に規定する常時勤務に服することを要する者として国の事業に雇用される者のうち，離職した場合に法令等に基づいて支給を受けるべき諸給与の内容が，求職者給付，就職促進給付の内容を超えると認められる者は，雇用保険の被保険者とはならない。

E　生命保険会社の外務員，損害保険会社の外務員，証券会社の外務員は，その職務の内容，服務の態様，給与の算出方法等からみて雇用関係が明確でないので被保険者となることはない。

正解チェック欄	／	／	／

A　正　本肢のとおりである（行政手引20351）。

B　正　本肢のとおりである（法6条3号，行政手引20303）。

労働科目 357p

C　正　本肢のとおりである（法6条4号，則3条の2第2号）。学校教育法に規定する学校，専修学校又は各種学校の学生又は生徒であって，次に掲げる者以外の者は被保険者にならない。

①卒業を予定している者であって，適用事業に雇用され，卒業した後も引き続き当該事業に雇用されることとなっているもの
②休学中の者
③定時制の課程に在学する者
④前記①～③に準ずる者として職業安定局長が定めるもの

労働科目 358p

D　正　本肢のとおりである（法6条6号，則4条1項1号）。

労働科目 358p

E　誤　生命保険会社の外務員，損害保険会社の外務員，証券会社の外務員であっても，その職務の内容，服務の態様，給与の算出方法等の実態により判断して雇用関係が明確である場合は，被保険者となる（行政手引20351）。

労働科目 355p

H30-2	適　用	重要度 A

問 3　被保険者に関する次の記述のうち，誤っているものはどれか。

A　労働日の全部又はその大部分について事業所への出勤を免除され，かつ，自己の住所又は居所において勤務することを常とする在宅勤務者は，事業所勤務労働者との同一性が確認できる場合，他の要件を満たす限り被保険者となりうる。

B　一般被保険者たる労働者が長期欠勤している場合，雇用関係が存続する限り賃金の支払を受けていると否とを問わず被保険者となる。

C　株式会社の取締役であって，同時に会社の部長としての身分を有する者は，報酬支払等の面からみて労働者的性格の強い者であって，雇用関係があると認められる場合，他の要件を満たす限り被保険者となる。

D　特定非営利活動法人（NPO法人）の役員は，雇用関係が明らかな場合であっても被保険者となることはない。

E　身体上若しくは精神上の理由又は世帯の事情により就業能力の限られている者，雇用されることが困難な者等に対して，就労又は技能の習得のために必要な機会及び便宜を与えて，その自立を助長することを目的とする社会福祉施設である授産施設の職員は，他の要件を満たす限り被保険者となる。

雇用法

正解チェック欄	／	／	／

A 正 本肢のとおりである（行政手引20351）。なお，本肢の「事業所勤務労働者との同一性」とは，所属事業所において勤務する他の労働者と同一の就業規則等の諸規定（その性質上在宅勤務者に適用できない条項を除く）が適用されること（在宅勤務者に関する特別の就業規則等（労働条件，福利厚生が他の労働者とおおむね同等以上であるものに限る）が適用される場合を含む）をいう。

B 正 本肢のとおりである（行政手引20352）。なお，本肢の長期欠勤している期間は，基本手当の所定給付日数等を決定するための基礎となる算定基礎期間に算入される。

労働科目
356p

C 正 本肢のとおりである（行政手引20351）。なお，株式会社の代表取締役は，被保険者とならない。

労働科目
355p

D 誤 ＮＰＯ法人の役員は，雇用関係が明らかな場合には，「被保険者となり得る」（行政手引20351）。なお，ＮＰＯ法人の役員は，雇用関係が明らかでない場合は，被保険者とならない。

E 正 本肢のとおりである（行政手引20351）。なお，本肢の授産施設の職員以外の作業員は，原則として，被保険者とならない。

R3-1	適　用	重要度 C

問 4　**被保険者資格の有無の判断に係る所定労働時間の算定に関する次の記述のうち，誤っているものはどれか。**

A　雇用契約書等により1週間の所定労働時間が定まっていない場合やシフト制などにより直前にならないと勤務時間が判明しない場合，勤務実績に基づき平均の所定労働時間を算定する。

B　所定労働時間が1か月の単位で定められている場合，当該時間を12分の52で除して得た時間を1週間の所定労働時間として算定する。

C　1週間の所定労働時間算定に当たって，4週5休制等の週休2日制等1週間の所定労働時間が短期的かつ周期的に変動し，通常の週の所定労働時間が一通りでないとき，1週間の所定労働時間は，それらの加重平均により算定された時間とする。

D　労使協定等において「1年間の所定労働時間の総枠は○○時間」と定められている場合のように，所定労働時間が1年間の単位で定められている場合は，さらに，週又は月を単位として所定労働時間が定められている場合であっても，1年間の所定労働時間の総枠を52で除して得た時間を1週間の所定労働時間として算定する。

E　雇用契約書等における1週間の所定労働時間と実際の勤務時間に常態的に乖離がある場合であって，当該乖離に合理的な理由がない場合は，原則として実際の勤務時間により1週間の所定労働時間を算定する。

雇用法

正解チェック欄	／	／	／

A 正 本肢のとおりである（行政手引20303）。なお，本肢の「1週間の所定労働時間」とは，就業規則，雇用契約書等により，その者が通常の週に勤務すべきこととされている時間をいう。この場合の「通常の週」とは，祝祭日及びその振替休日，年末年始の休日や夏季休暇等の特別休日（すなわち，週休日その他概ね1か月以内の期間を周期として規則的に与えられる休日以外の休日）を含まない週をいう。

B 正 本肢のとおりである（行政手引20303）。なお，本肢の場合において，夏季休暇等のため，特定の月の所定労働時間が例外的に長く又は短く定められているときは，当該特定の月以外の通常の月の所定労働時間を12分の52で除して得た時間を1週間の所定労働時間とする。

C 正 本肢のとおりである（行政手引20303）。

D 誤 本肢の場合，「当該週又は月を単位として定められた所定労働時間により」1週間の所定労働時間を算定する（行政手引20303）。

E 正 本肢のとおりである（行政手引20303）。なお，本肢の1週間の所定労働時間の算定について，具体的には，事業所における入職から離職までの全期間を平均して1週間あたりの通常の実際の勤務時間が概ね20 時間以上に満たず，そのことについて合理的な理由がない場合は，原則として1週間の所定労働時間は20時間未満であると判断し，被保険者とならない。

R5-1	適　用	重要度 A

問 5 雇用保険の被保険者に関する次の記述のうち，誤っているものはどれか。

A　名目的に就任している監査役であって，常態的に従業員として事業主との間に明確な雇用関係があると認められる場合は，被保険者となる。

B　専ら家事に従事する家事使用人は，被保険者とならない。

C　個人事業の事業主と同居している親族は，当該事業主の業務上の指揮命令を受け，就業の実態が当該事業所における他の労働者と同様であり，賃金もこれに応じて支払われ，取締役等に該当しない場合には，被保険者となる。

D　ワーキング・ホリデー制度による入国者は，旅行資金を補うための就労が認められるものであることから，被保険者とならない。

E　日本の民間企業等に技能実習生（在留資格「技能実習1号イ」，「技能実習1号ロ」，「技能実習2号イ」及び「技能実習2号ロ」の活動に従事する者）として受け入れられ，講習を経て技能等の修得をする活動を行う者は被保険者とならない。

雇用法

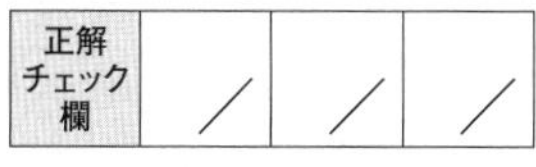

A 正 本肢のとおりである（行政手引20351）。なお，雇用保険法における「雇用関係」とは，労働者が事業主の支配を受けて，その規律の下に労働を提供し，その提供した労働の対償として事業主から賃金，給料その他これらに準ずるものの支払を受けている関係をいう（行政手引20004）。

労働科目
355p

B 正 本肢のとおりである（行政手引20351）。なお，適用事業の事業主に雇用され，主として家事以外の労働に従事することを本来の職務とする者は，例外的に家事に使用されることがあっても被保険者となる。

労働科目
356p

C 正 本肢のとおりである（行政手引20351）。なお，就業の実態が当該事業所における他の労働者と同様であり，賃金もこれに応じて支払われているかについては，特に①始業及び終業の時刻，休憩時間，休日，休暇等及び②賃金の決定，計算及び支払の方法，賃金の締切り及び支払の時期等について，就業規則その他これに準ずるものに定めるところにより，その管理が他の労働者と同様になされているかが条件となっている。

労働科目
356p

D 正 本肢のとおりである（行政手引20352）。本肢の者は，主として休暇を過ごすことを目的として入国し，その休暇の付随的な活動として旅行資金を補うための就労が認められるものであることから，被保険者とならない。

E 誤 日本の民間企業等に技能実習生として受け入れられ，技能等の修得をする活動を行う場合には，受入先の事業主と雇用関係にあるので，原則として，「被保険者となる」（行政手引20352）。

R6-1	適　用	重要度 A

問 6　雇用保険の被保険者に関する次の記述のうち，誤っているものはどれか。

A　報酬支払等の面からみて労働者的性格の強い者と認められる株式会社の代表取締役は被保険者となるべき他の要件を満たす限り被保険者となる。

B　適用事業の事業主に雇用されつつ自営業を営む者は，当該適用事業の事業主の下での就業条件が被保険者となるべき要件を満たす限り被保険者となる。

C　労働者が長期欠勤して賃金の支払を受けていない場合であっても，被保険者となるべき他の要件を満たす雇用関係が存続する限り被保険者となる。

D　中小企業等協同組合法に基づく企業組合の組合員は，組合との間に同法に基づく組合関係があることとは別に，当該組合との間に使用従属関係があり当該使用従属関係に基づく労働の提供に対し，その対償として賃金が支払われている場合，被保険者となるべき他の要件を満たす限り被保険者となる。

E　学校教育法に規定する大学の夜間学部に在籍する者は，被保険者となるべき他の要件を満たす限り被保険者となる。

正解チェック欄	／	／	／

必修基本書

A 誤　代表取締役は「被保険者とならない」(行政手引20351)。 労働科目 355p

B 正　本肢のとおりである(行政手引20352)。 労働科目 355p

C 正　本肢のとおりである(行政手引20352)。 労働科目 356p

D 正　本肢のとおりである(行政手引20351)。

E 正　本肢のとおりである(行政手引20303)。 労働科目 358p

R5-3	賃　　金	重要度 B

問 7 雇用保険法における賃金に関する次の記述のうち，誤っているものはどれか。

A　退職金相当額の全部又は一部を労働者の在職中に給与に上乗せする等により支払う，いわゆる「前払い退職金」は，臨時に支払われる賃金及び3か月を超える期間ごとに支払われる賃金に該当する場合を除き，原則として，賃金日額の算定の基礎となる賃金の範囲に含まれる。

B　支給額の計算の基礎が月に対応する住宅手当の支払が便宜上年3回以内にまとめて支払われる場合，当該手当は賃金日額の算定の基礎に含まれない。

C　基本手当の受給資格者が，失業の認定を受けた期間中に自己の労働によって収入を得た場合であって，当該収入を得るに至った日の後における最初の失業の認定日にその旨の届出をしないとき，公共職業安定所長は，当該失業の認定日において失業の認定をした日分の基本手当の支給の決定を次の基本手当を支給すべき日まで延期することができる。

D　雇用保険法第18条第3項に規定する最低賃金日額は，同条第1項及び第2項の規定により変更された自動変更対象額が適用される年度の4月1日に効力を有する地域別最低賃金の額について，一定の地域ごとの額を労働者の人数により加重平均して算定した額に20を乗じて得た額を7で除して得た額とされる。

E　介護休業に伴う勤務時間短縮措置により賃金が低下している期間に倒産，解雇等の理由により離職し，受給資格を取得し一定の要件を満たした場合であって，離職時に算定される賃金日額が当該短縮措置開始時に離職したとみなした場合に算定される賃金日額に比べて低い場合は，当該短縮措置開始時に離職したとみなした場合に算定される賃金日額により基本手当の日額が算定される。

正解チェック欄	／	／	／

雇用法

A　正　本肢のとおりである（行政手引50503）。なお，労働者の退職後（退職を事由として，事業主の都合等により退職前に一時金として支払われる場合を含む）に一時金又は年金として支払われるものは，賃金日額の算定の基礎に算入されない。

B　誤　単に支払事務の便宜等のために年間の給与回数が3回以内となるものは3か月を超える期間ごとに支払われる賃金に該当せず，賃金日額の算定の基礎となる賃金に含まれる（行政手引50453）。

C　正　本肢のとおりである（則29条2項）。なお，衣服，家具等を売却して得た収入，預金利息等は，本肢の「自己の労働による収入」に含まれない（行政手引51652）。

D　正　本肢のとおりである（則28条の5）。なお，各年度の8月1日以後に適用される自動変更対象額のうち，最低賃金日額に達しないものは，当該年度の8月1日以後，その達しない自動変更対象額は当該最低賃金日額とされる（法18条3項）。

労働科目 385p

E　正　本肢のとおりである（法17条3項，昭50.3.20労告8号，行政手引50661）。なお，法17条2項（賃金日額の算定）に規定する賃金日額を算定することが困難であるとき，又はこれらの規定により算定した額を賃金日額とすることが適当でないと認められるときは，厚生労働大臣が定めるところにより算定した額を賃金日額とする（法17条3項）。

労働科目 383p

H28-1	雇用保険事務	重要度 A

問 8 雇用保険法の届出に関する次の記述のうち，誤っているものはどれか。

A 事業主は，その雇用する被保険者を当該事業主の一の事業所から他の事業所に転勤させたときは，当該事実のあった日の翌日から起算して10日以内に雇用保険被保険者転勤届を転勤前の事業所の所在地を管轄する公共職業安定所の長に提出しなければならない。

B 事業主は，事業所を廃止したときは，事業の種類，被保険者数及び事業所を廃止した理由等の所定の事項を記載した届書に所定の書類を添えて，事業所の所在地を管轄する公共職業安定所の長に提出しなければならない。

C 事業主は，その雇用する被保険者（日雇労働被保険者を除く。）の個人番号（番号法第2条第5項に規定する個人番号をいう。）が変更されたときは，速やかに，個人番号変更届をその事業所の所在地を管轄する公共職業安定所の長に提出しなければならない。

D 事業主は，その雇用する被保険者が官民人事交流法第21条第1項に規定する雇用継続交流採用職員でなくなったときは，当該事実のあった日の翌日から起算して10日以内に雇用継続交流採用終了届に所定の書類を添えて，その事業所の所在地を管轄する公共職業安定所の長に提出しなければならない。

E 一の事業所が二つに分割された場合は，分割された二の事業所のうち主たる事業所と分割前の事業所は同一のものとして取り扱われる。

雇用法

正解チェック欄	／	／	／

A　誤　本肢の場合，当該事実のあった日の翌日から起算して10日以内に雇用保険被保険者転勤届を「転勤後」の事業所の所在地を管轄する公共職業安定所の長に提出しなければならない（則13条1項）。 労働科目 359p

---

B　正　本肢のとおりである（則141条）。本肢は，雇用保険適用事業所廃止届に関する問題である。なお，当該廃止届は，当該事業所の廃止の日の翌日から起算して10日以内に提出しなければならない。 労働科目 362p

---

C　正　本肢のとおりである（則14条の2）。 労働科目 359p

D　正　本肢のとおりである（則12条の2）。 労働科目 360p

E　正　本肢のとおりである（行政手引22101）。例えば，製造販売の事業を行う事業所から，製造部門が分離され，それぞれ独立した事業所となった場合のように，事業所が二つに分割された場合は，分割された二の事業所のうち主たる事業所と分割前の事業所とを同一のものとして取り扱う。逆に，製造部門の事業所と販売部門の事業所が一の事業所に統合された場合のように，二の事業所が一の事業所に統合された場合は，統合後の事業所と統合前の二の事業所のうち主たる事業所を同一のものとして取り扱う。

R元-4	雇用保険事務	重要度 B

問 9 雇用保険事務に関する次の記述のうち，誤っているものはどれか。

A 雇用保険に関する事務（労働保険徴収法施行規則第１条第１項に規定する労働保険関係事務を除く。）のうち都道府県知事が行う事務は，雇用保険法第５条第１項に規定する適用事業の事業所の所在地を管轄する都道府県知事が行う。

B 介護休業給付関係手続については，介護休業給付金の支給を受けようとする被保険者を雇用する事業主の事業所の所在地を管轄する公共職業安定所において行う。

C 教育訓練給付金に関する事務は，教育訓練給付対象者の住所又は居所を管轄する公共職業安定所長が行う。

D 雇用保険法第38条第１項に規定する短期雇用特例被保険者に該当するかどうかの確認は，厚生労働大臣の委任を受けたその者の住所又は居所を管轄する都道府県知事が行う。

E 未支給の失業等給付の請求を行う者についての当該未支給の失業等給付に関する事務は，受給資格者等の死亡の当時の住所又は居所を管轄する公共職業安定所長が行う。

正解チェック欄	／	／	／

A　正　本肢のとおりである（則1条3項）。なお，雇用保険の事務の一部は，政令で定めるところにより，都道府県知事が行うこととすることができるものとされており，具体的には，雇用保険二事業のうち能力開発事業の一部の事業の実施に関する事務は，都道府県知事が行うこととされている（法2条2項，令1条）。 労働科目 354p

---

B　正　本肢のとおりである（則101条の19第1項，行政手引59804）。 労働科目 446p

C　正　本肢のとおりである（則101条の2の11第1項，則101条の2の12第1項ほか）。 労働科目 430p

D　誤　短期雇用特例被保険者に該当するかどうかの確認は，厚生労働大臣の委任を受けたその「適用事業の所在地を管轄する公共職業安定所長」が行う（法38条2項，則1条1項・2項・5項，則66条1項）。 労働科目 362～363p

---

E　正　本肢のとおりである（則17条の2第1項）。 労働科目 367p

H29-3	雇用保険事務	重要度 A

問 10 被保険者資格の確認に関する次の記述のうち，誤っているものはどれか。

A 公共職業安定所長は，短期雇用特例被保険者資格の取得の確認を職権で行うことができるが，喪失の確認は職権で行うことができない。

B 文書により，一般被保険者となったことの確認の請求をしようとする者は，その者を雇用し又は雇用していた事業主の事業所の所在地を管轄する公共職業安定所の長に所定の請求書を提出しなければならない。

C 日雇労働被保険者に関しては，被保険者資格の確認の制度が適用されない。

D 公共職業安定所長は，一般被保険者となったことの確認をしたときは，その確認に係る者に雇用保険被保険者証を交付しなければならないが，この場合，被保険者証の交付は，当該被保険者を雇用する事業主を通じて行うことができる。

E 公共職業安定所長は，確認に係る者を雇用し，又は雇用していた事業主の所在が明らかでないために当該確認に係る者に対する通知をすることができない場合においては，当該公共職業安定所の掲示場に，その通知すべき事項を記載した文書を掲示しなければならない。

雇用法

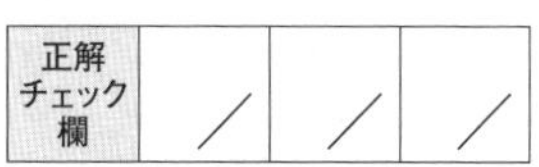

A　誤　公共職業安定所長は，短期雇用特例被保険者資格の喪失の確認を職権で「行うことができる」。本肢前段の記述については正しい（法9条1項）。

労働科目
362～363p

B　正　本肢のとおりである（則8条2項）。なお，本肢の確認の請求は，口頭でも行うことができ，口頭にて本肢の確認の請求をしようとする者は，所定の事項をその者を雇用し又は雇用していた事業主の事業所の所在地を管轄する公共職業安定所長に陳述し，証拠があるときはこれを提出しなければならない（同条3項）。

労働科目
362～363p

C　正　本肢のとおりである（法43条4項）。

D　正　本肢のとおりである（則10条1項・2項）。なお，被保険者証の交付を受けた者は，当該被保険者証を滅失し，又は損傷したときは，雇用保険被保険者証再交付申請書をその者の選択する公共職業安定所の長に提出し，被保険者証の再交付を受けなければならない（同条3項ほか）。

E　正　本肢のとおりである（則9条2項）。

R2-1	雇用保険事務	重要度 A

問 11 被保険者資格の得喪と届出に関する次の記述のうち，正しいものはどれか。

A 法人（法人でない労働保険事務組合を含む。）の代表者又は法人若しくは人の代理人，使用人その他の従業者が，その法人又は人の業務に関して，雇用保険法第7条に規定する届出の義務に違反する行為をしたときは，その法人又は人に対して罰金刑を科すが，行為者を罰することはない。

B 公共職業安定所長は，雇用保険被保険者資格喪失届の提出があった場合において，被保険者でなくなったことの事実がないと認めるときは，その旨につき当該届出をした事業主に通知しなければならないが，被保険者でなくなったことの事実がないと認められた者に対しては通知しないことができる。

C 雇用保険の被保険者が国，都道府県，市町村その他これらに準ずるものの事業に雇用される者のうち，離職した場合に，他の法令，条例，規則等に基づいて支給を受けるべき諸給与の内容が法の規定する求職者給付及び就職促進給付の内容を超えると認められるものであって雇用保険法施行規則第4条に定めるものに該当するに至ったときは，その日の属する月の翌月の初日から雇用保険の被保険者資格を喪失する。

D 適用事業に雇用された者で，雇用保険法第6条に定める適用除外に該当しないものは，雇用契約の成立日ではなく，雇用関係に入った最初の日に被保険者資格を取得する。

E 暫定任意適用事業の事業主がその事業について任意加入の認可を受けたときは，その事業に雇用される者は，当該認可の申請がなされた日に被保険者資格を取得する。

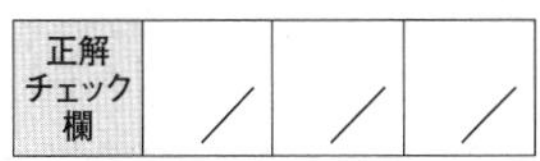

A　誤　本肢の場合,「行為者を罰する」ほか, その法人又は人に対しても当該違反に係る罰金刑を科する（法86条）。

B　誤　本肢の場合, 公共職業安定所長は, 被保険者でなくなったことの事実がない旨を, 被保険者資格喪失届をした事業主のみならず,「被保険者でなくなったことの事実がないと認められた者に対しても, 通知しなければならない」(則11条)。

C　誤　本肢の場合, 本肢の事由に該当するに至った「その日」から雇用保険の被保険者とされないため, 当該「その日」に被保険者の資格を喪失したものとして取り扱う（行政手引20604)。

D　正　本肢のとおりである（行政手引20551)。適用事業に雇用された者で適用除外に該当しないものは, 原則として, その適用事業に雇用されるに至った日から被保険者の資格を取得するものとされており, この場合,「雇用されるに至った日」とは, 雇用契約の成立日を意味するものではなく, 雇用関係に入った最初の日（一般的には, 被保険者資格の基礎となる当該雇用契約に基づき労働を提供すべきこととされている最初の日）をいう。

E　誤　暫定任意適用事業の事業主がその事業について任意加入の認可を受けたときは, その事業に雇用される者は, 当該「認可があった日」に, 被保険者の資格を取得する（行政手引20556)。

キリトリ線

R3-2	雇用保険事務	重要度 A

問 12 未支給の失業等給付に関する次の記述のうち，正しいものはどれか。

A 死亡した受給資格者に配偶者（婚姻の届出をしていないが，事実上婚姻関係と同様の事情にあった者を含む。）及び子がいないとき，死亡した受給資格者と死亡の当時生計を同じくしていた父母は未支給の失業等給付を請求することができる。

B 失業等給付の支給を受けることができる者が死亡した場合において，未支給の失業等給付の支給を受けるべき順位にあるその者の遺族は，死亡した者の名でその未支給の失業等給付の支給を請求することができる。

C 正当な理由がなく自己の都合によって退職したことにより基本手当を支給しないこととされた期間がある受給資格者が死亡した場合，死亡した受給資格者の遺族の請求により，当該基本手当を支給しないこととされた期間中の日に係る未支給の基本手当が支給される。

D 死亡した受給資格者が，死亡したため所定の認定日に公共職業安定所に出頭し失業の認定を受けることができなかった場合，未支給の基本手当の支給を請求する者は，当該受給資格者について失業の認定を受けたとしても，死亡直前に係る失業認定日から死亡日までの基本手当を受けることができない。

E 受給資格者の死亡により未支給の失業等給付の支給を請求しようとする者は，当該受給資格者の死亡の翌日から起算して3か月以内に請求しなければならない。

雇用法

キリトリ線

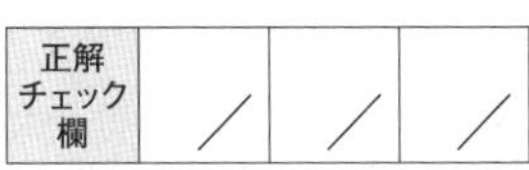

正解チェック欄	／	／	／

必修基本書

A　正　本肢のとおりである（法10条の3第1項・2項）。 労働科目 367p

B　誤　未支給の失業等給付の支給に係る請求は，当該未支給の失業等給付の支給を受けることができる遺族が「自己の名で」，することができる（法10条の3第1項）。 労働科目 367p

---

C　誤　本肢のいわゆる離職理由による給付制限の規定により基本手当を支給しないこととされた期間中の日は，本来受給資格者が死亡していなくても失業の認定を受けることができない日であるため，当該期間中の日に係る未支給の基本手当は「支給されない」（行政手引53103）。

D　誤　未支給の基本手当の支給は，原則として，死亡日以後の日分については行うことができないが，死亡の時刻等を勘案し，死亡日を含めて失業の認定ができる場合は，死亡日についても支給して差し支えないこととされており，死亡直前に係る失業認定日から死亡日までの未支給の基本手当は，「一定の要件を満たせば，支給される」（行政手引53103ほか）。

E　誤　未支給の失業等給付の支給に係る請求は，死亡した受給資格者等が死亡した日の翌日から起算して「6か月以内」に行わなければならない（則17条の2第1項）。 労働科目 367p

キリトリ線

R4-3	雇用保険事務	重要度 A

問 13 被保険者の届出に関する次の記述のうち，誤っているものはどれか。

A 事業主は，その雇用する被保険者を当該事業主の1の事業所から他の事業所に転勤させた場合，両事業所が同じ公共職業安定所の管轄内にあっても，当該事実のあった日の翌日から起算して10日以内に雇用保険被保険者転勤届を提出しなければならない。

B 事業主は，事業所の所在地を管轄する公共職業安定所の長に提出する所定の資格取得届を，年金事務所を経由して提出することができる。

C 事業主は，その雇用する労働者が当該事業主の行う適用事業に係る被保険者でなくなったことについて，当該事実のあった日の属する月の翌月10日までに，雇用保険被保険者資格喪失届に必要に応じ所定の書類を添えて，その事業所の所在地を管轄する公共職業安定所の長に提出しなければならない。

D 事業年度開始の時における資本金の額が1億円を超える法人は，その雇用する労働者が当該事業主の行う適用事業に係る被保険者となったことについて，資格取得届に記載すべき事項を，電気通信回線の故障，災害その他の理由がない限り電子情報処理組織を使用して提出するものとされている。

E 事業主は，59歳以上の労働者が当該事業主の行う適用事業に係る被保険者でなくなるとき，当該労働者が雇用保険被保険者離職票の交付を希望しないときでも資格喪失届を提出する際に雇用保険被保険者離職証明書を添えなければならない。

雇用法

キリトリ線

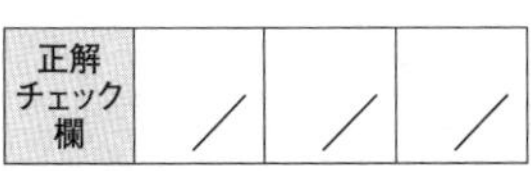

A 正 本肢のとおりである（則13条1項）。なお，本肢の届出に労働者名簿その他の転勤の事実を証明することができる書類を添えなければならない（同条3項）。

労働科目 359p

B 正 本肢のとおりである（則6条2項）。なお，事業主は，法7条の規定により，その雇用する労働者が当該事業主の行う適用事業に係る被保険者となったことについて，当該事実のあった日の属する月の翌月10日までに，本肢の資格取得届を提出しなければならない（同条1項）。

C 誤 本肢の雇用保険被保険者資格喪失届及び所定の添付書類は，「当該事実のあった日の翌日から起算して10日以内」に提出しなければならない。その他の記述は正しい（則7条1項）。

労働科目 359p

D 正 本肢のとおりである（則6条9項）。なお，本肢の法人のことを「特定法人」という。

労働科目 360p

E 正 本肢のとおりである（則7条3項）。なお，事業主は，法7条の規定により，その雇用する労働者が当該事業主の行う適用事業に係る被保険者でなくなったことについて，当該事実のあった日の翌日から起算して10日以内に，本肢の資格喪失届を提出しなければならない（同条1項）。

労働科目 360p

H28-3	失業の認定	重要度 A

問 14 失業の認定に関する次の記述のうち，誤っているものはいくつあるか。

ア　雇用保険法第10条の3に定める未支給失業等給付にかかるもの及び公共職業能力開発施設に入校中の場合は，代理人による失業の認定が認められている。

イ　雇用保険法第33条に定める給付制限（給付制限期間が1か月となる場合を除く。）満了後の初回支給認定日については，当該給付制限期間と初回支給認定日に係る給付制限満了後の認定対象期間をあわせた期間に求職活動を原則3回以上行った実績を確認できた場合に，他に不認定となる事由がある日以外の各日について失業の認定を行う。

ウ　中学生以下の子弟の入学式又は卒業式等へ出席するため失業の認定日に管轄公共職業安定所に出頭することができない受給資格者は，原則として事前に申し出ることにより認定日の変更の取扱いを受けることができる。

エ　公共職業安定所長の指示した雇用保険法第15条第3項に定める公共職業訓練等を受ける受給資格者に係る失業の認定は，4週間に1回ずつ直前の28日の各日（既に失業の認定の対象となった日を除く。）について行われる。

オ　受給資格者が登録型派遣労働者として被保険者とならないような派遣就業を行った場合は，通常，その雇用契約期間が「就職」していた期間となる。

A　一つ
B　二つ
C　三つ
D　四つ
E　五つ

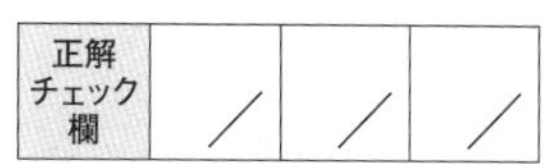

雇用法

本問のアからオまでのそれぞれの記述の正誤は以下のとおりであり，エのみが誤っている記述となる。したがって，Aが解答となる。

ア　正　本肢のとおりである（則27条2項，行政手引51401）。

イ　正　本肢のとおりである（行政手引51254）。

ウ　正　本肢のとおりである（行政手引51351）。この場合の「やむを得ない理由」に，本肢の場合のほか，配偶者等一定の親族の危篤，死亡，葬儀や公共職業安定所の紹介によらないで求人者に面接する場合などが該当する。

エ　誤　公共職業安定所長の指示した公共職業訓練等を受ける受給資格者に係る失業の認定は，1月に1回，直前の月に属する各日（既に失業の認定の対象となった日を除く）について行われる（則24条1項）。

労働科目 380p

オ　正　本肢のとおりである（行政手引51256）。

R元-3	失業の認定	重要度 A

問 15 失業の認定に関する次の記述のうち，誤っているものはどれか。

A 管轄公共職業安定所長は，基本手当の受給資格者の申出によって必要があると認めるときは，他の公共職業安定所長に対し，その者について行う基本手当に関する事務を委嘱することができる。

B 公共職業安定所長の指示した公共職業訓練を受ける受給資格者に係る失業の認定は，当該受給資格者が離職後最初に出頭した日から起算して4週間に1回ずつ直前の28日の各日について行う。

C 職業に就くためその他やむを得ない理由のため失業の認定日に管轄公共職業安定所に出頭することができない者は，管轄公共職業安定所長に対し，失業の認定日の変更を申し出ることができる。

D 受給資格者が天災その他やむを得ない理由により公共職業安定所に出頭することができなかったときは，その理由がなくなった最初の失業の認定日に出頭することができなかった理由を記載した証明書を提出した場合，当該証明書に記載された期間内に存在した認定日において認定すべき期間をも含めて，失業の認定を行うことができる。

E 公共職業安定所長によって労働の意思又は能力がないものとして受給資格が否認されたことについて不服がある者は，当該処分があったことを知った日の翌日から起算して3か月を経過するまでに，雇用保険審査官に対して審査請求をすることができる。

正解チェック欄	／	／	／

雇用法

A　正　本肢のとおりである（行政手引51501）。

B　誤　公共職業安定所長の指示した公共職業訓練等を受ける受給資格者に係る失業の認定は，「1月に1回，直前の月に属する各日（既に失業の認定の対象となった日を除く）」について行われる（法15条3項ただし書，則24条1項）。

労働科目 380p

C　正　本肢のとおりである（法15条3項ただし書，則23条1項）。なお，失業の認定日変更の申出は，原則として，事前になされなければならない。ただし，変更理由が突然生じた場合，認定日前に就職した場合等であって，事前に認定日の変更の申出を行わなかったことについてやむを得ない理由があると認められるときは，次回の所定認定日の前日までに申し出て，認定日の変更の取扱いを受けることができる（行政手引51351）。

労働科目 380p

D　正　本肢のとおりである（法15条4項，則28条1項，行政手引51401(1)）。なお，本肢の証明書に記載されている事項として，本肢のほかに，①受給資格者の氏名及び住所又は居所及び②天災その他やむを得ない理由の内容及びその理由が継続した期間がある。

労働科目 380～381p

E　正　本肢のとおりである（法69条1項，労働保険審査官及び労働保険審査会法8条1項）。

労働科目 472～473p

R2-2	失業の認定	重要度 C

問 16 失業の認定に関する次の記述のうち，正しいものはどれか。

A 受給資格者の住居所を管轄する公共職業安定所以外の公共職業安定所が行う職業相談を受けたことは，求職活動実績として認められる。

B 基本手当の受給資格者が求職活動等やむを得ない理由により公共職業安定所に出頭することができない場合，失業の認定を代理人に委任することができる。

C 自営の開業に先行する準備行為に専念する者については，労働の意思を有するものとして取り扱われる。

D 雇用保険の被保険者となり得ない短時間就労を希望する者であっても，労働の意思を有すると推定される。

E 認定対象期間において一の求人に係る筆記試験と採用面接が別日程で行われた場合，求人への応募が2回あったものと認められる。

正解チェック欄	／	／	／

A 正 本肢のとおりである（行政手引51254）。公共職業安定所，許可・届出のある民間需給調整機関（民間職業紹介機関，労働者派遣機関をいう）が行う職業相談，職業紹介等のほか，公的機関等が行う求職活動に関する指導，個別相談が可能な企業説明会等は，本問の「求職活動実績」として認められる求職活動に該当するものとされており，受給資格者の住居所を管轄する公共職業安定所以外の公共職業安定所が行う職業相談，職業紹介等を受けたことも当然に該当するものとされている。

B 誤 失業の認定は，原則として，受給資格者本人に対して行われるものであるから，訓練施設入所中の失業の認定及び未支給失業等給付に係る失業の認定の場合を除き，「代理人による失業の認定はできない」（行政手引51252ほか）。

C 誤 自営の開業に先行する準備行為に専念する者については，労働の意思を有するものとして扱うことは「できない」（行政手引51254）。

D 誤 雇用保険の被保険者となり得ない短時間就労を希望する者は，労働の意思を有する者と推定「できない」（行政手引51254）。雇用保険の被保険者となり得る求職条件を希望する者に限り，労働の意思を有する者と推定される。

E 誤 求職活動実績として認められる求職活動としての求人への応募には，実際に面接を受けた場合だけではなく，応募書類の郵送，筆記試験の受験等も含まれるが，書類選考，筆記試験，採用面接等が一の求人に係る一連の選考過程である場合には，そのいずれまでを受けたかにかかわらず，「一の応募として取り扱う」（行政手引51254）。

R5-2	失業の認定	重要度 B

問 17 失業の認定に関する次の記述のうち，正しいものはどれか。

A 基本手当に係る失業の認定日において，前回の認定日から今回の認定日の前日までの期間の日数が14日未満となる場合，求職活動を行った実績が1回以上確認できた場合には，当該期間に属する，他に不認定となる事由がある日以外の各日について，失業の認定が行われる。

B 許可・届出のある民間職業紹介機関へ登録し，同日に職業相談，職業紹介等を受けなかったが求人情報を閲覧した場合，求職活動実績に該当する。

C 失業の認定日が就職日の前日である場合，当該認定日において就労していない限り，前回の認定日から当該認定日の翌日までの期間について失業の認定をすることができる。

D 求職活動実績の確認のためには，所定の失業認定申告書に記載された受給資格者の自己申告のほか，求職活動に利用した機関や応募先事業所の確認印がある証明書が必要である。

E 受給資格者が被保険者とならないような登録型派遣就業を行った場合，当該派遣就業に係る雇用契約期間につき失業の認定が行われる。

雇用法

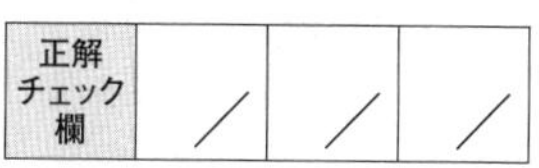

正解チェック欄	／	／	／

A 正 本肢のとおりである（行政手引51254）。

B 誤 民間職業紹介機関が行う職業相談，職業紹介等は求職活動実績として認められるが，「単なる職業紹介機関への登録や求人情報の閲覧等のみでは求職活動実績には該当しない」（行政手引51254）。

C 誤 失業の認定日が就職日の前日である場合，当該認定日において就労していいない限り，前回の認定日から「当該認定日まで」の期間について失業の認定をすることができる（行政手引51251）。

D 誤 求職活動実績については，失業認定申告書に記載された受給資格者の自己申告に基づいて判断することを原則とし，「求職活動に利用した機関や応募先事業所の証明等（確認印等）は求めない」（行政手引51254）。

E 誤 受給資格者が被保険者とならないような登録型派遣就業を行った場合は，通常，その雇用契約期間が就職していた期間となるため，この期間については「失業の認定は行われない」（行政手引51256）。

H28-4	基本手当	重要度 A

問 18 基本手当の受給期間に関する次の記述のうち，正しいものはどれか。

A 受給資格者が，受給期間内に再就職して再び離職した場合に，当該再離職によって新たな受給資格を取得したときは，前の受給資格に係る受給期間内であれば，前の受給資格に基づく基本手当の残日数分を受給することができる。

B 配偶者の出産のため引き続き30日以上職業に就くことができない者が公共職業安定所長にその旨を申し出た場合には，当該理由により職業に就くことができない日数を加算した期間，受給期間が延長される。

C 雇用保険法第22条第2項第1号に定める45歳以上65歳未満である就職が困難な者（算定基礎期間が1年未満の者は除く。）の受給期間は，同法第20条第1項第1号に定める基準日の翌日から起算して1年に60日を加えた期間である。

D 定年に達したことで基本手当の受給期間の延長が認められた場合，疾病又は負傷等の理由により引き続き30日以上職業に就くことができない日があるときでも受給期間はさらに延長されることはない。

E 60歳以上の定年に達した後，1年更新の再雇用制度により一定期限まで引き続き雇用されることとなった場合に，再雇用の期限の到来前の更新時に更新を行わなかったことにより退職したときでも，理由の如何を問わず受給期間の延長が認められる。

雇用法

正解チェック欄	／	／	／

A 誤 受給資格者が，受給期間内に再就職して再び離職した場合に，当該再離職によって新たな受給資格を取得したときは，その取得した日以後においては，前の受給資格に係る受給期間内であったとしても，前の受給資格に基づく基本手当の残日数分を受給することはできない（法20条3項）。 労働科目 391p

---

B 誤 出産を理由に受給期間の延長ができるのは，「本人の出産」に限られており，本肢のように，配偶者の出産のため引き続き30日以上職業に就くことができない者については，受給期間の延長は認められない（行政手引50271）。 労働科目 389p

---

C 正 本肢のとおりである（法20条1項2号）。 労働科目 389p

D 誤 定年に達したことで基本手当の受給期間の延長が認められた場合において，疾病又は負傷等の理由により引き続き30日以上職業に就くことができない日があるときには，さらに受給期間の延長が認められる（行政手引50286）。 労働科目 390p

---

E 誤 60歳以上の定年に達した後，1年更新の再雇用制度により一定期限まで引き続き雇用されることとなった場合に，再雇用の期限の到来前の更新時に更新を行わなかったことにより退職したときは，受給期間の延長は認められない。受給期間の延長が認められるためには，当該勤務延長又は再雇用の期限が到来したことが必要である（行政手引50281）。 労働科目 390p

H29-2 **基本手当** 重要度 **B**

問 19 一般被保険者の基本手当に関する次の記述のうち，正しいものはどれか。

A 失業の認定は，雇用保険法第21条に定める待期の期間には行われない。

B 雇用保険法第22条に定める算定基礎期間には，介護休業給付金の支給に係る休業の期間が含まれない。

C 離職の日以前2年間に，疾病により賃金を受けずに15日欠勤し，復職後20日で再び同一の理由で賃金を受けずに80日欠勤した後に離職した場合，受給資格に係る離職理由が特定理由離職者又は特定受給資格者に係るものに該当しないとき，算定対象期間は2年間に95日を加えた期間となる。

D 公共職業安定所長は，勾留が不当でなかったことが裁判上明らかとなった場合であっても，これを理由として受給期間の延長を認めることができる。

E 一般被保険者が離職の日以前1か月において，報酬を受けて8日労働し，14日の年次有給休暇を取得した場合，賃金の支払の基礎となった日数が11日に満たないので，当該離職の日以前1か月は被保険者期間として算入されない。

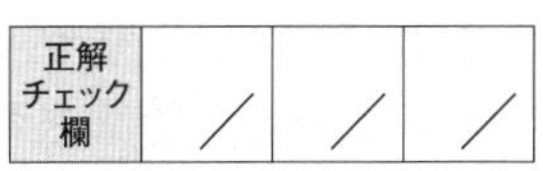

A 誤 失業の認定は，待期期間である日についても「行われる」（法15条1項，行政手引51101）。 労働科目 379～380p

---

B 誤 介護休業給付金の支給に係る休業の期間についても，所定の要件を満たす限り，「算定基礎期間に含まれる」（法22条3項）。 労働科目 388～389p

---

C 正 本肢のとおりである（法13条1項，行政手引50153）。算定対象期間の延長に係る「賃金の支払を受けることができなかった日数」は，原則として，30日以上継続することを要し，断続があってはならないものとされている。ただし，次の①～③のいずれにも該当する場合は，断続した日数を通算して30日以上あれば，算定対象期間の延長が認められる。

①離職の日以前2年間（特定受給資格者又は特定理由離職者にあっては，1年間）において，疾病，負傷その他厚生労働省令で定める理由により賃金の支払を受けることができなかった期間があること

②同一の理由により賃金の支払を受けることができなかった期間と途中で中断した場合の中断した期間との間が30日未満であること

③上記②の各期間の賃金の支払を受けることができなかった理由は，同一のものが途中で中断したものであると判断できるものであること

本肢の場合，復職後30日以内に再び同一の理由で賃金の支払を受けることができなかったため，最初の欠勤15日と後の欠勤80日とを合わせた95日分だけ算定対象期間が延長される。 労働科目 372p

---

D 誤 拘留が「不当であった」ことが裁判上明らかとなった場合は，これを理由とする受給期間の延長が認められる（行政手引50153）。

E 誤 「年次有給休暇を取得した日は，賃金支払基礎日数に含まれる日である」ため，本肢の場合，離職の日以前1か月は被保険者期間として算入される（法14条1項，行政手引21454）。 労働科目 373～374p

R元-1	基本手当	重要度 A

問 20 雇用保険法第14条に規定する被保険者期間に関する次の記述のうち，正しいものはどれか。

A 最後に被保険者となった日前に，当該被保険者が特例受給資格を取得したことがある場合においては，当該特例受給資格に係る離職の日以前における被保険者であった期間は，被保険者期間に含まれる。

B 労働した日により算定された本給が11日分未満しか支給されないときでも，家族手当，住宅手当の支給が1月分あれば，その月は被保険者期間に算入する。

C 二重に被保険者資格を取得していた被保険者が一の事業主の適用事業から離職した後に他の事業主の適用事業から離職した場合，被保険者期間として計算する月は，前の方の離職の日に係る算定対象期間について算定する。

D 一般被保険者である日給者が離職の日以前1か月のうち10日間は報酬を受けて労働し，7日間は労働基準法第26条の規定による休業手当を受けて現実に労働していないときは，当該離職の日以前1か月は被保険者期間として算入しない。

E 雇用保険法第9条の規定による被保険者となったことの確認があった日の2年前の日前における被保険者であった期間は被保険者期間の計算には含めないが，当該2年前の日より前に，被保険者の負担すべき額に相当する額がその者に支払われた賃金から控除されていたことが明らかである時期がある場合は，その時期のうち最も古い時期として厚生労働省令で定める日以後の被保険者であった期間は，被保険者期間の計算に含める。

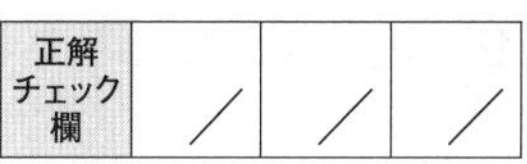

A 誤 最後に被保険者となった日前に，当該被保険者が特例受給資格を取得したことがある場合には，当該特例受給資格に係る離職の日以前における被保険者であった期間は，基本手当の受給資格に係る被保険者期間に「含めない」(法14条2項)。なお，最後に被保険者となった日前に，当該被保険者が受給資格，高年齢受給資格を取得したことがある場合の当該受給資格，高年齢受給資格係る離職の日以前における被保険者であった期間についても，基本手当の受給資格に係る被保険者期間に含めない。

労働科目 373～374p

B 誤 家族手当，住宅手当等の支給が 1 月分ある場合でも，本給が11日分未満しか支給されないときは，その月は，原則として，基本手当の受給資格に係る被保険者期間に「算入しない」(行政手引50103)。

C 誤 二重に被保険者資格を取得していた被保険者が一の事業主の適用事業から離職し，その前後に他の事業主の適用事業から離職した場合は，被保険者期間として計算する月は，「後の方」の離職の日に係る算定対象期間について算定する(行政手引50103)。

D 誤 休業手当が支給された場合にその休業手当の支給の対象となった日数は，賃金支払基礎日数に算入される。したがって，本肢の離職日以前1か月については，報酬を受けて労働した日数10日と休業手当を受けた日数7日を合計すると17日となり，賃金支払基礎日数が11日以上あるため，基本手当の受給資格に係る被保険者期間に「算入する」(法14条1項，行政手引21454)。

労働科目 372p

E 正 本肢のとおりである(法14条2項2号ほか)。

労働科目 373～374p

H30-3	基本手当	重要度 B

問 21 一般被保険者の賃金及び賃金日額に関する次の記述のうち，正しいものはどれか。

A 健康保険法第99条の規定に基づく傷病手当金が支給された場合において，その傷病手当金に付加して事業主から支給される給付額は，賃金と認められる。

B 接客係等が客からもらうチップは，一度事業主の手を経て再分配されるものであれば賃金と認められる。

C 月給者が1月分の給与を全額支払われて当該月の中途で退職する場合，退職日の翌日以後の分に相当する金額は賃金日額の算定の基礎に算入される。

D 賃金が出来高払制によって定められている場合の賃金日額は，労働した日数と賃金額にかかわらず，被保険者期間として計算された最後の3か月間に支払われた賃金（臨時に支払われる賃金及び3か月を超える期間ごとに支払われる賃金を除く。）の総額を90で除して得た額となる。

E 支払義務の確定した賃金が所定の支払日を過ぎてもなお支払われない未払賃金のある月については，未払額を除いて賃金額を算定する。

雇用法

正解チェック欄	／	／	／

A　誤　健康保険法の規定に基づく傷病手当金に付加して事業主から支給される給付額は，恩恵的給付と認められるので，「賃金とは認められない」（行政手引50502）。なお，健康保険法の規定に基づく傷病手当についても賃金とは認められない。

B　正　本肢のとおりである（行政手引50502）。接客係等が客からもらうチップは，原則として，賃金とは認められないが，一度事業主の手を経て再分配されるものであれば，賃金と認められる。

C　誤　月給者が月の中途で退職する場合において，その月分の給与を全額支払われる場合には，退職日の翌日以後の分に相当する金額は，賃金日額の算定の基礎に「算入されない」（行政手引50503）。

D　誤　賃金が出来高払制によって定められている場合の賃金日額は，原則の方法で計算した賃金日額が，算定対象期間に被保険者として計算された最後の「6か月間」に支払われた賃金（臨時に支払われる賃金及び3か月を超える期間ごとに支払われる賃金を除く）の総額を「当該最後の6か月間に労働した日数で除して得た額」の「100分の70に相当する額」に「満たないとき」は，当該額が，賃金日額とされる（法17条2項）。

労働科目
382p

E　誤　未払賃金（支払義務の確定した賃金が所定の支払日を過ぎてもなお支払われないものをいう）のある月については，「未払額を含めて」賃金額を算定する（行政手引50609）。

R元-2	基本手当	重要度 B

問 22 基本手当の日額に関する次の記述のうち，誤っているものはいくつあるか。

ア　育児休業に伴う勤務時間短縮措置により賃金が低下している期間中に事業所の倒産により離職し受給資格を取得し一定の要件を満たした場合において，離職時に算定される賃金日額が勤務時間短縮措置開始時に離職したとみなした場合に算定される賃金日額に比べて低いとき，勤務時間短縮措置開始時に離職したとみなした場合に算定される賃金日額により基本手当の日額を算定する。

イ　基本手当の日額の算定に用いる賃金日額の計算に当たり算入される賃金は，原則として，算定対象期間において被保険者期間として計算された最後の3か月間に支払われたものに限られる。

ウ　受給資格に係る離職の日において60歳以上65歳未満である受給資格者に対する基本手当の日額は，賃金日額に100分の80から100分の45までの範囲の率を乗じて得た金額である。

エ　厚生労働大臣は，4月1日からの年度の平均給与額が平成27年4月1日から始まる年度（自動変更対象額が変更されたときは，直近の当該変更がされた年度の前年度）の平均給与額を超え，又は下るに至った場合においては，その上昇し，又は低下した比率に応じて，その翌年度の8月1日以後の自動変更対象額を変更しなければならない。

オ　失業の認定に係る期間中に得た収入によって基本手当が減額される自己の労働は，原則として1日の労働時間が4時間未満のもの（被保険者となる場合を除く。）をいう。

A　一つ
B　二つ
C　三つ
D　四つ
E　五つ

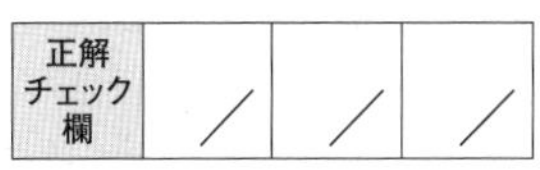

雇用法

正解 A

本問のアからオまでのそれぞれの記述の正誤は以下のとおりであり，誤りの記述はイの一つである。したがって，Aが解答となる。

ア　正　本肢のとおりである（法17条3項，平26.7.17厚労告292号第8条）。

労働科目 383p

イ　誤　基本手当の日額の算定に用いる賃金日額の計算に当たり算入される賃金は，原則として，算定対象期間において被保険者期間として計算された最後の「6箇月間」に支払われた賃金（臨時に支払われる賃金及び3箇月を超える期間ごとに支払われる賃金を除く）とされている（法17条1項）。

労働科目 381～383p

ウ　正　本肢のとおりである（法16条）。なお，本肢以外の受給資格者に対する基本手当の日額は，賃金日額に100分の80から100分の50までの範囲の率を乗じて得た金額である。

労働科目 383～384p

エ　正　本肢のとおりである（法18条1項）。なお，変更された自動変更対象額に5円未満の端数があるときは，これを切り捨て，5円以上10円未満の端数があるときは，これを10円に切り上げるものとする（法18条2項）。

労働科目 384p

オ　正　本肢のとおりである（行政手引51652(2)）。

労働科目 386p

H30-4	基本手当	重要度 B

問 23 雇用保険法第22条第2項に定める就職が困難な者に関する次の記述のうち，誤っているものはいくつあるか。

ア　雇用保険法施行規則によると，就職が困難な者には障害者の雇用の促進等に関する法律にいう身体障害者，知的障害者が含まれるが，精神障害者は含まれない。

イ　算定基礎期間が1年未満の就職が困難な者に係る基本手当の所定給付日数は150日である。

ウ　更生保護法第48条（保護観察対象者）又は同法第85条第1項（更生緊急保護の対象となる者）に掲げる者であって，その者の職業のあっせんに関し保護観察所長から公共職業安定所長に連絡のあったものは，就職が困難な者にあたる。

エ　就職が困難な者であるかどうかの確認は受給資格決定時になされ，受給資格決定後に就職が困難なものであると認められる状態が生じた者は，就職が困難な者には含まれない。

オ　身体障害者の確認は，求職登録票又は身体障害者手帳のほか，医師の証明書によって行うことができる。

A　一つ
B　二つ
C　三つ
D　四つ
E　五つ

正解チェック欄	／	／	／

本問のアからオまでのそれぞれの記述の正誤は以下のとおりであり，アの1つが誤りの記述となる。したがって，Aが解答となる。

ア　誤　雇用保険法22条2項に定める就職が困難な者には，障害者の雇用の促進等に関する法律にいう身体障害者，知的障害者のみならず，「精神障害者も含まれる」（則32条1号～3号）。

イ　正　本肢のとおりである（法22条2項）。

労働科目 387p

ウ　正　本肢のとおりである（則32条4号）。

エ　正　本肢のとおりである（行政手引50304）。なお，受給資格決定に際して本肢の就職が困難な者であるか否かの確認を行う場合に，公共職業安定所長が必要であると認めるときには，就職が困難な者であることの事実を証明する一定の書類の提出を命ずることができる（則19条2項）。

オ　正　本肢のとおりである（行政手引50304）。なお，管轄公共職業安定所の長は，受給資格決定の際，基本手当の支給を受けようとする者が就職が困難な者に該当する場合において，必要があると認めるときは，その者に対し，その者が就職が困難な者に該当する者であることの事実を証明する書類の提出を命ずることができる（則19条2項）。

H30-5	基本手当	重要度 A

問 24 次の記述のうち，特定受給資格者に該当する者として誤っているものはどれか。

A 出産後に事業主の法令違反により就業させられたことを理由として離職した者。

B 事業主が労働者の職種転換等に際して，当該労働者の職業生活の継続のために必要な配慮を行っていないことを理由として離職した者。

C 離職の日の属する月の前6月のうちいずれかの月において1月当たり80時間以上時間外労働をさせられたことを理由として離職した者。

D 事業所において，当該事業主に雇用される被保険者（短期雇用特例被保険者及び日雇い労働被保険者を除く。）の数を3で除して得た数を超える被保険者が離職したため離職した者。

E 期間の定めのある労働契約の更新により3年以上引き続き雇用されるに至った場合において，当該労働契約が更新されないこととなったことを理由として離職した者。

雇用法

正解チェック欄	／	／	／

A　正　本肢の者は，特定受給資格者に該当する者である（法23条2項2号，則36条5号ホ）。事業主が法令に違反し，妊娠中若しくは出産後の労働者又は子の養育若しくは家族の介護を行う労働者を就業させ，若しくはそれらの者の雇用の継続等を図るための制度の利用を不当に制限したこと，又は妊娠したこと，出産したこと若しくはそれらの制度の利用の申出をし，若しくは利用をしたこと等を理由として不利益な取扱いをしたことを理由として離職した者は，特定受給資格者に該当する者である。

労働科目 376~378p

B　正　本肢の者は，特定受給資格者に該当する者である（法23条2項2号，則36条6号）。なお，本肢の規定に該当する場合として，採用時に特定の職種を遂行するために採用されることが労働契約上明示されていた者について，当該職種と別の職種を遂行することとされ，かつ，当該職種の転換に伴い賃金が低下することとなり，職種転換の通知（職種転換後の1年前以内に限る），職種転換後（おおむね3か月以内）までに離職したとき等がある（行政手引50305）。

労働科目 376~378p

C　誤　離職の日の属する月前6月のうちいずれかの月において1月当たり「100時間」以上時間外労働及び休日労働が行われたことを理由として離職した者は，特定受給資格者に該当する（法23条2項2号，則36条5号ロ）。

労働科目 376~378p

D　正　本肢の者は，特定受給資格者に該当する者である（法23条2項1号，則35条2号）。

労働科目 376~378p

E　正　本肢の者は，特定受給資格者に該当する者である（法23条2項2号，則36条7号）。

労働科目 376~378p

R3-4	基本手当	重要度 B

問 25 特定理由離職者と特定受給資格者に関する次の記述のうち，正しいものはどれか。

A 事業の期間が予定されている事業において当該期間が終了したことにより事業所が廃止されたため離職した者は，特定受給資格者に該当する。

B いわゆる登録型派遣労働者については，派遣就業に係る雇用契約が終了し，雇用契約の更新・延長についての合意形成がないが，派遣労働者が引き続き当該派遣元事業主のもとでの派遣就業を希望していたにもかかわらず，派遣元事業主から当該雇用契約期間の満了日までに派遣就業を指示されなかったことにより離職した者は，特定理由離職者に該当する。

C 常時介護を必要とする親族と同居する労働者が，概ね往復5時間以上を要する遠隔地に転勤を命じられたことにより離職した場合，当該転勤は労働者にとって通常甘受すべき不利益であるから，特定受給資格者に該当しない。

D 労働組合の除名により，当然解雇となる団体協約を結んでいる事業所において，当該組合から除名の処分を受けたことによって解雇された場合には，事業主に対し自己の責めに帰すべき重大な理由がないとしても，特定受給資格者に該当しない。

E 子弟の教育のために退職した者は，特定理由離職者に該当する。

雇用法

正解チェック欄	／	／	／

A　誤　本肢の者は，特定受給資格者に「該当しない」（則35条3号ほか）。

B　正　本肢のとおりである（行政手引50305-2ほか）。

C　誤　本肢の者は，特定受給資格者に「該当し得る」（行政手引50305ほか）。家族的事情（常時本人の介護を必要とする親族の疾病，負傷等の事情がある場合をいう）を抱える労働者が，遠隔地（通常の方法により通勤するために概ね往復4時間以上要する場合をいう）に転勤を命じられた場合等，権利濫用に当たるような事業主の配転命令がなされた場合は，特定受給資格者に係る離職理由の1つである「事業主が労働者の配置転換等に際して，当該労働者の職業生活の継続のために必要な配慮をしていないこと」に該当する。

D　誤　本肢の場合，「事業主に対し自己の責めに帰すべき重大な理由がないときは，特定受給資格者に該当する」（行政手引50305ほか）。

E　誤　本肢の者は，特定理由離職者に「該当しない」（行政手引50305-2ほか）。特定理由離職者に該当する「正当な理由のある自己都合退職者（特定受給資格者に該当する者以外の者に限る）」には，学校入学，訓練施設入校（所），子弟教育等のために退職した者は含まれていない。

H27-2	基本手当	重要度 A

問 26

基本手当の所定給付日数と受給資格に関する次の記述のうち，誤っているものはどれか。なお，本問において，「算定基礎期間」とは，「雇用保険法第22条第3項に規定する算定基礎期間」のことである。「基準日」とは，「基本手当の受給資格に係る離職日」のことであり，雇用保険法第22条第2項に規定する「厚生労働省令で定める理由により就職が困難なもの」に当たらないものとする。また，雇用保険法に定める延長給付は考慮しないものとする。

A　特定受給資格者以外の受給資格者（雇用保険法第13条第3項に規定する特定理由離職者を除く。）の場合，算定基礎期間が20年以上であれば，基準日における年齢にかかわらず，所定給付日数は150日である。

B　労働契約の締結に際し明示された労働条件が事実と著しく相違したことを理由に就職後1年以内に離職した者は，他の要件を満たす限り特定受給資格者に当たる。

C　事業主Aのところで一般被保険者として3年間雇用されたのち離職し，基本手当又は特例一時金を受けることなく2年後に事業主Bに一般被保険者として5年間雇用された後に離職した者の算定基礎期間は5年となる。

D　厚生労働大臣が職権で12年前から被保険者であったことを遡及的に確認した直後に，基準日において40歳の労働者が離職して特定受給資格者となった場合であって，労働保険徴収法第32条第1項の規定により労働者の負担すべき額に相当する額がその者に支払われた賃金から控除されていたことが明らかでないとき，所定給付日数は240日となる。

E　期間の定めのない労働契約を締結している者が雇用保険法第33条第1項に規定する正当な理由なく離職した場合，当該離職者は特定理由離職者とはならない。

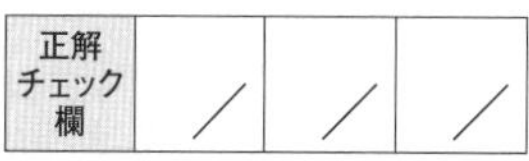

正解チェック欄	／	／	／

A 正 本肢のとおりである（法22条1項1号）。特定受給資格者以外の受給資格者（一定の特定理由離職者，就職困難者を除く）の場合，年齢による所定給付日数の差はない。

労働科目 386p

B 正 本肢のとおりである（則36条2号）。

労働科目 376～378p

C 正 本肢のとおりである（法22条3項・4項）。本肢の者は，事業主Aの事業所を離職してから事業主Bの事業所に雇用されるまでの期間が1年を超えているため，事業主Bの事業所を離職したことによる基本手当の所定給付日数を算定する際の算定基礎期間には，事業主Aの事業所での被保険者期間は通算されない。

労働科目 388～389p

D 誤 本肢の場合，厚生労働大臣が職権で12年前から被保険者であったことを遡及的に確認はしたものの，労働者の負担すべき額に相当する額がその者に支払われた賃金から控除されていたことが明らかでないため，雇用保険法22条5項に規定するいわゆる特例対象者には該当しない。そのため，本肢の者については同条4項の規定により，当該確認があった日の2年前の日に当該被保険者になったものとみなして算定基礎期間が算定されることとなる。その結果，本肢の者に係る算定基礎期間は2年となり，離職の日において40歳である特定受給資格について，算定基礎期間が2年の場合には，所定給付日数は150日とされる。

労働科目 386p

E 正 本肢のとおりである（法13条3項，則19条の2）。

労働科目 375～376p

R4-4	基本手当	重要度 A

問 27

次の①から④の過程を経た者の④の離職時における基本手当の所定給付日数として正しいものはどれか。

① 29歳0月で適用事業所に雇用され，初めて一般被保険者となった。

② 31歳から32歳まで育児休業給付金の支給に係る休業を11か月間取得した。

③ 33歳から34歳まで再び育児休業給付金の支給に係る休業を12か月間取得した。

④ 当該事業所が破産手続を開始し，それに伴い35歳1月で離職した。

一般の受給資格者の所定給付日数

区分 ＼ 算定基礎期間	10年未満	10年以上20年未満	20年以上
一般の受給資格者	90日	120日	150日

特定受給資格者の所定給付日数

年齢 ＼ 算定基礎期間	1年未満	1年以上 5年未満	5年以上 10年未満	10年以上 20年未満	20年以上
30歳未満	90日	90日	120日	180日	—
30歳以上35歳未満		120日	180日	210日	240日
35歳以上45歳未満		150日		240日	270日
45歳以上60歳未満		180日	240日	270日	330日
60歳以上65歳未満		150日	180日	210日	240日

A 90日

B 120日

C 150日

D 180日

E 210日

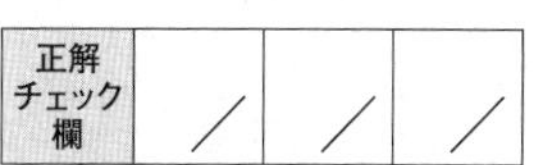

A　誤　育児休業給付金の支給を受けたことがある者について算定基礎期間を算定する場合は，その者が雇用された期間又は被保険者であった期間から育児休業給付金の支給に係る休業の期間を除いて算定される。したがって，本問の者については，その算定基礎期間は29歳0月から35歳1月までの73か月のうち育児休業給付金の支給に係る休業をした23か月（11か月＋12か月）を除いた50か月（4年2か月）であり，離職理由は特定受給資格者となる離職理由に該当し，離職時の年齢は35歳であるため，本問の場合の所定給付日数は「150日」である（法61条の7第8項，法22条3項，法23条，則35条1号）。

労働科目 376~378, 387~389p

B　誤　本問の場合の所定給付日数は「150日」である（法61条の7第8項，法22条3項，法23条，則35条1号）。A肢解説参照。

労働科目 376~378, 387~389p

C　正　本肢のとおりである（法61条の7第8項，法22条3項，法23条，則35条1号）。A肢解説参照。

労働科目 376~378, 387~389p

D　誤　本問の場合の所定給付日数は「150日」である（法61条の7第8項，法22条3項，法23条，則35条1号）。A肢解説参照。

労働科目 376~378, 387~389p

E　誤　本問の場合の所定給付日数は「150日」である（法61条の7第8項，法22条3項，法23条，則35条1号）。A肢解説参照。

労働科目 376~378, 387~389p

R3-3	基本手当	重要度 A

問 28 雇用保険法第22条第3項に規定する算定基礎期間に関する次の記述のうち，誤っているものはどれか。

A　育児休業給付金の支給に係る休業の期間は，算定基礎期間に含まれない。

B　雇用保険法第9条の規定による被保険者となったことの確認があった日の2年前の日より前であって，被保険者が負担すべき保険料が賃金から控除されていたことが明らかでない期間は，算定基礎期間に含まれない。

C　労働者が長期欠勤している場合であっても，雇用関係が存続する限り，賃金の支払を受けているか否かにかかわらず，当該期間は算定基礎期間に含まれる。

D　かつて被保険者であった者が，離職後1年以内に被保険者資格を再取得しなかった場合には，その期間内に基本手当又は特例一時金の支給を受けていなかったとしても，当該離職に係る被保険者であった期間は算定基礎期間に含まれない。

E　特例一時金の支給を受け，その特例受給資格に係る離職の日以前の被保険者であった期間は，当該支給を受けた日後に離職して基本手当又は特例一時金の支給を受けようとする際に，算定基礎期間に含まれる。

雇用法

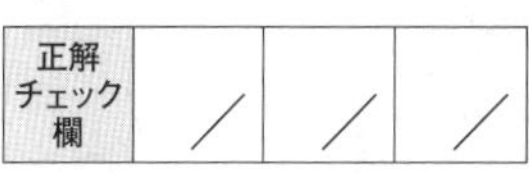

A 正 本肢のとおりである（法61条の7第9項）。 労働科目 388～389, 454p

B 正 本肢のとおりである（法22条4項・5項）。なお，「算定対象期間」とは，受給資格者が当該受給資格に係る離職の日（基準日）まで引き続いて同一の事業主の適用事業に被保険者として雇用された期間（当該雇用された期間に係る被保険者となった日前に被保険者であったことがある者については，当該雇用された期間と前の適用事業での被保険者であった期間とを通算した期間）をいう（法22条3項）。 労働科目 388～389p

---

C 正 本肢のとおりである（行政手引20352）。労働者が長期欠勤している場合であっても，雇用関係が存続する限り賃金の支払を受けていると否とを問わず被保険者となり，この期間は，基本手当の所定給付日数等を決定するための算定基礎期間に算入される。 労働科目 356, 388～389p

---

D 正 本肢のとおりである（法22条3項1号・2号）。算定基礎期間の算定にあたって，前の適用事業での被保険者資格を喪失してから，後の適用事業で被保険者資格を取得するまでの期間が1年を超える場合の，前の適用事業での被保険者であった期間は算定基礎期間に含まれない。 労働科目 388～389p

---

E 誤 特例一時金の支給を受け，その特例受給資格者に係る離職の日以前の被保険者であった期間は，本肢の算定基礎期間に「含まれない」（法22条3項2号）。 労働科目 388～389p

キリトリ線

H27-7	基本手当	重要度 A

問 29 基本手当の受給手続に関する次の記述のうち，正しいものはどれか。

A 失業の認定は，求職の申込みを受けた公共職業安定所において，原則として受給資格者が離職後最初に出頭した日から起算して4週間に1回ずつ直前の28日の各日について行われる。

B 基本手当の支給を受けようとする者（未支給給付請求者を除く。）が管轄公共職業安定所に出頭する場合において，その者が2枚以上の離職票を保管するときでも，直近の離職票のみを提出すれば足りる。

C 1日の労働時間が4時間以上の請負業務に従事した日についても，失業の認定が行われる。

D 失業の認定に係る求職活動の確認につき，地方自治体が行う求職活動に関する指導，受給資格者の住居所を管轄する公共職業安定所以外の公共職業安定所が行う職業相談を受けたことは，求職活動実績に該当しない。

E 受給資格者が配偶者の死亡のためやむを得ず失業の認定日に管轄公共職業安定所に出頭することができなかったことを失業の認定日後に管轄公共職業安定所長に申し出たとき，当該失業の認定日から当該申出をした日の前日までの各日について失業の認定が行われることはない。

雇用法

正解チェック欄	／	／	／

必修基本書
労働科目
379p

A　正　本肢のとおりである（法15条3項）。

B　誤　基本手当の支給を受けようとする者（未支給給付請求者を除く）が管轄公共職業安定所に出頭する場合において，その者が2枚以上の離職票を保管するときは，すべて提出しなければならない（則19条1項後段）。

C　誤　1日の労働時間が4時間以上の請負業務に従事した日は，「就職した日」となり，失業の認定は行われない（行政手引51255）。

D　誤　失業の認定に係る求職活動の確認につき，地方自治体が行う求職活動に関する指導，受給資格者の住居所を管轄する公共職業安定所以外の公共職業安定所が行う職業相談，職業紹介を受けたことも，求職活動実績に該当する（行政手引51254(4)）。

E　誤　受給資格者が配偶者の死亡のためやむを得ず失業の認定日に管轄公共職業安定所に出頭することができなかったことを失業の認定日後に管轄公共職業安定所長に申し出たときは，当該失業の認定日における失業の認定の対象となる日及び当該失業の認定日から当該申出を受けた日の前日までの各日につき，失業の認定が行われる（法15条3項，則24条2項，行政手引51351）。

R6-2	基本手当	重要度 B

問 30 Xは，令和3年4月1日にY社に週所定労働時間が40時間，休日が1週当たり2日の労働契約を締結して就職し，初めて被保険者資格を得て同年7月31日に私傷病により離職した。令和5年11月5日，Xは離職の原因となった傷病が治ゆしたことからZ社に被保険者として週所定労働時間が40時間，休日が1週当たり2日の労働契約を締結して就職した。その後Xは私傷病により令和6年2月29日に離職した。この場合，Z社離職時における基本手当の受給資格要件としての被保険者期間として，正しいものはどれか。なお，XはY社及びZ社において欠勤がなかったものとする。

A 3か月

B 3と2分の1か月

C 4か月

D 7か月

E 7と2分の1か月

雇用法

正解チェック欄	／	／	／

被保険者期間は，被保険者であった期間のうち，当該被保険者でなくなった日又喪失応当日の各前日から各前月の喪失応当日までさかのぼった各期間（賃金の支払の基礎となった日数が11日以上であるものに限る）を1箇月として計算し，その他の期間は，被保険者期間に算入しない。ただし，当該被保険者となった日からその日後における最初の喪失応当日の前日までの期間の日数が15日以上であり，かつ，当該期間内における賃金の支払の基礎となった日数が11日以上であるときは，当該期間を2分の1箇月の被保険者期間として計算する（法14条1項）。

また，基本手当の受給資格は，原則として，離職の日以前2年間に被保険者期間が通算して12箇月以上であったときに取得する（法13条1項）。

本肢の者は，令和6年2月29日にZ社を離職しているため，令和4年3月1日から令和6年2月29日までの2年間が算定対象期間となる（したがって，令和3年4月1日から令和3年7月31日までのY社における就労実績は考慮する必要はない）。

Z社の離職日である令和6年2月29日から1箇月ごとにさかのぼっていった場合，令和5年11月5日から令和5年11月30日までの期間が1箇月未満の期間となる。この期間の日数は15日以上であり，かつ，賃金支払基礎日数は11日以上であるため，この期間については被保険者期間2分の1箇月とされる。

したがって，本肢の者のZ社離職時における基本手当の受給資格要件としての被保険者期間は下記のとおり，「3と2分の1か月」となりBが解答となる。

①令和6年2月1日～令和6年2月29日…1箇月
②令和6年1月1日～令和6年1月31日…1箇月
③令和5年12月1日～令和5年12月31日…1箇月
④令和5年11月5日～令和5年11月30日…2分の1箇月
⑤合計（①＋②＋③＋④）…3と2分の1箇月

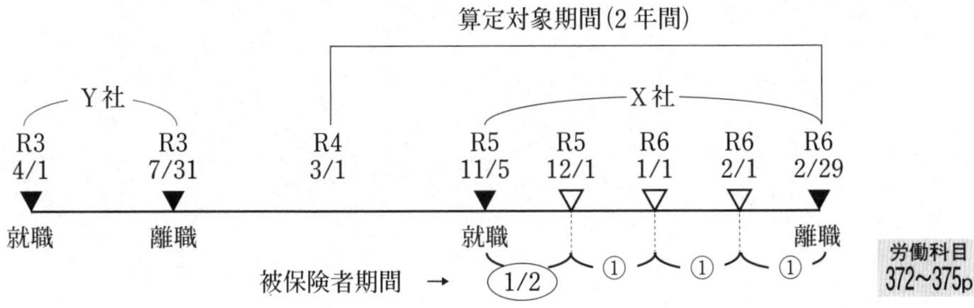

労働科目
372～375p

MEMO

R5-4	基本手当	重要度 A

問 31 訓練延長給付に関する次の記述のうち，正しいものはどれか。

A 訓練延長給付の支給を受けようとする者は，公共職業安定所長が指示した公共職業訓練等を初めて受講した日以降の失業認定日において受講証明書を提出することにより，当該公共職業訓練等を受け終わるまで失業の認定を受けることはない。

B 受給資格者が公共職業安定所長の指示した公共職業訓練等を受けるために待期している期間内の失業している日は，訓練延長給付の支給対象とならない。

C 公共職業安定所長がその指示した公共職業訓練等を受け終わってもなお就職が相当程度に困難であると認めた者は，30日から当該公共職業訓練等を受け終わる日における基本手当の支給残日数（30日に満たない場合に限る。）を差し引いた日数の訓練延長給付を受給することができる。

D 訓練延長給付を受ける者が所定の訓練期間終了前に中途退所した場合，訓練延長給付に係る公共職業訓練等受講開始時に遡って訓練延長給付を返還しなければならない。

E 公共職業安定所長は，職業訓練の実施等による特定求職者の就職の支援に関する法律第4条第2項に規定する認定職業訓練を，訓練延長給付の対象となる公共職業訓練等として指示することができない。

雇用法

正解チェック欄	／	／	／

A　誤　訓練延長給付に基づき支給する基本手当に係る失業の認定は，公共職業訓練等受講証明書を所定の認定日の都度提出させて行うが，この場合の失業の認定は，「1か月に1回」行われる（則24条1項，行政手引52354，行政手引52708）。

B　誤　受給資格者が公共職業安定所長の指示した公共職業訓練等を受けるために待期している所定の期間中の日についても，所定の要件を満たす限り，「訓練延長給付の支給対象となる」（法24条1項）。 労働科目 393p

---

C　正　本肢のとおりである（法24条2項，令5条1項）。 労働科目 393p

D　誤　訓練生が所定の訓練等の期間終了前に，中途退校した場合は，その退校の日（最終在籍日）後の日については，失業の認定を行われなくなるが，すでに受けた訓練延長給付による基本手当を「返還する必要はない」（行政手引52354）。

E　誤　「公共職業訓練等」とは，国，都道府県及び市町村並びに独立行政法人高齢・障害・求職者雇用支援機構が設置する公共職業能力開発施設の行う職業訓練（職業能力開発総合大学校の行うものを含む），「求職者支援法4条2項に規定する認定職業訓練」（厚生労働省令で定めるものを除く）その他法令の規定に基づき失業者に対して作業環境に適応することを容易にさせ，又は就職に必要な知識及び技能を習得させるために行われる訓練又は講習であって，政令で定めるものをいう。したがって，公共職業安定所長は，求職者支援法に規定する認定職業訓練を，訓練延長給付の対象となる公共職業訓練等として指示することができる（法15条3項）。

H27-3	基本手当	重要度 A

問 32 基本手当の延長給付に関する次の記述のうち，正しいものはどれか。

A 全国延長給付の限度は90日であり，なお失業の状況が改善されない場合には当初の期間を延長することができるが，その限度は60日とされている。

B 個別延長給付の支給対象者は，特定受給資格者に限られる。

C 広域延長措置に基づき所定給付日数を超えて基本手当の支給を受けることができる者が厚生労働大臣が指定する地域に住所又は居所を変更した場合，引き続き当該措置に基づき所定給付日数を超えて基本手当を受給することができる。

D 広域延長給付を受けている受給資格者について訓練延長給付が行われることとなったときは，訓練延長給付が終わった後でなければ，広域延長給付は行われない。

E 訓練延長給付の対象となる公共職業訓練等は，公共職業安定所長の指示したもののうちその期間が1年以内のものに限られている。

雇用法

正解チェック欄	／	／	／

A　誤　全国延長給付は，厚生労働大臣の指定する期間内に限り90日を限度に行われるものであるが，なお失業の状況が改善されない場合には，当該「厚生労働大臣の指定する期間」を延長することができ，当該延長される指定期間については特に上限は定められていない（法27条1項，令8条）。

労働科目 396p

B　誤　個別延長給付は，特定受給資格者のほか，一定の特定理由離職者（正当な理由により離職した者を除く）についても支給され得る（法24条の2第1項）。

労働科目 393～395p

C　正　本肢のとおりである（行政手引52412）。

D　誤　広域延長給付を受けている受給資格者について訓練延長給付が行われることとなったときであっても，当該広域延長給付が終わった後でなければ，訓練延長給付は行われない（法28条1項）。

労働科目 397p

E　誤　訓練延長給付の対象となる公共職業訓練等は，公共職業安定所長の指示したもののうちその期間が「2年以内」のものに限られている（法24条1項，令4条1項）。

労働科目 393p

R2-3	基本手当	重要度 A

問 33 基本手当の延長給付に関する次の記述のうち，誤っているものはどれか。

A 訓練延長給付により所定給付日数を超えて基本手当が支給される場合，その日額は本来支給される基本手当の日額と同額である。

B 特定理由離職者，特定受給資格者又は就職が困難な受給資格者のいずれにも該当しない受給資格者は，個別延長給付を受けることができない。

C 厚生労働大臣は，その地域における基本手当の初回受給率が全国平均の初回受給率の1.5倍を超え，かつ，その状態が継続すると認められる場合，当該地域を広域延長給付の対象とすることができる。

D 厚生労働大臣は，雇用保険法第27条第1項に規定する全国延長給付を支給する指定期間を超えて失業の状況について政令で定める基準に照らして必要があると認めるときは，当該指定期間を延長することができる。

E 雇用保険法附則第5条に規定する給付日数の延長に関する暫定措置である地域延長給付の対象者は，年齢を問わない。

雇用法

正解チェック欄	／	／	／

A　正　本肢のとおりである（法24条）。なお，訓練延長給付による基本手当の支給を受ける受給資格者は，失業の認定を受ける都度，公共職業安定所長に公共職業訓練受講証明書を提出しなければならない（則37条）。

労働科目
392～393p

B　正　本肢のとおりである（法24条の2）。個別延長給付の対象となるのは，有期労働契約が更新されなかった特定理由離職者，特定受給資格者又は就職困難者である受給資格者であって，一定の要件を満たした者である。

労働科目
393～395p

C　誤　広域延長給付の対象となるのは，その地域における基本手当の初回受給率が全国平均の初回受給率の「100分の200以上」となるに至り，かつ，その状態が継続すると認められる場合である（法25条1項，令6条）。

D　正　本肢のとおりである（法27条2項，令8条）。なお，全国延長給付の適用を受けている者がその者の所定給付日数を超えて全国延長給付を受けた後，全国延長給付日数の全部を受け終わらないで就職し，その後に離職して再度その者の受給期間内に求職の申込みをした場合には，その者がなお政令で定める基準に該当するときは，全国延長給付日数の残日数を支給しても差し支えない（行政手引52454(4)）。

E　正　本肢のとおりである（法附則5条，則附則21条）。なお，地域延長給付の延長日数の限度は，60日（算定基礎期間が20年以上あり，かつ，所定給付日数が270日又は330日である受給資格者にあっては，30日）とされている。

労働科目
396p

H28-5	基本手当	重要度 B

問 34 基本手当の給付制限に関する次の記述のうち，正しいものはどれか。なお，本問における「受給資格者」には，訓練延長給付，個別延長給付，広域延長給付，全国延長給付及び地域延長給付を受けている者は除かれるものとする。

A 自己の責めに帰すべき重大な理由によって解雇された場合は，待期の満了の日の翌日から起算して1か月以上3か月以内の間，基本手当は支給されないが，この間についても失業の認定を行わなければならない。

B 就職先の賃金が，同一地域における同種の業務及び同程度の技能に係る一般の賃金水準に比べて，不当に低いときには，受給資格者が公共職業安定所の紹介する職業に就くことを拒んでも，給付制限を受けることはない。

C 受給資格者が，正当な理由がなく職業指導を受けることを拒んだことにより基本手当を支給しないこととされている期間であっても，他の要件を満たす限り，技能習得手当が支給される。

D 公共職業安定所長の指示した公共職業訓練等を受けることを拒んだ受給資格者は，当該公共職業訓練等を受けることを指示された職種が，受給資格者の能力からみて不適当であると認められるときであっても，基本手当の給付制限を受ける。

E 管轄公共職業安定所の長は，正当な理由なく自己の都合によって退職したことで基本手当の支給をしないこととされる受給資格者に対して，職業紹介及び職業指導を行うことはない。

雇用法

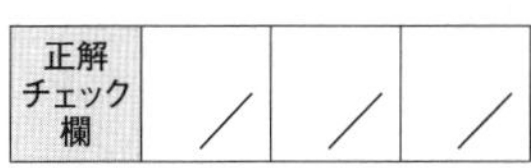

A 誤 給付制限期間中については，失業の認定は行われない。前段の記述は正しい（法33条1項，行政手引51254）。

労働科目 398p

B 正 本肢のとおりである（法32条1項3号）。

C 誤 技能習得手当は，基本手当の給付制限期間中は支給されない（法36条3項）。

労働科目 401p

D 誤 本肢のような正当な理由がある場合は，公共職業訓練等を受けることを拒んだときであっても，基本手当の給付制限を受けることはない（法32条1項1号）。

労働科目 398p

E 誤 管轄公共職業安定所の長は，正当な理由なく自己の都合によって退職したことで基本手当の支給をしないこととされる受給資格者に対し，職業紹介又は職業指導を行うものとされている（則48条）。

労働科目 398p

H28-2	基本手当以外の求職者給付	重要度 A

問 35 傷病手当に関する次の記述のうち，正しいものの組み合わせはどれか。

ア　労働の意思又は能力がないと認められる者が傷病となった場合には，疾病又は負傷のため職業に就くことができないとは認められないから，傷病手当は支給できない。

イ　求職の申込後に疾病又は負傷のために公共職業安定所に出頭することができない場合において，その期間が継続して15日未満のときは，証明書により失業の認定を受け，基本手当の支給を受けることができるので，傷病手当は支給されない。

ウ　広域延長給付に係る基本手当を受給中の受給資格者が疾病又は負傷のために公共職業安定所に出頭することができない場合，傷病手当が支給される。

エ　傷病手当の日額は，雇用保険法第16条の規定による基本手当の日額に100分の80を乗じて得た額である。

オ　傷病の認定は，天災その他認定を受けなかったことについてやむを得ない理由がない限り，職業に就くことができない理由がやんだ日の翌日から起算して10日以内に受けなければならない。

A　(アとイ)　　**B**　(アとオ)　　**C**　(イとオ)

D　(ウとエ)　　**E**　(エとオ)

雇用法

正解チェック欄	／	／	／

本問のアからオまでのそれぞれの記述の正誤は以下のとおりであり，ア及びイが正しい記述となる。したがって，Aが解答となる。

ア　正　本肢のとおりである（行政手引53002）。 労働科目 402~403p

イ　正　本肢のとおりである（法37条1項・3項，行政手引53003）。 労働科目 402~403p

ウ　誤　広域延長給付などの延長給付に係る基本手当を受給中の受給資格者については，傷病手当は支給されない（行政手引53004）。 労働科目 402~403p

---

エ　誤　傷病手当の日額は，「基本手当の日額に相当する額」である（法37条3項）。 労働科目 402~403p

オ　誤　傷病の認定は，原則として，天災その他認定を受けなかったことについてやむを得ない理由がない限り，職業に就くことができない理由がやんだ後における最初の基本手当を支給すべき日までに受けなければならない（法37条1項，則63条1項）。 労働科目 402~403p

R2-4	基本手当以外の求職者給付	重要度 A

問 36 傷病手当に関する次の記述のうち，正しいものはどれか。

A　疾病又は負傷のため職業に就くことができない状態が当該受給資格に係る離職前から継続している場合には，他の要件を満たす限り傷病手当が支給される。

B　有効な求職の申込みを行った後において当該求職の申込みの取消し又は撤回を行い，その後において疾病又は負傷のため職業に就くことができない状態となった場合，他の要件を満たす限り傷病手当が支給される。

C　つわり又は切迫流産（医学的に疾病と認められるものに限る。）のため職業に就くことができない場合には，その原因となる妊娠（受胎）の日が求職申込みの日前であっても，当該つわり又は切迫流産が求職申込後に生じたときには，傷病手当が支給されない。

D　訓練延長給付に係る基本手当を受給中の受給資格者が疾病又は負傷のため公共職業訓練等を受けることができなくなった場合，傷病手当が支給される。

E　求職の申込みの時点においては疾病又は負傷にもかかわらず職業に就くことができる状態にあった者が，その後疾病又は負傷のため職業に就くことができない状態になった場合は，他の要件を満たす限り傷病手当が支給される。

雇用法

正解チェック欄	／	／	／

A　誤　疾病又は負傷のため職業に就くことができない状態が当該受給資格に係る離職前から継続している場合には，傷病手当は「支給されない」（行政手引53002）。傷病手当は，疾病又は負傷のため職業に就くことができない状態が「公共職業安定所に出頭し求職の申込みをした後において生じたもの」でなければ，支給されない。

労働科目
402～403p

B　誤　有効な求職の申込みを行った後において当該求職の申込みの取消し又は撤回を行い，その後において疾病又は負傷のため職業に就くことができない状態となった場合には，傷病手当を「支給することはできない」（行政手引53002）。

C　誤　つわり又は切迫流産（医学的に疾病と認められるものに限る）のため職業に就くことができない場合には，その原因となる妊娠（受胎）の日が求職申込みの日前であっても，当該つわり又は切迫流産が求職申込後に生じた場合には，傷病手当を「支給し得る」（行政手引53002）。

D　誤　傷病手当を支給し得る日数は，当該受給資格者の所定給付日数から既に基本手当を支給した日数を差し引いた日数である。したがって，延長給付に係る基本手当を受給中の受給資格者については，傷病手当は「支給されない」（行政手引53004）。

労働科目
402～403p

E　正　本肢のとおりである（行政手引53002）。なお，労働の意思又は能力がないと認められる者が傷病となった場合には，疾病又は負傷のため職業に就くことができないと認められないことから，傷病手当は支給されない。

労働科目
402～403p

R6-3	基本手当以外の求職者給付	重要度 A

問 37 雇用保険の傷病手当に関する次の記述のうち，誤っているものはどれか。

A 受給資格者が離職後最初に公共職業安定所に求職の申込みをした日以後において，雇用保険法第37条第1項に基づく疾病又は負傷のために基本手当の支給を受けることができないことについての認定（以下本問において「傷病の認定」という。）を受けた場合，失業している日（疾病又は負傷のため職業に就くことができない日を含む。）が通算して7日に満たない間は，傷病手当を支給しない。

B 傷病手当を支給する日数は，傷病の認定を受けた受給資格者の所定給付日数から当該受給資格に基づき，既に基本手当を支給した日数を差し引いた日数に相当する日数分を限度とする。

C 基本手当の支給を受ける口座振込受給資格者が当該受給期間中に疾病又は負傷により職業に就くことができなくなった場合，天災その他認定を受けなかったことについてやむを得ない理由がない限り，当該受給資格者は，職業に就くことができない理由がやんだ後における最初の支給日の直前の失業の認定日までに傷病の認定を受けなければならない。

D 健康保険法第99条の規定による傷病手当金の支給を受けることができる者が傷病の認定を受けた場合，傷病手当を支給する。

E 傷病手当の日額は，雇用保険法第16条に規定する基本手当の日額に相当する額である。

正解チェック欄	／	／	／

雇用法

必修基本書

A　正　本肢のとおりである（法37条9項）。　労働科目 402~403p

B　正　本肢のとおりである（法37条4項）。　労働科目 402~403p

C　正　本肢のとおりである（則63条1項）。　労働科目 402~403p

D　誤　傷病手当に係る傷病の認定を受けた日について，健康保険法の傷病手当金の支給を受けることができる場合，「傷病手当は支給されない」（法37条8項）。　労働科目 402~403p

---

E　正　本肢のとおりである（法37条3項）。　労働科目 402~403p

H29-5　高年齢被保険者　重要度 A

問 38　高年齢被保険者に関する次の記述のうち，正しいものはどれか。

A　高年齢求職者給付金の支給を受けた者が，失業の認定の翌日に就職した場合，当該高年齢求職者給付金を返還しなければならない。

B　疾病又は負傷のため労務に服することができない高年齢被保険者は，傷病手当を受給することができる。

C　雇用保険法第60条の2に規定する支給要件期間が2年である高年齢被保険者は，厚生労働大臣が指定する教育訓練を受け，当該教育訓練を修了した場合，他の要件を満たしても教育訓練給付金を受給することができない。

D　高年齢求職者給付金の支給を受けようとする高年齢受給資格者は，公共職業安定所において，離職後最初に出頭した日から起算して4週間に1回ずつ直前の28日の各日について，失業の認定を受けなければならない。

E　雇用保険法によると，高年齢求職者給付金の支給に要する費用は，国庫の負担の対象とはならない。

正解チェック欄	／	／	／

A　誤　高年齢求職者給付金の支給については，失業の認定の日に失業の状態にあればよく，「翌日から就職したとしても返還の必要はない」（行政手引54201）。

B　誤　高年齢受給資格者に対しては，「傷病手当は支給されない」（行政手引54201）。

労働科目 402~403p

C　誤　所定の要件を満たす限り，「高年齢被保険者に対しても教育訓練給付金は支給される」。本肢の場合，支給要件期間が2年であることから，本肢の高年齢被保険者が今まで教育訓練給付金の支給を受けたことがなければ，他の要件を満たす限り，教育訓練給付金が支給される（法60条の2第1項，法附則11条ほか）。

労働科目 425p

D　誤　高年齢求職者給付金は，失業している日数に対応して支給されるものではないため，高年齢求職者給付金の支給に係る失業の認定は，「失業の認定の日に対して行われ，その日に失業の状態にあればよい」（行政手引54201）。

労働科目 405p

E　正　本肢のとおりである（法66条1項）。

労働科目 469p

キリトリ線

R4-1	高年齢被保険者	重要度 B

問 39 特例高年齢被保険者に関する次の記述のうち，誤っているものはどれか。

A 特例高年齢被保険者が1の適用事業を離職した場合に支給される高年齢求職者給付金の賃金日額は，当該離職した適用事業において支払われた賃金のみにより算定された賃金日額である。

B 特例高年齢被保険者が同じ日に1の事業所を正当な理由なく自己の都合で退職し，他方の事業所を倒産により離職した場合，雇用保険法第21条の規定による待期期間の満了後1か月以上3か月以内の期間，高年齢者求職者給付金を支給しない。

C 特例高年齢被保険者が1の適用事業を離職したことにより，1週間の所定労働時間の合計が20時間未満となったときは，特例高年齢被保険者であった者がその旨申し出なければならない。

D 特例高年齢被保険者の賃金日額の算定に当たっては，賃金日額の下限の規定は適用されない。

E 2の事業所に雇用される65歳以上の者は，各々の事業における1週間の所定労働時間が20時間未満であり，かつ，1週間の所定労働時間の合計が20時間以上である場合，事業所が別であっても同一の事業主であるときは，特例高年齢被保険者となることができない。

雇用法

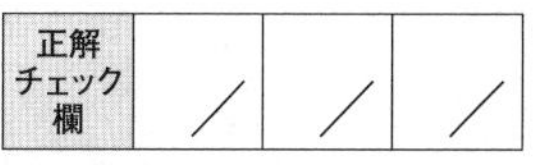

A　正　本肢のとおりである（法37条の6第2項）。なお，次に掲げる要件のいずれにも該当する者は，厚生労働大臣に申し出て，当該申出を行った日から高年齢被保険者（特例高年齢被保険者）となることができる（法37条の5第1項，則65条の7）。

①2以上の事業主の適用事業に雇用される65歳以上の者であること。

②一の事業主の適用事業における1週間の所定労働時間が20時間未満であること。

③2の事業主の適用事業（申出を行う労働者の一の事業主の適用事業における1週間の所定労働時間が5時間以上であるものに限る）における1週間の所定労働時間の合計が20時間以上であること。

B　誤　同日付で2の事業所を離職した場合で，その離職理由が異なっている場合には，給付制限の取扱いが離職者にとって不利益とならない方の離職理由に一本化して給付することとされており，本肢の場合，不利益にならない方の離職理由である倒産により離職した場合に一本化され，いわゆる離職理由による給付制限は行われないこととなる。したがって，「待期期間満了後1か月以上3か月以内の期間であっても，高年齢求職者給付金は支給される」（行政手引22270）。

C　正　本肢のとおりである（法37条の5第2項）。特例高年齢被保険者となった者は，特例高年齢被保険者となる要件（法37条の5第1項各号の要件）を満たさなくなったときは，厚生労働大臣に申し出なければならないものとされている。なお，当該申出は，特例高年齢被保険者が当該要件を満たさなくなった日の翌日から起算して10日以内に，所定の事項を記載した届書に，原則として所定の書類を添えて，管轄公共職業安定所長に提出することによって行うものとされている（則65条の8第1項）。

労働科目 404p

D　正　本肢のとおりである（法37条の6第2項，行政手引2140）。

E　正　本肢のとおりである（法37条の5第1項，行政手引1070）。特例高年齢被保険者となるための要件の1つに，「2以上の事業主の適用事業に雇用される65歳以上の者であること」があるが，当該適用事業については，2の事業主は異なる事業主である必要があるため，事業所が別であっても同一の事業主である場合は，特例高年齢被保険者の適用要件を満たさないものとされている。

労働科目 404p

R3-5	短期雇用特例被保険者	重要度 A

問 40 短期雇用特例被保険者に関する次の記述のうち，誤っているものはどれか。

A 特例一時金の支給を受けようとする特例受給資格者は，離職の日の翌日から起算して6か月を経過する日までに，公共職業安定所に出頭し，求職の申込みをした上，失業の認定を受けなければならない。

B 特例一時金の支給を受けることができる期限内において，短期雇用特例被保険者が疾病又は負傷により職業に就くことができない期間がある場合には，当該特例一時金の支給を受けることができる特例受給資格に係る離職の日の翌日から起算して3か月を上限として受給期限が延長される。

C 特例一時金は，特例受給資格者が当該特例一時金に係る離職後最初に公共職業安定所に求職の申込みをした日以後において，失業している日（疾病又は負傷のため職業に就くことができない日を含む。）が通算して7日に満たない間は，支給しない。

D 短期雇用特例被保険者が，同一暦月においてA事業所において賃金支払の基礎となった日数が11日以上で離職し，直ちにB事業所に就職して，B事業所においてもその月に賃金支払の基礎となった日数が11日以上ある場合，被保険者期間は1か月として計算される。

E 特例受給資格者が，当該特例受給資格に基づく特例一時金の支給を受ける前に公共職業安定所長の指示した公共職業訓練等（その期間が40日以上2年以内のものに限る。）を受ける場合には，当該公共職業訓練等を受け終わる日までの間に限り求職者給付が支給される。

正解チェック欄	／	／	／

正解 B

A　正　本肢のとおりである（法40条3項）。 労働科目 408p

B　誤　特例一時金の支給を受けることができる受給期限内において，短期雇用特例被保険者が疾病又は負傷等により職業に就くことができない期間があっても，「受給期限の延長は認められない」（行政手引55151）。 労働科目 409p

C　正　本肢のとおりである（法40条4項）。基本手当に係る待期の規定は，特例一時金について準用されている。 労働科目 409p

D　正　本肢のとおりである（行政手引55104）。 労働科目 408p

E　正　本肢のとおりである（法41条1項，行政手引56402）。なお，本肢の者が受けることができる求職者給付とは，一般の受給資格者に対する求職者給付（基本手当，技能習得手当及び寄宿手当に限る）である（行政手引56401）。 労働科目 409p

キリトリ線

H29-4	給付制限	重要度 C

問 41 **公共職業安定所長が認定した被保険者の離職理由に基づく給付制限に関する次の記述のうち，正しいものはどれか。**

A　事業所に係る事業活動が停止し，再開される見込みがないために当該事業所から退職した場合，退職に正当な理由がないものとして給付制限を受ける。

B　行政罰の対象とならない行為であって刑法に規定する犯罪行為により起訴猶予処分を受け，解雇された場合，自己の責めに帰すべき重大な理由による解雇として給付制限を受ける。

C　支払われた賃金が、その者に支払われるべき賃金月額の2分の1であった月があったために退職した場合，退職に正当な理由がないものとして給付制限を受ける。

D　配偶者と別居生活を続けることが家庭生活の上からも，経済的事情からも困難となり，配偶者と同居するために住所を移転したことにより事業所への通勤が不可能となったことで退職した場合，退職に正当な理由がないものとして給付制限を受ける。

E　従業員として当然守らなければならない事業所の機密を漏らしたことによって解雇された場合，自己の責めに帰すべき重大な理由による解雇として給付制限を受ける。

雇用法

キリトリ線

正解チェック欄	／	／	／

A　誤　本肢の退職は,「正当な理由がある退職」とされるため,離職理由による給付制限は行われない（行政手引52203)。

B　誤　刑法各本条の規定に違反して処罰を受けたことによって解雇された場合は,「自己の責に帰すべき重大な理由による解雇」として給付制限が行われるが,この「処罰を受けたことによって解雇された場合」には,単に訴追を受け,又は取調べを受けている場合,控訴又は上告中で刑の確定しない場合は含まれない。本肢の起訴猶予の処分は,刑が確定しているのではないため,「処罰を受けたことによって解雇された場合」に該当しないことから,離職理由による給付制限は行われない（行政手引52202)。

C　誤　支払われた賃金が,「その者に支払われるべき賃金月額の3分の2に満たない月があったため,又は毎月支払われるべき賃金の全額が所定の期日より後の日に支払われた事実があったために退職した場合」は,「正当な理由がある退職」とされる。本肢の場合は,支払われた賃金が,その者に支払われるべき賃金月額の3分の2に満たない額（2分の1相当額）であることから,「正当な理由がある退職」といえる。したがって,本肢の退職について,離職理由による給付制限を受けるとはいえない（行政手引52203)

D　誤　本肢の退職は,「正当な理由がある退職」とされるため,離職理由による給付制限は行われない（行政手引52203)。

E　正　本肢のとおりである（行政手引52202)。

R2-5	給付制限	重要度 B

問 42 給付制限に関する次の記述のうち，誤っているものはどれか。

A 日雇労働被保険者が公共職業安定所の紹介した業務に就くことを拒否した場合において，当該業務に係る事業所が同盟罷業又は作業所閉鎖の行われている事業所である場合，日雇労働求職者給付金の給付制限を受けない。

B 不正な行為により基本手当の支給を受けようとしたことを理由として基本手当の支給停止処分を受けた場合であっても，その後再就職し新たに受給資格を取得したときには，当該新たに取得した受給資格に基づく基本手当を受けることができる。

D 不正な行為により育児休業給付金の支給を受けたとして育児休業給付金に係る支給停止処分を受けた受給資格者は，新たに育児休業給付金の支給要件を満たしたとしても，新たな受給資格に係る育児休業給付金を受けることができない。

E 偽りその他不正の行為により高年齢雇用継続基本給付金の給付制限を受けた者は，当該被保険者がその後離職した場合に当初の不正の行為を理由とした基本手当の給付制限を受けない。

※選択肢Cは，改正により，削除しました。

正解チェック欄	／	／	／

A　正　本肢のとおりである（法52条1項3号，行政手引90704）。なお，労働委員会から公共職業安定所に対し，当該事業所において同盟罷業又は作業所閉鎖に至るおそれの多い争議が発生していること及び求職者を無制限に紹介することによって，当該争議の解決が妨げられることについて通報のあった事務所に紹介された場合において，日雇労働被保険者が当該事務所の業務に就くことを拒否したときであっても，日雇労働求職者給付金の給付制限を受けない。

労働科目 414p

B　正　本肢のとおりである（法34条2項）。なお，本来求職者給付又は就職促進給付の支給を受けるべき正当な権利を有する者がその正当な権利に基づいてこれらの給付の支給を受けるに際し，たとえ公共職業安定所に対する届出義務違反行為をなしたとしても，その違反行為の内容がこれらの給付の支給を受ける権利に何ら影響を及ぼさないものである場合には，法34条2項における「偽りその他不正の行為」には該当しないものと解される（昭30.3.11 審査決定 昭30第2号）。

労働科目 398p

D　誤　偽りその他不正の行為により育児休業等給付の支給を受け，又は受けようとした者には，当該給付の支給を受け，又は受けようとした日以後，育児休業等給付は支給されないが，当該事由により育児休業等給付の支給を受けることができない者とされたものが，当該給付制限を受けることとなった日以後，新たに育児休業等給付の支給要件を満たした場合には，当該新たな受給資格に係る育児休業等給付は「支給される」（法61条の9第2項）。

労働科目 458p

E 正 本肢のとおりである（法34条，法61条の3）。不正受給等によって高年齢雇用継続基本給付金について給付制限を受けた場合であっても，その者がその後離職して基本手当を受ける場合，高年齢雇用継続基本給付金について不正受給等をしたことを理由として，基本手当について給付制限は受けない。

必修基本書 労働科目 442～443p

※選択肢Cは，改正により，削除しました。

H30-1	就職促進給付	重要度 A

問 43 就職促進給付に関する次のアからオの記述のうち，誤っているものの組合せは，後記AからEまでのうちどれか。

ア　基本手当の受給資格者が離職前の事業主に再び雇用されたときは，就業促進手当を受給することができない。

イ　基本手当の受給資格者が公共職業安定所の紹介した職業に就くためその住所を変更する場合，移転費の額を超える就職支度費が就職先の事業主から支給されるときは，当該受給資格者は移転費を受給することができない。

ウ　再就職手当を受給した者が，当該再就職手当の支給に係る同一の事業主にその職業に就いた日から引き続いて6か月以上雇用された場合で，当該再就職手当に係る雇用保険法施行規則第83条の2にいうみなし賃金日額が同条にいう算定基礎賃金日額を下回るときは，就業促進定着手当を受給することができる。

エ　事業を開始した基本手当の受給資格者は，当該事業が当該受給資格者の自立に資するもので他の要件を満たす場合であっても，再就職手当を受給することができない。

オ　基本手当の受給資格者が職業訓練の実施等による特定求職者の就職の支援に関する法律第4条第2項に規定する認定職業訓練を受講する場合には，求職活動関係役務利用費を受給することができない。

A　（アとイ）　　**B**　（アとウ）　　**C**　（イとエ）
D　（ウとオ）　　**E**　（エとオ）

正解チェック欄	／	／	／

本問のアからオまでのそれぞれの記述の正誤は以下のとおりであり，したがって，エ及びオを誤りとするEが解答となる。

ア　正　本肢のとおりである（法56条の3第1項，則82条）。就業促進手当（再就職手当，就業促進定着手当及び常用就職支度手当）は，受給資格者が離職前の事業主に再び雇用されたときは，受給することができない。

労働科目 416~418p

イ　正　本肢のとおりである（法58条1項，則86条）。

労働科目 420p

ウ　正　本肢のとおりである（法56条の3第1項1号・3項1号，則83条の2）。

労働科目 417p

エ　誤　基本手当の受給資格者が事業（当該事業により受給資格者が自立することができると公共職業安定所長が認めたものに限る）を開始したときは，他の要件を満たす限り，当該受給資格者は，再就職手当を受給することが「できる」（法56条の3第1項1号，則82条の2）。

労働科目 416p

オ　誤　求職活動関係役務利用費は，受給資格者等が求人者との面接等をし，又は求職活動関係役務利用費対象訓練を受講するため，その子に関して，待期期間が経過した後に保育等サービスを利用する場合に支給される。この「求職活動関係役務利用費対象訓練」には，求職者支援法4条2項に規定する認定職業訓練が含まれており，本肢の受給資格者は，他の要件を満たす限り，求職活動関係役務利用費を受給することが「できる」（法59条1項，則100条の6）。なお，「求職活動関係役務利用費対象訓練」には，本肢の認定職業訓練のほか，教育訓練給付金の支給に係る教育訓練，短期訓練受講費の支給に係る教育訓練，公共職業訓練等が含まれる。

労働科目 422~423p

R元-5	就職促進給付	重要度 A

問 44 就職促進給付に関する次の記述のうち，正しいものはどれか。

A 厚生労働省令で定める安定した職業に就いた者であって，当該職業に就いた日の前日における基本手当の支給残日数が当該受給資格に基づく所定給付日数の3分の1以上あるものは，就業手当を受給することができる。

B 移転費は，受給資格者等が公共職業安定所，職業安定法第4条第8項に規定する特定地方公共団体若しくは同法第18条の2に規定する職業紹介事業者の紹介した職業に就くため，又は公共職業安定所長の指示した公共職業訓練等を受けるため，その住所又は居所を変更する場合において，公共職業安定所長が厚生労働大臣の定める基準に従って必要があると認めたときに，支給される。

C 身体障害者その他就職が困難な者として厚生労働省令で定めるものが基本手当の支給残日数の3分の1未満を残して厚生労働大臣の定める安定した職業に就いたときは，当該受給資格者は再就職手当を受けることができる。

D 早期再就職者に係る再就職手当の額は，支給残日数に相当する日数に10分の6を乗じて得た数に基本手当日額を乗じて得た額である。

E 短期訓練受講費の額は，教育訓練の受講のために支払った費用に100分の40を乗じて得た額（その額が10万円を超えるときは，10万円）である。

正解チェック欄	／	／	／

A　誤　本肢の者は,「再就職手当」を受給することができる。なお,以前は安定した職業以外の職業に就いた受給資格者に対して就業手当が支給されていたが,改正により廃止された。(法56条の3第1項1号)。 労働科目416p

---

B　正　本肢のとおりである(法58条1項)。 労働科目420p

C　誤　身体障害者その他就職が困難な者として厚生労働省令で定めるものに該当する受給資格者が厚生労働省令で定める安定した職業に就いた場合であって,当該職業に就いた日の前日における基本手当の支給残日数が,当該受給資格に基づく所定給付日数の3分の1未満であり,かつ,所定の要件に該当するときは,「常用就職支度手当」が支給される(法56条の3第1項2号,則82条の3ほか)。なお,再就職手当の支給を受けるためには,受給資格者が安定した職業に就いた日の前日における基本手当の支給残日数が,当該受給資格に基づく所定給付日数の3分の1以上でなければ支給されない(法56条の3第1項1号ロほか)。 労働科目418p

---

D　誤　早期再就職者に係る再就職手当の額は,支給残日数に相当する日数に「10分の7」を乗じて得た数に基本手当日額を乗じて得た額である(法56条の3第3項1号)。 労働科目416~417p

---

E　誤　短期訓練受講費の額は,受給資格者等が教育訓練の受講のために支払った費用の額に「100分の20」を乗じて得た額(その額が10万円を超えるときは,10万円)である(則100条の3)。 労働科目422p

R5-5	就職促進給付	重要度 A

問 45 就職促進給付に関する次のアからオの記述のうち，正しいものの組合せは，後記ＡからＥまでのうちどれか。

ア　障害者雇用促進法に定める身体障害者が1年以上引き続き雇用されることが確実であると認められる職業に就いた場合，当該職業に就いた日の前日における基本手当の支給残日数が所定給付日数の3分の1未満であれば就業促進手当を受給することができない。

イ　受給資格者が1年を超えて引き続き雇用されることが確実であると認められる職業に就いた日前3年の期間内に厚生労働省令で定める安定した職業に就いたことにより就業促進手当の支給を受けたことがあるときは，就業促進手当を受給することができない。

ウ　受給資格者が公共職業安定所の紹介した雇用期間が1年未満の職業に就くためその住居又は居所を変更する場合，移転費を受給することができる。

オ　受給資格者が公共職業安定所の職業指導に従って行う再就職の促進を図るための職業に関する教育訓練を修了した場合，当該教育訓練の受講のために支払った費用につき，教育訓練給付金の支給を受けていないときに，その費用の額の100分の30（その額が10万円を超えるときは，10万円）が短期訓練受講費として支給される。

A　（アとイ）　　**B**　（アとウ）　　**C**　（イとエ）
D　（ウとオ）　　**E**　（エとオ）

※選択肢エは，改正により，削除しました。

正解チェック欄	／	／	／

本問アからオまでのそれぞれの記述の正誤は以下のとおりである。したがって，イとエを正しい記述とするCが解答となる。

ア　誤　障害者雇用促進法に定める身体障害者が，1年以上引き続き雇用されることが確実であると認められる職業に就いた場合において，当該職業に就いた日の前日における基本手当の支給残日数が所定給付日数の3分の1未満であるときは，他の要件を満たす限り，就業促進手当（常用就職支度手当）を受給することが「できる」（法56条の3第1項）。 労働科目 418～419p

---

イ　正　本肢のとおりである（法56条の3第2項）。なお，本肢の「就業促進手当」は，再就職手当又は常用就職支度手当を指している。 労働科目 416p

---

ウ　誤　雇用期間が1年未満の職業への就職に係る移転については，「移転費は支給されない」（則86条）。 労働科目 420p

オ　誤　短期訓練受講費の額は，受給資格者等が教育訓練の受講のために支払った費用の額に「100分の20」を乗じて得た額（その額が10万円を超えるときは，10万円）である（則100条の3）。 労働科目 422p

※選択肢エは，改正により，削除しました。

H27-4	教育訓練給付	重要度 A

問 46 教育訓練給付に関する次の記述のうち，誤っているものはいくつあるか。
なお，本問において，「教育訓練」とは，雇用保険法第60条の2第1項の規定に基づき厚生労働大臣が指定する教育訓練のことをいう。

ア　一般教育訓練に係る教育訓練給付金の支給を受けようとする者は，やむを得ない理由がある場合を除いて，当該教育訓練給付金の支給に係る一般教育訓練を修了した日の翌日から起算して3か月以内に申請しなければならない。

イ　教育訓練支援給付金は，教育訓練給付の支給に係る教育訓練を修了してもなお失業している日について支給する。

ウ　指定教育訓練実施者が偽りの届出をしたために，教育訓練給付が不当に支給された場合，政府は，当該教育訓練実施者に対し，当該教育訓練給付の支給を受けた者と連帯して同給付の返還をするよう命ずることができる。

エ　教育訓練給付金の支給の対象となる費用の範囲は，入学料，受講料及び交通費である。

オ　適用事業Aで一般被保険者として2年間雇用されていた者が，Aの離職後傷病手当を受給し，その後適用事業Bに2年間一般被保険者として雇用された場合，当該離職期間が1年以内であり過去に教育訓練給付金の支給を受けていないときには，当該一般被保険者は教育訓練給付金の対象となる。

A　一つ
B　二つ
C　三つ
D　四つ
E　五つ

正解チェック欄	／	／	／

雇用法

本問のアからオまでのそれぞれの記述の正誤は以下のとおりであり，ア，イ及びエの3つが誤っている記述となる。したがって，Cが解答となる。

ア　誤　一般教育訓練に係る教育訓練給付金の支給を受けようとする者は，一般教育訓練を修了した日の翌日から起算して「1箇月以内」に申請しなければならない（則101条の2の11）。 労働科目 430p

---

イ　誤　教育訓練支援給付金は，所定の要件を満たしているものが，「専門実践教育訓練を受けている日（当該専門実践教育訓練に係る指定教育訓練実施者によりその旨の証明がされた日に限る）のうち失業している日（失業していることについての認定を受けた日に限る）」について支給する（法附則11条の2第1項）。 労働科目 432p

---

ウ　正　本肢のとおりである（法10条の4第2項）。

エ　誤　教育訓練給付金の支給の対象となる費用の範囲は，入学料，受講料及び一定期間内に受けたキャリアコンサルティングの費用とされており，交通費はその範囲には含まれていない（則101条の2の6）。 労働科目 427p

---

オ　正　本肢のとおりである（法60条の2第1項，則101条の2の5第1項）。本肢の場合，適用事業A離職から適用事業B就職までの期間が1年以内であるため，適用事業Aで被保険者であった期間も支給要件期間として通算される（傷病手当を受給していても支給要件期間の通算は行われる）。したがって，支給要件期間が4年ある一般被保険者である本肢の者は，教育訓練給付金の支給対象となる（なお，本肢の者は過去に教育訓練給付金の支給を受けていないため，適用事業Bにおいて被保険者であった期間のみをもって教育訓練給付金の支給要件を満たすことから，適用事業Bに就職する以前の事情は無視しても構わない）。 労働科目 426~427p

H28-6	教育訓練給付	重要度 B

問 47 専門実践教育訓練に関する次の記述のうち，誤っているものはどれか。

A 教育訓練給付対象者であって専門実践教育訓練に係る教育訓練給付金の支給を受けようとする者は，当該専門実践教育訓練を開始する日の14日前までに，教育訓練給付金及び教育訓練支援給付金受給資格確認票その他必要な書類を管轄公共職業安定所の長に提出しなければならない。

B 専門実践教育訓練の受講開始日前までに，前回の教育訓練給付金の受給（平成26年10月1日よりも前のものを除く。）から3年以上経過していない場合，教育訓練給付金は支給しない。

※**C** 政府は，専門実践教育訓練を受けている者の当該専門実践教育訓練の受講を容易にするための資金の貸付けに係る保証を行う一般社団法人又は一般財団法人に対して，当該保証に要する経費の一部補助を行うことができる。

D 雇用保険法第60条の2第1項に規定する支給要件期間が3年以上である者であって，専門実践教育訓練を受け，修了し，当該専門実践教育訓練に係る資格の取得等をし，かつ当該専門実践教育を修了した日の翌日から起算して1年以内に一般被保険者として雇用された者に支給される教育訓練給付金の額は，当該教育訓練の受講のために支払った費用の額の100分の70を乗じて得た額（その額が厚生労働省令で定める額を超えるときは，その定める額。）である。

E 受給資格者が基本手当の受給資格に係る離職後最初に公共職業安定所に求職の申込みをした日以後において，失業している日が通算して7日に満たない間であっても，他の要件を満たす限り，専門実践教育に係る教育訓練支援給付金が支給される。

雇用法

正解チェック欄	／	／	／

A　正　本肢のとおりである（則101条の2の12）。

労働科目
431p

B　正　本肢のとおりである（法60条の2第5項，則101条の2の10第2号）。

労働科目
425p

※**C　誤**　本肢のような規定はない。

D　正　本肢のとおりである（則101条の2の7第3号）。

労働科目
428p

E　誤　法21条の待期期間の規定は，教育訓練支援給付金にも準用されるため，受給資格者が基本手当の受給資格に係る離職後最初に公共職業安定所に求職の申込みをした日以後において，失業している日が通算して7日に満たない間は，専門実践教育に係る教育訓練支援給付金は「支給されない」（法附則11条の2第5項）。

R3-6	教育訓練給付	重要度 A

問 48 教育訓練給付に関する次の記述のうち，誤っているものはどれか。
なお，本問において，「教育訓練」とは，雇用保険法第60条の2第1項の規定に基づき厚生労働大臣が指定する教育訓練のことをいう。

A 特定一般教育訓練受講予定者は，キャリアコンサルティングを踏まえて記載した職務経歴等記録書を添えて管轄公共職業安定所の長に所定の書類を提出しなければならない。

B 一般教育訓練給付金は，一時金として支給される。

C 偽りその他不正の行為により教育訓練給付金の支給を受けたことから教育訓練給付金を受けることができないとされた者であっても，その後新たに教育訓練給付金の支給を受けることができるものとなった場合には，教育訓練給付金を受けることができる。

D 専門実践教育訓練を開始した日における年齢が45歳以上の者は，教育訓練支援給付金を受けることができない。

E 一般被保険者でなくなって1年を経過しない者が負傷により30日以上教育訓練を開始することができない場合であって，傷病手当の支給を受けているときは，教育訓練給付適用対象期間延長の対象とならない。

雇用法

正解チェック欄	／	／	／

A　正　本肢のとおりである（則101条の2の11の2第1項1号）。 労働科目 430p

B　正　本肢のとおりである（行政手引58014）。 労働科目 427~428p

C　正　本肢のとおりである（法60条の3第2項）。 労働科目 435p

D　正　本肢のとおりである（法附則11条の2第1項）。教育訓練支援給付金の支給対象となるのは，専門実践教育訓練を開始した日における年齢が45歳未満の者であって，所定の要件を満たした者である。 労働科目 432p

---

E　誤　本肢の者は，「教育訓練給付適用対象期間延長の対象となる」（則101条の2の5第1項かっこ書，行政手引58022ほか）。基準日に一般被保険者等でない者が，教育訓練給付の支給対象者となるためには，基準日の直前の一般被保険者等でなくなった日が基準日以前1年以内にあることが必要であるが，当該基準日の直前の一般被保険者等でなくなった日から1年以内に妊娠，出産，育児，傷病等の理由により引き続き30日以上対象教育訓練の受講を開始することができない日がある場合には，当該一般被保険者等でなくなった日から基準日までの教育訓練給付の対象となり得る期間（「適用対象期間」という）の延長が認められる。この適用対象期間の延長については，傷病を理由として「傷病手当金の支給を受ける場合であっても，当該傷病に係る期間を適用対象期間の延長の対象に含める」ものとされている。 労働科目 426p

R5-7	教育訓練給付	重要度 A

問 49 教育訓練給付金の支給申請手続に関する次の記述のうち，正しいものはどれか。

A 特定一般教育訓練期間中に被保険者資格を喪失した場合であっても，対象特定一般教育訓練開始日において支給要件期間を満たす者については，対象特定一般教育訓練に係る修了の要件を満たす限り，特定一般教育訓練給付金の支給対象となる。

※**B** 一般教育訓練給付金の支給を受けようとする支給対象者は，疾病又は負傷，在職中であることその他やむを得ない理由がなくとも社会保険労務士により支給申請を行うことができる。

C 特定一般教育訓練に係る教育訓練給付金の支給を受けようとする者は，管轄公共職業安定所長に教育訓練給付金及び教育訓練支援給付金受給資格確認票を提出する際，職務経歴等記録書を添付しないことができる。

D 一般教育訓練に係る教育訓練給付金の支給を受けようとする者は，当該教育訓練給付金の支給に係る一般教育訓練の修了予定日の1か月前までに教育訓練給付金支給申請書を管轄公共職業安定所長に提出しなければならない。

E 専門実践教育訓練に係る教育訓練給付金の支給を受けようとする者は，当該専門実践教育訓練の受講開始後遅滞なく所定の書類を添えるなどにより教育訓練給付金及び教育訓練支援給付金受給資格確認票を管轄公共職業安定所長に提出しなければならない。

正解チェック欄	／	／	／

必修基本書

A 正 本肢のとおりである（行政手引58151）。 労働科目 430p

B 正 本肢のとおりである（行政手引58015）。一般教育訓練に係る教育訓練給付金の支給申請は，本人自身が公共職業安定所に出頭して行うほか，代理人（提出代行を行う社会保険労務士を含む），郵送又は電子申請により行うこととしても差し支えない（代理人による申請の場合は委任状を必要とする）こととされている。

C 誤 特定一般教育訓練に係る教育訓練給付金の支給を受けようとする者は，教育訓練給付金及び教育訓練支援給付金受給資格確認票を管轄公共職業安定所長に提出する際，当該確認票に，担当キャリアコンサルタントが当該特定一般教育訓練受講予定者の就業に関する目標その他職業能力の開発及び向上に関する事項について，キャリアコンサルティングを踏まえて記載した「職務経歴等記録書を添付しなければならない」（則101条の２の11の２第１項）。

D 誤 一般教育訓練に係る教育訓練給付金の支給を受けようとする者は，当該教育訓練給付金の支給に係る一般教育訓練を「修了した日の翌日から起算して１箇月以内」に，教育訓練給付金支給申請書に所定の書類を添えて管轄公共職業安定所長に提出しなければならない（則101条の２の11第１項）。 労働科目 430p

---

E 誤 専門実践教育訓練に係る教育訓練給付金の支給を受けようとする者は，当該専門実践教育訓練を「開始する日の１箇月前まで」に，所定の書類を添えるなどして教育訓練給付金及び教育訓練支援給付金受給資格確認票を管轄公共職業安定所長に提出しなければならない（則101条の２の12第１項）。 労働科目 431p

H27-5	高年齢雇用継続給付	重要度 B

問 50 高年齢雇用継続給付に関する次の記述のうち，誤っているものはどれか。なお，本問において短期雇用特例被保険者及び日雇労働被保険者は含めないものとする。

A 60歳に達したことを理由に離職した者が，関連会社への出向により1日の空白もなく被保険者資格を取得した場合，他の要件を満たす限り，高年齢雇用継続基本給付金の支給対象となる。

B 初めて高年齢再就職給付金の支給を受けようとするときは，やむを得ない理由がある場合を除いて，再就職後の支給対象月の初日から起算して4か月以内に事業所の所在地を管轄する公共職業安定所長に高年齢雇用継続給付受給資格確認票・(初回) 高年齢雇用継続給付支給申請書を提出しなければならない。

C 高年齢雇用継続給付を受けていた者が，歴月の途中で，離職により被保険者資格を喪失し，1日以上の被保険者期間の空白が生じた場合，その月は高年齢雇用継続給付の支給対象とならない。

D 受給資格者が当該受給資格に基づく基本手当を受けたことがなくても，傷病手当を受けたことがあれば，高年齢再就職給付金を受給することができる。

E 高年齢雇用継続基本給付金の額は，一支給対象月について，賃金額が雇用保険法第61条第1項に規定するみなし賃金日額に30を乗じて得た額の100分の64に相当する額未満であるとき，その額に当該賃金の額を加えて得た額が支給限度額を超えない限り，100分の10となる。

雇用法

正解チェック欄	／	／	／

A　正　本肢のとおりである（行政手引20555）。

B　誤　初めて高年齢再就職給付金の支給を受けようとするときは，やむを得ない理由がある場合であっても，再就職後の支給対象月の初日から起算して4箇月以内に事業所の所在地を管轄する公共職業安定所長に高年齢雇用継続給付受給資格確認票・（初回）高年齢雇用継続給付支給申請書を添えて原則として事業主を経由して提出しなければならない（則101条の7）。

労働科目 442p

C　正　本肢のとおりである（法61条2項，法61条の2第2項）。

D　正　本肢のとおりである（行政手引59021）。

E　正　本肢のとおりである（法61条5項1号）。なお，1支給対象月に支払われた賃金の額が，みなし賃金日額に30を乗じて得た額の100分の64に相当する額以上100分の75に相当する額未満であるときは，実際に支払われた賃金の額に，みなし賃金日額に30を乗じて得た額に対する当該賃金の額が逓増する程度に応じ，100分の10から一定の割合で逓減するように厚生労働省令で定める率を乗じて得た額となる。

労働科目 438p

R元-6	高年齢雇用継続給付	重要度 A

問 51 高年齢雇用継続給付に関する次の記述のうち，誤っているものはどれか。

A 60歳に達した日に算定基礎期間に相当する期間が5年に満たない者が，その後継続雇用され算定基礎期間に相当する期間が5年に達した場合，他の要件を満たす限り算定基礎期間に相当する期間が5年に達する日の属する月から65歳に達する日の属する月まで高年齢雇用継続基本給付金が支給される。

B 支給対象月に支払われた賃金の額が，みなし賃金日額に30を乗じて得た額の100分の60に相当する場合，高年齢雇用継続基本給付金の額は，当該賃金の額に100分の10を乗じて得た額（ただし，その額に当該賃金の額を加えて得た額が支給限度額を超えるときは，支給限度額から当該賃金の額を減じて得た額）となる。

C 受給資格者が冠婚葬祭等の私事により欠勤したことで賃金の減額が行われた場合のみなし賃金日額は，実際に支払われた賃金の額により算定された額となる。

D 高年齢再就職給付金の支給を受けることができる者が，同一の就職につき雇用保険法第56条の3第1項第1号に定める就業促進手当の支給を受けることができる場合において，その者が就業促進手当の支給を受けたときは高年齢再就職給付金を支給しない。

E 再就職の日が月の途中である場合，その月の高年齢再就職給付金は支給しない。

正解チェック欄	／	／	／

雇用法

A　正　本肢のとおりである（法61条1項・2項，行政手引59012(2)）。労働科目 437～438p

B　正　本肢のとおりである（法61条5項）。労働科目 438p

C　誤　高年齢雇用継続給付における「みなし賃金日額」とは，「60歳に達した日を離職の日とみなした場合に算定されることとなる賃金日額に相当する額」をいう。したがって，高年齢雇用継続給付の受給資格者が欠勤して賃金が減額されたとしてもみなし賃金日額の計算には影響を与えない。なお，高年齢雇用継続給付の支給要件の1つである賃金の低下率の算定にあたっては，冠婚葬祭等の私事により欠勤したことで賃金の減額が行われた場合であっても，その減額が行われなかったものとみなして低下率を算定する（法61条1項，行政手引59143）。労働科目 436p

---

D　正　本肢のとおりである（法61条の2第4項）。なお，雇用保険法56条の3第1項1号に定める就業促進手当とは，再就職手当のことである。労働科目 440p

---

E　正　本肢のとおりである（法61条の2第2項）。高年齢再就職給付金は，再就職後の支給対象月について支給されるが，その月の初日から末日まで引き続いて被保険者である月でなければ当該再就職後の支給対象月とはされないため，再就職の日が月の途中である場合，その月については，高年齢再就職給付金は支給されない。労働科目 440p

R4-5	高年齢雇用継続給付	重要度 A

問 52 高年齢雇用継続給付に関する次の記述のうち，正しいものはどれか。

A 60歳に達した被保険者（短期雇用特例被保険者及び日雇労働被保険者を除く。）であって，57歳から59歳まで連続して20か月間基本手当等を受けずに被保険者でなかったものが，当該期間を含まない過去の被保険者期間が通算して5年以上であるときは，他の要件を満たす限り，60歳に達した日の属する月から高年齢雇用継続基本給付金が支給される。

B 支給対象期間の暦月の初日から末日までの間に引き続いて介護休業給付の支給対象となる休業を取得した場合，他の要件を満たす限り当該月に係る高年齢雇用継続基本給付金を受けることができる。

C 高年齢再就職給付金の支給を受けることができる者が同一の就職につき再就職手当の支給を受けることができる場合，その者の意思にかかわらず高年齢再就職給付金が支給され，再就職手当が支給停止となる。

D 高年齢雇用継続基本給付金の受給資格者が，被保険者資格喪失後，基本手当の支給を受けずに8か月で雇用され被保険者資格を再取得したときは，新たに取得した被保険者資格に係る高年齢雇用継続基本給付金を受けることができない。

E 高年齢再就職給付金の受給資格者が，被保険者資格喪失後，基本手当の支給を受け，その支給残日数が80日であった場合，その後被保険者資格の再取得があったとしても高年齢再就職給付金は支給されない。

雇用法

正解チェック欄	／	／	／

A 誤 本肢の場合，算定基礎期間に相当する期間が5年に満たないため，60歳に達した日の属する月から高年齢雇用継続基本給付金は「支給されない」（法61条1項，行政手引59011）。この場合の「算定基礎期間に相当する期間」は，基本手当における被保険者であった期間の取扱いと同様に，当該被保険者であった期間に係る被保険者資格を取得した日の直前の被保険者資格を喪失した日が当該被保険者資格の取得日前1年の期間内にある場合であって，この期間内に基本手当（基本手当以外の所定の給付を含む）又は特例一時金の支給を受けていない場合に通算される。本肢の場合，60歳に達した被保険者の当該資格取得前1年以内にその直前の被保険者資格を喪失した日がないため，その前の過去の被保険者期間は通算されない。

労働科目 436p

B 誤 本肢の月は，暦月の初日から末日までの間に引き続いて介護休業給付の支給対象となる休業を取得しているため支給対象月には該当しない。したがって，当該月に高年齢雇用継続基本給付金は「支給されない」（法61条2項）。なお，支給対象月とは，被保険者が60歳に達した日の属する月から65歳に達する日の属する月までの期間内にある月であって，その月の初日から末日まで引き続いて，被保険者であり，かつ，介護休業給付金又は育児休業給付金，出生時育児休業給付金若しくは，出生後休業支援給付金の支給を受けることができる休業をしなかった月をいう。

労働科目 436～437p

C　誤　高年齢再就職給付金の支給を受けることができる者が，同一の就職につき再就職手当を受けることができる場合において，その者が再就職手当の支給を受けたときは高年齢再就職給付金を支給せず，高年齢再就職給付金の支給を受けたときは再就職手当を支給しないものとされている。したがって，再就職手当と高年齢再就職給付金とのうち，どちらの支給を受けるかは，「その者の意思によることとなる」(法61条の2第4項)。

労働科目 440p

D　誤　高年齢雇用継続基本給付金の受給資格者が，被保険者資格喪失後，基本手当の支給を受けずに，1年以内に雇用され被保険者資格を再取得したときは，新たに取得した被保険者資格についても引き続き高年齢雇用継続基本給付金の受給資格者となり得ることから，本肢の場合，新たに取得した被保険者資格に係る高年齢雇用継続基本給付金の支給を「受けることができないとは限らない」(法61条1項，行政手引59311)。

E　正　本肢のとおりである（法61条の2第1項)。高年齢再就職給付金は，就職日の前日における基本手当の支給残日数が100日未満であるときは，支給されない。

労働科目 440p

MEMO

R6-6	高年齢雇用継続給付	重要度 B

問 53 雇用保険の高年齢雇用継続給付に関する次の記述のうち，正しいものはどれか。

A 支給対象月における高年齢雇用継続基本給付金の額として算定された額が，雇用保険法第17条第4項第1号に掲げる賃金日額の最低限度額（その額が同法第18条の規定により変更されたときは，その変更された額）の100分の80に相当する額を超えないとき，当該支給対象月について高年齢雇用継続基本給付金は支給されない。

B 就業促進手当（厚生労働省令で定める安定した職業に就いた者であって，当該職業に就いた日の前日における基本手当の支給残日数が当該受給資格に基づく所定給付日数の3分の1以上であるものに限る。）を受けたときは，当該就業促進手当に加えて同一の就職につき高年齢再就職給付金を受けることができる。

C 高年齢再就職給付金の受給資格者に対して再就職後の支給対象月に支払われた賃金の額が，基本手当の日額の算定の基礎となった賃金日額に30を乗じて得た額の100分の85に相当する額未満であるとき，当該受給資格者に対して支給される高年齢再就職給付金の額は，支給対象月に支払われた賃金の額の100分の10となる。

D 厚生労働大臣が雇用保険法第61条第1項第2号に定める支給限度額を同法第61条第7項により変更したため高年齢雇用継続基本給付金を受給している者の支給対象月に支払われた賃金額が支給限度額以上となった場合，変更後の支給限度額は当該変更から3か月間，変更前の支給限度額の額とみなされる。

E 育児休業給付金の支給を受けて休業をした者は，当該育児休業給付金の支給を受けることができる休業をした月について，他の要件を満たす限り高年齢雇用継続基本給付金が支給される。

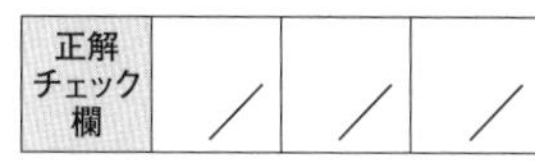

雇用法

必修基本書

正解 A

A 正 本肢のとおりである（法61条6項）。 労働科目 439p

B 誤 高年齢再就職給付金の支給を受けることができる者が，同一の就職につき再就職手当の支給も受けることができる場合，その者が「再就職手当の支給を受けたときは高年齢再就職給付金を支給せず」，高年齢再就職給付金の支給を受けたときは再就職手当を支給しない（法61条の2第4項）。 労働科目 440p

---

C 誤 高年齢再就職給付金の受給資格者に対して再就職後の支給対象月に支払われた賃金の額が，基本手当の日額の算定の基礎となった賃金日額に30を乗じて得た額の「100分の64」に相当する額未満である場合の当該高年齢再就職給付金の額は，当該再就職後の支給対象月に支払われた賃金の額の100分の10となる（法61条の2第3項）。 労働科目 441p

---

D 誤 本肢のような規定はない（行政手引59141ほか）。

E 誤 高年齢雇用継続基本給付金は，支給対象月について支給されるものであるが，「支給対象月」とは，被保険者（短期雇用特例被保険者及び日雇労働被保険者を除く。以下本肢において同じ）が60歳に達した日の属する月から65歳に達する日の属する月までの期間内にある月（その月の初日から末日まで引き続いて，被保険者であり，かつ，介護休業給付金又は育児休業給付金若しくは出生時育児休業給付金の支給を受けることができる「休業をしなかった月に限る」）をいうため，育児休業給付金の支給を受けることができる休業をした月は支給対象月とならず，高年齢雇用継続基本給付金は支給されない（法61条2項）。 労働科目 437p

H30-6	介護休業給付	重要度 B

問 54 介護休業給付金に関する次の記述のうち，正しいものはどれか。なお，本問の被保険者には，短期雇用特例被保険者及び日雇労働被保険者を含めないものとする。

A 被保険者が介護休業給付金の支給を受けたことがある場合，同一の対象家族について当該被保険者が3回以上の介護休業をした場合における3回目以後の介護休業については，介護休業給付金を支給しない。

B 介護休業給付の対象家族たる父母には養父母が含まれない。

C 被保険者が介護休業給付金の支給を受けたことがある場合，同一の対象家族について当該被保険者がした介護休業ごとに，当該介護休業を開始した日から当該介護休業を終了した日までの日数を合算して得た日数が60日に達した日後の介護休業については，介護休業給付金を支給しない。

D 派遣労働者に係る労働者派遣の役務を受ける者が当該派遣労働者につき期間を定めて雇い入れた場合，当該派遣労働者であった者について派遣先に派遣されていた期間は，介護休業給付金を受けるための要件となる同一の事業主の下における雇用実績とはなり得ない。

E 介護休業給付金の支給を受けた者が，職場に復帰後，他の対象家族に対する介護休業を取得する場合，先行する対象家族に係る介護休業取得回数にかかわらず，当該他の対象家族に係る介護休業開始日に受給資格を満たす限り，これに係る介護休業給付金を受給することができる。

雇用法

正解チェック欄	／	／	／

A 誤 被保険者が介護休業給付金を受けたことがある場合，同一の対象家族について当該被保険者が「4回以上」の介護休業をした場合における「4回目以後」の介護休業については，介護休業給付金は支給されない（法61条の4第6項）。

労働科目 444p

B 誤 介護休業給付の対象家族たる父母には，養父母が「含まれる」（法61条の4第1項，則101条の17，行政手引59802）。なお，対象家族とは，被保険者の，配偶者（婚姻の届出をしていないが，事実上婚姻関係と同様の事情にある者を含む），父母（実父母のみならず養父母を含む），子（実子のみならず養子を含む），配偶者の父母（実父母のみならず養父母を含む），祖父母，兄弟姉妹及び孫である。

労働科目 443p

C 誤 被保険者が介護休業給付金を受けたことがある場合，同一の対象家族について当該被保険者がした介護休業ごとに，当該介護休業を開始した日から当該介護休業を終了した日までの日数を合算した日数が「93日」に達した日後の介護休業については，介護休業給付金は支給されない（法61条の4第6項）。

労働科目 444p

D 誤 本肢の場合における介護休業給付金を受けるための要件として，「同一の事業主の下における雇用実績」というものはない。なお，出題当時においては，被保険者が期間を定めて雇用される者である場合における介護休業給付金を受けるための要件の1つとして，「休業開始時において同一事業主の下で1年以上雇用が継続していること」があったが，改正により削除された。

E 正 本肢のとおりである（法61条の4第1項・6項）。

R4-6	育児休業等給付	重要度 B

問 55 育児休業給付金に関する次のアからオの記述のうち，正しいものの組合せは，後記AからEまでのうちどれか。
なお，本問において「対象育児休業」とは，育児休業給付金の支給対象となる育児休業をいう。

ア　保育所等における保育が行われない等の理由により育児休業に係る子が1歳6か月に達した日後の期間について，休業することが雇用の継続のために特に必要と認められる場合，延長後の対象育児休業の期間はその子が1歳9か月に達する日の前日までとする。

イ　育児休業期間中に育児休業給付金の受給資格者が一時的に当該事業主の下で就労する場合，当該育児休業の終了予定日が到来しておらず，事業主がその休業の取得を引き続き認めていても，その後の育児休業は対象育児休業とならない。

ウ　産後6週間を経過した被保険者の請求により産後8週間を経過する前に産後休業を終了した場合，その後引き続き育児休業を取得したときには，当該産後休業終了の翌日から対象育児休業となる。

エ　育児休業の申出に係る子が1歳に達した日後の期間について，児童福祉法第39条に規定する保育所等において保育を利用することができないが，いわゆる無認可保育施設を利用することができる場合，他の要件を満たす限り育児休業給付金を受給することができる。

オ　育児休業（当該子について2回以上の育児休業をした場合にあっては，初回の育児休業とする。）を開始した日前2年間のうち1年間事業所の休業により引き続き賃金の支払を受けることができなかった場合，育児休業開始日前3年間に通算して12か月以上のみなし被保険者期間があれば，他の要件を満たす限り育児休業給付金が支給される。

A（アとイ）　**B**（アとウ）　**C**（イとエ）
D（ウとオ）　**E**（エとオ）

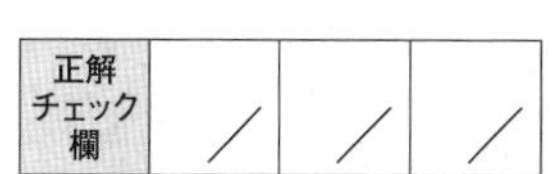

雇用法

正解 E

本問アからオまでのそれぞれの記述の正誤は以下のとおりである。したがって，エとオを正しい記述とするEが解答となる。

ア　誤　本肢の延長後の対象育児休業の期間は，当該育児休業に係る子が「2歳に達する日の前日までの期間を限度に」対象育児休業と取り扱うものとされている（法61条の7第1項，行政手引59503）。なお，延長事由が要件に該当する場合であっても，延長された育児休業の期間の末日が子が2歳に達する日の前日までに到来する場合は，当該延長期間の末日までが対象育児休業として取り扱われることとなる（行政手引59609）。

労働科目
448〜450p

イ　誤　育児休業期間中に受給資格者が一時的に当該事業主の下で就労する場合は，当該育児休業の終了予定日が到来しておらず，事業主がその休業の取得を引き続き認めていれば，その後の育児休業についても「対象育児休業となる」（則101条の22第1項，行政手引59503）。

ウ　誤　産後休業は対象育児休業には含まれないこととされているが，産後6週間を経過した被保険者の請求により産後8週間を経過する前に産後休業を終了しその後引き続き育児休業を取得した場合であっても，産後8週間を経過するまでは産後休業とみなされる。したがって，本肢の場合，「産後8週間を経過した後から対象育児休業となる」（行政手引59503）。

エ　正　本肢のとおりである（行政手引59601，行政手引59603）。保育所等における保育が行われない等の理由により育児休業に係る子が1歳に達する日後の期間についても育児休業を取得する場合には，対象育児休業期間が延長されることとなるが，この場合の「保育所等」とは，児童福祉法39条に規定する保育所，就学前の子どもに関する教育，保育等の総合的な提供の推進に関する法律2条6項に規定する認定こども園又は児童福祉法24条2項に規定する家庭的保育事業等をいうものであり，このいずれにも，いわゆる無認可保育施設は含まれない。したがって，本肢の場合，「保育所等における保育が行われない等の理由に該当する」ため，他の要件を満たす限り，育児休業給付金を受給することができる。

オ　正　本肢のとおりである（法61条の7第1項，則101条の29）。育児休業開始日前2年間に疾病，負傷その他厚生労働省令で定める理由（出産，事業所の休業等）により引き続き30日以上賃金の支払を受けることができなかった被保険者については，当該理由により賃金の支払を受けることができなかった日数を2年に加算した期間（その期間が4年を超えるときは4年間）にみなし被保険者期間が通算して12月以上あれば，他の要件を満たす限り育児休業給付金が支給される。

労働科目
448～449p

MEMO

R5-6	育児休業等給付	重要度 B

問 56 次の場合の第1子に係る育児休業給付金の支給単位期間の合計月数として正しいものはどれか。

令和3年10月1日，初めて一般被保険者として雇用され，継続して週5日勤務していた者が，令和5年11月1日産前休業を開始した。同年12月9日第1子を出産し，翌日より令和6年2月3日まで産後休業を取得した。翌日より育児休業を取得し，同年5月4日職場復帰した。その後同年6月10日から再び育児休業を取得し，同年8月10日職場復帰した後，同年11月9日から同年12月8日まで雇用保険法第61条の7第2項の厚生労働省令で定める場合に該当しない3度目の育児休業を取得して翌日職場復帰した。

A　0か月
B　3か月
C　4か月
D　5か月
E　6か月

正解チェック欄	／	／	／

雇用法

A 誤 育児休業等給付に係る「支給単位期間」とは，育児休業をした期間を，当該育児休業を開始した日又は休業開始応当日から各翌月の休業開始応当日の前日（当該育児休業を終了した日の属する月にあっては，当該育児休業を終了した日）までの各期間に区分した場合における当該区分による一の期間をいう。また，被保険者が同一の子について3回以上の育児休業（厚生労働省令で定める場合に該当するものを除く）をした場合における3回目以後の育児休業については，育児休業給付金は支給されないこととされている。したがって，令和6年2月4日から同年5月3日までの育児休業（3か月）及び令和6年6月10日から同年8月9日までの育児休業（2か月）が支給単位期間となるため，支給単位期間の合計月数は「5か月」となる。なお，令和6年11月9日から同年12月8日までの育児休業は，厚生労働省令で定める場合に該当しない3回目以後の育児休業のため，支給単位期間とならない（法61条の7第2項・5項）。

労働科目 452p

B 誤 支給単位期間の合計月数は「5か月」となる。本問A肢解説参照（法61条の7第2項・5項）。

労働科目 452p

C 誤 支給単位期間の合計月数は「5か月」となる。本問A肢解説参照（法61条の7第2項・5項）。

労働科目 452p

D 正 本肢のとおりである。本問A肢解説参照（法61条の7第2項・5項）。

労働科目 452p

E 誤 支給単位期間の合計月数は「5か月」となる。本問A肢解説参照（法61条の7第2項・5項）。

労働科目 452p

H29-7	雇用保険二事業	重要度 B

問 57 雇用保険二事業に関する次の記述のうち，法令上正しいものはどれか。

A 政府は，勤労者財産形成促進法第6条に規定する勤労者財産形成貯蓄契約に基づき預入等が行われた預貯金等に係る利子に必要な資金の全部又は一部の補助を行うことができる。

B 政府は，労働関係調整法第6条に規定する労働争議の解決の促進を図るために，必要な事業を行うことができる。

C 政府は，職業能力開発促進法第10条の4第2項に規定する有給教育訓練休暇を与える事業主に対して，必要な助成及び援助を行うことができる。

D 政府は，能力開発事業の全部を独立行政法人高齢・障害・求職者雇用支援機構に行わせることができる。

E 政府は，季節的に失業する者が多数居住する地域において，労働者の雇用の安定を図るために必要な措置を講ずる都道府県に対して，必要な助成及び援助を行うことができる。

雇用法

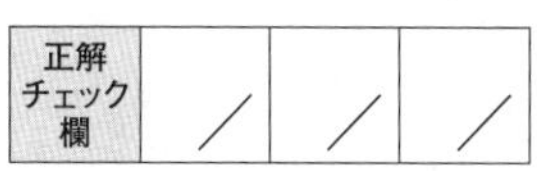

A　誤　政府が，雇用保険二事業において，本肢の補助を行うことができるとは法令上規定されていない（法62条～法64条）。 労働科目 465～467p

B　誤　政府が，雇用保険二事業において，本肢の事業を行うことができるとは法令上規定されていない（法62条～法64条）。 労働科目 465～467p

C　正　本肢のとおりである（法63条1項4号）。 労働科目 466p

D　誤　政府は，能力開発事業の「一部」と独立行政法人高齢・障害・求職者雇用支援機構に行わせることができる（法63条3項）。 労働科目 467p

E　誤　政府は，雇用安定事業において，季節的に失業する者が多数居住する地域においてこれらの者を年間を通じて雇用する「事業主」に対して，必要な助成及び援助を行うことができる（法62条1項5号）。 労働科目 465～467p

R元-7	雇用保険二事業	重要度 C

問 58 雇用安定事業及び能力開発事業に関する次の記述のうち，誤っているものはどれか。

A 短時間休業により雇用調整助成金を受給しようとする事業主は，休業等の期間，休業等の対象となる労働者の範囲，手当又は賃金の支払の基準その他休業等の実施に関する事項について，あらかじめ事業所の労働者の過半数で組織する労働組合（労働者の過半数で組織する労働組合がないときは，労働者の過半数を代表する者。）との間に書面による協定をしなければならない。

B キャリアアップ助成金は，特定地方独立行政法人に対しては，支給しない。

C 雇用調整助成金は，労働保険料の納付の状況が著しく不適切である事業主に対しては，支給しない。

D 一般トライアルコース助成金は，雇い入れた労働者が雇用保険法の一般被保険者となって3か月を経過したものについて，当該労働者を雇い入れた事業主が適正な雇用管理を行っていると認められるときに支給する。

E 国庫は，毎年度，予算の範囲内において，就職支援法事業に要する費用（雇用保険法第66条第1項第4号に規定する費用を除く。）及び雇用保険事業（出生後休業支援給付及び育児時短就業給付にかかる事業を除く。）の事務の執行に要する経費を負担する。

正解チェック欄	／	／	／

A　正　本肢のとおりである（則102条の3第1項）。

B　正　本肢のとおりである（則120条）。雇用調整助成金やキャリアアップ助成金等の雇用関係助成金は，国，地方公共団体（一定の地方公共団体の経営する企業を除く），行政執行法人及び特定地方独立行政法人に対しては，支給しないものとされている。

C　正　本肢のとおりである（則120条の2）。雇用調整助成金やキャリアアップ助成金等の雇用関係助成金は，労働保険料の納付の状況が著しく不適切である事業主に対しては，支給しないものとされている。

D　誤　一般トライアルコース助成金は，一定の安定した職業に就くことが困難な求職者を，公共職業安定所又は職業紹介事業者等の紹介により，期間の定めのない労働契約を締結する労働者であって，1週間の所定労働時間が同一の事業所に雇用される通常の労働者の1週間の所定労働時間と同一のものとして雇い入れることを目的に，「3箇月以内の期間を定めて試行的に雇用する労働者」として雇い入れる事業主が，所定の要件を満たした場合に，「当該雇入れの期間（すなわち3箇月以内の有期雇用期間）に限り」，労働者1人につき所定の金額が支給される（則110条の3第2項1号イ・2号）。

E　正　本肢のとおりである（法66条5項）。

労働科目
470p

R2-7	雇用保険二事業	重要度 C

問 59 能力開発事業に関する次の記述のうち，正しいものはどれか。

A 地方公営企業法（昭和27年法律第292号）第3章の規定の適用を受ける地方公共団体の経営する企業は，障害者職業能力開発コース助成金を受けることができない。

B 女性活躍加速化コース助成金は，定めた一般事業主行動計画を厚生労働大臣に届け出て，当該一般事業主行動計画を労働者に周知させるための措置を講じ，かつ，当該一般事業主行動計画を公表した，常時雇用する労働者の数が300人を超える事業主に対して支給される。

C 高年齢受給資格者は，職場適応訓練の対象となる受給資格者に含まれない。

D 特別育成訓練コース助成金は，一般職業訓練実施計画を提出した日の前日から起算して6か月前の日から都道府県労働局長に対する当該助成金の受給についての申請書の提出日までの間，一般職業訓練に係る事業所の労働者を，労働者の責めに帰すべき理由により解雇した事業主には支給されない。

E 認定訓練助成事業費補助金は，職業能力開発促進法第13条に規定する事業主等（事業主にあっては中小企業事業主に，事業主の団体又はその連合団体にあっては中小企業事業主の団体又はその連合団体に限る。）が行う認定訓練を振興するために必要な助成又は援助を行う都道府県に対して交付される。

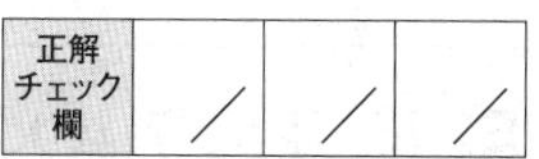

A　誤　障害者職業能力開発コース助成金は人材開発支援助成金に分類されるが，人材開発支援助成金は，国，地方公共団体（「地方公営企業法第3章の規定の適用を受ける地方公共団体の経営する企業を除く」），行政執行法人及び特定地方独立行政法人に対しては支給されない。したがって，地方公営企業法第3章の規定の適用を受ける地方公共団体の経営する企業は，所定の要件を満たす限り，障害者職業能力開発コース助成金を受けることができる（則139条3項）。

B　誤　女性活躍加速化コース助成金は，令和3年度限りで廃止となった。

C　誤　高年齢受給資格者は，職場適応訓練の対象となる受給資格者に「含まれる」（則130条）。職場適応訓練は，受給資格者，「高年齢受給資格者」又は特例受給資格者であって，再就職を容易にするため職場適応訓練を受けることが適当であると公共職業安定所長が認めるものに対して，一定の要件を満たした事業主に委託して行うものとされている。

D　誤　特別育成訓練コース助成金は，本肢の期間において，一般職業訓練に係る事業所の労働者を解雇した事業主（天災その他やむを得ない理由のために事業の継続が不可能となったこと又は「労働者の責めに帰すべき理由により解雇した事業主を除く」）には支給されないものとされており，本肢の期間において，一般職業訓練に係る事業所の労働者を労働者の責めに帰すべき理由により解雇した事業主については，本肢の助成金が「支給され得る」（則125条5項）。

E　正　本肢のとおりである（則123条）。

キリトリ線

R6-7	雇用保険二事業	重要度 C

問 60 雇用調整助成金に関する次の記述のうち，誤っているものはどれか。

A 対象被保険者を休業させることにより雇用調整助成金の支給を受けようとする事業主は，休業の実施に関する事項について，あらかじめ当該事業所の労働者の過半数で組織する労働組合（労働者の過半数で組織する労働組合がないときは，労働者の過半数を代表する者）との間に書面による協定をしなければならない。

B 被保険者を出向させたことにより雇用調整助成金の支給を受けた事業主が当該出向の終了後6か月以内に当該被保険者を再度出向させるときは，当該事業主は，再度の出向に係る雇用調整助成金を受給することができない。

C 出向先事業主が出向元事業主に係る出向対象被保険者を雇い入れる場合，当該出向先事業主の事業所の被保険者を出向させているときは，当該出向先事業主は，雇用調整助成金を受給することができない。

D 対象被保険者を休業させることにより雇用調整助成金の支給を受けようとする事業主は，当該事業所の対象被保険者に係る休業等の実施の状況及び手当又は賃金の支払の状況を明らかにする書類を整備していなければならない。

E 事業主が景気の変動，産業構造の変化その他の経済上の理由により，急激に事業活動の縮小を余儀なくされたことにより休業することを都道府県労働局長に届け出た場合，当該事業主は，届出の際に当該事業主が指定した日から起算して3年間雇用調整助成金を受けることができる。

雇用法

正解チェック欄	／	／	／

A　正　本肢のとおりである（則102条の3第1項）。

B　正　本肢のとおりである（則102条の3第5項）。

C　正　本肢のとおりである（則102条の3第7項）。

D　正　本肢のとおりである（則102条の3第1項）。

E　誤　本肢の場合の雇用調整助成金を受けることができる期間（対象期間）は，原則として，都道府県労働局長への届出の際に当該事業主が指定した日から起算して「1年間」である（則102条の3第1項）。

H28-7	総合問題	重要度 B

雇用法

問 61 雇用保険制度に関する次の記述のうち，誤っているものの組み合わせはどれか。

ア　租税その他の公課は，常用就職支度手当として支給された金銭を標準として課することができる。

イ　市町村長は，求職者給付の支給を受ける者に対して，当該市町村の条例の定めるところにより，求職者給付の支給を受ける者の戸籍に関し，無料で証明を行うことができる。

ウ　雇用保険法第73条では，「事業主は，労働者が第8条の規定による確認の請求をしたことを理由として，労働者に対して解雇その他不利益な取扱いをしてはならない。」旨が規定されており，事業主がこの規定に違反した場合，「1年以下の懲役又は50万円以下の罰金に処する。」と規定されている。

エ　国庫は，雇用継続給付（介護休業給付金に限る。）に要する費用の8分の1の額（令和6年度から令和8年度までの各月においては，その額に100分の10に相当する額）を負担する。

オ　失業等給付等を受け，又はその返還を受ける権利は，これらを行使することができる時から2年を経過したときは，時効によって消滅する。

A　（アとウ）　**B**　（アとエ）　**C**　（イとエ）
D　（イとオ）　**E**　（ウとオ）

正解チェック欄	／	／	／

本問のアからオまでのそれぞれの記述の正誤は以下のとおりであり，ア及びウが誤っている記述となる。したがって，Aが解答となる。

ア 誤 租税その他の公課は，失業等給付として支給を受けた金銭を標準として課することができないこととされており，常用就職支度手当も失業等給付の1つであるため，課税されることはない（法10条，法12条）。

労働科目 369p

イ 正 本肢のとおりである（法75条）。

ウ 誤 事業主が本肢の規定に違反した場合には，6箇月以下の懲役又は30万円以下の罰金に処せられる。前段の記述は正しい（法73条，法83条2号）。

労働科目 474p

エ 正 本肢のとおりである（法66条，法附則14条1項）。

労働科目 469~470p

オ 正 本肢のとおりである（法74条）。本肢のほか，返還命令等の規定により納付をすべきことを命ぜられた金額を徴収する権利も，これを行使することができる時から2年を経過したときは，時効によって消滅する。

労働科目 474p

H29-1	総合問題	重要度 A

問 62 失業等給付に関する次の記述のうち，誤っているものはどれか。

A 求職者給付の支給を受ける者は，必要に応じ職業能力の開発及び向上を図りつつ，誠実かつ熱心に求職活動を行うことにより，職業に就くように努めなければならない。

B 基本手当の受給資格者は，基本手当を受ける権利を契約により譲り渡すことができる。

C 偽りその他不正の行為により失業等給付の支給を受けた者がある場合には，政府は，その者に対して，支給した失業等給付の全部又は一部を返還することを命ずることができ，また，厚生労働大臣の定める基準により，当該偽りその他不正の行為により支給を受けた失業等給付の額の2倍に相当する額以下の金額を納付することを命ずることができる。

D 失業等給付の支給を受けることができる者が死亡した場合において，その未支給の失業等給付の支給を受けるべき者（その死亡した者と死亡の当時生計を同じくしていた者に限る。）の順位は，その死亡した者の配偶者（婚姻の届出をしていないが，事実上婚姻関係と同様の事情にあった者を含む。），子，父母，孫，祖父母又は兄弟姉妹の順序による。

E 政府は，基本手当の受給資格者が失業の認定に係る期間中に自己の労働によって収入を得た場合であっても，当該基本手当として支給された金銭を標準として租税を課することができない。

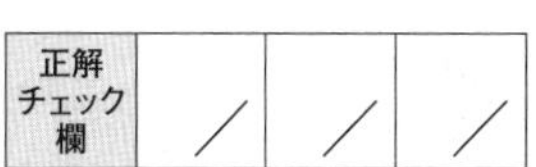

A　正　本肢のとおりである（法10条の2）。求職者給付は，被保険者が離職し，労働の意思及び能力を有するにもかかわらず，職業に就くことができない状態にある場合に支給されるものであることから，本肢の旨が規定されている。 労働科目 367p

---

B　誤　失業等給付を受ける権利は，「譲り渡し」，担保に供し，又は差し押えることが「できない」。基本手当は失業等給付に該当するため，基本手当を受ける権利を譲り渡すことはできない（法11条）。 労働科目 368p

---

C　正　本肢のとおりである（法10条の4第1項）。 労働科目 368p

D　正　本肢のとおりである（法10条の3第1項）。 労働科目 367p

E　正　本肢のとおりである（法12条）。 労働科目 369p

H30-7	総合問題	重要度 A

問 63 雇用保険制度に関する次の記述のうち，正しいものはいくつあるか。

ア　適用事業の事業主は，雇用保険の被保険者に関する届出を事業所ごとに行わなければならないが，複数の事業所をもつ本社において事業所ごとに書類を作成し，事業主自らの名をもって当該届出をすることができる。

イ　事業主が適用事業に該当する部門と任意適用事業に該当する部門を兼営している場合，それぞれの部門が独立した事業と認められるときであっても，すべての部門が適用事業となる。

ウ　雇用保険法の適用を受けない労働者のみを雇用する事業主の事業（国，都道府県，市町村その他これらに準ずるものの事業及び法人である事業主の事業を除く。）は，その労働者の数が常時5人以下であれば，任意適用事業となる。

エ　失業等給付等に関する審査請求は，時効の完成猶予及び更新に関しては，裁判上の請求とみなされない。

オ　雇用安定事業について不服がある事業主は，雇用保険審査官に対して審査請求をすることができる。

A　一つ
B　二つ
C　三つ
D　四つ
E　五つ

雇用法

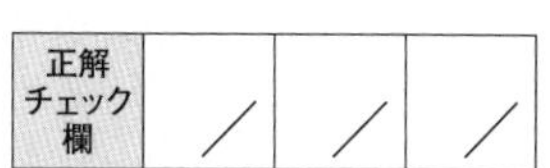

本問のアからオまでのそれぞれの記述の正誤は以下のとおりであり，アの1つが正しい記述となる。したがって，Aが解答となる。

ア　正　本肢のとおりである（則3条，行政手引22001）。事業主は，雇用保険法の規定により行うべき被保険者に関する届出その他の事務を，その事業所ごとに処理しなければならないが，この場合の「事業所ごとに処理する」とは，例えば，資格取得届，資格喪失届等を事業所ごとに作成し，これらの届出等は個々の事業所ごとにその事業所の所在地を管轄する公共職業安定所の長に提出すべきであるという趣旨である。したがって，現実の事務を行う場所が個々の事業所である必要はなく，例えば，本社において事業所ごとに書類を作成し，事業主自らの名をもって提出することは差し支えないとされている。

イ　誤　事業主が適用事業に該当する部門（以下本肢解説において「適用部門」という）と暫定任意適用事業に該当する部門（以下本肢解説において「非適用部門」という）とを兼営している場合であって，それぞれの部門が独立した事業と認められる場合は，「適用部門のみ」が適用事業となる（行政手引20106）。なお，事業主が適用部門と非適用部門とを兼営している場合において，一方が他方の一部門にすぎず，それぞれの部門が独立した事業と認められない場合であって，主たる業務が適用部門であるときは，当該事業主の行う事業全体が適用事業となる。

ウ　誤　任意適用事業とされるのは，一定の農林水産の事業であって，常時5人未満の労働者を雇用する事業である。したがって，「農林水産の事業以外の事業については，任意適用事業とはされない」。また，農林水産の事業についての任意適用事業の要件「5人」の計算に当たっては，雇用保険法の適用を受けない労働者も含まれるが，雇用保険法の適用を受けない労働者のみを雇用する事業主の事業は，「その労働者数のいかんにかかわらず」適用事業として取り扱う必要はないとされている（法附則2条，令附則2条，行政手引20105）。

労働科目 355p

エ　誤　失業等給付等に関する審査請求は，時効の完成猶予及び更新に関しては，裁判上の請求と「みなされる」（法69条3項）。

労働科目 472p

オ　誤　雇用安定事業について不服がある事業主は，雇用保険審査官に対して審査請求をすることは「できない」（法69条1項）。被保険者となったこと又は被保険者でなくなったことの確認，失業等給付等に関する処分又は不正受給に係る失業等給付の返還命令若しくは納付命令についての処分以外の処分については，法69条に基づく雇用保険審査官に対する審査請求をすることはできない。

労働科目 472~473p

MEMO

R2-6	総合問題	重要度 B

問 64 雇用保険制度に関する次の記述のうち，誤っているものはどれか。

A 公共職業安定所長は，傷病手当の支給を受けようとする者に対して，その指定する医師の診断を受けるべきことを命ずることができる。

B 公共職業安定所長は，雇用保険法の施行のため必要があると認めるときは，当該職員に，被保険者を雇用し，若しくは雇用していたと認められる事業主の事業所に立ち入り，関係者に対して質問させ，又は帳簿書類の検査をさせることができる。

C 失業等給付等の支給を受け，又はその返還を受ける権利及び雇用保険法第10条の4に規定する不正受給による失業等給付等の返還命令又は納付命令により納付をすべきことを命ぜられた金額を徴収する権利は，この権利を行使することができることを知った時から2年を経過したときは，時効によって消滅する。

D 失業等給付等に関する処分について審査請求をしている者は，審査請求をした日の翌日から起算して3か月を経過しても審査請求についての決定がないときは，雇用保険審査官が審査請求を棄却したものとみなすことができる。

E 雇用保険法第9条に規定する確認に関する処分が確定したときは，当該処分についての不服を当該処分に基づく失業等給付等に関する処分についての不服の理由とすることができない。

正解チェック欄	／	／	／

A　正　本肢のとおりである（法78条）。行政庁は，求職者給付等の支給を行うため必要があると認めるときは，傷病のために公共職業安定所に出頭することができなかった場合に係る証明書による失業の認定を受け，若しくは受けようとする者，傷病により引き続き30日以上職業に就くことができないことによる受給期間の延長の申出をした者又は傷病手当の支給を受け，若しくは受けようとする者に対して，その指定する医師の診断を受けるべきことを命ずることができる。

B　正　本肢のとおりである（法79条1項）。なお，本肢の規定により，立入検査をする職員は，その身分を示す証明書を携帯し，関係者に提示しなければならない（同条2項）。

C　誤　本肢の権利は，「これらの権利を行使することができる時から」2年を経過したときは，時効によって消滅する（法74条1項）。

労働科目 474p

D　正　本肢のとおりである（法69条2項）。なお，雇用保険審査官は，各都道府県労働局に置かれる（労働保険審査官及び労働保険審査会法2条の2）。

労働科目 472p

E　正　本肢のとおりである（法70条）。なお，本肢の「失業等給付等」とは，失業等給付及び育児休業等給付をいう。

労働科目 472~473p

R4-7	総合問題	重要度 A

問 65 雇用保険制度に関する次の記述のうち，誤っているものはどれか。

A 雇用保険法では，疾病又は負傷のため公共職業安定所に出頭することができなかった期間が15日未満である受給資格者が失業の認定を受けようとする場合，行政庁が指定する医師の診断を受けるべきことを命じ，受給資格者が正当な理由なくこれを拒むとき，当該行為について懲役刑又は罰金刑による罰則を設けている。

B 偽りその他不正の行為により失業等給付の支給を受けた者がある場合に政府が納付をすべきことを命じた金額を徴収する権利は，これを行使することができる時から2年を経過したときは時効によって消滅する。

C 厚生労働大臣は，基本手当の受給資格者について給付制限の対象とする「正当な理由がなく自己の都合によって退職した場合」に該当するかどうかの認定をするための基準を定めようとするときは，あらかじめ労働政策審議会の意見を聴かなければならない。

D 行政庁は，関係行政機関又は公私の団体に対して雇用保険法の施行に関して必要な資料の提供その他の協力を求めることができ，協力を求められた関係行政機関又は公私の団体は，できるだけその求めに応じなければならない。

E 事業主は，雇用保険に関する書類（雇用安定事業又は能力開発事業に関する書類及び労働保険徴収法又は同法施行規則による書類を除く。）のうち被保険者に関する書類を4年間保管しなければならない。

雇用法

正解チェック欄	／	／	／

A　誤　受給資格者が，本肢の行政庁が指定する医師の診断を受けることを命じられ当該命令を正当な理由なく拒んだ場合については，「雇用保険法の罰則は設けられていない」。その他の記述は正しい（法78条，法85条ほか）。

労働科目 474p

B　正　本肢のとおりである（法10条の4第1項，法74条1項）。なお，偽りその他不正の行為により育児休業等給付の支給を受けた者がある場合に政府が納付をすべきことを命じた金額を徴収する権利は，本肢と同様に，これを行使することができる時から2年を経過したときは時効によって消滅する。

労働科目 474p

C　正　本肢のとおりである（法33条2項，法72条1項）。本肢の「正当な理由」とは，被保険者の状況（健康状態や家庭の事情等），事業所の状況（労働条件，雇用管理の状況，経営状況等）その他からみて，その退職が真にやむを得ないものであることが客観的に認められる場合をいうのであって，被保険者の主観的判断は考慮されない（行政手引52203）。

労働科目 473~474p

D　正　本肢のとおりである（法77条の2第1項・2項）。なお，行政庁は，被保険者，受給資格者等，教育訓練給付対象者又は未支給の失業等給付等の支給を請求する者に対して，雇用保険法の施行に関して必要な報告，文書の提出又は出頭を命ずることができる（法77条）。

E　正　本肢のとおりである（則143条）。なお，本肢の被保険者に関する書類以外の雇用保険に関する書類（雇用安定事業又は能力開発事業に関する書類及び労働保険徴収法又は同法施行規則による書類を除く）は，その完結の日から2年間保管しなければならない。

労働科目 362p

R6-4	総合問題	重要度 C

問 66 雇用保険の資格喪失に関する次の記述のうち，誤っているものはどれか。

A 事業主は，その雇用する労働者が離職した場合，当該労働者が離職の日において59歳未満であり，雇用保険被保険者離職票（以下本問において「離職票」という。）の交付を希望しないときは，事業所の所在地を管轄する公共職業安定所長に対して雇用保険被保険者離職証明書（以下本問において「離職証明書」という。）を添えずに雇用保険被保険者資格喪失届を提出することができる。

B 基本手当の支給を受けようとする者（未支給給付請求者を除く。）が離職票に記載された離職の理由に関し異議がある場合，管轄公共職業安定所に対し離職票及び離職の理由を証明することができる書類を提出しなければならない。

C 雇用する労働者が退職勧奨に応じたことで離職したことにより被保険者でなくなった場合，事業主は，離職証明書及び当該退職勧奨により離職したことを証明する書類を添えて，その事業所の所在地を管轄する公共職業安定所長に雇用保険被保険者資格喪失届を提出しなければならない。

D 基本手当の支給を受けようとする者（未支給給付請求者を除く。）であって就職状態にあるものが管轄公共職業安定所に対して離職票を提出した場合，当該就職状態が継続することにより基本手当の受給資格が認められなかったことについて不服があるときは，雇用保険審査官に対して審査請求をすることができる。

E 公共職業安定所長は，離職票を提出した者が雇用保険法第13条第1項所定の被保険者期間の要件を満たさないと認めたときは，離職票にその旨を記載して返付しなければならない。

雇用法

正解チェック欄	／	／	／

A 正 本肢のとおりである（則7条3項）。

B 正 本肢のとおりである（則19条1項）。

C 誤 本肢の場合，事業主は，雇用保険被保険者離職証明書及び当該退職勧奨により離職したことを証明する書類だけでなく，「賃金台帳その他の離職の日前の賃金の額を証明することができる書類」を添えて，その事業所の所在地を管轄する公共職業安定所長に雇用保険被保険者資格喪失届を提出しなければならない（則7条1項，行政手引21452）。また，本肢の場合であっても，雇用保険被保険者資格喪失届を提出する際に当該被保険者（59歳未満の者に限る）が雇用保険被保険者離職票の交付を希望しないときは，雇用保険被保険者離職証明書を添えないことができる（則7条3項，行政手引21452）。

D 正 本肢のとおりである（行政手引50206ほか）。なお，本肢の場合，未支給給付請求者についても雇用保険審査官に対して審査請求をすることができる。

E 正 本肢のとおりである（則19条4項）。

R6-5	総合問題	重要度 A

問 67 雇用保険の不正受給に関する次のアからオの記述のうち，正しいものの組合せは，後記AからEまでのうちどれか。

ア　基本手当の受給資格者が自己の労働によって収入を得た場合，当該収入が基本手当の減額の対象とならない額であっても，これを届け出なければ不正の行為として取り扱われる。

イ　偽りその他不正の行為により基本手当の支給を受けた者がある場合には，政府は，その者に対して，支給した基本手当の全部又は一部の返還を命ずるとともに，厚生労働大臣の定める基準により，当該偽りその他不正の行為により支給を受けた基本手当の額の3倍に相当する額の金額を納付することを命ずることができる。

ウ　偽りその他不正の行為により基本手当の支給を受けた者がある場合には，政府は，その者に対して過去適法に受給した基本手当の額を含めた基本手当の全部又は一部を返還することを命ずることができる。

エ　雇用保険法施行規則第120条にいう雇用関係助成金関係規定にかかわらず，過去5年以内に偽りその他不正の行為により雇用調整助成金の支給を受けた事業主には，雇用関係助成金を支給しない。

オ　偽りその他不正の行為により基本手当の支給を受けた者にやむを得ない理由がある場合，基本手当の全部又は一部を支給することができる。

A　(アとイ)　　B　(アとウ)　　C　(イとエ)
D　(ウとオ)　　E　(エとオ)

正解チェック欄	／	／	／

本問アからオまでのそれぞれの記述の正誤は以下のとおりである。したがって，エとオを正しい記述とするＥが解答となる。

ア　誤　通常，自己の労働による収入を届け出ないことは，不正の行為に該当するが，減額の対象とならない額の届出については，これを届け出なくても「不正の行為であるとして取り扱うことはできない」（昭32.3.31審査決定昭32第１号等）。

イ　誤　偽りその他不正の行為により失業等給付の支給を受けた者がある場合には，政府は，その者に対して，支給した失業等給付の全部又は一部を返還することを命ずることができ，また，厚生労働大臣の定める基準により，当該偽りその他不正の行為により支給を受けた失業等給付の額の「２倍」に相当する額以下の金額を納付することを命ずることができる（法10条の４第１項）。 労働科目 368p

---

ウ　誤　返還を命ずることができる失業等給付は，偽りその他不正の行為によって支給を受けた失業等給付の全部又は一部であって，「不正受給者が適法に受給した失業等給付には及ばない」（法10条の４第１項）。 労働科目 368p

---

エ　正　本肢のとおりである（則120条の２第１項）。

オ　正　本肢のとおりである（法34条１項）。 労働科目 398p

第5編

労働保険徴収法

過去10年間の出題傾向

労働保険徴収法

□…選択式　○…択一式

出題項目＼年度	平成27年	平成28年	平成29年	平成30年	令和元年	令和2年	令和3年	令和4年	令和5年	令和6年
総則		○	○			○		○	○	○
保険関係の成立・消滅	○	○	○		○		○	○	○	○
保険関係の一括	○			○		○	○	○	○	○
労働保険料の種類と保険料率				○	○	○			○	
概算保険料		○		○	○		○	○	○	
延納	○		○		○	○	○		○	
概算保険料の申告・納付				○			○			○
確定保険料			○				○	○		○
口座振替による納付等				○	○	○	○	○		○
メリット制		○				○		○		
印紙保険料		○				○			○	○
特例納付保険料	○						○			
追徴金，督促・滞納処分，延滞金，先取特権の順位			○		○		○	○	○	
労働保険料の負担					○	○			○	
労働保険事務組合			○	○	○		○		○	
不服申立て・訴訟		○				○				
雑則・罰則	○	○			○				○	○

キリトリ線

H29-災8	総則等	重要度 A

問 1 労働保険徴収法第2条に定める賃金に関する次の記述のうち，誤っているものはどれか。

A 労働者が在職中に，退職金相当額の全部又は一部を給与や賞与に上乗せするなど前払いされる場合は，原則として，一般保険料の算定基礎となる賃金総額に算入する。

B 遡って昇給が決定し，個々人に対する昇給額が未決定のまま離職した場合において，離職後支払われる昇給差額については，個々人に対して昇給をするということ及びその計算方法が決定しており，ただその計算の結果が離職時までにまだ算出されていないというものであるならば，事業主としては支払義務が確定したものとなるから，賃金として取り扱われる。

C 労働者が賃金締切日前に死亡したため支払われていない賃金に対する保険料は，徴収しない。

D 労働者の退職後の生活保障や在職中の死亡保障を行うことを目的として事業主が労働者を被保険者として保険会社と生命保険等厚生保険の契約をし，会社が当該保険の保険料を全額負担した場合の当該保険料は，賃金とは認められない。

E 住居の利益は，住居施設等を無償で供与される場合において，住居施設が供与されない者に対して，住居の利益を受ける者との均衡を失しない定額の均衡手当が一律に支給されない場合は，当該住居の利益は賃金とならない。

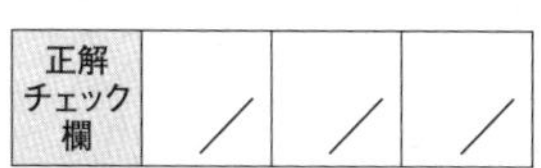

A 正 本肢のとおりである（平15.10.1基徴発1001001号）。いわゆる前払い退職金は，労働の対償としての性格が明確であり，労働者の通常の生計に充てられる経常的な収入としての意義を有することから，原則として，一般保険料の算定基礎となる賃金総額に算入する。 労働科目 484p

---

B 正 本肢のとおりである（昭32.12.27失保収652号）。 労働科目 484p

C 誤 労働者の賃金債権は，債務の履行としての労働の提供を行ったときに発生するものであり，労働者が死亡した場合，死亡前の労働の対償としての賃金の支払義務は死亡時に確立しているから，本肢の場合，当該賃金に対する保険料を「徴収する」ものとされている（昭32.12.27失保収652号）。

D 正 本肢のとおりである（昭30.3.31基災収1239号）。なお，健康保険法に規定されている傷病手当金は，健康保険の給付金であって，賃金とは認められない。 労働科目 484p

---

E 正 本肢のとおりである（法2条2項ほか）。なお，労働者が業務に従事するため支給する作業衣又は業務上着用することを条件として支給し，若しくは貸与する被服の利益は，労働保険徴収法上の賃金に該当しない（昭23.2.20基発297号）。

H29-災9

労働保険の適用

重要度 B

問 2 労働保険の保険関係の成立及び消滅に関する次の記述のうち，正しいものはどれか。

A 労働保険の保険関係が成立している事業の事業主は，当該事業を廃止したときは，当該事業に係る保険関係廃止届を所轄労働基準監督署長又は所轄公共職業安定所長に提出しなければならず，この保険関係廃止届が受理された日の翌日に，当該事業に係る労働保険の保険関係が消滅する。

B 労災保険の適用事業が，使用労働者数の減少により，労災保険暫定任意適用事業に該当するに至ったときは，その翌日に，その事業につき所轄都道府県労働局長による任意加入の認可があったものとみなされる。

C 労災保険暫定任意適用事業の事業主は，その事業に使用される労働者の過半数が希望するときは，労災保険の任意加入の申請をしなければならず，この申請をしないときは，6箇月以下の懲役又は30万円以下の罰金に処せられる。

D 労働保険の保険関係が成立している事業の法人事業主は，その代表取締役に異動があった場合には，その氏名について変更届を所轄労働基準監督署長又は所轄公共職業安定所長に提出しなければならない。

E 労働保険の保険関係が成立している暫定任意適用事業の事業主は，その保険関係の消滅の申請を行うことができるが，労災保険暫定任意適用事業と雇用保険暫定任意適用事業で，その申請要件に違いはない。

正解チェック欄	／	／	／

徴収法

A　誤　労働保険の保険関係が成立している事業が廃止された場合において，「保険関係廃止届を提出する必要はなく」，当該事業に係る労働保険の保険関係は，当該事業が「廃止された日の翌日」に，「法律上当然に消滅」する（法5条）。

労働科目 491p

B　正　本肢のとおりである（整備法5条3項，同法8条の2ほか）。

労働科目 491p

C　誤　労災保険暫定任意適用事業の事業主は，その事業に使用される労働者の過半数が希望するときは，労災保険の任意加入の申請をしなければならないが，当該事業主が当該申請をしないときであっても，「罰則の規定は設けられていない」（整備法5条2項ほか）。その他の記述については正しい（整備法5条2項ほか）。なお，雇用保険暫定任意適用事業の事業主が，その事業に使用される労働者の2分の1以上が希望するにもかかわらず，雇用保険の任意加入の申請しないときは，当該事業主は，6箇月以下の懲役又は30万円以下の罰金に処せられる（法附則7条1項）。

労働科目 490～491p

D　誤　法人の代表取締役に異動があった場合において，その氏名について「変更届を提出する必要はない」（法4条の2第2項，則5条）。

労働科目 488～489p

E　誤　労災保険暫定任意適用事業の事業主が保険関係の消滅の申請を行う場合には，当該事業に使用される労働者の「過半数」の同意を得ること及び「原則として労災保険に係る保険関係が成立した後1年を経過していること」が必要とされているが，雇用保険暫定任意適用事業の事業主が保険関係の消滅の申請を行う場合には，当該事業に使用される労働者の「4分の3以上」の同意を得ることが必要とされており，その申請要件には「違いがある」（整備法8条1項・2項，法附則4条1項・2項）。

労働科目 492～493p

キリトリ線

H27-災8	労働保険の適用	重要度 B

問 3 農業の事業の労災保険の加入に関する次の記述のうち，正しいものはどれか。なお，本問において「農業の事業」とは，畜産及び養蚕の事業を含むが，特定の危険有害作業を主として行う事業であって常時労働者を使用するもの並びに特定農業機械作業従事者及び一定の危険又は有害な作業を行う一定規模以上の農業の個人事業主等が特別加入した場合における当該事業を除くものをいう。

A 農業の事業で，労働者を常時4人使用する民間の個人事業主は，使用する労働者2名の同意があるときには，労災保険の任意加入の申請をしなければならない。

B 農業の事業で，民間の個人事業主が労災保険の任意加入の申請を行うためには，任意加入申請書に労働者の同意を得たことを証明する書類を添付して，所轄都道府県労働局長に提出しなければならない。

C 農業の事業で，民間の個人事業主が労災保険の任意加入の申請を行った場合，所轄都道府県労働局長の認可があった日の翌日に，その事業につき労災保険に係る労働保険の保険関係が成立する。

D 農業の事業で，労災保険関係が成立している労災保険暫定任意適用事業の事業主が当該事業を廃止した場合には，当該労災保険暫定任意適用事業に係る保険関係の消滅の申請をすることにより，所轄都道府県労働局長の認可があった日の翌日に，その事業につき労災保険に係る労働保険の保険関係が消滅する。

E 農業の事業で，労災保険暫定任意適用事業に該当する事業が，使用労働者数の増加により労災保険法の適用事業に該当するに至った場合には，その日に，当該事業につき労災保険に係る労働保険の保険関係が成立する。

キリトリ線

徴収法

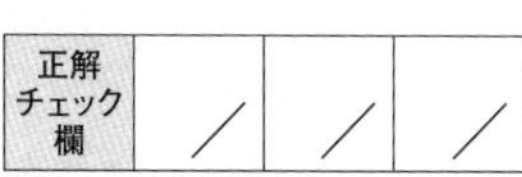

正解チェック欄	／	／	／

A 誤 本肢の農業の事業のような労災保険暫定任意適用事業の事業主は，その事業に使用される労働者の過半数が希望するときは，労災保険に任意加入の申請をしなければならないこととされているが，本肢の場合，過半数を超えていないため，当該任意加入の申請をする必要はない（整備法5条2項）。 労働科目 490~491p

---

B 誤 労災保険の任意加入の申請にあたっては，任意加入申請書に労働者の同意を得たことを証明する書類を「添付する必要はない」（整備省令1条）。

C 誤 労災保険の任意加入の申請を行った場合，所轄都道府県労働局長の認可があった日に，その事業につき労災保険に係る保険関係が成立する（整備法5条1項ほか）。

D 誤 労災保険関係が成立している労災保険暫定任意適用事業の事業主が当該事業を廃止した場合には，当該事業に係る保険関係は，法律上当然に，その廃止の日の翌日に消滅するのであって，本肢のように保険関係消滅の申請をする必要はない（法5条）。 労働科目 491p

---

E 正 本肢のとおりである（法3条，整備法7条）。なお，強制適用事業に該当するに至った日に，法律上当然に保険関係は成立する（保険関係成立届が提出されているか否か，その提出時期がいつかは，保険関係の成立そのものには関係ない）。 労働科目 488p

R6-雇8	労働保険の適用	重要度 A

問 4 労働保険の保険料の徴収等に関する次の記述のうち，正しいものはどれか。

A 雇用保険暫定任意適用事業に該当する事業が雇用保険法第5条第1項の適用事業に該当するに至った場合は，その該当するに至った日から10日以内に労働保険徴収法第4条の2に規定する保険関係成立届を所轄労働基準監督署長又は所轄公共職業安定所長に提出することによって，その事業につき雇用保険に係る保険関係が成立する。

B 都道府県に準ずるもの及び市町村に準ずるものの行う事業については，労災保険に係る保険関係と雇用保険に係る保険関係の双方を一の事業についての労働保険の保険関係として取り扱い，一般保険料の算定，納付等の手続を一元的に処理する事業として定められている。

C 保険関係が成立している事業の事業主は，事業主の氏名又は名称及び住所に変更があったときは，変更を生じた日の翌日から起算して10日以内に，労働保険徴収法施行規則第5条第2項に規定する事項を記載した届書を所轄労働基準監督署長又は所轄公共職業安定所長に提出することによって行わなければならない。

D 雇用保険に係る保険関係が成立している雇用保険暫定任意適用事業の事業主については，その事業に使用される労働者の4分の3以上の同意を得て，その者が当該保険関係の消滅の申請をした場合，厚生労働大臣の認可があった日に，その事業についての当該保険関係が消滅する。

E 雇用保険法第5条第1項の適用事業及び雇用保険に係る保険関係が成立している雇用保険暫定任意適用事業の保険関係は，当該事業が廃止され，又は終了したときは，その事業についての保険関係は，その日に消滅する。

正解チェック欄	／	／	／

徴収法

正解 C

A 誤 雇用保険暫定任意適用事業に該当する事業が雇用保険法5条1項の強制適用事業に該当するに至った場合は，保険関係成立届の届出の有無にかかわらず，「強制適用事業に該当するに至った日」に雇用保険に係る保険関係が成立する（法4条）。

労働科目 488p

B 誤 都道府県に準ずるもの及び市町村に準ずるものの行う事業については，これらの事業を労災保険に係る保険関係及び雇用保険に係る保険関係ごとに「別個の事業」とみなすいわゆる二元適用事業に該当する（法39条1項，則70条）。

労働科目 485~486p

C 正 本肢のとおりである（法4条の2第2項，則5条2項）。

労働科目 489p

D 誤 本肢の場合，厚生労働大臣の認可があった日の「翌日」に，その事業についての保険関係が消滅する（法附則4条）。

労働科目 491~492p

E 誤 本肢の場合，その事業についての保険関係は，その廃止され，又は終了した日の「翌日」に消滅する（法5条）。

労働科目 491p

キリトリ線

H27-災9	労働保険の適用	重要度 B

問 5 建設の有期事業に関する次の記述のうち，誤っているものはどれか。なお，本問において，「建設の有期事業」とは，労働保険徴収法第7条の規定により一括有期事業として一括される個々の有期事業を除いたものをいう。

A 建設の有期事業を行う事業主は，当該事業に係る労災保険の保険関係が成立した場合には，その成立した日の翌日から起算して10日以内に保険関係成立届を所轄労働基準監督署長に提出しなければならない。

B 建設の有期事業を行う事業主は，当該事業に係る労災保険の保険関係が成立した場合には，その成立した日の翌日から起算して20日以内に，概算保険料を概算保険料申告書に添えて，申告・納付しなければならない。

C 建設の有期事業を行う事業主は，当該事業に係る労災保険の保険関係が消滅した場合であって，納付した概算保険料の額が確定保険料の額として申告した額に足りないときは，当該保険関係が消滅した日から起算して50日以内にその不足額を，確定保険料申告書に添えて，申告・納付しなければならない。

D 複数年にわたる建設の有期事業の事業主が納付すべき概算保険料の額は，その事業の当該保険関係に係る全期間に使用するすべての労働者に係る賃金総額（その額に1,000円未満の端数があるときは，その端数は切り捨てる。）の見込額に，当該事業についての一般保険料率を乗じて算定した額となる。

E 労働保険徴収法第21条の2の規定に基づく口座振替による納付の承認を受けている建設の事業を行う事業主が，建設の有期事業で，納期限までに確定保険料申告書を提出しないことにより，所轄都道府県労働局歳入徴収官が労働保険料の額を決定し，これを事業主に通知した場合において，既に納付した概算保険料の額が当該決定された確定保険料の額に足りないときは，その不足額を口座振替により納付することができる。

キリトリ線

徴収法

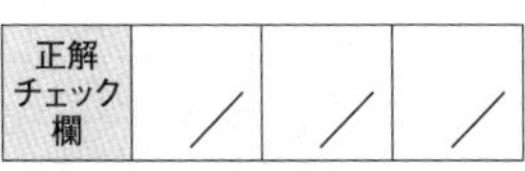

A 正 本肢のとおりである（法4条の2第1項，則4条2項ほか）。なお，保険関係成立届は，次表のとおり事務の所轄区分に従い，所轄労働基準監督署長又は所轄公共職業安定所長に提出しなければならない。

【保険関係成立届の提出先】

所轄労働基準監督署長	所轄公共職業安定所長
・一元適用事業で労働保険事務組合に労働保険事務の処理を委託していない事業（雇用保険に係る保険関係のみが成立している事業を除く）	・一元適用事業で労働保険事務組合に労働保険事務の処理を委託している事業 ・一元適用事業で労働保険事務組合に労働保険事務の処理を委託していない事業のうち，雇用保険に係る保険関係のみが成立している事業
・二元適用事業で労災保険に係る保険関係が成立している事業	・二元適用事業で雇用保険に係る保険関係が成立している事業

労働科目 488~489p

B 正 本肢のとおりである（法15条2項）。 労働科目 509p

C 正 本肢のとおりである（法19条2項・3項）。 労働科目 521p

D 正 本肢のとおりである（法15条2項1号）。 労働科目 509p

E 誤 政府の認定決定により納付すべき確定保険料の不足額については，口座振替により納付することはできない（法21条の2第1項，則38条の4）。 労働科目 525p

H27-災10	労働保険の適用	重要度 B

問 6 下請負事業の分離に関する次の記述のうち，正しいものはどれか。なお，本問において，「下請負事業の分離」とは，労働保険徴収法第8条第2項の規定に基づき，元請負人の請負に係る事業から下請負部分を分離し，独立の保険関係を成立させることをいう。

A 厚生労働省令で定める事業が数次の請負によって行われる場合の元請負人及び下請負人が，下請負事業の分離の認可を受けようとするときは，保険関係が成立した日の翌日から起算して10日以内であれば，そのいずれかが単独で，当該下請負人を事業主とする認可申請書を所轄都道府県労働局長に提出して，認可を受けることができる。

B 厚生労働省令で定める事業が数次の請負によって行われる場合の元請負人及び下請負人が，下請負事業の分離の認可を受けるためには，当該下請負人の請負に係る事業が建設の事業である場合は，その事業の規模が，概算保険料を算定することとした場合における概算保険料の額に相当する額が160万円未満，かつ，請負金額が1億8,000万円未満でなければならない。

C 厚生労働省令で定める事業が数次の請負によって行われる場合の元請負人及び下請負人が，下請負事業の分離の認可を受けるためには，当該下請負人の請負に係る事業が立木の伐採の事業である場合は，その事業の規模が，素材の見込生産量が千立方メートル未満，かつ，請負金額が1億8,000万円未満でなければならない。

D 厚生労働省令で定める事業が数次の請負によって行われる場合の下請負人を事業主とする認可申請書については，天災，不可抗力等の客観的理由により，また，事業開始前に請負方式の特殊性から下請負契約が成立しない等の理由により期限内に当該申請書を提出できない場合を除き，保険関係が成立した日の翌日から起算して10日以内に，所轄都道府県労働局長に提出しなければならない。

E 厚生労働省令で定める事業が数次の請負によって行われる場合の元請負人及び下請負人が，下請負事業の分離の認可を受けた場合，当該下請負人の請負に係る事業を一の事業とみなし，当該下請負人のみが当該事業の事業主とされ，当該下請負人以外の下請負人及びその使用する労働者に対して，労働関係の当事者としての使用者となる。

正解チェック欄	／	／	／

徴収法

A 誤 下請負人をその請負に係る事業の事業主とする認可申請は，保険関係が成立した日の翌日から起算して10日以内に，「当該元請負人及び下請負人が共同で」，所轄都道府県労働局長に提出しなければならない（則8条）。 労働科目 496p

---

B 誤 厚生労働省令で定める事業が数次の請負によって行われる場合の元請負人及び下請負人が，下請負事業の分離の認可を受けるためには，当該下請負人の請負に係る事業が建設の事業である場合は，その事業の規模が，概算保険料を算定することとした場合における概算保険料の額に相当する額が160万円「以上」，「又は」，請負金額が1億8,000万円「以上」でなければならない（則6条1項）。 労働科目 495p

---

C 誤 立木の伐採の事業については，数次の請負によって行われている場合であっても，いわゆる請負事業の一括は行われない。したがって，立木の伐採の事業については，下請負事業の分離について考える余地はない（法8条，則7条）。 労働科目 495p

---

D 正 本肢のとおりである（則8条，昭41.11.24労徴発41号）。

E 誤 下請負事業の分離の認可が行われた場合，「労働保険徴収法の規定の適用について」，当該下請負人は，当該下請負の請負に係る事業の事業主となるのであって，労働関係の当事者としてその下請負人以外の下請負人やその使用する労働者に対して使用者となるわけではない。

H28-災8	労働保険の適用	重要度 A

問 7 有期事業の一括に関する次の記述のうち，正しいものはどれか。

A 有期事業の一括の対象は，それぞれの事業が，労災保険に係る保険関係が成立している事業のうち，建設の事業であり，又は土地の耕作若しくは開墾又は植物の栽植，栽培，採取若しくは伐採の事業その他農林の事業とされている。

B 有期事業の一括の対象となる事業に共通する要件として，それぞれの事業の規模が，労働保険徴収法による概算保険料を算定することとした場合における当該保険料の額が160万円未満であり，かつ期間中に使用する労働者数が常態として30人未満であることとされている。

C 労働保険徴収法第7条に定める有期事業の一括の要件を満たす事業は，事業主が一括有期事業開始届を所轄労働基準監督署長に届け出ることにより有期事業の一括が行われ，その届出は，それぞれの事業が開始された日の属する月の翌月10日までにしなければならないとされている。

D 当初，独立の有期事業として保険関係が成立した事業が，その後，事業の規模が変動し有期事業の一括のための要件を満たすに至った場合は，その時点から有期事業の一括の対象事業とされる。

E 有期事業の一括が行われると，その対象とされた事業はその全部が一つの事業とみなされ，みなされた事業に係る労働保険徴収法施行規則による事務については，労働保険料の納付の事務を行うこととなる一つの事務所の所在地を管轄する都道府県労働局長及び労働基準監督署長が，それぞれ，所轄都道府県労働局長及び所轄労働基準監督署長となる。

徴収法

正解チェック欄	／	／	／

A 誤 有期事業の一括の対象は，それぞれの事業が，労災保険に係る保険関係が成立している事業のうち，建設の事業であり，又は「立木の伐採の事業」であることとされている（法7条，則6条2項）。

労働科目 494p

B 誤 有期事業の一括の対象となる事業に共通する要件として，それぞれの事業の規模が厚生労働省令で定める規模以下であることとされているが，当該規模要件には「人数要件は規定されていない」（法7条，則6条）。なお，当該規模要件は，概算保険料の額に相当する額が160万円未満であり，かつ，立木の伐採の事業にあっては素材の見込生産量が1,000立方メートル未満であること，建設の事業にあっては，請負金額が1億8,000万円未満であることとされている。

労働科目 494p

C 誤 有期事業の一括は，要件に該当すれば法律上当然に行われるものであり，「事業主の届出によって行われるものではない」（法7条）。なお，一括有期事業開始届の届出制度は平成31年3月31日をもって廃止された（法7条）。

労働科目 494p

D 誤 当初，独立の有期事業として保険関係が成立した事業は，その後，事業規模の縮小等による変更があった場合でも，有期事業の一括の対象とはされない（昭40.7.31基発901号ほか）。

E 正 本肢のとおりである（則6条2項・3項）。

労働科目 494p

キリトリ線

R3-災10	労働保険の適用	重要度 A

問 8 有期事業の一括に関する次の記述のうち，誤っているものはどれか。

A 有期事業の一括が行われるには，当該事業の概算保険料の額（労働保険徴収法第15条第2項第1号又は第2号の労働保険料を算定することとした場合における当該労働保険料の額）に相当する額が160万円未満でなければならない。

B 有期事業の一括が行われる要件の一つとして，それぞれの事業が，労災保険に係る保険関係が成立している事業であり，かつ建設の事業又は立木の伐採の事業であることが定められている。

C 建設の事業に有期事業の一括が適用されるには，それぞれの事業の種類を同じくすることを要件としているが，事業の種類が異なっていたとしても，労災保険率が同じ事業は，事業の種類を同じくするものとみなして有期事業の一括が適用される。

D 同一人がＸ株式会社とＹ株式会社の代表取締役に就任している場合，代表取締役が同一人であることは，有期事業の一括が行われる要件の一つである「事業主が同一人であること」に該当せず，有期事業の一括は行われない。

E Ｘ会社がＹ会社の下請として施工する建設の事業は，その事業の規模及び事業の種類が有期事業の一括の要件を満たすものであっても，Ｘ会社が元請として施工する有期事業とは一括されない。

キリトリ線

徴収法

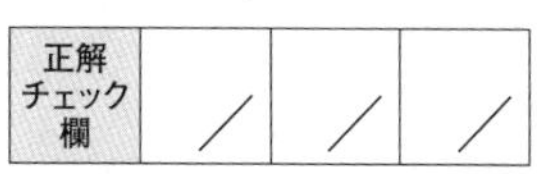

A 正 本肢のとおりである（則6条1項）。なお，有期事業の一括が行われる要件の一つとして，本肢のほかに，他のいずれかの事業の全部又は一部が同時に行われることが定められている（法7条4号）。

労働科目 494p

B 正 本肢のとおりである（則6条2項）。なお，有期事業の一括が行われる要件の一つとして，本肢のほかに，それぞれの事業が有期事業であることが定められている（法7条2号）。

労働科目 494p

C 誤 本肢のような規定はない。事業の種類が異なっている場合は，有期事業の一括は行われない（則6条2項）。

労働科目 494p

D 正 本肢のとおりである（法7条ほか）。「事業主が同一人である」とは，当該事業が同一企業に属していることをいう。

労働科目 494p

E 正 本肢のとおりである（法7条）。本肢のX会社が下請として施工する建設の事業が有期事業の一括の要件を満たしているとすると，元請負事業からの分離の要件は満たさないということになるため，当該建設の事業については元請負人Y会社が事業主となる（請負事業の一括）。そうすると，X会社が元請として施工する建設の事業の事業主はX会社となり，X会社がY会社の下請として施工する建設の事業の事業主はY会社となることから，事業主が同一人でないため有期事業の一括は行われない。

労働科目 494p

R2-災8	労働保険の適用	重要度 A

問 9 請負事業の一括に関する次の記述のうち，正しいものはどれか。

A 請負事業の一括は，労災保険に係る保険関係が成立している事業のうち，建設の事業又は立木の伐採の事業が数次の請負によって行われるものについて適用される。

B 請負事業の一括は，元請負人が，請負事業の一括を受けることにつき所轄労働基準監督署長に届け出ることによって行われる。

C 請負事業の一括が行われ，その事業を一の事業とみなして元請負人のみが当該事業の事業主とされる場合，請負事業の一括が行われるのは，「労災保険に係る保険関係が成立している事業」についてであり，「雇用保険に係る保険関係が成立している事業」については行われない。

D 請負事業の一括が行われ，その事業を一の事業とみなして元請負人のみが当該事業の事業主とされる場合，元請負人は，その請負に係る事業については，下請負をさせた部分を含め，そのすべてについて事業主として保険料の納付の義務を負い，更に労働関係の当事者として下請負人やその使用する労働者に対して使用者となる。

E 請負事業の一括が行われると，元請負人は，その請負に係る事業については，下請負をさせた部分を含め，そのすべてについて事業主として保険料の納付等の義務を負わなければならないが，元請負人がこれを納付しないとき，所轄都道府県労働局歳入徴収官は，下請負人に対して，その請負金額に応じた保険料を納付するよう請求することができる。

正解チェック欄	/	/	/

徴収法

A　誤　請負事業の一括は，労災保険に係る保険関係が成立している事業のうち「建設の事業」が数次の請負によって行われるものについて適用される。したがって，「立木の伐採の事業については請負事業の一括は行われない」(法8条1項，則7条)。

労働科目 495~496p

B　誤　請負事業の一括は，所定の要件を満たせば，「法律上当然に行われる」ものであり，届出をすることによって行われるものではない（法8条1項)。

労働科目 495~496p

C　正　本肢のとおりである（法8条1項，則7条ほか)。なお，請負事業の一括の制度の趣旨は，建設の事業においては，請負事業者がその請け負った工事をさらに他の請負事業者に請け負わせる場合がむしろ普通であり，保険技術的にも分割して徴収法を適用することは実情にそぐわず，困難でもあるので，これを一括して適用することとしたものである。

労働科目 495~496p

D　誤　労災保険に係る保険関係について請負事業の一括が行われた場合，「労働保険徴収法の規定の適用」については，その事業を一の事業とみなし，元請負人のみを当該事業の事業主とするのであって，原則として，労働関係の当事者として，下請負人や下請負人の労働者の使用者となるわけではない（法8条1項)。

労働科目 495~496p

E　誤　本肢後段のような規定はない。所轄都道府県労働局歳入徴収官は，元請負人が労働保険料等を納付しない場合であっても，これを下請負人に対して請求することはできない（法8条1項)。

労働科目 495~496p

H30-災8	労働保険の適用	重要度 A

問 10 労働保険関係の一括に関する次の記述のうち，誤っているものはどれか。

A 継続事業の一括について都道府県労働局長の認可があったときは，都道府県労働局長が指定する一の事業（以下本問において「指定事業」という。）以外の事業に係る保険関係は，消滅する。

B 継続事業の一括について都道府県労働局長の認可があったときは，被一括事業の労働者に係る労災保険給付（二次健康診断等給付を除く。）の事務や雇用保険の被保険者資格の確認の事務等は，その労働者の所属する被一括事業の所在地を管轄する労働基準監督署長又は公共職業安定所長がそれぞれの事務所掌に応じて行う。

C 一括扱いの認可を受けた事業主が新たに事業を開始し，その事業をも一括扱いに含めることを希望する場合の継続事業一括扱いの申請は，当該事業に係る所轄都道府県労働局長に対して行う。

D 2以上の有期事業が労働保険徴収法による有期事業の一括の対象になると，それらの事業が一括されて一の事業として労働保険徴収法が適用され，原則としてその全体が継続事業として取り扱われることになる。

E 一括されている継続事業のうち指定事業以外の事業の全部又は一部の事業の種類が変更されたときは，事業の種類が変更された事業について保険関係成立の手続をとらせ，指定事業を含む残りの事業については，指定事業の労働者数又は賃金総額の減少とみなして確定保険料報告の際に精算することとされている。

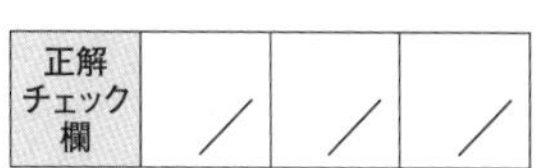

A 正 本肢のとおりである（法9条，則76条）。 労働科目 496~497p

B 正 本肢のとおりである（法9条，昭40.7.31基発901号ほか）。雇用保険の被保険者に関する事務並びに労災保険及び雇用保険の給付に関する事務については，法9条の継続事業の一括の規定は適用されないので，それぞれの事業ごとに行わなければならず，被一括事業（指定事業に一括される事業）それぞれの事業所の所在地を管轄する労働基準監督署長又は公共職業安定所長（二次健康診断等給付の支給に関する事務は都道府県労働局長）が，それぞれの事務所掌に応じて，これらの事務を行う。 労働科目 496~497p

---

C 誤 一括扱いの認可を受けた事業主が新たに事業を開始し，その事業をも一括扱いに含めることを希望する場合（被一括事業の認可の追加）の継続事業一括扱いの申請は，「指定事業に係る」所轄都道府県労働局長に提出しなければならない（昭40.7.31基発901号）。

D 正 本肢のとおりである（昭40.7.31基発901号）。 労働科目 494p

E 正 本肢のとおりである（昭40.7.31基発901号）。 労働科目 497p

R6-災8	労働保険の適用	重要度 A

問 11 労働保険の保険料の徴収等に関する次の記述のうち，誤っているものはどれか。

A　労働保険徴収法第8条に規定する請負事業の一括について，労災保険に係る保険関係が成立している事業のうち建設の事業であって，数次の請負によって行われる場合，雇用保険に係る保険関係については，元請事業に一括することなく事業としての適用単位が決められ，それぞれの事業ごとに労働保険徴収法が適用される。

B　労働保険徴収法第8条に規定する請負事業の一括について，下請負に係る事業については下請負人が事業主であり，元請負人と下請負人の使用する労働者の間には労働関係がないが，同条第2項に規定する場合を除き，元請負人は当該請負に係る事業について下請負をさせた部分を含め，そのすべての労働者について事業主として保険料の納付等の義務を負う。

C　労働保険徴収法第8条第2項に定める下請負事業の分離に係る認可を受けようとする元請負人及び下請負人は，保険関係が成立した日の翌日から起算して10日以内に「下請負人を事業主とする認可申請書」を所轄都道府県労働局長に提出しなければならない。

D　労働保険徴収法第8条第2項に定める下請負事業の分離に係る認可を受けようとする元請負人及び下請負人は，天災その他不可抗力等のやむを得ない理由により，同法施行規則第8条第1項に定める期限内に「下請負人を事業主とする認可申請書」を提出することができなかったときは，期限後であっても当該申請書を提出することができる。

E　労働保険徴収法第8条第2項に定める下請負事業の分離に係る認可を受けるためには，当該下請負事業の概算保険料が160万円以上，かつ，請負金額が1億8,000万円以上（消費税等相当額を除く。）であることが必要とされている。

正解チェック欄	／	／	／

A　正　本肢のとおりである（法8条1項，則7条）。 労働科目 495~496p

B　正　本肢のとおりである（法8条1項）。 労働科目 495~496p

C　正　本肢のとおりである（法8条）。 労働科目 495~496p

D　正　本肢のとおりである（則8条，昭47.11.24労徴発41号）。

E　誤　下請負事業の分離の認可を受けるためには，当該下請負事業の概算保険料が160万円以上であるか，「又は」請負金額が1億8,000万円以上（消費税相当額を除く）であることが必要である（則9条）。 労働科目 495~496p

R5-災10	労働保険の適用	重要度 A

問 12 労働保険の保険料の徴収等に関する次の記述のうち，誤っているものはどれか。

A 事業主が同一人である2以上の事業（有期事業以外の事業に限る。）であって，労働保険徴収法施行規則第10条で定める要件に該当するものに関し，当該事業主が当該2以上の事業について成立している保険関係の全部又は一部を一の保険関係とすることを継続事業の一括という。

B 継続事業の一括に当たって，労災保険に係る保険関係が成立している事業のうち二元適用事業と，一元適用事業であって労災保険及び雇用保険の両保険に係る保険関係が成立している事業とは，一括できない。

C 継続事業の一括に当たって，雇用保険に係る保険関係が成立している事業のうち二元適用事業については，それぞれの事業が労災保険率表による事業の種類を同じくしている必要はない。

D 暫定任意適用事業にあっては，継続事業の一括の申請前に労働保険の保険関係が成立していなくとも，任意加入の申請と同時に一括の申請をして差し支えない。

E 労働保険徴収法第9条の継続事業の一括の認可を受けようとする事業主は，所定の申請書を同条の規定による厚生労働大臣の一の事業の指定を受けることを希望する事業に係る所轄都道府県労働局長に提出しなければならないが，指定される事業は当該事業主の希望する事業と必ずしも一致しない場合がある。

徴収法

正解チェック欄	／	／	／

A 正 本肢のとおりである（法9条）。事業経営の合理化により，賃金計算等の事務を集中管理する事業が増加していることから，事業主及び政府の事務処理の便宜と簡素化を図るため，一定の継続事業については，申請に基づき，数個の事業を一括して保険関係を成立させることとしたのが，継続事業の一括の規定である（昭40.7.31基発第901号）。

労働科目 496〜497p

B 正 本肢のとおりである（則10条1項）。継続事業の一括を行うためには，それぞれの事業について成立している保険関係に同一性があることが要件の1つとされている。

労働科目 496〜497p

C 誤 継続事業の一括に当たって，雇用保険に係る保険関係が成立している事業のうちに現適用事業については，それぞれの事業が労災保険率表による事業の種類を同じくしている「必要がある」（則10条1項）。

労働科目 496〜497p

D 正 本肢のとおりである（則10条ほか）。なお，則10条（継続事業の一括の要件）における「保険関係が成立している事業」とは，必ずしも継続事業の一括の申請前に保険関係が成立している場合に限られず，暫定任意適用事業にあっては，本肢のように任意加入の申請と同時に一括の申請をして差し支えないとされている。

E 正 本肢のとおりである（則10条2項ほか）。なお，本肢の厚生労働大臣の指定は，継続事業の一括が適用される事業のうち，労働保険事務を的確に処理する事務能力を有すると認められるものに限られることから，指定される事業は，本肢のように事業主の希望する事業と必ずしも一致しない場合がある。

H28-雇8	労働保険の適用	重要度 A

問 13 労働保険徴収法の規定による労働保険の事務の所轄等に関する次の記述のうち，誤っているものはどれか。

A 一元適用事業であって労働保険事務組合に労働保険事務の処理を委託しないもの（雇用保険にかかる保険関係のみが成立している事業を除く。）に関する保険関係成立届の提出先は，所轄労働基準監督署長である。

B 一元適用事業であって労働保険事務組合に労働保険事務の処理を委託するものに関する保険関係成立届の提出先は，所轄公共職業安定所長である。

C 雇用保険暫定任意適用事業の事業主が雇用保険の加入の申請をする場合において，当該申請に係る厚生労働大臣の認可権限は都道府県労働局長に委任されているが，この任意加入申請書は所轄公共職業安定所長を経由して提出する。

D 労働保険事務組合の認可及び認可の取消しに関する権限を行使し，並びに業務廃止の届出の提出先となっているのは，厚生労働大臣の委任を受けた所轄都道府県労働局長である。

E 一元適用事業であって労働保険事務組合に労働保険事務の処理を委託するものに関する継続事業の一括の認可に関する事務は，所轄公共職業安定所長が行う。

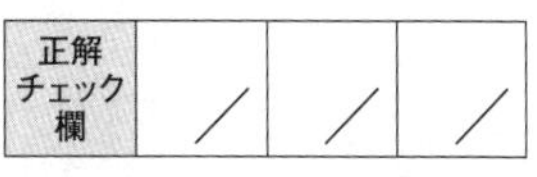

正解チェック欄	／	／	／

徴収法

A　正　本肢のとおりである（則1条3項1号，則78条1項1号，整備省令18条）。また，二元適用事業で労災保険に係る保険関係が成立している事業に関する保険関係成立届の提出先についても，所轄労働基準監督署長とされている。

労働科目 489p

B　正　本肢のとおりである（則1条3項2号，則78条1項2号）。また，一元適用事業で労働保険事務組合に労働保険事務の処理を委託していない事業のうち，雇用保険に係る保険関係のみが成立している事業に関する保険関係成立届の提出先についても，所轄公共職業安定所長とされている。

労働科目 489p

C　正　本肢のとおりである（則附則1条の3，則78条1項2号）。

労働科目 490～491p

D　正　本肢のとおりである（則76条3号）。

労働科目 549～550p

E　誤　一元適用事業であって労働保険事務組合に労働保険事務の処理を委託するものに関する継続事業の一括の認可に関する事務は，「所轄都道府県労働局長」が行う。なお，一元適用事業であって労働保険事務組合に労働保険事務の処理を委託するものに関する継続事業一括申請書の提出は，所轄公共職業安定所長を経由して所轄都道府県労働局長に提出する（則10条2項，則76条2号）。

R元-災10	労働保険の適用	重要度 A

問 14 労働保険の保険関係の成立及び消滅に関する次のアからオの記述のうち，誤っているものの組合せは，後記AからEまでのうちどれか。

ア　一元適用事業であって労働保険事務組合に事務処理を委託しないもののうち雇用保険に係る保険関係のみが成立する事業は，保険関係成立届を所轄公共職業安定所長に提出することとなっている。

イ　建設の事業に係る事業主は，労災保険に係る保険関係が成立するに至ったときは労災保険関係成立票を見やすい場所に掲げなければならないが，当該事業を一時的に休止するときは，当該労災保険関係成立票を見やすい場所から外さなければならない。

ウ　労災保険暫定任意適用事業の事業主が，その事業に使用される労働者の同意を得ずに労災保険に任意加入の申請をした場合，当該申請は有効である。

エ　労災保険に係る保険関係が成立している労災保険暫定任意適用事業の事業主が，労災保険に係る保険関係の消滅を申請する場合，保険関係消滅申請書に労働者の同意を得たことを証明することができる書類を添付する必要はない。

オ　労働保険の保険関係が成立した事業の事業主は，その成立した日から10日以内に，法令で定める事項を政府に届け出ることとなっているが，有期事業にあっては，事業の予定される期間も届出の事項に含まれる。

A　(アとウ)　**B**　(アとエ)　**C**　(イとエ)
D　(イとオ)　**E**　(エとオ)

正解チェック欄	／	／	／

徴収法

本問のアからオまでのそれぞれの記述の正誤は以下のとおりであり，したがって，イとエを誤りとするＣが解答となる。

ア　正　本肢のとおりである（則１条１項ほか）。 労働科目 489p

イ　誤　労災保険に係る保険関係が成立している事業のうち建設の事業に係る事業主は，労災保険関係成立票を見やすい場所に掲げなければならないものとされているが，「当該事業を一時的に休止する場合に当該成立票を外さなければならないという本肢後段のような規定は設けられていない」（則77条）。 労働科目 489p

---

ウ　正　本肢のとおりである（整備法５条１項）。労災保険暫定任意適用事業についての労災保険に係る保険関係の成立の要件に，労働者の同意は必要とされていない。 労働科目 490p

---

エ　誤　労災保険暫定任意適用事業の労災保険に係る保険関係の消滅の申請は，当該事業に使用される労働者の過半数の同意を得なければ行うことができないものとされており，当該労災保険に係る保険関係消滅申請書には，当該「労働者の同意を得たことを証明することができる書類を添付しなければならない」（整備法８条１項・２項，整備省令３条２項）。 労働科目 492p

---

オ　正　本肢のとおりである（法４条の２，則４条１項）。 労働科目 488p

キリトリ線

R3-災8	労働保険の適用	重要度 A

問 15 保険関係の成立及び消滅に関する次の記述のうち，正しいものはどれか。

A 労災保険暫定任意適用事業に該当する事業が，事業内容の変更（事業の種類の変化），使用労働者数の増加，経営組織の変更等により，労災保険の適用事業に該当するに至ったときは，その該当するに至った日の翌日に，当該事業について労災保険に係る保険関係が成立する。

B 労災保険に任意加入しようとする任意適用事業の事業主は，任意加入申請書を所轄労働基準監督署長を経由して所轄都道府県労働局長に提出し，厚生労働大臣の認可があった日の翌日に，当該事業について労災保険に係る保険関係が成立する。

C 労災保険に加入する以前に労災保険暫定任意適用事業において発生した業務上の傷病に関して，当該事業が労災保険に加入した後に事業主の申請により特例として行う労災保険の保険給付が行われることとなった労働者を使用する事業である場合，当該保険関係が成立した後1年以上経過するまでの間は脱退が認められない。

D 労災保険に係る保険関係の消滅を申請しようとする労災保険暫定任意適用事業の事業主は，保険関係消滅申請書を所轄労働基準監督署長を経由して所轄都道府県労働局長に提出し，厚生労働大臣の認可があった日の翌日に，当該事業についての保険関係が消滅する。

E 労災保険暫定任意適用事業の事業者がなした保険関係の消滅申請に対して厚生労働大臣の認可があったとき，当該保険関係の消滅に同意しなかった者については労災保険に係る保険関係は消滅しない。

徴収法

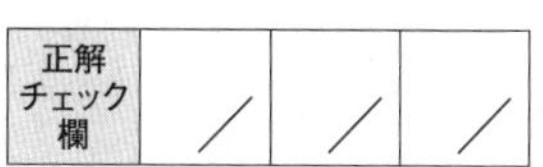

A 誤 本肢の場合，労災保険の適用事業に該当するに「至った日」に労災保険に係る保険関係が成立する（法3条，整備法7条）。

労働科目 488p

B 誤 本肢の場合，厚生労働大臣の「認可があった日」に労災保険に係る保険関係が成立する（整備法5条1項）。

労働科目 490p

C 誤 本肢の特例による労災保険の保険給付が行われる労働者を使用する事業である場合，当該保険関係が成立した後1年を経過し，かつ，「特別保険料が徴収される期間を経過」するまでの間は，労災保険に係る保険関係の消滅の申請をすることができない（整備法8条2項）。

労働科目 492p

D 正 本肢のとおりである（整備法8条1項，整備省令3条1項，整備省令14条）。

労働科目 492p

E 誤 労災保険が成立している労災保険暫定任意適用事業については，労災保険に係る保険関係の消滅についての厚生労働大臣の認可があった場合，その認可があった日の翌日に労災保険に係る保険関係は消滅し，当該事業に使用される労働者については，保険関係の消滅に同意しなかった者も含めて労災保険は適用されなくなる（整備法8条1項）。

キリトリ線

H30-雇8	労働保険料	重要度 A

問 16　労働保険料に関する次の記述のうち，正しいものはどれか。

A　賃金の日額が，11,300円以上である日雇労働被保険者に係る印紙保険料の額は，その労働者に支払う賃金の日額に1.5％を乗じて得た額である。

B　労働保険徴収法第39条第１項に規定する事業以外の事業（一元適用事業）の場合は，労災保険に係る保険関係と雇用保険に係る保険関係ごとに別個の事業として一般保険料の額を算定することはない。

C　請負による建設の事業に係る賃金総額については，常に厚生労働省令で定めるところにより算定した額を当該事業の賃金総額とすることとしている。

D　建設の事業における令和６年度の雇用保険率は，令和５年度の雇用保険率と同じく，1,000分の18.5である。

E　労災保険率は，労災保険法の適用を受けるすべての事業の過去５年間の業務災害，複数業務要因災害及び通勤災害に係る災害率並びに二次健康診断等給付に要した費用の額，社会復帰促進等事業として行う事業の種類及び内容その他の事情を考慮して厚生労働大臣が定める。

徴収法

正解チェック欄	／	／	／

A　誤　賃金の日額が11,300円以上である日雇労働被保険者に係る印紙保険料の額は，1人につき，1日当たり「176円」である（法22条1項）。

労働科目 536p

B　誤　一元適用事業であっても，労災保険に係る保険関係及び雇用保険に係る保険関係ごとに別個の事業とみなして一般保険料の額を算定することが「ある」（整備省令17条）。一元適用事業であって，雇用保険法の適用除外者を使用する事業については，労災保険に係る保険関係及び雇用保険に係る保険関係ごとに別個の事業とみなして一般保険料の額を算定するものとされている。

C　誤　労災保険関係が成立している請負による建設の事業のうち，「賃金総額を正確に算定することが困難なもの」については，厚生労働省令で定めるところにより算定した額を当該事業の賃金総額とすることとされている（法11条3項，則12条）。

労働科目 490p

D　正　本肢のとおりである（法12条4項ほか）。なお，改正により，令和7年度からは，雇用保険率は，①失業等給付費等充当徴収保険率，②育児休業給付費充当徴収保険率及び③二事業費充当徴収保険率を合計して得た率とされる。

E　誤　労災保険率は，労災保険法の規定による保険給付及び社会復帰促進等事業に要する費用の予想額に照らし，将来にわたって，労災保険の事業に係る財政の均衡を保つことができるものでなければならないものとし，政令で定めるところにより，労災保険法の適用を受ける全ての事業の過去「3年間」の業務災害，複数業務要因災害及び通勤災害に係る災害率並びに二次健康診断等給付に要した費用の額，社会復帰促進等事業として行う事業の種類及び内容その他の事情を考慮して厚生労働大臣が定める（法12条2項）。

労働科目 504p

キリトリ線

R元-災8	労働保険料	重要度 A

問 17 労働保険の保険料に関する次の記述のうち，正しいものはどれか。

A 労働保険徴収法第10条において政府が徴収する労働保険料として定められているものは，一般保険料，第1種特別加入保険料，第2種特別加入保険料，第3種特別加入保険料及び印紙保険料の計5種類である。

B 一般保険料の額は，原則として，賃金総額に一般保険料率を乗じて算出されるが，労災保険及び雇用保険に係る保険関係が成立している事業にあっては，労災保険率，雇用保険率及び事務経費率を加えた率がこの一般保険料率になる。

C 賃金総額の特例が認められている請負による建設の事業においては，請負金額に労務費率を乗じて得た額が賃金総額となるが，ここにいう請負金額とは，いわゆる請負代金の額そのものをいい，注文者等から支給又は貸与を受けた工事用物の価額等は含まれない。

D 継続事業で特別加入者がいない場合の概算保険料は，その保険年度に使用するすべての労働者（保険年度の中途に保険関係が成立したものについては，当該保険関係が成立した日からその保険年度の末日までに使用するすべての労働者）に係る賃金総額（その額に1,000円未満の端数があるときは，その端数は，切り捨てる。以下本肢において同じ。）の見込額が，直前の保険年度の賃金総額の100分の50以上100分の200以下である場合は，直前の保険年度に使用したすべての労働者に係る賃金総額に当該事業についての一般保険料に係る保険料率を乗じて算定する。

E 政府は，厚生労働省令で定めるところにより，事業主の申請に基づき，その者が労働保険徴収法第15条の規定により納付すべき概算保険料を延納させることができるが，有期事業以外の事業にあっては，当該保険年度において9月1日以降に保険関係が成立した事業はその対象から除かれる。

徴収法

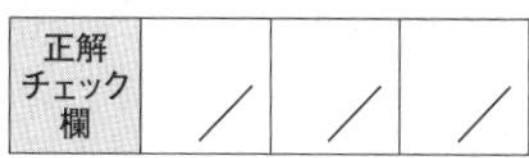

A 誤 本肢の労働保険料として定められているものは，一般保険料，第1種特別加入保険料，第2種特別加入保険料，第3種特別加入保険料，印紙保険料及び「特例納付保険料」の計「6種類」である（法10条2項）。 労働科目 499p

---

B 誤 労災保険及び雇用保険に係る保険関係が成立している事業の一般保険料率は，「労災保険率と雇用保険率とを加えた率」である。その他の記述は正しい（法11条1項，法12条1項）。 労働科目 499p

---

C 誤 本肢の請負金額については，事業主が注文者その他の者からその事業に使用する物の支給を受け，又は機械器具等の貸与を受けた場合には，原則として，支給された物の価額に相当する額（消費税等相当額を除く）又は機械器具等の損料に相当する額（消費税等相当額を除く）を「請負代金の額（消費税等相当額を除く）に加算する」ものとされている。その他の記述は正しい（則13条）。 労働科目 500p

---

D 正 本肢のとおりである（法15条1項，則24条1項）。 労働科目 508p

E 誤 有期事業以外の事業にあっては，当該保険年度において「10月1日」以降に保険関係が成立した事業は，当該保険年度において概算保険料の延納の対象から除かれる。その他の記述は正しい（則27条1項）。 労働科目 513～514p

R元-災9	労働保険料	重要度 A

問 18 労働保険の保険料に関する次の記述のうち，正しいものはどれか。

A 一般保険料における令和6年度の雇用保険率について，建設の事業，清酒製造の事業及び園芸サービスの事業は，それらの事業以外の一般の事業に適用する料率とは別に料率が定められている。

B 継続事業（一括有期事業を含む。）の事業主は，保険年度の中途に労災保険法第34条第1項の承認が取り消された事業に係る第1種特別加入保険料に関して，当該承認が取り消された日から50日以内に確定保険料申告書を提出しなければならない。

C 事業主は，既に納付した概算保険料の額のうち確定保険料の額を超える額（超過額）の還付を請求できるが，その際，労働保険料還付請求書を所轄都道府県労働局歳入徴収官に提出しなければならない。

D 事業主は，既に納付した概算保険料の額と確定保険料の額が同一であり過不足がないときは，確定保険料申告書を所轄都道府県労働局歳入徴収官に提出するに当たって，日本銀行（本店，支店，代理店及び歳入代理店をいう。），年金事務所（日本年金機構法第29条の年金事務所をいう。）又は労働基準監督署を経由して提出できる。

E 事業主が提出した確定保険料申告書の記載に誤りがあり，労働保険料の額が不足していた場合，所轄都道府県労働局歳入徴収官は労働保険料の額を決定し，これを事業主に通知する。このとき事業主は，通知を受けた日の翌日から起算して30日以内にその不足額を納付しなければならない。

徴収法

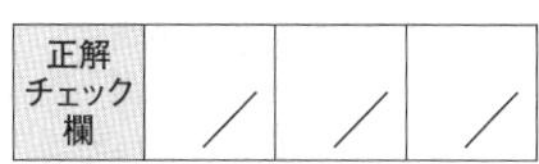

A 誤 一般保険料における令和6年度の雇用保険率について，建設の事業，清酒製造の事業，農林水産の事業（季節的に休業し，又は事業の規模が縮小することのない事業として厚生労働大臣が指定する事業を除く）等は，一般の事業に適用する雇用保険率とは別に料率が定められているが，園芸サービスの事業は，季節的に休業し，又は事業の規模が縮小することのない事業として厚生労働大臣が指定する事業に該当するため，「一般の事業に適用する雇用保険率と同率」である（法12条4項，昭50.3.24厚労告12号ほか）。

B 正 本肢のとおりである（法19条1項）。 労働科目 520p

C 誤 本肢の労働保険料還付請求書は，「官署支出官又は所轄都道府県労働局資金前渡官吏」に提出しなければならない（則36条）。 労働科目 523~524p

---

D 誤 納付すべき確定保険料がない場合における確定保険料申告書の提出については，労働基準監督署又は一定の場合に年金事務所を経由して行うことはできるが，「日本銀行を経由して行うことはできない」（則38条2項）。 労働科目 523p

---

E 誤 確定保険料の認定決定による労働保険料の不足額の納付は，所轄都道府県労働局歳入徴収官から通知を受けた日の翌日から起算して「15日以内」に行わなければならない。その他の記述は正しい（法19条4項・5項ほか）。 労働科目 522p

キリトリ線

R2-災10	労働保険料	重要度 A

問 19 労災保険の特別加入に関する次の記述のうち，正しいものはどれか。

A 第1種特別加入保険料率は，中小事業主等が行う事業に係る労災保険率と同一の率から，労災保険法の適用を受けるすべての事業の過去3年間の二次健康診断等給付に要した費用の額を考慮して厚生労働大臣の定める率を減じた率である。

B 継続事業の場合で，保険年度の中途に第1種特別加入者でなくなった者の特別加入保険料算定基礎額は，特別加入保険料算定基礎額を12で除して得た額に，その者が当該保険年度中に第1種特別加入者とされた期間の月数を乗じて得た額とする。当該月数に1月未満の端数があるときはその月数を切り捨てる。

C 第2種特別加入保険料額は，特別加入保険料算定基礎額の総額に第2種特別加入保険料率を乗じて得た額であり，第2種特別加入者の特別加入保険料算定基礎額は第1種特別加入者のそれよりも原則として低い。

D 第2種特別加入保険料率は，事業又は作業の種類にかかわらず，労働保険徴収法施行規則によって同一の率に定められている。

E 第2種特別加入保険料率は，第2種特別加入者に係る保険給付及び社会復帰促進等事業に要する費用の予想額に照らして，将来にわたり労災保険の事業に係る財政の均衡を保つことができるものとされているが，第3種特別加入保険料率はその限りではない。

キリトリ線

正解チェック欄	／	／	／

A　正　本肢のとおりである（法13条）。なお，本肢の「厚生労働大臣の定める率」は，現在のところ，「零（0）」とされている（則21条の2）。

労働科目 506p

B　誤　本肢の月数に1月未満の端数があるときはこれを「1に切り上げる」。その他の記述は正しい（則21条1項）。

労働科目 505~506p

C　誤　第1種特別加入者の特別加入保険料算定基礎額も第2種特別加入者の特別加入保険料算定基礎額も，その者の給付基礎日額に365を乗じて得た額であるため，給付基礎日額が同じであれば，「特別加入保険料算定基礎額は同じである」。本肢前段の記述は正しい（則21条1項，則22条，則別表4）。

労働科目 505~506p

D　誤　第2種特別加入保険料率は，「事業又は作業の種類に応じて定められている」（法14条1項，則23条，則別表5）。

労働科目 506p

E　誤　第3種特別加入保険料率は，第3種特別加入者に係る保険給付及び社会復帰促進等事業に要する費用の予想額に照らし，将来にわたって，労災保険の事業に係る財政の均衡を保つことができるものでなければならない（法14条の2第2項）。

労働科目 506p

R5-災8	労働保険料	重要度 B

問 20 労働保険の保険料の徴収等に関する次の記述のうち，誤っているものはどれか。なお，本問においては保険年度の中途に特別加入者の事業の変更や異動等はないものとする。

A 中小事業主等が行う事業に係る労災保険率が1,000分の4であり，当該中小事業主等が労災保険法第34条第1項の規定により保険給付を受けることができることとされた者である場合，当該者に係る給付基礎日額が12,000円のとき，令和6年度の保険年度1年間における第1種特別加入保険料の額は17,520円となる。

B 有期事業について，中小事業主等が労災保険法第34条第1項の規定により保険給付を受けることができることとされた者である場合，当該者が概算保険料として納付すべき第1種特別加入保険料の額は，同項の承認に係る全期間における特別加入保険料算定基礎額の総額の見込額に当該事業についての第1種特別加入保険料率を乗じて算定した額とされる。

C 労災保険法第35条第1項の規定により労災保険の適用を受けることができることとされた者に係る給付基礎日額が12,000円である場合，当該者の事業又は作業の種類がいずれであっても令和6年度の保険年度1年間における第2種特別加入保険料の額が227,760円を超えることはない。

D フードデリバリーの自転車配達員が労災保険法の規定により労災保険に特別加入をすることができる者とされた場合，当該者が納付する特別加入保険料は第2種特別加入保険料である。

E 中小事業主等が行う事業に係る労災保険率が1,000分の9であり，当該中小事業主等に雇用される者が労災保険法第36条第1項の規定により保険給付を受けることができることとされた者である場合，当該者に係る給付基礎日額が12,000円のとき，令和6年度の保険年度1年間における第3種特別加入保険料の額は39,420円となる。

正解チェック欄	／	／	／

徴収法

A　正　本肢のとおりである（法14条，則21条1項，則別表4）。第1種特別加入保険料の額は，特別加入保険料算定基礎額の総額に第1種特別加入保険料率を乗じて得た額であり，本肢の場合の特別加入保険料算定基礎額の総額は，12,000円×365＝4,380,000円となる。したがって，本肢の第1種特別加入保険料の額は，4,380,000円×4/1,000＝17,520円となる。

労働科目 505p

B　正　本肢のとおりである（法13条，則21条2項）。

労働科目 506p

C　正　本肢のとおりである（法13条，則22条，則別表4，則別表5）。第2種特別加入保険料の額は，特別加入保険料算定基礎額の総額に第2種特別加入保険料率を乗じて得た額である。本肢の場合の特別加入保険料算定基礎額の総額は，12,000円×365＝4,380,000円となり，令和6年度における第2種特別加入保険料率は，最も高いもので1,000分の52（林業の事業）であるため，令和6年度の第2種特別加入保険料の額は，4,380,000円×52/1,000＝227,760円を超えることはない。

労働科目 506p

D　正　本肢のとおりである（法14条1項，労災保険法施行規則46条の17）。

労働科目 506p

E　誤　第3種特別加入保険料の額は，特別加入保険料算定基礎額の総額に第3種特別加入保険料率を乗じて得た額であり，本肢の場合の特別加入保険料算定基礎額の総額は，12,000円×365＝4,380,000円となり，第3種特別加入保険料率は1,000分の3である。したがって，本肢の第3種特別加入保険料の額は，4,380,000円×3/1,000＝「13,140円」となる（法13条，則23条の2，則23条の3，則別表4）。

労働科目 506p

H27-雇9	概算保険料の延納	重要度 B

問 21 労働保険料の延納に関する次の記述のうち，誤っているものはどれか。

A 概算保険料について延納が認められている継続事業（一括有期事業を含む。）の事業主は，増加概算保険料の納付については，増加概算保険料申告書を提出する際に延納の申請をすることにより延納することができる。

B 概算保険料について延納が認められている継続事業（一括有期事業を含む。）の事業主が，労働保険徴収法第17条第2項の規定により概算保険料の追加徴収の通知を受けた場合，当該事業主は，その指定された納期限までに延納の申請をすることにより，追加徴収される概算保険料を延納することができる。

C 概算保険料について延納が認められている継続事業（一括有期事業を含む。）の事業主が，納期限までに確定保険料申告書を提出しないことにより，所轄都道府県労働局歳入徴収官が労働保険料の額を決定し，これを事業主に通知した場合において，既に納付した概算保険料の額が，当該決定された確定保険料の額に足りないときは，その不足額を納付する際に延納の申請をすることができる。

D 概算保険料について延納が認められ，前保険年度より保険関係が引き続く継続事業（一括有期事業を含む。）の事業主の4月1日から7月31日までの期分の概算保険料の納期限は，労働保険事務組合に労働保険事務の処理を委託している場合であっても，7月10日とされている。

E 概算保険料について延納が認められている有期事業（一括有期事業を除く。）の事業主の4月1日から7月31日までの期分の概算保険料の納期限は，労働保険事務組合に労働保険事務の処理を委託している場合であっても，3月31日とされている。

正解チェック欄	／	／	／

徴収法

A **正**　本肢のとおりである（法18条，則30条）。 労働科目 518p

B **正**　本肢のとおりである（法18条，則31条）。 労働科目 519p

C **誤**　確定保険料については延納することはできない（法18条）。

D **正**　本肢のとおりである（則27条2項）。前保険年度より保険関係が引き続く継続事業（一括有期事業を含む）の事業主が概算保険料を延納する場合の各期分の納期限は次表のとおりである。

	期間	納期限
第1期	4月1日～7月31日	7月10日まで（6月1日から起算して40日以内）
第2期	8月1日～11月30日	10月31日まで
第3期	12月1日～翌年3月31日	翌年1月31日まで

労働科目 514p

E **正**　本肢のとおりである（則28条2項）。有期事業（一括有期事業を除く）で概算保険料を延納することができるのは，次の要件に該当する事業の事業主である。

①納付すべき概算保険料の額が75万円以上であること，又は，労働保険事務の処理が労働保険事務組合に委託されていること

②事業の全期間が6月を超えていること

労働科目 516p

H29-災10	概算保険料の延納	重要度 A

問 22 労働保険料の延納に関する次の記述のうち，正しいものの組合せはどれか。

ア　概算保険料17万円を３期に分けて納付する場合，第１期及び第２期の納付額は各56,667円，第３期の納付額は56,666円である。

イ　延納できる要件を満たす有期事業（一括有期事業を除く。）の概算保険料については，令和５年６月15日に事業を開始し，翌年の６月５日に事業を終了する予定の場合，３期に分けて納付することができ，その場合の第１期の納期限は令和５年７月５日となる。

ウ　継続事業（一括有期事業を含む。）の概算保険料については，令和５年10月１日に保険関係が成立したときは，その延納はできないので，令和５年11月20日までに当該概算保険料を納付しなければならない。

エ　認定決定された概算保険料については延納をすることができるが，認定決定された増加概算保険料については延納することはできない。

オ　労働保険事務の処理が労働保険事務組合に委託されている事業についての事業主は，納付すべき概算保険料の額が20万円（労災保険に係る保険関係又は雇用保険に係る保険関係のみが成立している事業については，10万円）以上（当該保険年度において10月１日以降に保険関係が成立したものを除く。）となる場合であれば，労働保険徴収法に定める申請をすることにより，その概算保険料を延納することができる。

A（アとイ）　**B**（アとオ）　**C**（イとウ）
D（ウとエ）　**E**（エとオ）

正解チェック欄	／	／	／

本問のアからオまでのそれぞれの記述の正誤は以下のとおりであり，イ及びウが正しい記述となる。したがって，Cが解答となる。

ア　誤　本肢の場合，第2期及び第3期の納付額は各「56,666円」，第1期の納付額は「56,668円」である（則27条2項，則28条2項）。 労働科目 516p

---

イ　正　本肢のとおりである(則28条)。本肢場合，第1期(6月15日から11月30日まで)，第2期(12月1日から翌年3月31日まで）及び第3期(翌年4月1日から同6月5日まで)の3期に分けて概算保険料を納付することができ，第1期の納期限は7月5日(保険関係成立日である6月15日の翌日から起算して20日)となる。 労働科目 516~517p

---

ウ　正　本肢のとおりである（法18条1項，則27条1項)。本肢の場合の概算保険料については，延納をすることはできず，11月20日（保険関係成立日である10月1日の翌日から起算して50日）までに納付しなければならない。 労働科目 513~515p

---

エ　誤　増加概算保険料については「認定決定は行われない」。認定決定された概算保険料については延納することができるとする点は正しい（法15条3項・4項，法16条，法18条ほか）。なお，政府は，厚生労働省令で定めるところにより，事業主の申請に基づき，その者が法15条（概算保険料（概算保険料の認定決定を含む)），法16条（増加概算保険料）及び法17条（概算保険料の追加徴収）の規定により納付すべき労働保険料を延納させることができる。 労働科目 511, 518p

---

オ　誤　労働保険事務の処理が労働保険事務組合に委託されている事業については，「概算保険料の額の如何にかかわらず」，その他の要件を満たしていれば，事業主が延納の申請をすることにより，その概算保険料を延納することができる（則27条，則28条ほか)。 労働科目 513~515p

H29-雇8	労働保険料等の納付	重要度 A

問 23 労働保険料の還付等に関する次の記述のうち，誤っているものはいくつあるか。

ア　事業主が，納付した概算保険料の額のうち確定保険料の額を超える額（イにおいて「超過額」という。）の還付を請求したときは，国税通則法の例にはよらず，還付加算金は支払われない。

イ　事業主による超過額の還付の請求がない場合であって，当該事業主から徴収すべき次の保険年度の概算保険料その他未納の労働保険料等があるときは，所轄都道府県労働局歳入徴収官は，当該超過額を当該概算保険料等に充当することができるが，この場合，当該事業主による充当についての承認及び当該事業主への充当後の通知は要しない。

ウ　都道府県労働局歳入徴収官により認定決定された概算保険料の額及び確定保険料の額の通知は，納入告知書によって行われる。

エ　有期事業（一括有期事業を除く。）について，事業主が確定保険料として申告すべき労働保険料の額は，特別加入者がいない事業においては一般保険料の額となり，特別加入者がいる事業においては第1種又は第3種特別加入者がいることから，これらの者に係る特別加入保険料の額を一般保険料の額に加算した額となる。

オ　令和5年4月1日から2年間の有期事業（一括有期事業を除く。）の場合，概算保険料として納付すべき一般保険料の額は，各保険年度ごとに算定し，当該各保険年度に使用するすべての労働者に係る賃金総額の見込額の合計額に当該事業の一般保険料率を乗じて得た額となる。この場合，令和5年度の賃金総額の見込額については，令和6年度の賃金総額を使用することができる。

徴収法

A　一つ
B　二つ
C　三つ
D　四つ
E　五つ

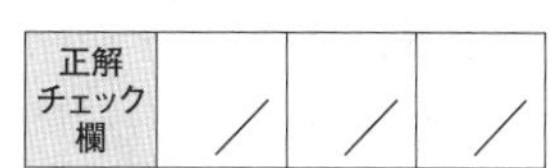

本問のアからオまでのそれぞれの記述の正誤は以下のとおりであり，イ，ウ，エ及びオが誤りの記述となる。したがって，誤りの記述は4つであり，Dが解答となる。

ア　正　本肢のとおりである（法19条6項，法20条3項，法30条）。労働保険徴収法30条において，労働保険料その他労働保険徴収法の規定による徴収金は，労働保険徴収法に別段の定めがある場合を除き，国税徴収の例により徴収するとされており，国税通則法58条1項において還付加算金の規定が定められている。しかし，労働保険徴収法19条6項及び同法20条3項において，労働保険料の還付についての具体的な規定があるため，労働保険徴収法30条にいう「労働保険徴収法に別段の定めがある場合」に該当し，国税徴収の例によることとはされないこととなる。そして，労働保険徴収法19条6項及び同法20条3項においては還付加算金の定めがないことから，超過額の還付について還付加算金は加算されない。

労働科目
523p

イ　誤　本肢の場合，充当についての承認は必要ないが，充当に関する事業主への「通知は必要となる」（則37条2項）。

労働科目
524p

ウ　誤　概算保険料の認定決定に係る通知は，「納付書」によって行われる。その他の記述については正しい（則38条4項）。

労働科目
510, 523p

エ　誤　有期事業から派遣される海外派遣者については，そもそも特別加入ができないため，有期事業に係る確定保険料として申告すべき労働保険料の額に「第3種特別加入保険料は含まれない」（法19条2項，労災保険法33条）。

労働科目
521p

オ　誤　単独有期事業に係る概算保険料の額は，当該事業の保険関係に係る「全期間」に使用するすべての労働者に係る賃金総額の見込額に当該事業についての一般保険料率を乗じて算定した一般保険料である。また，全期間の賃金総額見込額を使用するため，本肢後段のような例外もない（法15条2項）。

労働科目
509～510p

H30-災9

労働保険料等の納付

重要度 **B**

問 24 労働保険徴収法第17条に規定する追加徴収等に関する次の記述のうち，誤っているものはいくつあるか。

ア　政府が，保険年度の中途に，一般保険料率，第1種特別加入保険料率，第2種特別加入保険料率又は第3種特別加入保険料率の引上げを行ったときは，増加した保険料の額の多少にかかわらず，法律上，当該保険料の額について追加徴収が行われることとなっている。

イ　政府が，保険年度の中途に，一般保険料率，第1種特別加入保険料率，第2種特別加入保険料率又は第3種特別加入保険料率の引下げを行ったときは，法律上，引き下げられた保険料の額に相当する額の保険料の額について，未納の労働保険料その他この法律による徴収金の有無にかかわらず還付が行われることとなっている。

ウ　追加徴収される概算保険料については，所轄都道府県労働局歳入徴収官が当該概算保険料の額の通知を行うが，その納付は納付書により行われる。

エ　追加徴収される概算保険料については，延納をすることはできない。

オ　追加徴収される増加概算保険料については，事業主が増加概算保険料申告書を提出しないとき，又はその申告書の記載に誤りがあると認められるときは，所轄都道府県労働局歳入徴収官は増加概算保険料の額を決定し，これを当該事業主に通知しなければならない。

A　一つ
B　二つ
C　三つ
D　四つ
E　五つ

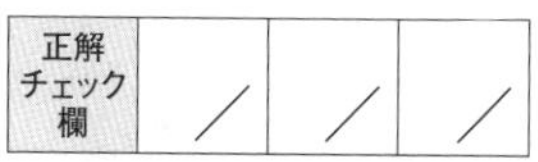

本問のアからオまでのそれぞれの記述の正誤は以下のとおりであり，イ，エ及びオの3つが誤りの記述となる。したがって，Cが解答となる。

ア　正　本肢のとおりである（法17条1項）。

労働科目
511~512p

イ　誤　本肢のような規定は設けられていないため，政府が，保険年度の中途に，一般保険料率，第1種特別加入保険料率，第2種特別加入保険料率又は第3種特別加入保険料率の引下げを行ったときであっても，保険年度の中途においては，引き下げられた保険料の額に相当する保険料の額は，「還付されない」（法17条1項ほか）。

労働科目
511~512p

ウ　正　本肢のとおりである（則26条，則38条4項・5項）。労働保険料（印紙保険料を除く）その他徴収法の規定による徴収金の納付は，納入告知書に係るものを除き，納付書によって行わなければならない。なお，有期事業のメリット制の適用に伴う確定保険料の差額徴収，追徴金，特例納付保険料，認定決定による確定保険料及び認定決定による印紙保険料の通知は，納入告知書によって行われる。

労働科目
511~512p

エ　誤　追加徴収された概算保険料については，要件を満たせば，延納をすることが「できる」（法18条，則31条）。

労働科目
519p

オ　誤　増加概算保険料については，政府による「認定決定は行われない」（法15条3項，法16条ほか）。

労働科目
511p

H30-雇9	労働保険料等の納付	重要度 A

問 25 労働保険料の納付等に関する次のアからオの記述のうち，誤っているものの組合せは，後記AからEまでのうちどれか。

ア　1日30分未満しか働かない労働者に対しても労災保険は適用されるが，当該労働者が属する事業場に係る労災保険料は，徴収・納付の便宜を考慮して，当該労働者に支払われる賃金を算定の基礎となる賃金総額から除外して算定される。

イ　確定保険料申告書は，納付した概算保険料の額が確定保険料の額以上の場合でも，所轄都道府県労働局歳入徴収官に提出しなければならない。

ウ　継続事業（一括有期事業を含む。）について，前保険年度から保険関係が引き続く事業に係る労働保険料は保険年度の6月1日から起算して40日以内の7月10日までに納付しなければならないが，保険年度の中途で保険関係が成立した事業に係る労働保険料は保険関係が成立した日の翌日から起算して50日以内に納付しなければならない。

エ　特別加入保険料に係る概算保険料申告書は，所轄都道府県労働局歳入徴収官に提出しなければならないところ，労働保険徴収法第21条の2第1項の承認を受けて労働保険料の納付を金融機関に委託している場合，日本銀行（本店，支店，代理店，歳入代理店をいう。以下本肢において同じ。）を経由して提出することができるが，この場合には，当該概算保険料については，日本銀行に納付することができない。

オ　雇用保険に係る保険関係のみが成立している事業の一般保険料については，所轄公共職業安定所は当該一般保険料の納付に関する事務を行うことはできない。

A（アとイ）　**B**（アとエ）　**C**（イとウ）
D（ウとオ）　**E**（エとオ）

正解チェック欄	／	／	／

徴収法

本問のアからオまでのそれぞれの記述の正誤は以下のとおりであり，したがって，ア及びエを誤りとするBが解答となる

ア　誤　1日30分未満しか働かない労働者に対しても，労災保険は適用され，当該労働者が属する事業場に係る労災保険料は，その算定の基礎となる賃金総額から当該労働者に支払われる賃金を「除外しないで」算定される（法11条2項ほか）。

イ　正　本肢のとおりである（則38条1項）。なお，確定保険料申告書の提出は，一定の区分に従って，日本銀行，年金事務所又は労働基準監督署を経由して行うことができる場合があるが，納付すべき労働保険料がない場合には，日本銀行を経由して行うことはできない。 労働科目 523p

---

ウ　正　本肢のとおりである（法15条1項）。 労働科目 507p

エ　誤　法21条の2第1項の承認を受けて労働保険料の納付を金融機関に委託して行う（口座振替による納付）場合に提出する概算保険料申告書は，日本銀行を経由して提出することは「できない」。この場合の当該概算保険料については，日本銀行に納付することが「できる」（則38条2項・3項）。

オ　正　本肢のとおりである（則38条3項ほか）。

R3-雇10	労働保険料等の納付

問 26 次に示す業態をとる事業についての労働保険料に関する記述のうち，正しいものはどれか。なお，本問においては，保険料の滞納はないものとし，また，一般保険料以外の対象となる者はいないものとする。
保険関係成立年月日：令和元年7月10日
事業の種類：食料品製造業
　令和2年度及び3年度の労災保険率：1000分の6
　令和2年度及び3年度の雇用保険率：1000分の9
　令和元年度の確定賃金総額：4,000万円
　令和2年度に支払いが見込まれていた賃金総額：7,400万円
　令和2年度の確定賃金総額：7,600万円
　令和3年度に支払いが見込まれる賃金総額：3,600万円

A　令和元年度の概算保険料を納付するに当たって概算保険料の延納を申請した。当該年度の保険料は3期に分けて納付することが認められ，第1期分の保険料の納付期日は保険関係成立の日の翌日から起算して50日以内の令和元年8月29日までとされた。

B　令和2年度における賃金総額はその年度当初には7,400万円が見込まれていたので，当該年度の概算保険料については，下記の算式により算定し，111万円とされた。

　7,400万円 × 1000分の15 = 111万円

C　令和3年度の概算保険料については，賃金総額の見込額を3,600万円で算定し，延納を申請した。また，令和2年度の確定保険料の額は同年度の概算保険料の額を上回った。この場合，第1期分の保険料は下記の算式により算定した額とされた。

　3,600万円 × 1000分の15 ÷ 3 = 18万円　……………………… ①
　（令和2年度の確定保険料）－（令和2年度の概算保険料）…… ②
　第1期分の保険料 = ① + ②

D　令和3年度に支払いを見込んでいた賃金総額が3,600万円から6,000万円に増加した場合，増加後の賃金総額の見込額に基づき算定した概算保険料の額と既に納付した概算保険料の額との差額を増加概算保険料として納付しなければならない。

キリトリ線

重要度 B

E　令和3年度の概算保険料の納付について延納を申請し，定められた納期限に従って保険料を納付後，政府が，申告書の記載に誤りがあったとして概算保険料の額を決定し，事業主に対し，納付した概算保険料の額が政府の決定した額に足りないと令和3年8月16日に通知した場合，事業主はこの不足額を納付しなければならないが，この不足額については，その額にかかわらず，延納を申請することができない。

徴収法

正解チェック欄	／	／	／

A 誤 本肢の場合，令和元年7月10日から同年11月30日までを最初の期，同年12月1日から令和2年3月31日を第2期として「2回」の延納が認められる。その他の記述は正しい（則27条）。

労働科目 515p

B 誤 令和2年度の賃金総額見込額7,400万円は，令和元年度の賃金総額4,000万円の100分の50以上100分の200以下の範囲内にあるため，令和2年度の概算保険料の計算における賃金総額は，令和元年度の賃金総額4,000万円を使用する。したがって，令和2年度の概算保険料は「4,000万円×1,000分の15＝60万円」である（法15条1項，則24条1項）。

労働科目 507~508p

C 正 本肢のとおりである（法15条1項，法19条1項，則27条2項）。なお，本肢①は，本肢の場合において令和3年度の概算保険料を延納したときの計算式を表したものであり，3,600万円（令和3年度に支払いが見込まれる賃金総額）× 1000分の15（令和3年度の労災保険率（1000分の6）＋令和3年度の雇用保険率（1000分の9）÷ 3（延納の回数）となっている。

労働科目 515, 520p

D 誤 本肢の場合，増加後の賃金総額見込額6,000万円は増加前の賃金総額見込額3,600万円の100分の200（7,200万円）を超えていないため，増加概算保険料の納付義務はない（法16条，則25条1項）。

労働科目 511p

E 誤 本問の事業主は当初の概算保険料について延納をしているため，認定決定された概算保険料についても延納をすることができる（法18条，則29条）。

労働科目 517~518p

H30-災10	労働保険料等の納付	重要度 A

問 27 労働保険料（印紙保険料を除く。以下本問において同じ。）の口座振替に関する次の記述のうち，正しいものはどれか。

A 口座振替により納付することができる労働保険料は，納付書により行われる概算保険料（延納する場合を除く。）と確定保険料である。

B 口座振替による労働保険料の納付が承認された事業主は，概算保険料申告書及び確定保険料申告書を所轄都道府県労働局歳入徴収官に提出するが，この場合には労働基準監督署を経由して提出することはできない。

C 労働保険徴収法第16条の規定による増加概算保険料の納付については，口座振替による納付の対象となる。

D 労働保険料の口座振替の承認は，労働保険料の納付が確実と認められれば，法律上，必ず行われることとなっている。

E 労働保険料の追徴金の納付については，口座振替による納付の対象とならない。

キリトリ線

徴収法

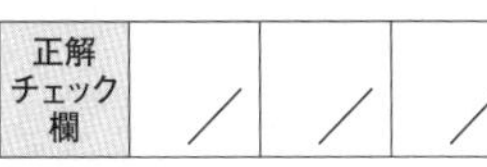

A　誤　口座振替により納付することができる労働保険料は，納付書によって行われる概算保険料（延納する場合を「含む」）と確定保険料である（則38条の4）。

労働科目 524～525p

B　誤　口座振替による労働保険料の納付が承認された事業主は，概算保険料申告書及び確定保険料申告書を所轄都道府県労働局歳入徴収官に提出するが，この場合，労働基準監督署を経由して提出することが「できる場合がある」（則38条1項・2項）。例えば口座振替納付に係る承認を受けて労働保険料の納付を金融機関に委託して行う場合に提出する概算保険料申告書及び確定保険料申告書であって，一元適用事業で労働保険事務組合に労働保険事務の処理を委託しないものの一般保険料係るもの等については，労働基準監督署を経由して提出することができる。

C　誤　増加概算保険料の納付については，口座振替による納付の対象と「ならない」（則38条の4）。

労働科目 524～525p

D　誤　労働保険料の口座振替による納付を希望する旨の申出の承認については，労働保険料の納付が確実と認められ，「かつ，その申出を承認することが労働保険料の徴収上有利と認められるときに限り」，その申出を承認することが「できる」ものとされている（法21条の2第1項）。

労働科目 524～525p

E　正　本肢のとおりである（則38条の4）。

労働科目 524～525p

R元-雇10	労働保険料等の納付	重要度 A

問 28 労働保険の保険料の徴収等に関する次の記述のうち，正しいものはどれか。

A 事業主は，被保険者が負担すべき労働保険料相当額を被保険者に支払う賃金から控除できるが，日雇労働被保険者の賃金から控除できるのは，当該日雇労働被保険者が負担すべき一般保険料の額に限られており，印紙保険料に係る額については部分的にも控除してはならない。

B 行政庁の職員が，確定保険料の申告内容に疑いがある事業主に対して立入検査を行う際に，当該事業主が立入検査を拒み，これを妨害した場合，30万円以下の罰金刑に処せられるが懲役刑に処せられることはない。

C 労働保険徴収法第2条第2項の賃金に算入すべき通貨以外のもので支払われる賃金の範囲は，労働保険徴収法施行規則第3条により「食事，被服及び住居の利益のほか，所轄労働基準監督署長又は所轄公共職業安定所長の定めるところによる」とされている。

D 行政庁は，厚生労働省令で定めるところにより，労働保険の保険関係が成立している事業主又は労働保険事務組合に対して，労働保険徴収法の施行に関して出頭を命ずることができるが，過去に労働保険事務組合であった団体に対しては命ずることができない。

E 事業主は，あらかじめ代理人を選任した場合であっても，労働保険徴収法施行規則によって事業主が行わなければならない事項については，その代理人に行わせることができない。

正解チェック欄	／	／	／

A 誤 日雇労働被保険者は，一般保険料の被保険者負担分のほか，印紙保険料の2分の1の額についても負担するものとされており，日雇労働被保険者が負担すべき一般保険料の額のみならず，「日雇労働被保険者が負担すべき印紙保険料の額についても，事業主は，日雇労働被保険者に支払う賃金から控除することができる」(法31条2項，法32条1項)。 労働科目 543p

---

B 誤 本肢の場合，事業主は，6月以下の懲役又は30万円以下の罰金に処せられる。したがって，罰金刑のみならず，「懲役刑に処せられることもある」(法46条)。 労働科目 558p

---

C 正 本肢のとおりである（則3条)。

D 誤 行政庁は，厚生労働省令で定めるところにより，保険関係が成立し，若しくは成立していた事業の事業主又は労働保険事務組合のみならず，「過去に労働保険事務組合であった団体に対しても，労働保険徴収法の施行に関して出頭を命ずることができる」(法42条)。 労働科目 557p

---

E 誤 事業主は，あらかじめ代理人を選任した場合には，労働保険徴収法施行規則によって事業主が行わなければならない事項を，その代理人に行わせることが「できる」(則73条1項)。 労働科目 558p

R3-災9	労働保険料等の納付	重要度 B

問 29 労働保険の保険料の徴収等に関する次の記述のうち，誤っているものはどれか。
なお，本問における「概算保険料申告書」とは，労働保険徴収法第15条第1項及び第2項の申告書をいう。

A 事業主が概算保険料を納付する場合には，当該概算保険料を，その労働保険料の額その他厚生労働省令で定める事項を記載した概算保険料申告書に添えて，納入告知書に係るものを除き納付書によって納付しなければならない。

B 有期事業（一括有期事業を除く。）の事業主は，概算保険料を，当該事業を開始した日の翌日から起算して20日以内に納付しなければならないが，当該事業の全期間が200日であり概算保険料の額が80万円の場合には，概算保険料申告書を提出する際に延納の申請をすることにより，当該概算保険料を分割納付することができる。

C 労働保険徴収法第16条の厚生労働省令で定める要件に該当するときは，既に納付した概算保険料と増加を見込んだ賃金総額の見込額に基づいて算定した概算保険料との差額（以下「増加概算保険料」という。）を，その額その他厚生労働省令で定める事項を記載した申告書に添えて納付しなければならないが，当該申告書の記載事項は増加概算保険料を除き概算保険料申告書と同一である。

D 概算保険料の納付は事業主による申告納付方式がとられているが，事業主が所定の期限までに概算保険料申告書を提出しないとき，又はその申告書の記載に誤りがあると認めるときは，都道府県労働局歳入徴収官が労働保険料の額を決定し，これを事業主に通知する。

E 事業主の納付した概算保険料の額が，労働保険徴収法第15条第3項の規定により政府の決定した概算保険料の額に足りないとき，事業主はその不足額を同項の規定による通知を受けた日の翌日から起算して15日以内に納付しなければならない。

正解チェック欄	／	／	／

徴収法

A　正　本肢のとおりである（法15条1項・2項，則38条）。なお，事業主は，概算保険料の申告・納付を行う場合，概算保険料申告書を所轄都道府県労働局歳入徴収官に提出し，納付書によって所轄都道府県労働局収入官吏に概算保険料を納付する。

労働科目 512~513p

B　正　本肢のとおりである（法15条2項，則28条1項）。本肢の有期事業の全期間は6月を超えており，かつ，概算保険料の額が75万円を超えているため，概算保険料を延納することができる。

労働科目 509, 516p

C　誤　増加概算保険料申告書には，概算保険料申告書には記載することはない「保険料算定基礎額の見込額が増加した年月日」等を記載しなければならないため，これらの申告書の記載事項は「同一ではない」（法16条，則24条2項，則25条2項）。

D　正　本肢のとおりである（法15条3項，則1条3項）。本肢の手続き（概算保険料の認定決定）は，主に事業主の自主的な申告がない場合に行われる政府の措置であり，さらに納付書等によって保険料を納付させることによって，その確実な徴収を図っている。

労働科目 510p

E　正　本肢のとおりである（法15条4項）。なお，本肢の納付は，納付書によって行わなければならない（則38条4項）。

労働科目 510p

R4-災8	労働保険料等の納付	重要度 B

問 30 労働保険の保険料の徴収等に関する次の記述のうち，誤っているものはどれか。

A 労災保険の適用事業場のすべての事業主は，労働保険の確定保険料の申告に併せて一般拠出金（石綿による健康被害の救済に関する法律第35条第1項の規定により徴収する一般拠出金をいう。以下同じ。）を申告・納付することとなっており，一般拠出金の額の算定に当たって用いる料率は，労災保険のいわゆるメリット制の対象事業場であってもメリット料率（割増・割引）の適用はない。

B 概算保険料を納付した事業主が，所定の納期限までに確定保険料申告書を提出しなかったとき，所轄都道府県労働局歳入徴収官は当該事業主が申告すべき正しい確定保険料の額を決定し，これを事業主に通知することとされているが，既に納付した概算保険料の額が所轄都道府県労働局歳入徴収官によって決定された確定保険料の額を超えるとき，当該事業主はその通知を受けた日の翌日から起算して10日以内に労働保険料還付請求書を提出することによって，その超える額の還付を請求することができる。

C 二以上の有期事業が一括されて一の事業として労働保険徴収法の規定が適用される事業の事業主は，確定保険料申告書を提出する際に，前年度中又は保険関係が消滅した日までに終了又は廃止したそれぞれの事業の明細を記した一括有期事業報告書を所轄都道府県労働局歳入徴収官に提出しなければならない。

D 事業主が所定の納期限までに確定保険料申告書を提出したが，当該事業主が法令の改正を知らなかったことによりその申告書の記載に誤りが生じていると認められるとき，所轄都道府県労働局歳入徴収官が正しい確定保険料の額を決定し，その不足額が1,000円以上である場合には，労働保険徴収法第21条に規定する追徴金が徴収される。

E 労働保険料の納付を口座振替により金融機関に委託して行っている社会保険適用事業所（厚生年金保険又は健康保険法による健康保険の適用事業所）の事業主は，労働保険徴収法第19条第3項の規定により納付すべき労働保険料がある場合，有期事業以外の事業についての一般保険料に係る確定保険料申告書を提出するとき，年金事務所を経由して所轄都道府県労働局歳入徴収官に提出することができる。

正解チェック欄	／	／	／

徴収法

A 正 本肢のとおりである（石綿健康被害救済法35条2項，同法38条1項，平25.12.19環境省告示111号）。厚生労働大臣は，本肢の一般拠出金を徴収したときは，独立行政法人環境再生保全機構に対し，徴収した額から当該一般拠出金の徴収に要する費用の額として政令で定めるところにより算定した額を控除した額に相当する金額を交付するものとする（同法36条）。

労働科目 524, 529p

B 正 本肢のとおりである（法19条4項，則36条1項）。なお，確定保険料の認定に係る通知を受けた事業主は，納付した労働保険料の額が政府の決定した労働保険料の額に足りないときはその不足額を，納付した労働保険料がないときは政府の決定した労働保険料を，その通知を受けた日から15日以内に納付しなければならない（法19条5項）。

労働科目 522~523p

C 正 本肢のとおりである（則34条）。なお，本肢の一括有期事業報告書は，次の保険年度の6月1日から起算して40日以内又は保険関係が消滅した日から起算して50日以内（当日起算）に提出しなければならない。

労働科目 495p

D 正 本肢のとおりである（法21条1項・2項）。なお，事業主が天災その他やむを得ない理由により，法19条5項の規定による労働保険料又はその不足額を納付しなければならなくなった場合は，法21条（追徴金）の規定は適用されないが，当該天災その他やむを得ない理由とは，地震，暴風雨等の不可抗力的なできごと及びこれに類する真にやむを得ない客観的な事故をいい，法令の不知や営業の不振等は含まれない（平15.3.31基発0331002号）。

労働科目 544p

E 誤 口座振替納付による場合の確定保険料申告書は，「年金事務所を経由することはできない」（則38条2項3号）。

労働科目 512~513, 525p

R4-災10	労働保険料等の納付	重要度 B

問 31 労働保険の保険料の徴収等に関する次の記述のうち，誤っているものはどれか。

A 法人の取締役であっても，法令，定款等の規定に基づいて業務執行権を有しないと認められる者で，事実上，業務執行権を有する役員等の指揮監督を受けて労働に従事し，その対償として賃金を受けている場合には労災保険が適用されるため，当該取締役が属する事業場に係る労災保険料は，当該取締役に支払われる賃金（法人の機関としての職務に対する報酬を除き，一般の労働者と同一の条件の下に支払われる賃金のみをいう。）を算定の基礎となる賃金総額に含めて算定する。

B 労災保険に係る保険関係が成立している造林の事業であって，労働保険徴収法第11条第1項，第2項に規定する賃金総額を正確に算定することが困難なものについては，所轄都道府県労働局長が定める素材1立方メートルを生産するために必要な労務費の額に，生産するすべての素材の材積を乗じて得た額を賃金総額とする。

C 労災保険に係る保険関係が成立している請負による建設の事業であって，労働保険徴収法第11条第1項，第2項に規定する賃金総額を正確に算定することが困難なものについては，その事業の種類に従い，請負金額に同法施行規則別表第2に掲げる労務費率を乗じて得た額を賃金総額とするが，その賃金総額の算定に当たっては，消費税等相当額を含まない請負金額を用いる。

D 健康保険法第99条の規定に基づく傷病手当金について，標準報酬の6割に相当する傷病手当金が支給された場合において，その傷病手当金に付加して事業主から支給される給付額は，恩恵的給付と認められる場合には，一般保険料の額の算定の基礎となる賃金総額に含めない。

E 労働者が業務外の疾病又は負傷により勤務に服することができないため，事業主から支払われる手当金は，それが労働協約，就業規則等で労働者の権利として保障されている場合は，一般保険料の額の算定の基礎となる賃金総額に含めるが，単に恩恵的に見舞金として支給されている場合は当該賃金総額に含めない。

正解チェック欄	／	／	／

徴収法

A　正　本肢のとおりである（昭34.1.26基発48号）。なお，「賃金総額」とは，事業主がその事業に使用するすべての労働者に支払う賃金の総額をいい，賃金総額に1,000円未満の端数があるときは，その端数は切り捨てる（法11条2項，則11条2号かっこ書）。 労働科目 484, 500p

---

B　誤　労災保険に係る保険関係が成立している造林の事業であって，賃金総額を正確に算定することが困難なものに係る賃金総額は，「その事業の労働者につき労働基準法12条8項の規定に基づき厚生労働大臣が定める平均賃金に相当する額に，それぞれの労働者の使用期間の総日数を乗じて得た額の合算額」である。本肢の特例による賃金総額の算定方法は，立木の伐採の事業に係るものである（則12条，則15条）。 労働科目 500p

---

C　正　本肢のとおりである（則4条1項，則12条，則13条1項）。 労働科目 500p

D　正　本肢のとおりである（昭24.6.14基災収3850号）。傷病手当金に付加して事業主から支給される給付額は，恩恵的給付と認められる場合には賃金とは認められず，一般保険料の額の算定の基礎となる賃金総額に含めない。なお，健康保健法の規定に基づく傷病手当金は，健康保険の給付金であって賃金とは認められない。 労働科目 484p

---

E　正　本肢のとおりである（昭24.6.14基災収3850号）。なお，労働基準法の規定に基づく休業補償は，労働不能による賃金喪失に対する補償であり，労働の対償ではないので，賃金とは認められない（昭25.12.27基収3432号）。 労働科目 484p

R4-雇8	労働保険料等の納付	重要度 B

問 32 労働保険の保険料の徴収等に関する次の記述のうち，正しいものはどれか。

A 労働保険徴収法第39条第1項に規定する事業以外の事業（いわゆる一元適用事業）であっても，雇用保険法の適用を受けない者を使用するものについては，二元適用事業に準じ，当該事業を労災保険に係る保険関係及び雇用保険に係る保険関係ごとに別個の事業とみなして一般保険料の額を算定するが，一般保険料の納付（還付，充当，督促及び滞納処分を含む。）については，一元適用事業と全く同様である。

B 労働者派遣事業により派遣される者は派遣元事業主の適用事業の「労働者」とされるが，在籍出向による出向者は，出向先事業における出向者の労働の実態及び出向元による賃金支払の有無にかかわらず，出向元の適用事業の「労働者」とされ，出向元は，出向者に支払われた賃金の総額を出向元の賃金総額の算定に含めて保険料を納付する。

C A及びBの2つの適用事業主に雇用される者XがAとの間で主たる賃金を受ける雇用関係にあるときは，XはAとの雇用関係においてのみ労働保険の被保険者資格が認められることになり，労働保険料の算定は，AにおいてXに支払われる賃金のみをAの賃金総額に含めて行い，BにおいてXに支払われる賃金はBの労働保険料の算定における賃金総額に含めない。

D 適用事業に雇用される労働者が事業主の命により日本国の領域外にある適用事業主の支店，出張所等に転勤した場合において当該労働者に支払われる賃金は，労働保険料の算定における賃金総額に含めない。

E 労働日の全部又はその大部分について事業所への出勤を免除され，かつ，自己の住所又は居所において勤務することを常とする者は，原則として労働保険の被保険者にならないので，当該労働者に支払われる賃金は，労働保険料の算定における賃金総額に含めない。

徴収法

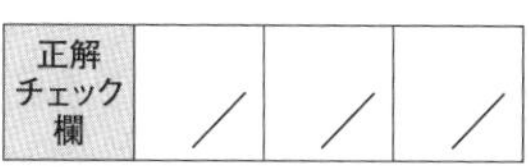

正解チェック欄	／	／	／

A　正　本肢のとおりである（整備省令17条1項）。

B　誤　在籍出向の場合，「出向の目的，出向元事業主と出向先事業主との間で当該出向者の出向につき行った契約，出向先事業における出向者の労働の実態等に基づき，労働関係の所在を判断」して，出向元事業主又は出向先事業主のいずれの労働者であるかを判断する。本肢前段の記述は正しい（昭35.11.2基発932号，昭61.6.30発労徴41号・基発383号）。

C　誤　労災保険についてはA及びBのいずれについても適用があるため，労災保険料の計算については，AがXに支払う賃金はAの賃金総額に含め，「BがXに支払う賃金はBの賃金総額に含める」。一方，雇用保険については，原則として，労働者が生計を維持するに必要な主たる賃金を受ける一の雇用関係についてのみ被保険者となるため，XがAとの雇用関係において被保険者となる場合は，雇用保険料の計算において，AがXに支払う賃金はAの賃金総額に含めるが，BがXに支払う賃金はBの賃金総額に含めない（法11条，行政手引20352ほか）。

労働科目
499～500p

D　誤　労災保険においては，海外勤務を行う労働者が海外派遣者に該当する場合は，当該労働者に支払われる賃金は，労災保険料の計算において，賃金総額に含めない（当該労働者が海外派遣者の特別加入者となる場合には，3,500円から25,000円までのうちから希望した額に基づいて都道府県労働局長が決定された額が給付基礎日額となり，当該給付基礎日額に基づいて特別加入保険料算定基礎額が決定されるため，この場合も当該労働者に対して支払われる賃金は，賃金総額に含まれないこととなる）。しかし，雇用保険においては，本肢の者は引き続き被保険者となるため，雇用保険料の計算においては，当該労働者に対して支払われる賃金は，「賃金総額に含まれる」（労災保険法施行規則46条の25の3，行政手引20352ほか）。

労働科目
499～500p

E　誤　労災保険は，在宅勤務者についても適用されるため，労災保険料の計算において，「当該労働者に対して支払われる賃金は，賃金総額に含まれる」。雇用保険についても，原則として，本肢の者は被保険者となるため，雇用保険料の計算においても，「当該労働者に対して支払われる賃金は，賃金総額に含まれる」（平16.3.5基発0305003号，行政手引20351）。

労働科目
499～500p

R4-雇9	労働保険料等の納付

問 33 労働保険の保険料の徴収等に関する次の記述のうち，誤っているものはどれか。

A 事業主は，労災保険及び雇用保険に係る保険関係が成立している事業が，保険年度又は事業期間の中途に，労災保険に係る保険関係のみ成立している事業に該当するに至ったため，当該事業に係る一般保険料率が変更した場合，既に納付した概算保険料の額と変更後の一般保険料率に基づき算定した概算保険料の額との差額について，保険年度又は事業期間の中途にその差額の還付を請求できない。

B 事業主は，労災保険に係る保険関係のみが成立している事業について，保険年度又は事業期間の中途に，労災保険及び雇用保険に係る保険関係が成立している事業に該当するに至ったため，当該事業に係る一般保険料率が変更した場合，労働保険徴収法施行規則に定める要件に該当するときは，一般保険料率が変更された日の翌日から起算して30日以内に，変更後の一般保険料率に基づく労働保険料の額と既に納付した労働保険料の額との差額を納付しなければならない。

C 事業主は，保険年度又は事業期間の中途に，一般保険料の算定の基礎となる賃金総額の見込額が増加した場合に，労働保険徴収法施行規則に定める要件に該当するに至ったとき，既に納付した概算保険料と増加を見込んだ賃金総額の見込額に基づいて算定した概算保険料との差額（以下「増加概算保険料」という。）を納期限までに増加概算保険料に係る申告書に添えて申告・納付しなければならないが，その申告書の記載に誤りがあると認められるときは，所轄都道府県労働局歳入徴収官は正しい増加概算保険料の額を決定し，これを事業主に通知することとされている。

D 事業主は，政府が保険年度の中途に一般保険料率，第一種特別加入保険料率，第二種特別加入保険料率，第三種特別加入保険料率の引下げを行ったことにより，既に納付した概算保険料の額が保険料率引下げ後の概算保険料の額を超える場合は，保険年度の中途にその超える額の還付を請求できない。

重要度 B

E　事業主は，政府が保険年度の中途に一般保険料率，第一種特別加入保険料率，第二種特別加入保険料率，第三種特別加入保険料率の引上げを行ったことにより，概算保険料の増加額を納付するに至ったとき，所轄都道府県労働局歳入徴収官が追加徴収すべき概算保険料の増加額等を通知した納付書によって納付することとなり，追加徴収される概算保険料に係る申告書を提出する必要はない。

正解チェック欄	／	／	／

A 正 本肢のとおりである（法19条6項ほか）。

B 正 本肢のとおりである（法16条，法附則5条）。本肢は，いわゆる増加概算保険料に関する記述である。 労働科目 511p

---

C 誤 増加概算保険料については，「認定決定は行われない」（法15条3項，法16条）。 労働科目 511p

D 正 本肢のとおりである（法19条6項ほか）。一般保険料率，第1種特別加入保険料率，第2種特別加入保険料率又は第3種特別加入保険料率の引下げを行ったときであっても，保険年度の中途に概算保険料の還付の請求をすることはできない。 労働科目 523~524p

---

E 正 本肢のとおりである（法17条1項，則38条4項）。労働保険料（印紙保険料を除く）その他法の規定による徴収金の納付は，納入告知書に係るものを除き納付書によって行なわなければならない。 労働科目 511~512p

R4-雇10	労働保険料等の納付	重要度 A

問 34 労働保険の保険料の徴収等に関する次の記述のうち，誤っているものはどれか。

A 雇用保険法第6条に該当する者を含まない4人の労働者を雇用する民間の個人経営による農林水産の事業（船員が雇用される事業を除く。）において，当該事業の労働者のうち2人が雇用保険の加入を希望した場合，事業主は任意加入の申請をし，認可があったときに，当該事業に雇用される者全員につき雇用保険に加入することとなっている。

B 雇用保険の適用事業に該当する事業が，事業内容の変更，使用労働者の減少，経営組織の変更等により，雇用保険暫定任意適用事業に該当するに至ったときは，その翌日に，自動的に雇用保険の任意加入の認可があったものとみなされ，事業主は雇用保険の任意加入に係る申請書を所轄公共職業安定所長を経由して所轄都道府県労働局長に改めて提出することとされている。

C 事業の期間が予定されており，かつ，保険関係が成立している事業の事業主は，当該事業の予定されている期間に変更があったときは，その変更を生じた日の翌日から起算して10日以内に，①労働保険番号，②変更を生じた事項とその変更内容，③変更の理由，④変更年月日を記載した届書を所轄労働基準監督署長又は所轄公共職業安定所長に提出することによって届け出なければならない。

D 政府は，労働保険の事業に要する費用にあてるため保険料を徴収するが，当該費用は，保険給付に要する費用，社会復帰促進等事業及び雇用安定等の事業に要する費用，事務の遂行に要する費用（人件費，旅費，庁費等の事務費），その他保険事業の運営のために要する一切の費用をいう。

E 政府は，労働保険料その他労働保険徴収法の規定による徴収金を納付しない事業主に対して，同法第27条に基づく督促を行ったにもかかわらず，督促を受けた当該事業主がその指定の期限までに労働保険料その他同法の規定による徴収金を納付しないとき，同法に別段の定めがある場合を除き，政府は，当該事業主の財産を差し押さえ，その財産を強制的に換価し，その代金をもって滞納に係る労働保険料等に充当する措置を取り得る。

正解チェック欄	／	／	／

徴収法

A 正 本肢のとおりである（法附則2条1項・3項ほか）。雇用保険暫定任意適用事業の事業主が任意加入の認可を受けた場合には，雇用保険の被保険者となることを希望しない者についても，当該認可があった日に，原則として被保険者となる。

労働科目 490~491p

B 誤 本肢の場合，雇用保険暫定任意適用事業に該当するに至った日の翌日に，雇用保険の任意加入に係る厚生労働大臣の認可があったものとみなされるため，「事業主は改めて任意加入申請書を提出する必要はない」（法附則2条4項）。

労働科目 491p

C 正 本肢のとおりである（法4条の2第2項，則5条2項）。なお，所轄労働基準監督署長又は所轄公共職業安定所長は，本肢の届出が提出されたときであって，必要と認めるときには，事業主に対し，登記事項証明書その他の所定の事項を確認できる書類の提出を求めることができる（則5条3項）。

労働科目 489p

D 正 本肢のとおりである（法10条1項ほか）。本肢の保険料とは，①一般保険料，②第1種特別加入保険料，③第2種特別加入保険料，④第3種特別加入保険料，⑤印紙保険料及び⑥特例納付保険料をいう（同条2項）。

労働科目 499p

E 正 本肢のとおりである（法27条3項）。なお，本肢の督促は，納付義務者に督促状を発することによって行う。この場合において，納期限として指定する日は，督促状を発する日から起算して10日以上経過した日でなければならない（同条2項）。

労働科目 545p

R6-災9

労働保険料等の納付

重要度 A

問 35 労働保険の保険料の徴収等に関する次の記述のうち，誤っているものはどれか。

A 労働保険料の口座振替による納付制度は，一括有期事業の事業主も，単独有期事業の事業主も対象となる。

B 労働保険料の口座振替による納付制度は，納付が確実と認められ，かつ，口座振替の申出を承認することが労働保険料の徴収上有利と認められるときに限り，その申出を承認することができ，納入告知書によって行われる納付についても認められる。

C 労働保険料を口座振替によって納付することを希望する事業主は，労働保険徴収法施行規則第38条の2に定める事項を記載した書面を所轄都道府県労働局歳入徴収官に提出することによって申出を行わなければならない。

D 労働保険料を口座振替によって納付する事業主は，概算保険料申告書及び確定保険料申告書（労働保険徴収法施行規則第38条第2項第4号の申告書を除く。）を，日本銀行，年金事務所又は所轄公共職業安定所長を経由して所轄都道府県労働局歳入徴収官に提出することはできない。

E 口座振替による納付制度を利用する事業主から納付に際し添えることとされている申告書の提出を受けた所轄都道府県労働局歳入徴収官は，労働保険料の納付に必要な納付書を労働保険徴収法第21条の2第1項の金融機関へ送付するものとされている。

正解チェック欄	／	／	／

必修基本書

A　正　本肢のとおりである（法21条の2第1項）。 労働科目 524p

B　誤　口座振替納付の対象となる労働保険料は，納付書によって納付が行われる労働保険料のうち一定のものであり，「納入告知書によって納付が行われる労働保険料については口座振替納付の対象とならない」（則38条の4）。 労働科目 525p

---

C　正　本肢のとおりである（則38条の2）。 労働科目 525p

D　正　本肢のとおりである（則38条2項）。

E　正　本肢のとおりである（則38条の3）。

H28-災10	メリット制	重要度 A

問 36 労災保険のいわゆるメリット制に関する次の記述のうち，誤っているものの組合せは，後記AからEまでのうちどれか。なお，本問において「メリット増減幅」とは，メリット制による，労災保険率から非業務災害率を減じた率を増減させる範囲のことをいう。

ア　メリット制が適用される事業の要件である①100人以上の労働者を使用する事業及び②20人以上100人未満の労働者を使用する事業であって所定の要件を満たすものの労働者には，第1種特別加入者も含まれる。

イ　メリット制とは，一定期間における業務災害に関する給付の額と業務災害に係る保険料の額の収支の割合（収支率）に応じて，有期事業を含め一定の範囲内で労災保険率を上下させる制度である。

ウ　メリット収支率を算定する基礎となる保険給付の額には，第3種特別加入者のうち労災保険法第33条第6号又は第7号に掲げる事業により当該業務災害が生じた場合に係る保険給付の額は含まれない。

エ　継続事業（建設の事業及び立木の伐採の事業以外の事業に限る。）に係るメリット制においては，所定の要件を満たす中小企業事業主については，その申告により，メリット制が適用される際のメリット増減幅が，最大40％から45％に拡大される。

オ　メリット収支率を算定する基礎となる保険給付の額には，特定の業務に長期間従事することにより発症する一定の疾病にかかった者に係る保険給付の額は含まれないが，この疾病には鉱業の事業における粉じんを飛散する場所における業務によるじん肺症が含まれる。

A（アとウ）　**B**（イとウ）　**C**（イとオ）
D（ウとエ）　**E**（エとオ）

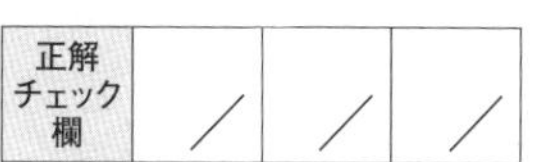

徴収法

本問のアからオまでのそれぞれの記述の正誤は以下のとおりであり，イ及びオが誤った記述となる。したがって，Cが解答となる。

ア　正　本肢のとおりである（法12条3項，昭40.11.1基発1454号）。なお，本肢の「所定の要件」とは，当該労働者の数に当該事業と同種の事業に係る労災保険率から非業務災害率を減じた率を乗じて得た数（災害度係数）が0.4以上である事業をいう（則17条2項）。

労働科目 527~528p

イ　誤　有期事業のメリット制では，労災保険率ではなく，「確定保険料の額」を一定の範囲内で引き上げ又は引き下げる（法20条，則35条）。

労働科目 533p

ウ　正　本肢のとおりである（法12条3項，則18条，則18条の2ほか）。

労働科目 527~528p

エ　正　本肢のとおりである（法12条の2）。なお，一括有期事業である建設の事業及び立木の伐採の事業には，特例メリット制は適用されない。

労働科目 530p

オ　誤　メリット収支率を算定する基礎となる保険給付の額には，特定の業務に長時間従事することにより発生する一定の疾病にかかった者に係る保険給付（「特定疾病にかかった者に係る保険給付」）の額は含まれないが，この疾病には，「建設の事業」における粉じんを飛散する場所における業務によるじん肺症が含まれる（法12条3項，則17条の2）。

労働科目 529p

R2-災9	メリット制	重要度 B

問 37 労働保険徴収法第12条第3項に定める継続事業のいわゆるメリット制に関する次の記述のうち，誤っているものはどれか。

A メリット制においては，個々の事業の災害率の高低等に応じ，事業の種類ごとに定められた労災保険率を一定の範囲内で引き上げ又は引き下げた率を労災保険率とするが，雇用保険率についてはそのような引上げや引下げは行われない。

B 労災保険率をメリット制によって引き上げ又は引き下げた率は，当該事業についての基準日の属する保険年度の次の次の保険年度の労災保険率となる。

C メリット収支率の算定基礎に，労災保険特別支給金支給規則の規定による特別支給金で業務災害に係るものは含める。

D 令和3年7月1日に労災保険に係る保険関係が成立した事業のメリット収支率は，令和3年度から令和5年度までの3保険年度の収支率で算定される。

E 継続事業の一括を行った場合には，労働保険徴収法第12条第3項に規定する労災保険に係る保険関係の成立期間は，一括の認可の時期に関係なく，一の事業として指定された事業の労災保険に係る保険関係成立の日から起算し，指定された事業以外の事業については保険関係が消滅するので，これに係る一括前の保険料及び一括前の災害に係る給付は，指定事業のメリット収支率の算定基礎に算入しない。

正解チェック欄	／	／	／

A　正　本肢のとおりである（法12条3項）。メリット制は，労災保険率を所定の範囲で上げ下げする制度であり，雇用保険率についてはメリット制の適用はない。

労働科目
527～528p

B　正　本肢のとおりである（法12条3項）。なお，本肢の基準日とは，「連続する3保険年度中の最後の保険年度に属する3月31日」をいう。

労働科目
529p

C　正　本肢のとおりである（法12条3項，則18条の2）。

労働科目
527～528p

D　誤　メリット制は，連続する3保険年度中の最後の保険年度に属する3月31日において労災保険に係る保険関係が成立した後3年以上経過した場合に適用されるものであるため，令和3年7月1日に保険関係が成立した事業の場合，令和7年3月31日（令和6年度末）時点で初めて労災保険に係る保険関係が成立した後3年以上経過することとなる。したがって，メリット収支率は「令和4年度から令和6年度まで」の3保険年度の収支率で算定される（法12条3項）。

労働科目
527～528p

E　正　本肢のとおりである（法12条3項ほか）。なお，継続事業の一括に係る厚生労働大臣の認可及び指定に関する権限は，都道府県労働局長に委任されている（則76条2号）。

R4-災9	メリット制	重要度 C

問 38　労災保険のいわゆるメリット制に関する次の記述のうち，正しいものはどれか。

A　継続事業の一括（一括されている継続事業の一括を含む。）を行った場合には，労働保険徴収法第12条第3項に規定する労災保険のいわゆるメリット制に関して，労災保険に係る保険関係の成立期間は，一括の認可の時期に関係なく，当該指定事業の労災保険に係る保険関係成立の日から起算し，当該指定事業以外の事業に係る一括前の保険料及び一括前の災害に係る給付は当該指定事業のいわゆるメリット収支率の算定基礎に算入しない。

B　有期事業の一括の適用を受けている建築物の解体の事業であって，その事業の当該保険年度の確定保険料の額が40万円未満のとき，その事業の請負金額（消費税等相当額を除く。）が1億1,000万円以上であれば，労災保険のいわゆるメリット制の適用対象となる場合がある。

C　有期事業の一括の適用を受けていない立木の伐採の有期事業であって，その事業の素材の見込生産量が1,000立方メートル以上のとき，労災保険のいわゆるメリット制の適用対象となるものとされている。

D　労働保険徴収法第20条に規定する確定保険料の特例の適用により，確定保険料の額が引き下げられた場合，その引き下げられた額と当該確定保険料の額との差額について事業主から所定の期限内に還付の請求があった場合においても，当該事業主から徴収すべき未納の労働保険料その他の徴収金（石綿による健康被害の救済に関する法律第35条第1項の規定により徴収する一般拠出金を含む。）があるときには，所轄都道府県労働局歳入徴収官は当該差額をこの未納の労働保険料等に充当するものとされている。

E　労働保険徴収法第20条第1項に規定する確定保険料の特例は，第一種特別加入保険料に係る確定保険料の額及び第二種特別加入保険料に係る確定保険料の額について準用するものとされている。

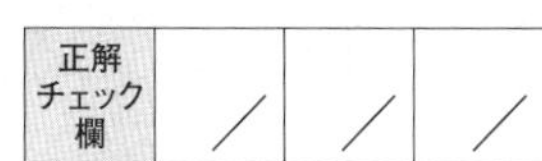

徴収法

A　正　本肢のとおりである（法12条3項）。なお，指定事業を一括に係る他の事業に変更する場合又は指定事業の所在地を変更した場合（旧所在地に事業が継続しない場合に限る）については，変更前の指定事業の労災保険に係る保険成立関係期間を通算することとし，この場合のメリット収支率の算定については，変更前の指定事業に係る保険料の額及び保険給付の額並びに特別支給金の額を新たに指定された指定事業の保険料の額及び保険給付の額並びに特別支給金の額に加算する。

B　誤　一括有期事業である建設の事業については，確定保険料の額が40万円未満である場合は「メリット制は適用されない」。また，一括有期事業のメリット制の適用に当たって，「請負金額の多寡は関係ない」（則17条3項）。

労働科目 527～528p

C　誤　単独有期事業である立木の伐採の事業については，素材の「生産量」が1,000立方メートル以上である場合にメリット制が適用される（法20条1項，則35条1項）。

労働科目 531～532p

D　誤　充当は「還付の請求がない」場合に行われる（則37条1項）。

労働科目 533～534p

E　誤　確定保険料の特例（単独有期事業のメリット制）の規定は，第1種特別加入保険料に係る確定保険料の額について準用されるが，「第2種特別加入保険料に係る確定保険料の額については準用されない」（法20条2項）。

H28-雇9	印紙保険料	重要度 A

問 39 印紙保険料に関する次の記述のうち，正しいものはどれか。

A 請負事業の一括の規定により元請負人が事業主とされる場合は，当該事業に係る労働者のうち下請負人が使用する日雇労働被保険者に係る印紙保険料についても，当該元請負人が納付しなければならない。

B 事業主は，その使用する日雇労働被保険者については，印紙保険料を納付しなければならないが，一般保険料を負担する義務はない。

C 雇用保険印紙購入通帳の交付を受けている事業主は，印紙保険料納付状況報告書により，毎月における雇用保険印紙の受払状況を翌月末日までに，所轄公共職業安定所長を経由して，所轄都道府県労働局歳入徴収官に報告しなければならないが，日雇労働被保険者を一人も使用せず雇用保険印紙の受払いのない月に関しても，報告する義務がある。

D 事業主は，正当な理由がないと認められるにもかかわらず，印紙保険料の納付を怠ったときは，認定決定された印紙保険料の額（その額に1000円未満の端数があるときは，その端数は，切り捨てる）の100分の10に相当する追徴金を徴収される。

E 印紙保険料を所轄都道府県労働局歳入徴収官が認定決定したときは，納付すべき印紙保険料については，日本銀行（本店，支店，代理店及び歳入代理店をいう。）に納付することはできず，所轄都道府県労働局収入官吏に現金で納付しなければならない。

正解チェック欄	／	／	／

A　誤　請負事業の一括の規定により元請負人が事業主とされる場合であっても，請負事業に係る労働者のうち下請負人が使用する日雇労働被保険者に係る印紙保険料については，当該日雇労働被保険者を使用する「下請負人」が納付しなければならない（法23条1項かっこ書）。

労働科目 537p

B　誤　事業主は，その使用する日雇労働被保険者については，印紙保険料のほか，一般保険料についても負担しなければならない（法31条）。

労働科目 536p

C　正　本肢のとおりである（則54条ほか）。

労働科目 539p

D　誤　事業主は，正当な理由がないと認められるにもかかわらず，印紙保険料の納付を怠ったときは，原則として，認定決定された印紙保険料の額（その額に1,000円未満の端数があるときは，その端数は，切り捨てる）の「100分の25」に相当する追徴金が徴収される（法25条2項）。

労働科目 544p

E　誤　認定決定に係る印紙保険料については，所轄都道府県労働局収入官吏又は「日本銀行（本店，支店，代理店及び歳入代理店をいう）」に現金で納付しなければならない（則38条3項2号，平15.3.31基発0331002号）。

キリトリ線

R6-雇9	印紙保険料	重要度 C

問 40 労働保険の保険料の徴収等に関する次の記述のうち，誤っているものはどれか。

A 雇用保険印紙購入通帳は，その交付の日の属する保険年度に限りその効力を有するが，有効期間の更新を受けた当該雇用保険印紙購入通帳は，更新前の雇用保険印紙購入通帳の有効期間が満了する日の翌日の属する保険年度に限り，その効力を有する。

B 事業主は，雇用保険印紙購入通帳の雇用保険印紙購入申込書がなくなった場合であって，当該保険年度中に雇用保険印紙を購入しようとするときは，その旨を所轄公共職業安定所長に申し出て，再交付を受けなければならない。

C 事業主は，その所持する雇用保険印紙購入通帳の有効期間が満了したときは，速やかに，その所持する雇用保険印紙購入通帳を所轄公共職業安定所長に返納しなければならない。

D 事業主は，雇用保険印紙と印紙保険料納付計器を併用して印紙保険料を納付する場合，労働保険徴収法施行規則第54条に定める印紙保険料納付状況報告書によって，毎月における雇用保険印紙の受払状況及び毎月における印紙保険料納付計器の使用状況を，所轄公共職業安定所長を経由して，所轄都道府県労働局歳入徴収官に報告しなければならない。

E 事業主は，印紙保険料納付計器の全部又は一部を使用しなくなったときは，当該使用しなくなった印紙保険料納付計器を納付計器に係る都道府県労働局歳入徴収官に提示しなければならず，当該都道府県労働局歳入徴収官による当該印紙保険料納付計器の封の解除その他必要な措置を受けることとなる。

キリトリ線

徴収法

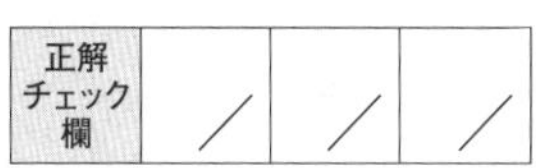

A　正　本肢のとおりである（則42条2項・5項）。 労働科目 537p

B　正　本肢のとおりである（則42条6項）。 労働科目 538p

C　正　本肢のとおりである（則42条8項）。 労働科目 538p

D　誤　雇用保険印紙と印紙保険料納付計器を併用して印紙保険料を納付する事業主は，印紙保険料納付状況報告書と印紙保険料納付計器使用状況報告書を「それぞれ」提出しなければならない（則54条，則55条）。 労働科目 539p

---

E　正　本肢のとおりである（則52条1項・2項）。

キリトリ線

H27-雇10

特例納付保険料

重要度 C

問 41 特例納付保険料に関する次の記述のうち，誤っているものはどれか。なお，本問において，「特例対象者」とは，雇用保険法第22条第5項に規定する者をいう。

A 特例納付保険料の対象となる事業主は，特例対象者を雇用していた事業主で，雇用保険に係る保険関係が成立していたにもかかわらず，労働保険徴収法第4条の2第1項の規定による届出をしていなかった者である。

B 雇用保険法第7条の規定による被保険者自らに関する届出がされていなかった事実を知っていた者については，特例対象者から除かれている。

C 特例納付保険料は，その基本額のほか，その額に100分の10を乗じて得た額を加算したものとされている。

D 厚生労働大臣による特例納付保険料の納付の勧奨を受けた事業主から当該保険料を納付する旨の申出があった場合には，都道府県労働局歳入徴収官が，通知を発する日から起算して30日を経過した日をその納期限とする納入告知書により，当該事業主に対し，決定された特例納付保険料の額を通知する。

E 特例納付保険料の基本額は，当該特例対象者に係る被保険者の負担すべき額に相当する額がその者に支払われた賃金から控除されていたことが明らかである時期のすべての月に係る賃金が明らかである場合には，各月それぞれの賃金の額に各月それぞれに適用される雇用保険率を乗じて得た額の合計額とされている。

徴収法

正解チェック欄	／	／	／

A 正 本肢のとおりである（法26条1項）。特例納付保険料として納付することができるのは，対象事業主が納付する義務を履行していない一般保険料の額（雇用保険率に応ずる部分の額に限る）のうち，当該特例対象者に係る額に相当する額として厚生労働省令で定めるところにより算定した額（基本額）に厚生労働省令で定める額（加算額）を加算した額とされている。 労働科目 540~541p

---

B 正 本肢のとおりである（雇用保険法22条5項）。 労働科目 540~541p

C 正 本肢のとおりである（法26条1項，則57条）。 労働科目 540~541p

D 正 本肢のとおりである（則38条5項，則59条）。 労働科目 540~541p

E 誤 特例納付保険料の基本額は，当該特例対象者に係る被保険者の負担すべき額に相当する額がその者に支払われた賃金から控除されていたことが明らかである時期のすべての月に係る賃金が明らかである場合は，当該賃金の合計額を当該月数で除した額に，当該明らかである時期の直近の雇用保険率及び当該最も古い日から被保険者の負担すべき額に相当する額がその者に支払われた賃金から控除されていたことが明らかである時期の直近の日までの期間（一定の期間を除く）に係る月数を乗じて得た額とされている（則56条）。 労働科目 540~541p

R3-雇8	特例納付保険料	重要度 B

問 42 特例納付保険料の納付等に関する次の記述のうち，正しいものはどれか。

A 雇用保険の被保険者となる労働者を雇い入れ，労働者の賃金から雇用保険料負担額を控除していたにもかかわらず，労働保険徴収法第4条の2第1項の届出を行っていなかった事業主は，納付する義務を履行していない一般保険料のうち徴収する権利が時効によって既に消滅しているものについても，特例納付保険料として納付する義務を負う。

B 特例納付保険料の納付額は，労働保険徴収法第26条第1項に規定する厚生労働省令で定めるところにより算定した特例納付保険料の基本額に，当該特例納付保険料の基本額に100分の10を乗じて得た同法第21条第1項の追徴金の額を加算して求めるものとされている。

C 政府は，事業主から，特例納付保険料の納付をその預金口座又は貯金口座のある金融機関に委託して行うことを希望する旨の申出があった場合には，その納付が確実と認められ，かつ，その申出を承認することが労働保険料の徴収上有利と認められるときに限り，その申出を承認することができる。

D 労働保険徴収法第26条第2項の規定により厚生労働大臣から特例納付保険料の納付の勧奨を受けた事業主が，特例納付保険料を納付する旨を，厚生労働省令で定めるところにより，厚生労働大臣に対して書面により申し出た場合，同法第27条の督促及び滞納処分の規定並びに同法第28条の延滞金の規定の適用を受ける。

E 所轄都道府県労働局歳入徴収官は，労働保険徴収法第26条第4項の規定に基づき，特例納付保険料を徴収しようとする場合には，通知を発する日から起算して30日を経過した日をその納期限と定め，事業主に，労働保険料の増加額及びその算定の基礎となる事項並びに納期限を通知しなければならない。

正解チェック欄	／	／	／

徴収法

A　誤　本肢の事業主（対象事業主）は，特例納付保険料を納付することが「できる」のであって，特例納付保険料の納付の申出をするまでは「特例保険料を納付する義務を負わない」（法26条1項）。

労働科目
540～541p

B　誤　特例保険料の納付額は，基本額に，基本額に100分の10を乗じて得た「加算額」を加算して求める（法26条1項，則56条，則57条）。

労働科目
540～541p

C　誤　特例納付保険料は口座振替納付の対象とされていない（則38条の4）。

労働科目
525p

D　正　本肢のとおりである（法27条，法28条1項）。

労働科目
545p

E　誤　本肢の場合，所轄都道府県労働局歳入徴収官は，事業主に「特例納付保険料の額」及び納期限を通知しなければならない。本肢前段の記述は正しい（則59条）。

労働科目
542p

キリトリ線

R元-雇8	督促等	重要度 B

問 43 労働保険料の督促等に関する次の記述のうち，誤っているものはどれか。

A 労働保険徴収法第27条第1項は，「労働保険料その他この法律の規定による徴収金を納付しない者があるときは，政府は，期限を指定して督促しなければならない。」と定めているが，この納付しない場合の具体的な例には，保険年度の6月1日を起算日として40日以内又は保険関係成立の日の翌日を起算日として50日以内に（延納する場合には各々定められた納期限までに）納付すべき概算保険料の完納がない場合がある。

B 労働保険徴収法第27条第3項に定める「労働保険料その他この法律の規定による徴収金」には，法定納期限までに納付すべき概算保険料，法定納期限までに納付すべき確定保険料及びその確定不足額等のほか，追徴金や認定決定に係る確定保険料及び確定不足額も含まれる。

C 労働保険徴収法第27条第2項により政府が発する督促状で指定すべき期限は，「督促状を発する日から起算して10日以上経過した日でなければならない。」とされているが，督促状に記載した指定期限経過後に督促状が交付され，又は公示送達されたとしても，その督促は無効であり，これに基づいて行った滞納処分は違法となる。

D 延滞金は，労働保険料の額が1,000円未満であるとき又は延滞金の額が100円未満であるときは，徴収されない。

E 政府は，労働保険料の督促をしたときは，労働保険料の額につき年14.6%の割合で，督促状で指定した期限の翌日からその完納又は財産差押えの日の前日までの期間の日数により計算した延滞金を徴収する。

徴収法

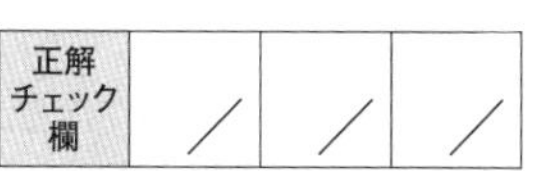

A 正 本肢のとおりである（法27条1項ほか）。なお，「督促」とは，債務者が納期限を過ぎてもなお債務の履行をしない場合において，その履行を催告する行為をいう。 労働科目 545p

---

B 正 本肢のとおりである（法27条3項，昭55.6.5発労徴40号）。なお，「労働保険料その他この法律の規定による徴収金」には，本肢のほかに，印紙保険料などがある。 労働科目 545p

---

C 正 本肢のとおりである（法27条2項ほか）。なお，実務上，督促状に指定する期限は，督促状を発する日から起算して10日以上経過した休日でない日とすることとされている（昭62.3.26労徴発19号）。 労働科目 545p

---

D 正 本肢のとおりである（法28条1項ただし書・5項）。 労働科目 545~547p

E 誤 政府は，労働保険料の納付を督促したときは，労働保険料の額に，「（本来の）納期限の翌日から」その完納又は財産差押えの日の前日までの期間の日数に応じ，原則として，年14.6％（当該納期限の翌日から2月を経過する日までの期間については，年7.3％）の割合を乗じて計算した延滞金を徴収する（法28条1項）。 労働科目 545~547p

キリトリ線

H29-雇9	労働保険料の滞納	重要度 A

問 44 労働保険料の滞納に関する次の記述のうち，正しいものはどれか。

A 事業主が労働保険料その他労働保険徴収法の規定による徴収金を法定納期限までに納付せず督促状が発せられた場合でも，当該事業主が督促状に指定された期限までに当該徴収金を完納したときは，延滞金は徴収されない。

B 労働保険料その他労働保険徴収法の規定による徴収金の先取特権の順位は，国税及び地方税に次ぐものとされているが，徴収金について差押えをしている場合は，国税の交付要求があったとしても，当該差押えに係る徴収金に優先して国税に配当しなくてもよい。

C 認定決定された確定保険料に対しては追徴金が徴収されるが，滞納した場合には，この追徴金を含めた額に対して延滞金が徴収される。

D 労働保険料の納付義務者の住所及び居所が不明な場合は，公示送達（都道府県労働局の掲示場に掲示すること。）の方法により，督促を行うことになるが，公示送達の場合は，掲示を始めた日から起算して7日を経過した日，すなわち掲示日を含めて8日目にその送達の効力が生じるところ，その末日が休日に該当したときは延期される。

E 労働保険料を納付しない者に対して，令和6年中に，所轄都道府県労働局歳入徴収官が督促したときは，労働保険料の額に，納期限の翌日からその完納又は財産差押えの日までの期間の日数に応じ，年14.6%（当該納期限の翌日から2月を経過する日までの期間については，年7.3%）を乗じて計算した延滞金が徴収される。

正解チェック欄	／	／	／

A　正　本肢のとおりである（法28条5項）。 労働科目 545~547p

B　誤　本肢にあるとおり，労働保険徴収法の徴収金の先取特権の順位は国税及び地方税に次ぐことから，労働保険徴収法の徴収金について差押えをした後に国税の交付要求（滞納者の財産について強制換価手続による財産の金銭化が行われた場合にその金銭から滞納税への交付（配当）を要求すること）があったときは，原則として，当該「差押えに係る徴収金に優先して国税に配当しなければならない」（法29条）。 労働科目 547p

---

C　誤　「追徴金に対して延滞金は徴収されない」。本肢前段の記述については正しい（法21条1項）。 労働科目 547p

D　誤　督促が公示送達により行われる場合，掲示日を含めて8日目にその送達の効力が生じるが，8日目が「休日であってもその期間は延期されず」，8日目に送達の効力が生じる。その他の記述については正しい（法30条，国税通則法14条3項）。

E　誤　本肢の場合，労働保険料の額に，納期限の翌日からその完納又は財産差押えの日の「前日」までの期間の日数に応じた延滞金が徴収される（法28条1項）。なお，当分の間，延滞金の割合の特例の規定が適用されるため，令和6年中の延滞金の割合については，本肢の年14.6％及び年7.3％とあるのは，当該割合よりも，それぞれ低い割合となっている（法附則12条ほか）。 労働科目 545~547p

H29-雇10	労働保険事務組合	重要度 A

問 45 労働保険事務組合に関する次の記述のうち，正しいものはどれか。なお，本問において「委託事業主」とは，労働保険事務組合に労働保険事務の処理を委託している事業主をいう。

A 労働保険事務組合に労働保険事務の処理を委託することができる事業主は，当該労働保険事務組合の主たる事務所が所在する都道府県に主たる事務所をもつ事業の事業主に限られる。

B 労働保険事務組合に労働保険事務の処理を委託することができる事業主は，継続事業（一括有期事業を含む。）のみを行っている事業主に限られる。

C 労働保険事務組合の認可を受けようとする事業主の団体又はその連合団体は，事業主の団体の場合は法人でなければならないが，その連合団体の場合は代表者の定めがあれば法人でなくともよい。

D 労働保険事務組合の主たる事務所の所在地を管轄する都道府県労働局長は，労働保険事務組合の認可の取消しがあったときには，その旨を，当該労働保険事務組合に係る委託事業主に対し通知しなければならない。

E 委託事業主が労働保険料その他の徴収金の納付のため金銭を労働保険事務組合に交付したときは，当該委託事業主は当該徴収金を納付したものとみなされるので，当該労働保険事務組合が交付を受けた当該徴収金について滞納があり滞納処分をしてもなお徴収すべき残余がある場合においても，当該委託事業主は，当該徴収金に係る残余の額を徴収されることはない。

徴収法

正解チェック欄	／	／	／

A　誤　労働保険事務組合に労働保険事務の処理を委託することができる事業主は，当該労働保険事務組合の主たる事務所が所在する都道府県に主たる事務所をもつ事業の事業主に限られない（平12.3.31発労徴31号ほか）。

B　誤　単独有期事業を行う事業主も，所定の要件を満たす限り，労働保険事務組合に労働保険事務の処理を委託することができる（則62条）。

労働科目 550p

C　誤　労働保険事務組合の認可を受けようとする事業主の団体又は連合団体は，法人であるか否かは問わないが，法人でない団体又は連合団体にあっては，代表者の定めがあること等により団体性が明確であることが必要とされる。そして，この要件を満たすことは「労働保険事務組合の認可を受けようとする者が事業主の団体であるか，その連合団体であるかにかかわらず」，必要とされる（平12.3.31発労徴31号）。

労働科目 549p

D　正　本肢のとおりである（則67条2項）。

労働科目 550p

E　誤　労働保険事務組合が徴収金の納付のために委託事業主から交付を受けた金銭について滞納があり，これにつき政府が労働保険事務組合に対して滞納処分をしてもなお徴収すべき残余がある場合は，政府は，その残余の額を当該「事業主から徴収することができる」（法35条3項）。なお，本肢前段の「委託事業主が労働保険料その他の徴収金の納付のため金銭を労働保険事務組合に交付したときは，当該委託事業主は当該徴収金を納付したものとみなされる」とする規定はない。

労働科目 552p

H30-雇10	労働保険事務組合	重要度 C

問 46 労働保険料に係る報奨金に関する次の記述のうち，正しいものはどれか。

A 労働保険事務組合が，政府から，労働保険料に係る報奨金の交付を受けるには，前年度の労働保険料（当該労働保険料に係る追徴金を含み延滞金を除く。）について，国税滞納処分の例による処分を受けたことがないことがその要件とされている。

B 労働保険事務組合は，その納付すべき労働保険料を完納していた場合に限り，政府から，労働保険料に係る報奨金の交付を受けることができる。

C 労働保険料に係る報奨金の交付要件である労働保険事務組合が委託を受けて労働保険料を納付する事業主とは，常時15人以下の労働者を使用する事業の事業主のことをいうが，この「常時15人」か否かの判断は，事業主単位ではなく，事業単位（一括された事業については，一括後の事業単位）で行う。

D 労働保険料に係る報奨金の交付を受けようとする労働保険事務組合は，労働保険事務組合報奨金交付申請書を，所轄公共職業安定所長に提出しなければならない。

E 労働保険料に係る報奨金の額は，現在，労働保険事務組合ごとに，2千万円以下の額とされている。

正解チェック欄	／	／	／

A 誤 労働保険事務組合が，政府から，労働保険料に係る報奨金の交付を受けるには，前年度の労働保険料（当該労働保険料に係る追徴金「及び延滞金を含む」）について，国税滞納処分の例による処分を受けたことがないことがその要件とされている（労働保険事務組合に対する報奨金に関する政令（以下本問において「報奨金令」とする）1条）。

労働科目 553~554p

B 誤 労働保険事務組合は，その納付すべき労働保険料を「完納していた場合でなくても」，政府から，労働保険料に係る報奨金の交付を「受けることができる場合がある」（報奨金令1条）。7月10日において，前年度の労働保険料（当該保険料に係る追徴金及び延滞金を含む）であって，常時15人以下の労働者を使用する事業の事業主の委託に係るものにつき，その確定保険料の額（労働保険料に係る追徴金及び延滞金を納付すべき場合にあっては，確定保険料の額と当該追徴金及び延滞金の額との合計額）の合計額の100分の95以上の額が納付されていれば，その他の要件を満たすことにより，労働保険事務組合は，政府から，労働保険料に係る報奨金の交付を受けることができる。

労働科目 553~554p

C 正 本肢のとおりである（平23.8.4基発0804第1号，労働保険事務組合報奨金交付要領）。

D 誤 労働保険料に係る報奨金の交付を受けようとする労働保険事務組合は，労働保険事務組合報奨金交付申請書を，「所轄都道府県労働局長」に提出しなければならない（労働保険事務組合に対する報奨金に関する省令2条）。

労働科目 553~554p

E 誤 労働保険料に係る報奨金の額は，現在，労働保険事務組合ごとに，「1千万円以下」の額とされている（報奨金令2条）。労働保険料に係る報奨金の額は，労働保険事務組合ごとに，1千万円又は常時15人以下の労働者を使用する事業の事業主の委託を受けて納付した前年の労働保険料（督促を受けて納付した労働保険料を除く）の額（その額が確定保険料の額を超えるときは，当該確定保険料の額）に100分の2を乗じて得た額に厚生労働省令で定める額を加えた額のいずれか低い額以内とされている。

MEMO

R元-雇9

労働保険事務組合

重要度 A

問 47 労働保険事務組合に関する次の記述のうち，正しいものはどれか。

A 金融業を主たる事業とする事業主であり，常時使用する労働者が50人を超える場合，労働保険事務組合に労働保険事務の処理を委託することはできない。

B 労働保険事務組合は，労災保険に係る保険関係が成立している二元適用事業の事業主から労働保険事務の処理に係る委託があったときは，労働保険徴収法施行規則第64条に掲げられている事項を記載した届書を，所轄労働基準監督署長又は所轄公共職業安定所長を経由して都道府県労働局長に提出しなければならない。

C 労働保険事務組合は，定款に記載された事項に変更を生じた場合には，その変更があった日の翌日から起算して14日以内に，その旨を記載した届書を厚生労働大臣に提出しなければならない。

D 労働保険事務組合は，団体の構成員又は連合団体を構成する団体の構成員である事業主その他厚生労働省令で定める事業主（厚生労働省令で定める数を超える数の労働者を使用する事業主を除く。）の委託を受けて，労災保険の保険給付に関する請求の事務を行うことができる。

E 労働保険事務組合が，委託を受けている事業主から交付された追徴金を督促状の指定期限までに納付しなかったために発生した延滞金について，政府は当該労働保険事務組合と当該事業主の両者に対して同時に当該延滞金に関する処分を行うこととなっている。

正解チェック欄	／	／	／

A　正　本肢のとおりである（法33条1項，則62条2項）。常時300人（金融業若しくは保険業，不動産業又は小売業を主たる事業とする事業主については50人，卸売業又はサービス業を主たる事業とする事業主については100人）を超える数の労働者を使用する事業主は，労働保険事務組合に労働保険事務の処理を委託することはできない。

労働科目 550p

B　誤　労災保険に係る保険関係が成立している二元適用事業の事業主から委託があった場合の本肢の届書は，所轄労働基準監督署長を経由して行うものとされており，「所轄公共職業安定所長を経由するものとはされていない」（則64条1項，則78条3項）。

C　誤　本肢の届書は，「所轄都道府県労働局長」に提出しなければならない。その他の記述は正しい（則65条）。

労働科目 550p

D　誤　労災保険の保険給付に関する請求書等に係る事務手続き及びその代行は，労働保険事務組合の受託業務の範囲に含まれないため，労働保険事務組合は，事業主の委託を受けて労災保険の保険給付に関する請求の事務を行うことは「できない」（法33条1項，平12.3.31発労徴31号）。

労働科目 551p

E　誤　労働保険関係法令の規定により政府が追徴金又は延滞金を徴収する場合において，その徴収について労働保険事務組合の責めに帰すべき理由があるときは，その限度で，労働保険事務組合は，政府に対して当該徴収金の納付の責めに任ずるものとされているが，この場合の労働保険事務組合が納付すべき徴収金については，政府は，当該労働保険事務組合に対して滞納処分をしてもなお徴収すべき残余がある場合に限り，その残余の額を委託事業主から徴収することができる。したがって，本肢の場合，政府は，本肢の労働保険事務組合と本肢の委託事業主の「両者に対して同時に当該延滞金に対する処分を行うことはできない」（法35条2項・3項）。

労働科目 552p

R3-雇9	労働保険事務組合	重要度 A

問 48 労働保険事務組合に関する次の記述のうち，誤っているものはどれか。

A 労働保険事務組合は，雇用保険に係る保険関係が成立している事業にあっては，労働保険事務の処理の委託をしている事業主ごとに雇用保険被保険者関係届出事務等処理簿を事務所に備えておかなければならない。

B 労働保険徴収法第33条第1項に規定する事業主の団体の構成員又はその連合団体を構成する団体の構成員である事業主以外の事業主であっても，労働保険事務の処理を委託することが必要であると認められる事業主は，労働保険事務組合に労働保険事務の処理を委託することができる。

C 保険給付に関する請求書等の事務手続及びその代行，雇用保険二事業に係る事務手続及びその代行，印紙保険料に関する事項などは，事業主が労働保険事務組合に処理を委託できる労働保険事務の範囲に含まれない。

D 労働保険事務組合に労働保険事務の処理を委託している事業場の所在地を管轄する行政庁が，当該労働保険事務組合の主たる事務所の所在地を管轄する行政庁と異なる場合，当該事業場についての一般保険料の徴収は，労働保険事務組合の主たる事務所の所在地の都道府県労働局歳入徴収官が行う。

E 労働保険事務組合は，労働保険事務の処理の委託があったときは，委託を受けた日の翌日から起算して14日以内に，労働保険徴収法施行規則第64条に定める事項を記載した届書を，その主たる事務所の所在地を管轄する都道府県労働局長に提出しなければならない。

徴収法

正解チェック欄	／	／	／

A 正 本肢のとおりである（法36条，則68条3号）。なお，労働保険事務組合には，事務所に備えるべき書類及びその保存期間は，次のとおりである（則72条）。

①労働保険事務等処理委託事業主名簿………その完結の日から3年間

②労働保険料等徴収及び納付簿………………その完結の日から3年間

③雇用保険被保険者関係届出事務等処理簿…その完結の日から4年間

労働科目 553p

B 正 本肢のとおりである（法33条1項，則62条1項）。なお，労働保険事務組合の主たる事務所の所在地を管轄する都道府県労働局長は，必要があると認めたときは，当該労働保険事務組合に対し，当該労働保険事務組合が労働保険事務の処理の委託を受けることができる事業の行われる地域について必要な指示をすることができる（則62条3項）。

労働科目 550~551p

C 正 本肢のとおりである（平25.3.29基発0329第7号）。なお，労災保険の特別加入の申請については，事業主が労働保険事務組合に処理を委託できる労働保険事務の範囲に含まれる。

労働科目 551p

D 正 本肢のとおりである（則69条）。

E 誤 労働保険事務組合は，労働保険事務の処理の委託があったときは，「遅滞なく」，所定の事項を記載した届書を，その主たる事務所の所在地を管轄する都道府県労働局長に提出しなければならない（則64条1項）。

労働科目 551p

R5-災9	労働保険事務組合	重要度 A

問 49 労働保険の保険料の徴収等に関する次の記述のうち，誤っているものはどれか。

A 労働保険事務組合の主たる事務所が所在する都道府県に主たる事務所を持つ事業の事業主のほか，他の都道府県に主たる事務所を持つ事業の事業主についても，当該労働保険事務組合に労働保険事務を委託することができる。

B 労働保険事務組合の主たる事務所の所在地を管轄する都道府県労働局長は，必要があると認めたときは，当該労働保険事務組合に対し，当該労働保険事務組合が労働保険事務の処理の委託を受けることができる事業の行われる地域について必要な指示をすることができる。

C 労働保険事務組合は労働保険徴収法第33条第２項に規定する厚生労働大臣の認可を受けることによって全く新しい団体が設立されるわけではなく，既存の事業主の団体等がその事業の一環として，事業主が処理すべき労働保険事務を代理して処理するものである。

D 労働保険事務組合事務処理規約に規定する期限までに，確定保険料申告書を作成するための事実を事業主が報告したにもかかわらず，労働保険事務組合が労働保険徴収法の定める申告期限までに確定保険料申告書を提出しなかったため，所轄都道府県労働局歳入徴収官が確定保険料の額を認定決定し，追徴金を徴収することとした場合，当該事業主が当該追徴金を納付するための金銭を当該労働保険事務組合に交付しなかったときは，当該労働保険事務組合は政府に対して当該追徴金の納付責任を負うことはない。

E 清掃業を主たる事業とする事業主は，その使用する労働者数が臨時に増加し一時的に300人を超えることとなった場合でも，常態として300人以下であれば労働保険事務の処理を労働保険事務組合に委託することができる。

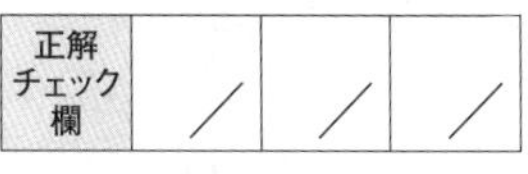

徴収法

A　正　本肢のとおりである（令2.2.28基発0228第1号）。以前は本肢のような地域制限が課せられていたが，令和2年4月の改正により廃止された。

B　正　本肢のとおりである（則62条3項）。

C　正　本肢のとおりである（法33条1項ほか）。

労働科目 549p

D　誤　労働保険関係法令の規定により政府が追徴金又は延滞金を徴収する場合において，その徴収について労働保険事務組合の責めに帰すべき理由があるときは，その限度で，労働保険事務組合は，政府に対して当該徴収金の納付の責めに任ずるものとされている。事業主から規約に規定する期限までに報告を受けたにもかかわらず，所定の申告期限までに申告を行わなかったことは，労働保険事務組合の責めに帰すべき理由がある場合に該当する。したがって，本肢の労働保険事務組合は，その限度で，「追徴金の納付責任を負う」（法35条2項，平25.3.29基発0329第7号）。

労働科目 552p

E　正　本肢のとおりである（則62条2項，平25.3.29基発0329第7号）。清掃業は，金融業，保険業，不動産業，小売業，卸売業又はサービス業のいずれにも該当しないため，常時300人以下の労働者を使用するものであれば，所定の要件を満たす限り，労働保険事務の処理を労働保険事務組合に委託することができる。また，「常時300人以下の労働者を使用する」とは，常態として300人以下の労働者を使用することをいうため，臨時に労働者数が増加する等の結果，一時的に使用労働者数が300人を超えることとなった場合でも，常態として300人以下であればこれに該当する。

労働科目 550p

H28-災9	不服申立て	重要度 A

問 50 概算保険料に係る認定決定に不服のある事業主が行うことができる措置に関する次の記述のうち，正しいものはいくつあるか。

ア　事業主は，当該認定決定について，その処分庁である都道府県労働局歳入徴収官に対し，異議申立てを行うことができる。

イ　事業主は，当該認定決定について，その処分に係る都道府県労働局に置かれる労働者災害補償保険審査官に対し，審査請求を行うことができる。

ウ　事業主は，当該認定決定について，厚生労働大臣に対し，再審査請求を行うことができる。

エ　事業主は，当該認定決定について，直ちにその取消しの訴えを提起することができる。

オ　事業主は，当該認定決定について，取消しの訴えを提起する場合を除いて，代理人によらず自ら不服の申立てを行わなければならない。

A　一つ
B　二つ
C　三つ
D　四つ
E　五つ

正解チェック欄	／	／	／

本問のアからオまでのそれぞれの記述の正誤は以下のとおりであり，正しい記述はエの1つである。したがってAが解答となる。

ア　誤　概算保険料に係る認定決定に関する処分に不服がある場合，事業主は，「厚生労働大臣」に対して「審査請求」をすることができる（行政不服審査法2条，同法4条）。

労働科目 556p

イ　誤　概算保険料に係る認定決定に関する処分に不服がある場合，事業主は，「厚生労働大臣」に対して「審査請求」をすることができる（行政不服審査法2条，同法4条）。

労働科目 556p

ウ　誤　概算保険料に係る認定決定に関する処分に不服がある場合，事業主は，厚生労働大臣に対して「審査請求」をすることができる（行政不服審査法2条，同法4条）。

労働科目 556p

エ　正　本肢のとおりである（行政不服審査法3条，同法4条ほか）。

労働科目 556p

オ　誤　概算保険料に係る認定決定に関する処分に不服がある場合，事業主は，厚生労働大臣に対して審査請求をすることができるが，この審査請求は，「代理人によってすることができる」（行政不服審査法12条）。

H28-雇10	雑則等	重要度 A

問 51 時効，書類の保存等に関する次の記述のうち，誤っているものはいくつあるか。

ア　労働保険料その他労働保険徴収法の規定による徴収金を徴収する権利は，国税通則法第72条第1項の規定により，これらを行使することができる時から5年を経過したときは時効によって消滅する。

イ　時効で消滅している労働保険料その他労働保険徴収法の規定による徴収金について，納付義務者がその時効による利益を放棄して納付する意思を示したときは，政府はその徴収権を行使できる。

ウ　政府が行う労働保険料その他労働保険徴収法の規定による徴収金の徴収の告知は，時効の更新の効力を生ずるので，納入告知書に指定された納期限の翌日から，新たな時効が進行することとなる。

エ　事業主若しくは事業主であった者又は労働保険事務組合若しくは労働保険事務組合であった団体は，労働保険徴収法又は労働保険徴収法施行規則の規定による書類をその完結の日から3年間（雇用保険被保険者関係届出事務等処理簿にあっては，4年間）保存しなければならない。

オ　厚生労働大臣，都道府県労働局長，労働基準監督署長又は公共職業安定所長が労働保険徴収法の施行のため必要があると認めるときに，その職員に行わせる検査の対象となる帳簿書類は，労働保険徴収法及び労働保険徴収法施行規則の規定による帳簿書類に限られず，賃金台帳，労働者名簿等も含む。

A　一つ
B　二つ
C　三つ
D　四つ
E　五つ

本問のアからオまでのそれぞれの記述の正誤は以下のとおりであり，ア及びイの2つが誤っている記述となる。したがって，Bが解答となる。

ア　誤　労働保険料その他労働保険徴収法の規定による徴収金を徴収し，又はその還付を受ける権利は，労働保険徴収法41条1項の規定により，これらを行使することができる時から「2年」を経過したときは，時効によって消滅する（法41条1項）。 労働科目 556p

---

イ　誤　2年の消滅時効の絶対的効力として，時効の援用（＝一定の事実を自己の利益のために主張すること）を要せず，また，その利益を放棄することができないものとされている。つまり，時効の完成により，当該権利は当然に消滅する（法41条1項）。

ウ　正　本肢のとおりである（法41条2項）。なお，「時効の更新」とは，新たな時効の進行（時効期間のリセット）のことである。つまり，更新事由が生ずると，それまでに経過した時効期間がなかったことになり，更新事由が終了すれば，新たに時効が進行することとなる。 労働科目 557p

---

エ　正　本肢のとおりである（則72条）。 労働科目 557p

オ　正　本肢のとおりである（法43条）。 労働科目 557p

H27-雇8	総合問題	重要度 C

問 52 労働保険徴収法の罰則規定の適用に関する次の記述のうち，誤っているものはどれか。

A 労働保険事務組合が，労働保険徴収法第36条及び同法施行規則第68条で定めるところにより，その処理する労働保険料等徴収及び納付簿を備えておかない場合には，その違反行為をした当該労働保険事務組合の代表者又は代理人，使用人その他の従業者に罰則規定の適用がある。

B 日雇労働被保険者を使用している事業主が，雇用保険印紙を譲り渡し，又は譲り受けた場合は，当該事業主に罰則規定の適用がある。

C 日雇労働被保険者を使用している事業主が，印紙保険料納付状況報告書によって，毎月におけるその雇用保険印紙の受払状況を翌月末日までに所轄都道府県労働局歳入徴収官に報告をしなかった場合には，当該事業主に罰則規定の適用がある。

D 雇用保険暫定任意適用事業の事業主が，当該事業に使用される労働者が労働保険徴収法附則第２条第１項の規定による雇用保険の保険関係の成立を希望したことを理由として，労働者に対して解雇その他不利益な取扱いをした場合には，当該事業主に罰則規定の適用がある。

E 法人でない労働保険事務組合であっても，当該労働保険事務組合の代表者又は代理人，使用人その他の従業者が，当該労働保険事務組合の業務に関して，労働保険徴収法第46条又は第47条に規定する違反行為をしたときには，その行為者を罰するほか，当該労働保険事務組合に対しても，罰則規定の適用がある。

正解チェック欄	／	／	／

A 正 本肢のとおりである（法47条1項）。労働保険事務組合が次の①～③のいずれかに該当するときは，その違反行為をした労働保険事務組合の代表者又は代理人，使用人その他の従業者は，6箇月以下の懲役又は30万円以下の罰金に処せられる。

①法36条（帳簿の備付け）の規定に違反して帳簿を備えておかず，又は帳簿に労働保険事務に関する事項を記載せず，若しくは虚偽の記載をした場合

②法42条（報告等）の規定による命令に違反して報告をせず，若しくは虚偽の報告をし，又は文書を提出せず，若しくは虚偽の記載をした文書を提出した場合

③法43条1項（立入検査）の規定による当該職員の質問に対して答弁をせず，若しくは虚偽の答弁をし，又は検査を拒み，妨げ，若しくは忌避した場合

労働科目 558p

B 誤 日雇労働被保険者を使用している事業主が，雇用保険印紙を譲り渡し，又は譲り受けたときであっても，罰則規定が適用されることはない（法7章）。

C 正 本肢のとおりである（法46条2号）。

労働科目 558p

D 正 本肢のとおりである（法附則6条，法附則7条）。

E 正 本肢のとおりである（法48条1項）。

労働科目 558p

R2-雇8	総合問題	重要度 B

問 53 労働保険の保険料の徴収等に関する次の記述のうち，誤っているものはどれか。

A 概算保険料について延納できる要件を満たす継続事業の事業主が，7月1日に保険関係が成立した事業について保険料の延納を希望する場合，2回に分けて納付することができ，最初の期分の納付期限は8月20日となる。

B 概算保険料について延納できる要件を満たす有期事業（一括有期事業を除く。）の事業主が，6月1日に保険関係が成立した事業について保険料の延納を希望する場合，11月30日までが第1期となり，最初の期分の納付期限は6月21日となる。

C 概算保険料について延納が認められている継続事業（一括有期事業を含む。）の事業主が，増加概算保険料の納付について延納を希望する場合，7月1日に保険料算定基礎額の増加が見込まれるとき，3回に分けて納付することができ，最初の期分の納付期限は7月31日となる。

D 労働保険徴収法は，労働保険の事業の効率的な運営を図るため，労働保険の保険関係の成立及び消滅，労働保険料の納付の手続，労働保険事務組合等に関し必要な事項を定めている。

E 厚生労働大臣は，毎会計年度において，徴収保険料額及び雇用保険に係る各種国庫負担額の合計額と失業等給付額等との差額が，労働保険徴収法第12条第5項に定める要件に該当するに至った場合，必要があると認めるときは，労働政策審議会の同意を得て，1年以内の期間を定めて雇用保険率（令和7年度以降においては，失業等給付費等充当徴収保険率）を一定の範囲内において変更することができる。

正解チェック欄	／	／	／

A　正　本肢のとおりである（則27条)。保険年度の中途に保険関係が成立した継続事業の最初の期分の概算保険料の納期限は，保険関係が成立した日の翌日から起算して50日以内である。

労働科目 515p

B　正　本肢のとおりである（則28条)。保険関係成立の日（6月1日）からその日の属する期の末日（7月31日）までの期間が2月以内であるため，保険関係成立の日（6月1日）からその日の属する期の次の期の末日（11月30日）までが最初の期となる。また，最初の期分の概算保険料の納期限は，保険関係成立の日の翌日から起算して20日以内である。

労働科目 516p

C　正　本肢のとおりである（法18条，則30条1項・2項)。最初の期分の増加概算保険料の納期限は，保険料算定基礎額の増加が見込まれた日の翌日から起算して30日以内である。

労働科目 515p

D　正　本肢のとおりである（法1条)。なお，労働保険とは労災保険及び雇用保険を総称したものである（法2条1項)。

労働科目 483p

E　誤　本肢の場合，厚生労働大臣は，労働政策審議会の「意見を聴いて」，1年以内の期間を定めて雇用保険率（令和7年度以降においては，失業等給付費等充当徴収保険率）を一定の範囲内において変更することができる（法12条5項)。

R2-雇9	総合問題	重要度 A

問 54 労働保険料等の口座振替による納付又は印紙保険料の納付等に関する次の記述のうち，誤っているものはどれか。

A 事業主は，概算保険料及び確定保険料の納付を口座振替によって行うことを希望する場合，労働保険徴収法施行規則に定める事項を記載した書面を所轄都道府県労働局歳入徴収官に提出することによって，その申出を行わなければならない。

B 都道府県労働局歳入徴収官から労働保険料の納付に必要な納付書の送付を受けた金融機関が口座振替による納付を行うとき，当該納付書が金融機関に到達した日から2取引日を経過した最初の取引日までに納付された場合には，その納付の日が納期限後であるときにおいても，その納付は，納期限においてなされたものとみなされる。

C 印紙保険料の納付は，日雇労働被保険者手帳へ雇用保険印紙を貼付して消印又は納付印の押印によって行うため，事業主は，日雇労働被保険者を使用する場合には，その者の日雇労働被保険者手帳を提出させなければならず，使用期間が終了するまで返還してはならない。

D 事業主は，日雇労働被保険者手帳に貼付した雇用保険印紙の消印に使用すべき認印の印影をあらかじめ所轄公共職業安定所長に届け出なければならない。

E 雇用保険印紙購入通帳の有効期間の満了後引き続き雇用保険印紙を購入しようとする事業主は，当該雇用保険印紙購入通帳の有効期間が満了する日の翌日の1月前から当該期間が満了する日までの間に，当該雇用保険印紙購入通帳を添えて雇用保険印紙購入通帳更新申請書を所轄公共職業安定所長に提出して，有効期間の更新を受けなければならない。

徴収法

正解チェック欄	／	／	／

A 正 本肢のとおりである（則38条の2）。なお，所轄都道府県労働局歳入徴収官は，口座振替による納付に係る承認を行った場合には，原則として，口座振替による労働保険料の納付に必要な納付書を所定の金融機関に送付するものとする（則38条の3）。 労働科目 524~525p

---

B 正 本肢のとおりである（法21条の2第2項，則38条の5第1項）。なお，本肢の「取引日」とは，金融機関の休日以外の日をいう（同条2項）。

C 誤 事業主は，日雇労働被保険者を使用する場合には，その者の日雇労働被保険者手帳を提出させなければならないほか，その提出を受けた日雇労働被保険者手帳は，その者から「請求があったときは，これを返還しなければならない」（法23条2項・3項・6項）。 労働科目 537p

---

D 正 本肢のとおりである（則40条2項）。なお，日雇労働被保険者手帳に貼付した雇用保険印紙の消印に使用すべき認印を変更する場合においても，あらかじめ所轄公共職業安定所長に届け出なければならない。 労働科目 537p

---

E 正 本肢のとおりである（則42条3項・4項）。なお，事業主その他正当な権限を有する者を除いては，何人も消印を受けない雇用保険印紙を所持してはならない（法41条3項）。 労働科目 537p

キリトリ線

R2-雇10	総合問題	重要度	A

問 55 労働保険の保険料の徴収等に関する次の記述のうち，正しいものはどれか。

A 労働保険料その他労働保険徴収法の規定による徴収金を納付しない者に対して政府が行う督促は時効の更新の効力を生ずるが，政府が行う徴収金の徴収の告知は時効の更新の効力を生じない。

B 労働保険徴収法の規定による処分に不服がある者は，処分があったことを知った日の翌日から起算して3か月以内であり，かつ，処分があった日の翌日から起算して1年以内であれば，厚生労働大臣に審査請求をすることができる。ただし，当該期間を超えた場合はいかなる場合も審査請求できない。

C 労災保険及び雇用保険に係る保険関係が成立している事業に係る被保険者は，「当該事業に係る一般保険料の額」から，「当該事業に係る一般保険料の額に相当する額に二事業率を乗じて得た額」を減じた額の2分の1の額を負担するものとする。

D 日雇労働被保険者は，労働保険徴収法第31条第1項の規定によるその者の負担すべき額のほか，印紙保険料の額が176円のときは88円を負担するものとする。

E 事業主が負担すべき労働保険料に関して，保険年度の初日において64歳以上の労働者（短期雇用特例被保険者及び日雇労働被保険者を除く。）がいる場合には，当該労働者に係る一般保険料の負担を免除されるが，当該免除の額は当該労働者に支払う賃金総額に雇用保険率を乗じて得た額である。

キリトリ線

徴収法

正解チェック欄	／	／	／

A　誤　政府が行う労働保険料その他労働保険徴収法の規定による「徴収金の徴収の告知」又は督促は，時効の更新の効力を生ずる(法41条2項)。

労働科目 557p

B　誤　労働保険徴収法の規定による処分に不服がある者は，処分があったことを知った日の翌日から起算して3箇月以内であり，かつ，処分があった日の翌日から起算して1年以内であれば，厚生労働大臣に審査請求をすることができる。当該期間を経過したときは審査請求をすることができないが，「正当な理由があるとき」は，この限りでない（行政不服審査法18条1項・2項)。

C　誤　労災保険及び雇用保険に係る保険関係が成立している事業に係る被保険者は，「当該事業に係る一般保険料の額のうち『雇用保険率に応ずる部分の額』」から，「当該事業に係る一般保険料の額のうち『雇用保険率に応ずる部分の額』に二事業率を乗じて得た額」を減じた額の2分の1の額を負担するものとされている(法31条1項1号)。

労働科目 543p

D　正　本肢のとおりである（法22条1項，法31条2項)。日雇労働被保険者は，労働保険徴収法第31条第1項の規定によるその者の負担すべき額のほか，印紙保険料の額の2分の1の額（その額に1円未満の端数があるときは，その端数は，切り捨てる）を負担するものとされている。

労働科目 536p

E　誤　免除対象高年齢労働者に係る雇用保険料の免除制度は，令和2年4月の改正によって廃止された。したがって，本肢の労働者に係る一般保険料（雇用保険料）の負担は免除されない（法31条1項)。

R5-雇8	総合問題	重要度 B

問 56 労働保険の保険料の徴収等に関する次の記述のうち，正しいものはどれか。

A　不動産業を継続して営んできた事業主が令和6年7月10日までに確定保険料申告書を提出しなかった場合，所轄都道府県労働局歳入徴収官が労働保険料の額を決定し，これを当該事業主に通知するとともに労働保険徴収法第27条に基づく督促が行われる。

B　小売業を継続して営んできた事業主が令和6年10月31日限りで事業を廃止した場合，確定保険料申告書を同年12月10日までに所轄都道府県労働局歳入徴収官あてに提出しなければならない。

C　令和6年6月1日に労働保険の保険関係が成立し，継続して交通運輸事業を営んできた事業主は，概算保険料の申告及び納付手続と確定保険料の申告及び納付手続とを令和7年度の保険年度において同一の用紙により一括して行うことができる。

D　令和6年4月1日に労働保険の保険関係が成立して以降金融業を継続して営んでおり，労働保険事務組合に労働保険事務の処理を委託している事業主は，令和7年度の保険年度の納付すべき概算保険料の額が10万円であるとき，その延納の申請を行うことはできない。

E　令和5年5月1日から令和7年2月28日までの期間で道路工事を行う事業について，事業主が納付すべき概算保険料の額が120万円であったとき，延納の申請により第1期に納付すべき概算保険料の額は24万円とされる。

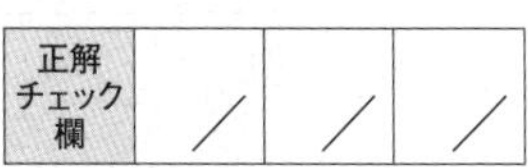

徴収法

A　誤　7月10日までに確定保険料申告書の提出がなかった場合，確定保険料について認定決定が行われるが，当該確定保険料に係る督促は，当該認定決定の通知による納期限（通知を受けた日から15日以内）までに，当該認定決定に係る確定保険料が納付されなかったときに行われる。したがって，認定決定の通知と同時に督促を行うことはできない（法27条1項ほか）。

労働科目 545p

B　誤　保険年度の中途に保険関係が消滅したものについては，当該保険関係が消滅した日から50日以内（当日起算）に確定保険料申告書を提出しなければならない。本肢の保険関係が消滅した日は令和6年11月1日となるため，同日から起算して50日目である「令和6年12月20日」までに確定保険料申告書を提出しなければならない（法19条1項）。

労働科目 520p

C　正　本肢のとおりである（法15条1項，法19条1項）。いわゆる年度更新の手続である。

D　誤　労働保険事務の処理が労働保険事務組合に委託されている場合，概算保険料の額にかかわらず，申請により概算保険料を延納することができる。したがって，本肢の事業主は，概算保険料の「延納の申請を行うことができる」（則27条1項）。

労働科目 514p

E　誤　本肢の有期事業については6回の延納が認められるため，第1期に納付すべき概算保険料の額は，120万円÷6＝「20万円」である（則28条1項）。

R5 5/1	R5 7/31	R5 11/30	R6 3/31	R6 7/31	R6 11/30	R7 2/28
①	②	③	④	⑤	⑥	

労働科目 516~517p

キリトリ線

R5-雇9	総合問題	重要度 B

問 57 労働保険の保険料の徴収等に関する次の記述のうち，正しいものはどれか。

A 日雇労働被保険者が負担すべき額を賃金から控除する場合において，労働保険徴収法施行規則第60条第2項に定める一般保険料控除計算簿を作成し，事業場ごとにこれを備えなければならないが，その形式のいかんを問わないため賃金台帳をもってこれに代えることができる。

B 事業主は，雇用保険印紙を購入しようとするときは，あらかじめ，労働保険徴収法施行規則第42条第1項に掲げる事項を記載した申請書を所轄都道府県労働局歳入徴収官に提出して，雇用保険印紙購入通帳の交付を受けなければならない。

C 印紙保険料納付計器を厚生労働大臣の承認を受けて設置した事業主は，使用した日雇労働被保険者に賃金を支払う都度，その使用した日の被保険者手帳における該当日欄に納付印をその使用した日数に相当する回数だけ押した後，納付すべき印紙保険料の額に相当する金額を所轄都道府県労働局歳入徴収官に納付しなければならない。

D 事業主は，雇用保険印紙が変更されたときは，その変更された日から1年間，雇用保険印紙を販売する日本郵便株式会社の営業所に雇用保険印紙購入通帳を提出し，その保有する雇用保険印紙の買戻しを申し出ることができる。

E 日雇労働被保険者を使用する事業主が，正当な理由がないと認められるにもかかわらず，雇用保険印紙を日雇労働被保険者手帳に貼付することを故意に怠り，1,000円以上の額の印紙保険料を納付しなかった場合，労働保険徴収法第46条の罰則が適用され，6月以下の懲役又は所轄都道府県労働局歳入徴収官が認定決定した印紙保険料及び追徴金の額を含む罰金に処せられる。

徴収法

正解チェック欄	／	／	／

A　正　本肢のとおりである（則60条2項ほか）。

B　誤　事業主は，雇用保険印紙を購入しようとするときは，あらかじめ，所定の申請書を「所轄公共職業安定所長」に提出して，雇用保険印紙購入通帳の交付を受けなければならない（則42条1項）。

労働科目 537p

C　誤　印紙保険料納付計器の設置の承認を受けた者は，当該印紙保険料納付計器を使用する前に，始動票札の交付を受ける必要があるが，この始動票札の交付を受けようとする者は，当該印紙保険料納付計器により表示することができる印紙保険料の額に相当する金額の総額を，「あらかじめ」当該印紙保険料納付計器を設置した事業場の所在地を管轄する都道府県労働局収入官吏に納付しなければならないとされている。したがって，納付印を押した後に印紙保険料の額に相当する金額の総額を納付するわけではない（則51条2項）。

労働科目 537p

D　誤　事業主は，雇用保険印紙が変更されたときは，その変更された日から「6月間」，雇用保険印紙を販売する日本郵便株式会社の営業所に雇用保険印紙購入通帳を提出し，その保有する雇用保険印紙の買戻しを申し出ることができる（則43条2項）。

労働科目 538p

E　誤　事業主が印紙保険料の納付を規定する法23条2項の規定に違反して雇用保険印紙を貼らなかった場合，「その納付しなかった印紙保険料の額にかかわらず」，当該事業主は，6月以下の懲役又は30万円以下の罰金に処せられる。また，当該罰金の額には，認定決定した印紙保険料額及び追徴金の額は含まれない（法46条）。

労働科目 558p

キリトリ線

R5-雇10	総合問題	重要度 A

問 58 労働保険の保険料の徴収等に関する次の記述のうち，正しいものはどれか。

A 労働保険徴収法における「賃金」のうち，食事，被服及び住居の利益の評価に関し必要な事項は，所轄労働基準監督署長又は所轄公共職業安定所長が定めることとされている。

B 国の行う立木の伐採の事業であって，賃金総額を正確に算定することが困難なものについては，特例により算定した額を当該事業に係る賃金総額とすることが認められている。

C 雇用保険率は，雇用保険法の規定による保険給付及び社会復帰促進等事業に要する費用の予想額に照らし，将来にわたって，雇用保険の事業に係る財政の均衡を保つことができるものでなければならないものとされる。

D 厚生労働大臣は，労働保険徴収法第12条第5項の場合において，必要があると認めるときは，労働政策審議会の意見を聴いて，各保険年度の1年間単位で雇用保険率（令和7年度以降においては，失業等給付費等充当徴収保険率）を同項に定める率の範囲内において変更することができるが，1年間より短い期間で変更することはできない。

E 一般の事業について，令和6年度の雇用保険率が1,000分の15.5であり，二事業率が1,000分の3.5のとき，事業主負担は1,000分の9.5，被保険者負担は1,000分の6となる。

徴収法

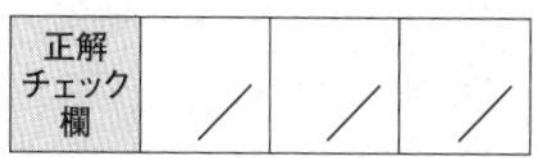

正解チェック欄	／	／	／

A　誤　賃金のうち通貨以外のもので支払われるものの評価に関し必要な事項は，「厚生労働大臣」が定める（法2条3項）。 労働科目 484p

---

B　誤　国の行う事業については労災保険に係る保険関係が成立する余地がないため，本肢のような取扱いはなされない（労災保険法3条ほか）。 労働科目 486, 500p

---

C　誤　本肢のような規定はない（法12条2項・4項）。なお，労災保険率は，労災保険法の規定による保険給付及び社会復帰促進等事業に要する費用の予想額に照らし，将来にわたって，労災保険の事業に係る財政の均衡を保つことができるものでなければならない。

D　誤　厚生労働大臣は，法12条5項の雇用保険率（令和7年度以降においては，失業等給付費等充当徴収保険率）の要件に該当する場合において，必要があると認めるときは，労働政策審議会の意見を聴いて，1年「以内」の期間を定めて，雇用保険率を所定の範囲内において変更することができる（法12条5項）。

E　正　本肢のとおりである（法31条1項）。雇用保険率のうち，二事業率に係る部分及びそれ以外の部分の2分の1を事業主が負担し，残りを被保険者が負担する。したがって，令和6年度の雇用保険率においては，事業主負担は3.5/1,000＋（15.5/1,000－3.5/1,000）×1/2＝9.5/1,000となり，労働者負担は15.5/1,000－9.5/1,000＝6/1,000となる。

キリトリ線

R6-災10	総合問題	重要度 B

問 59 労働保険の保険料の徴収等に関する次の記述のうち，誤っているものはどれか。

A 事業主は，あらかじめ代理人を選任し，所轄労働基準監督署長又は所轄公共職業安定所長に届け出ている場合，労働保険徴収法施行規則によって事業主が行わなければならない労働保険料の納付に係る事項を，その代理人に行わせることができる。

B 所轄都道府県労働局長，所轄労働基準監督署長又は所轄公共職業安定所長は，保険関係が成立し，若しくは成立していた事業の事業主又は労働保険事務組合若しくは労働保険事務組合であった団体に対して，労働保険徴収法の施行に関し必要な報告，文書の提出又は出頭を命ずる場合，文書によって行わなければならない。

C 前保険年度より保険関係が引き続く継続事業における年度当初の確定精算に伴う精算返還金に係る時効の起算日は6月1日となるが，確定保険料申告書が法定納期限内に提出された場合，時効の起算日はその提出された日の翌日となる。

D 継続事業の廃止及び有期事業の終了に伴う精算返還金に係る時効の起算日は事業の廃止又は終了の日の翌日となるが，確定保険料申告書が法定納期限内に提出された場合，時効の起算日はその提出された日となる。

E 事業主が概算保険料の申告書を提出していない場合，政府が労働保険徴収法第15条第3項の規定に基づき認定決定した概算保険料について通知を行ったとき，当該通知によって未納の当該労働保険料について時効の更新の効力を生ずる。

徴収法

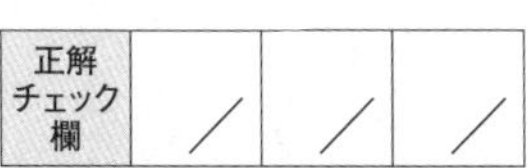

労働科目
557p

A　正　本肢のとおりである（則73条）。

B　正　本肢のとおりである（法42条，則74条）。

C　正　本肢のとおりである（昭55.9.25労徴発49号）。

D　誤　本肢の場合において，確定保険料申告書が法定納期限内に提出された場合，時効の起算日はその提出された日の「翌日」となる。本肢前段の記述は正しい（昭55.9.25労徴発49号）。

E　正　本肢のとおりである（法41条２項）。

R6-雇10	総合問題	重要度 A

問 60 労働保険の保険料の徴収等に関する次の記述のうち，正しいものはどれか。

A　前保険年度より保険関係が引き続く継続事業の事業主は，労働保険徴収法第19条第1項に定める確定保険料申告書を，保険年度の7月10日までに所轄都道府県労働局歳入徴収官に提出しなければならないが，当該事業が3月31日に廃止された場合には同年5月10日までに提出しなければならない。

B　3月31日に事業が終了した有期事業の事業主は，労働保険徴収法第19条第1項に定める確定保険料申告書を，同年5月10日までに所轄都道府県労働局歳入徴収官に提出しなければならない。

C　2以上の有期事業が労働保険徴収法第7条に定める要件に該当し，一の事業とみなされる事業についての事業主は，当該事業が継続している場合，同法施行規則第34条に定める一括有期事業についての報告書を，次の保険年度の7月1日までに所轄都道府県労働局歳入徴収官に提出しなければならない。

D　前保険年度より保険関係が引き続く継続事業の事業主は，前保険年度の3月31日に賃金締切日があり当該保険年度の4月20日に当該賃金を支払う場合，当該賃金は前保険年度の確定保険料として申告すべき一般保険料の額を算定する際の賃金総額に含まれる。

E　労働保険徴収法第21条の規定により追徴金を徴収しようとする場合，所轄都道府県労働局歳入徴収官は，事業主が通知を受けた日から起算して30日を経過した日をその納期限と定め，納入告知書により，事業主に，当該追徴金の額，その算定の基礎となる事項及び納期限を通知しなければならない。

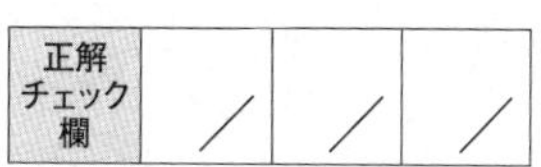

A 誤 継続事業が廃止された場合，事業主は，保険関係が消滅した日から50日以内（当日起算）に確定保険料申告書を提出しなければならない。したがって，本肢の継続事業の事業主は，「5月20日」までに確定保険料申告書を提出しなければならない（法19条1項）。

労働科目 520p

B 誤 有期事業が終了した場合，事業主は，保険関係が消滅した日から50日以内（当日起算）に確定保険料申告書を提出しなければならない。したがって，本肢の有期事業の事業主は，「5月20日」までに確定保険料申告書を提出しなければならない（法19条2項）。

労働科目 521p

C 誤 一括有期事業報告書は，次の保険年度の6月1日から起算して40日以内，すなわち「7月10日」までに提出しなければならない（則34条）。

労働科目 495p

D 正 本肢のとおりである（昭24.10.5基災収5178号）。賃金総額には，その保険年度中に支払うことが確定した賃金であれば，現実にまだ支払われていないものも含まれる。

労働科目 520p

E 誤 所轄都道府県労働局歳入徴収官は，追徴金を徴収しようとする場合には，「通知を発する日」から起算して30日を経過した日をその納期限と定め，納入告知書により，事業主に，当該追徴金の額，その算定の基礎となる時効及び納期限を通知しなければならない。（法25条3項，則26条，則38条5項）。

労働科目 544p

第６編

労務管理その他の労働に関する一般常識

～おことわり～

本編に収録している問題のうち，雇用・失業動向や労働条件等の「労働経済」関連の記述については，補正を加えることが必ずしも適切とは言えず，また補正が困難なものも多いため，出題当時のまま記載していますので，あくまでも出題傾向や論点等の把握のためにご活用ください。

また，社会保険労務士法は，社会保険に関する一般常識として出題されたものについても，本書に掲載しています。

過去10年間の出題傾向

労務管理その他の労働に関する一般常識

□…選択式　○…択一式

出題項目＼年度	平成27年	平成28年	平成29年	平成30年	令和元年	令和２年	令和３年	令和４年	令和５年	令和６年
労働契約法	○	○	○	○	○		○	□	□	○
有期雇用特別措置法	○									
パートタイム･有期雇用労働法						○	○			○
待遇確保推進法										
男女雇用機会均等法	○			○			○			□
女性活躍推進法			○		□					
次世代育成支援対策推進法	○			□						
育児介護休業法		○	○			○		○	○	
最低賃金法					○				□	○
賃金の支払の確保等に関する法律										
中小企業退職金共済法										
時改法										
過労死等防止対策推進法				○						
労働施策総合推進法			□				□○	○		○
職業安定法					○	○			○	○
労働者派遣法		○		○				○	□	
高年齢者雇用安定法					○		○	○	○	
障害者雇用促進法	○	○			○	□	○	□○		○
職業能力開発促進法					□					
求職者支援法										
労働組合法		○	○	○		○			○	□
労働関係調整法										
個別労働紛争解決促進法			○			○				
社会保険労務士法※	□○	○	○	○	○	○	○	○	○	○
労務管理										
労働経済	□○	□○	□○	□	□○	□○	○	○	○	□

※社会保険労務士法は，社会保険に関する一般常識として出題されたものについても，本書に掲載しています。

MEMO

R5-選択	採用内定の取消し・労働者派遣法・最低賃金法

問 1 次の文中の［　　］の部分を選択肢の中の最も適切な語句で埋め，完全な文章とせよ。

1　最高裁判所は，会社から採用内定を受けていた大学卒業予定者に対し，会社が行った採用内定取消は解約権の濫用に当たるか否かが問題となった事件において，次のように判示した。

大学卒業予定者（被上告人）が，企業（上告人）の求人募集に応募し，その入社試験に合格して採用内定の通知（以下「本件採用内定通知」という。）を受け，企業からの求めに応じて，大学卒業のうえは間違いなく入社する旨及び一定の取消事由があるときは採用内定を取り消されても異存がない旨を記載した誓約書（以下「本件誓約書」という。）を提出し，その後，企業から会社の近況報告その他のパンフレットの送付を受けたり，企業からの指示により近況報告書を送付したなどのことがあり，他方，企業において，「［ A ］ことを考慮するとき，上告人からの募集（申込みの誘引）に対し，被上告人が応募したのは，労働契約の申込みであり，これに対する上告人からの採用内定通知は，右申込みに対する承諾であつて，被上告人の本件誓約書の提出とあいまつて，これにより，被上告人と上告人との間に，被上告人の就労の始期を昭和44年大学卒業直後とし，それまでの間，本件誓約書記載の5項目の採用内定取消事由に基づく解約権を留保した労働契約が成立したと解するのを相当とした原審の判断は正当であつて，原判決に所論の違法はない。」企業の留保解約権に基づく大学卒業予定者の「採用内定の取消事由は，採用内定当時［ B ］，これを理由として採用内定を取消すことが解約権留保の趣旨，目的に照らして客観的に合理的と認められ社会通念上相当として是認することができるものに限られると解するのが相当である。」

2　労働者派遣法第35条の3は，「派遣元事業主は，派遣先の事業所その他派遣就業の場所における組織単位ごとの業務について，［ C ］年を超える期間継続して同一の派遣労働者に係る労働者派遣（第40条の2第1項各号のいずれかに該当するものを除く。）を行つてはならない。」と定めている。

重要度 **B**

3 最低賃金制度とは，最低賃金法に基づき国が賃金の最低限度を定め，使用者は，その最低賃金額以上の賃金を支払わなければならないとする制度である。仮に最低賃金額より低い賃金を労働者，使用者双方の合意の上で定めても，それは法律によって無効とされ，最低賃金額と同額の定めをしたものとされる。したがって，最低賃金未満の賃金しか支払わなかった場合には，最低賃金額との差額を支払わなくてはならない。また，地域別最低賃金額以上の賃金を支払わない場合については，最低賃金法に罰則（50万円以下の罰金）が定められており，特定（産業別）最低賃金額以上の賃金を支払わない場合については，［ D ］の罰則（30万円以下の罰金）が科せられる。

なお，一般の労働者より著しく労働能力が低いなどの場合に，最低賃金を一律に適用するとかえって雇用機会を狭めるおそれなどがあるため，精神又は身体の障害により著しく労働能力の低い者，試の使用期間中の者等については，使用者が［ E ］の許可を受けることを条件として個別に最低賃金の減額の特例が認められている。

選択肢

① 1　　② 2

③ 3　　④ 5

⑤ 厚生労働省労働基準局長　　⑥ 厚生労働大臣

⑦ 知ることができず，また事業の円滑な運営の観点から看過できないような事実であつて

⑧ 知ることができず，また知ることが期待できないような事実であつて

⑨ 知ることができたが，調査の結果を待つていた事実であつて

⑩ 知ることができたが，被上告人が自ら申告しなかつた事実であつて

⑪ 賃金の支払の確保等に関する法律　　⑫ 都道府県労働局長

⑬ パートタイム・有期雇用労働法

⑭ 本件採用内定通知に上告人の就業規則を同封していた

⑮ 本件採用内定通知により労働契約が成立したとはいえない旨を記載していなかつた

⑯ 本件採用内定通知の記載に基づいて採用内定式を開催し，制服の採寸及び職務で使用する物品の支給を行つていた

⑰ 本件採用内定通知のほかには労働契約締結のための特段の意思表示をすることが予定されていなかつた

⑱ 労働契約法　　⑲ 労働基準監督署長

⑳ 労働基準法

正解チェック欄	／	／	／

キリトリ線

MEMO

【解　答】

A　⑰ 本件採用内定通知のほかには労働契約締結のための特段の意思表示をすることが予定されていなかつた

B　⑧ 知ることができず，また知ることが期待できないような事実であつて

C　③ 3

D　⑳ 労働基準法

E　⑫ 都道府県労働局長

【解　説】

本問1は，採用内定の取消しに関する問題であり，最高裁第二小法廷判決 昭54.7.20 大日本印刷事件からの出題である。

最高裁判所は，会社から採用内定を受けていた大学卒業予定者に対し，会社が行った採用内定取消は解約権の濫用に当たるか否かが問題となった事件において，次のように判示した。

大学卒業予定者（被上告人）が，企業（上告人）の求人募集に応募し，その入社試験に合格して採用内定の通知（以下「本件採用内定通知」という。）を受け，企業からの求めに応じて，大学卒業のうえは間違いなく入社する旨及び一定の取消事由があるときは採用内定を取り消されても異存がない旨を記載した誓約書（以下「本件誓約書」という。）を提出し，その後，企業から会社の近況報告その他のパンフレットの送付を受けたり，企業からの指示により近況報告書を送付したなどのことがあり，他方，企業において，「本件採用内定通知のほかには労働契約締結のための特段の意思表示をすることが予定されていなかつたことを考慮するとき，上告人からの募集（申込みの誘引）に対し，被上告人が応募したのは，労働契約の申込みであり，これに対する上告人からの採用内定通知は，右申込みに対する承諾であつて，被上告人の本件誓約書の提出とあいまつて，これにより，被上告人と上告人との間に，被上告人の就労の始期を昭和44年大学卒業直後とし，それまでの間，本件誓約書記載の5項目の採用内定取消事由に基づく解約権を留保した労働契約が成立したと解するのを相当とした原審の判断は正当であつて，原判決に所論の違法はない。」企業の留保解約権に基づく大学卒業予定者の「採用内定の取消事由は，採用内定当時知ることができず，また知ることが期待できないような事実であつて，これを理由として採用内定を取消すことが解約権留保の趣旨，目的に照らして客観的に合理的と認められ社会通念上相当として是認することができるものに限られると解するのが相当である。」

本問2は，労働者派遣の期間におけるに関する問題であり，労働者派遣法35条の3からの出題である。

労働者派遣法第35条の3は，「派遣元事業主は，派遣先の事業所その他派遣就業の場所における組織単位ごとの業務について，3年を超える期間継続して同一の派遣労働者に係る労働者派遣（第40条の2第1項各号のいずれかに該当するものを除く。）を行つてはならない。」と定めている。 労働科目 649p

本問3は，最低賃金の減額の特例及び罰則等に関する問題であり，最低賃金法6条2項，同法7条，同法40条，労働基準法120条1項からの出題である。

最低賃金制度とは，最低賃金法に基づき国が賃金の最低限度を定め，使用者は，その最低賃金額以上の賃金を支払わなければならないとする制度である。仮に最低賃金額より低い賃金を労働者，使用者双方の合意の上で定めても，それは法律によって無効とされ，最低賃金額と同額の定めをしたものとされる。したがって，最低賃金未満の賃金しか支払わなかった場合には，最低賃金額との差額を支払わなくてはならない。また，地域別最低賃金額以上の賃金を支払わない場合については，最低賃金法に罰則（50万円以下の罰金）が定められており，特定（産業別）最低賃金額以上の賃金を支払わない場合については，労働基準法の罰則（30万円以下の罰金）が科せられる。 労働科目 619p

なお，一般の労働者より著しく労働能力が低いなどの場合に，最低賃金を一律に適用するとかえって雇用機会を狭めるおそれなどがあるため，精神又は身体の障害により著しく労働能力の低い者，試の使用期間中の者等については，使用者が都道府県労働局長の許可を受けることを条件として個別に最低賃金の減額の特例が認められている。 労働科目 617p

MEMO

キリトリ線

R元-選択	職業能力開発促進法・女性活躍推進法・年齢別有業率等	重要度	C

問 2 次の文中の［　　］の部分を選択肢の中の最も適切な語句で埋め，完全な文章とせよ。

1　技能検定とは，働く上で身に付ける，又は必要とされる技能の習得レベルを評価する国家検定制度であり，試験に合格すると［　A　］と名乗ることができる。日本でのものづくり分野に従事する若者の確保・育成を目的として，［　B　］歳未満の者が技能検定を受ける際の受検料を一部減額するようになった。

2　女性活躍推進法に基づいて行動計画の策定・届出を行った企業のうち，女性の活躍推進に関する取組の実施状況等が優良な企業は，都道府県労働局への申請により，厚生労働大臣の認定を受けることができる。認定を受けた企業は，厚生労働大臣が定める認定マーク［　C　］を商品などに付すことができる。

3　我が国の就業・不就業の実態を調べた「就業構造基本調査（総務省）」をみると，平成29年の女性の年齢別有業率は，平成24年に比べて［　D　］した。また，平成29年調査で把握された起業者総数に占める女性の割合は約［　E　］割になっている。

選択肢

①　1	②　2
③　3	④　4
⑤　23	⑥　30
⑦　35	⑧　40
⑨　20歳代以下の層のみ低下	⑩　30歳代と40歳代で低下
⑪　65歳以上の層のみ上昇	⑫　えるぼし
⑬　技術士	⑭　技能検定士
⑮　技能士	⑯　くるみん
⑰　熟練工	⑱　すべての年齢階級で上昇
⑲　プラチナくるみん	⑳　なでしこ応援企業

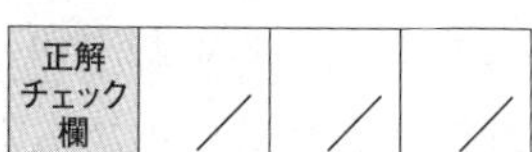

労一

【解　答】

A　⑮ 技能士

B　⑤ 23

C　⑫ えるぼし

D　⑱ すべての年齢階級で上昇

E　② 2

【解　説】

本問1は，技能検定に関する問題であり，職業能力開発促進法50条1項及び平14.6.11厚労告213号ほかからの出題である。

技能検定とは，働く上で身に付ける，又は必要とされる技能の習得レベルを評価する国家検定制度であり，試験に合格すると技能士と名乗ることができる。日本でのものづくり分野に従事する若者の確保・育成を目的として，23歳未満の者が技能検定を受ける際の受検料を一部減額するようになった。

本問2は，女性活躍推進法における一定の基準に適合する一般事業主の認定（えるぼし）からに関する問題であり，女性活躍推進法9条ほかからの出題である。

女性活躍推進法に基づいて行動計画の策定・届出を行った企業のうち，女性の活躍推進に関する取組の実施状況等が優良な企業は，都道府県労働局への申請により，厚生労働大臣の認定を受けることができる。認定を受けた企業は，厚生労働大臣が定める認定マークえるぼしを商品などに付すことができる。

本問3は，我が国の年齢別有業率及び起業者総数に関する問題であり，平成29年就業構造基本調査（総務省）からの出題である。

我が国の就業・不就業の実態を調べた「就業構造基本調査（総務省)」をみると，平成29年の女性の年齢別有業率は，平成24年に比べてすべての年齢階級で上昇した。また，平成29年調査で把握された起業者総数に占める女性の割合は約2割になっている。

R3-選択	労働施策総合推進法・雇用に係る助成金

問 3 次の文中の［　　］の部分を選択肢の中の最も適切な語句で埋め，完全な文章とせよ。

1 労働施策総合推進法は，労働者の募集・採用の際に，原則として，年齢制限を禁止しているが，例外事由の一つとして，就職氷河期世代（［ A ］）の不安定就労者・無業者に限定した募集・採用を可能にしている。

2 生涯現役社会の実現に向けた環境を整備するため，65歳以降の定年延長や66歳以降の継続雇用延長，高年齢者の雇用管理制度の整備や定年年齢未満である高年齢の有期契約労働者の無期雇用への転換を行う事業主に対して，「［ B ］」を支給している。また，［ C ］において高年齢退職予定者の情報を登録して，その能力の活用を希望する事業者に対してこれを紹介する高年齢退職予定者キャリア人材バンク事業を実施している。一方，働きたい高年齢求職者の再就職支援のため，全国の主要なハローワークに「生涯現役支援窓口」を設置し，特に65歳以上の高年齢求職者に対して職業生活の再設計に係る支援や支援チームによる就労支援を重点的に行っている。ハローワーク等の紹介により60歳以上の高年齢者等を雇い入れた事業主に対しては，「［ D ］」を支給し，高年齢者の就職を促進している。既存の企業による雇用の拡大だけでなく，起業によって中高年齢者等の雇用を創出していくことも重要である。そのため，中高年齢者等（［ E ］）が起業を行う際に，従業員の募集・採用や教育訓練経費の一部を「中途採用等支援助成金（生涯現役起業支援コース）」により助成している。

重要度 C

選択肢

A	① 25歳以上50歳未満	② 30歳以上60歳未満
	③ 35歳以上50歳未満	④ 35歳以上55歳未満
B	① 65歳超雇用推進助成金	② キャリアアップ助成金
	③ 高年齢労働者処遇改善促進助成金	
	④ 産業雇用安定助成金	
C	① (公財) 産業雇用安定センター	② 職業能力開発促進センター
	③ 中央職業能力開発協会	④ ハローワーク
D	① 高年齢者雇用継続助成金	② 人材開発支援助成金
	③ 人材確保等支援助成金	④ 特定求職者雇用開発助成金
E	① 40歳以上	② 45歳以上
	③ 50歳以上	④ 55歳以上

正解チェック欄	／	／	／

【解　答】

A　④ 35歳以上55歳未満

B　① 65歳超雇用推進助成金

C　①（公財）産業雇用安定センター

D　④ 特定求職者雇用開発助成金

E　① 40歳以上

【解　説】

本問1は，募集及び採用における年齢にかかわりない均等な機会の確保に関する問題であり，労働施策総合推進法9条及び労働施策総合推進法施行規則1条の3ほかからの出題である。

労働施策総合推進法は，労働者の募集・採用の際に，原則として，年齢制限を禁止しているが，例外事由の一つとして，就職氷河期世代（35歳以上55歳未満）の不安定就労者・無業者に限定した募集・採用を可能にしている。

本問2は，雇用に係る助成金に関する問題であり，令和2年版厚生労働白書254頁からの出題である。

生涯現役社会の実現に向けた環境を整備するため，65歳以降の定年延長や66歳以降の継続雇用延長，高年齢者の雇用管理制度の整備や定年年齢未満である高年齢の有期契約労働者の無期雇用への転換を行う事業主に対して，「65歳超雇用推進助成金」を支給している。また，（公財）産業雇用安定センターにおいて高年齢退職予定者の情報を登録して，その能力の活用を希望する事業者に対してこれを紹介する高年齢退職予定者キャリア人材バンク事業を実施している。一方，働きたい高年齢求職者の再就職支援のため，全国の主要なハローワークに「生涯現役支援窓口」を設置し，特に65歳以上の高年齢求職者に対して職業生活の再設計に係る支援や支援チームによる就労支援を重点的に行っている。ハローワーク等の紹介により60歳以上の高年齢者等を雇い入れた事業主に対しては，「特定求職者雇用開発助成金」を支給し，高年齢者の就職を促進している。既存の企業による雇用の拡大だけでなく，起業によって中高年齢者等の雇用を創出していくことも重要である。そのため，中高年齢者等（40歳以上）が起業を行う際に，従業員の募集・採用や教育訓練経費の一部を「中途採用等支援助成金（生涯現役起業支援コース）」により助成している。

R4-選択	障害者雇用促進法・雇止め

問 4 次の文中の□の部分を選択肢の中の最も適切な語句で埋め，完全な文章とせよ。

1 全ての事業主は，従業員の一定割合（＝法定雇用率）以上の障害者を雇用することが義務付けられており，これを「障害者雇用率制度」という。現在の民間企業に対する法定雇用率は［ A ］パーセントである。

障害者の雇用に関する事業主の社会連帯責任を果たすため，法定雇用率を満たしていない事業主（常用雇用労働者［ B ］の事業主に限る。）から納付金を徴収する一方，障害者を多く雇用している事業主に対しては調整金，報奨金や各種の助成金を支給している。

障害者を雇用した事業主は，障害者の職場適応のために，［ C ］による支援を受けることができる。［ C ］には，配置型，訪問型，企業在籍型の3つの形がある。

2 最高裁判所は，期間を定めて雇用される臨時員（上告人）の労働契約期間満了により，使用者（被上告人）が行った雇止めが問題となった事件において，次のように判示した。

「⑴上告人は，昭和45年12月1日から同月20日までの期間を定めて被上告人のＰ工場に雇用され，同月21日以降，期間2か月の本件労働契約が5回更新されて昭和46年10月20日に至った臨時員である。⑵Ｐ工場の臨時員制度は，景気変動に伴う受注の変動に応じて雇用量の調整を図る目的で設けられたものであり，臨時員の採用に当たっては，学科試験とか技能試験とかは行わず，面接において健康状態，経歴，趣味，家族構成などを尋ねるのみで採用を決定するという簡易な方法をとっている。⑶被上告人が昭和45年8月から12月までの間に採用したＰ工場の臨時員90名のうち，翌46年10月20日まで雇用関係が継続した者は，本工採用者を除けば，上告人を含む14名である。⑷Ｐ工場においては，臨時員に対し，例外はあるものの，一般的には前作業的要素の作業，単純な作業，精度がさほど重要視されていない作業に従事させる方針をとっており，上告人も比較的簡易な作業に従事していた。⑸被上告人は，臨時員の契約更新に当たっては，更新期間の約1週間前に本人の意思を確認し，当初作成

重要度 A

の労働契約書の「4雇用期間」欄に順次雇用期間を記入し，臨時員の印を押捺せしめていた（もっとも，上告人が属する機械組においては，本人の意思が確認されたときは，給料の受領のために預かつてある印章を庶務係が本人に代わって押捺していた。）ものであり，上告人と被上告人との間の5回にわたる本件労働契約の更新は，いずれも期間満了の都度新たな契約を締結する旨を合意することによってされてきたものである。」
「P工場の臨時員は，季節的労務や特定物の製作のような臨時的作業のために雇用されるものではなく，その雇用関係はある程度の［ D ］ものであり，上告人との間においても5回にわたり契約が更新されているのであるから，このような労働者を契約期間満了によって雇止めにするに当たっては，解雇に関する法理が類推され，解雇であれば解雇権の濫用，信義則違反又は不当労働行為などに該当して解雇無効とされるような事実関係の下に使用者が新契約を締結しなかったとするならば，期間満了後における使用者と労働者間の法律関係は［ E ］のと同様の法律関係となるものと解せられる。」

選択肢

① 2.0　② 2.3　③ 2.5　④ 2.6
⑤ 50人超　⑥ 100人超　⑦ 200人超　⑧ 300人超
⑨ 安定性が合意されていた
⑩ 期間の定めのない労働契約が締結された
⑪ 継続が期待されていた　⑫ 厳格さが見込まれていた
⑬ 合理的理由が必要とされていた　⑭ 採用内定通知がなされた
⑮ 従前の労働契約が更新された
⑯ 使用者が労働者に従前と同一の労働条件を内容とする労働契約の申込みをした
⑰ ジョブコーチ　⑱ ジョブサポーター
⑲ ジョブマネジャー　⑳ ジョブメンター

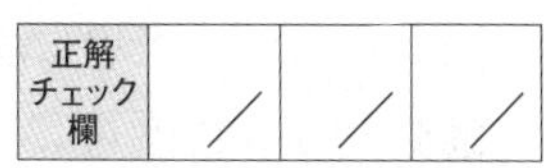

労一

キリトリ線

【解　答】

A　③ 2.5

B　⑥ 100人超

C　⑰ ジョブコーチ

D　⑪ 継続が期待されていた

E　⑮ 従前の労働契約が更新された

【解　説】

本問1は，障害者の雇用に関する問題であり，障害者雇用促進法43条1項，同法施行令9条ほかからの出題である。

全ての事業主は，従業員の一定割合（＝法定雇用率）以上の障害者を雇用することが義務付けられており，これを「障害者雇用率制度」という。現在の民間企業に対する法定雇用率は2.5パーセントである。 労働科目 653p

障害者の雇用に関する事業主の社会連帯責任を果たすため，法定雇用率を満たしていない事業主（常用雇用労働者100人超の事業主に限る。）から納付金を徴収する一方，障害者を多く雇用している事業主に対しては調整金，報奨金や各種の助成金を支給している。 労働科目 655p

障害者を雇用した事業主は，障害者の職場適応のために，ジョブコーチによる支援を受けることができる。ジョブコーチには，配置型，訪問型，企業在籍型の3つの形がある。

本問2は，雇止めに関する問題であり，最高裁第一小法廷判決 昭61.12.4 日立メディコ事件からの出題である。

最高裁判所は，期間を定めて雇用される臨時員（上告人）の労働契約期間満了により，使用者（被上告人）が行った雇止めが問題となった事件において，次のように判示した。

「(1)上告人は，昭和45年12月1日から同月20日までの期間を定めて被上告人のＰ工場に雇用され，同月21日以降，期間2か月の本件労働契約が5回更新されて昭和46年10月20日に至った臨時員である。⑵Ｐ工場の臨時員制度は，景気変動に伴う受注の変動に応じて雇用量の調整を図る目的で設けられたものであり，臨時員の採用に当たっては，学科試験とか技能試験とかは行わず，面接において健康状態，経歴，趣味，家族構成などを尋ねるのみで採用を決定するという簡易な方法をとっている。⑶被上告人が昭和45年８月から12月までの間に採用したＰ工場の臨時員90名のうち，翌46年10月20日まで雇用関係が継続した者は，本工採用者を除けば，上告人を含む14名である。⑷Ｐ工場においては，臨時員に対し，例外はあるものの，一般的には前作業的要素の作業，単純な作業，精度がさほど重要視されていない作業に従事させる方針をとっており，上告人も比較的簡易な作業に従事していた。⑸被上告人は，臨時員の契約更新に当たっては，更新期間の約１週間前に本人の意思を確認し，当初作成の労働契約書の「４雇用期間」欄に順次雇用期間を記入し，臨時員の印を押捺せしめていた（もっとも，上告人が属する機械組においては，本人の意思が確認されたときは，給料の受領のために預かつてある印章を庶務係が本人に代わって押捺していた。）ものであり，上告人と被上告人との間の５回にわたる本件労働契約の更新は，いずれも期間満了の都度新たな契約を締結する旨を合意することによってされてきたものである。」「Ｐ工場の臨時員は，季節的労務や特定物の製作のような臨時的作業のために雇用されるものではなく，その雇用関係はある程度の継続が期待されていたものであり，上告人との間においても５回にわたり契約が更新されているのであるから，このような労働者を契約期間満了によって雇止めにするに当たっては，解雇に関する法理が類推され，解雇であれば解雇権の濫用，信義則違反又は不当労働行為などに該当して解雇無効とされるような事実関係の下に使用者が新契約を締結しなかったとするならば，期間満了後における使用者と労働者間の法律関係は従前の労働契約が更新されたのと同様の法律関係となるものと解せられる。」

MEMO

R2-選択

各統計調査の調査項目等

重要度 C

問 5 次の文中の［　　］の部分を選択肢の中の最も適切な語句で埋め，完全な文章とせよ。

1 我が国の労働の実態を知る上で，政府が発表している統計が有用である。年齢階級別の離職率を知るには［ A ］，年次有給休暇の取得率を知るには［ B ］，男性の育児休業取得率を知るには［ C ］が使われている。

2 労働時間の実態を知るには，［ D ］や［ E ］，毎月勤労統計調査がある。［ D ］と［ E ］は世帯及びその世帯員を対象として実施される調査であり，毎月勤労統計調査は事業所を対象として実施される調査である。［ D ］は毎月実施されており，就業状態については，15歳以上人口について，毎月の末日に終わる1週間（ただし，12月は20日から26日までの1週間）の状態を調査している。［ E ］は，国民の就業の状態を調べるために，昭和57年以降は5年ごとに実施されており，有業者については，1週間当たりの就業時間が調査項目に含まれている。

選択肢

① 家計消費状況調査	② 家計調査
③ 経済センサス	④ 国勢調査
⑤ 国民生活基礎調査	⑥ 雇用均等基本調査
⑦ 雇用動向調査	⑧ 社会生活基本調査
⑨ 就業構造基本調査	⑩ 就労条件総合調査
⑪ 職業紹介事業報告	⑫ 女性活躍推進法への取組状況
⑬ 賃金構造基本統計調査	⑭ 賃金事情等総合調査
⑮ 有期労働契約に関する実態調査	⑯ 労働基準監督年報
⑰ 労働経済動向調査	⑱ 労働経済分析レポート
⑲ 労働保険の徴収適用状況	⑳ 労働力調査

正解チェック欄	／	／	／

労一

【解　答】

A　⑦ 雇用動向調査

B　⑩ 就労条件総合調査

C　⑥ 雇用均等基本調査

D　⑳ 労働力調査

E　⑨ 就業構造基本調査

【解　説】

本問は各統計調査の調査項目に関する問題であり，雇用動向調査（厚生労働省），就労条件総合調査（厚生労働省），雇用均等基本調査（厚生労働省），労働力調査（総務省）及び就業構造基本調査（総務省）からの出題である。

我が国の労働の実態を知る上で，政府が発表している統計が有用である。年齢階級別の離職率を知るには雇用動向調査，年次有給休暇の取得率を知るには就労条件総合調査，男性の育児休業取得率を知るには雇用均等基本調査が使われている。

労働時間の実態を知るには，労働力調査や就業構造基本調査，毎月勤労統計調査がある。労働力調査と就業構造基本調査は世帯及びその世帯員を対象として実施される調査であり，毎月勤労統計調査は事業所を対象として実施される調査である。

労働力調査は毎月実施されており，就業状態については，15歳以上人口について，毎月の末日に終わる1週間（ただし，12月は20日から26日までの1週間）の状態を調査している。就業構造基本調査は，国民の就業の状態を調べるために，昭和57年以降は5年ごとに実施されており，有業者については，1週間当たりの就業時間が調査項目に含まれている。

H30-選択	次世代育成支援対策推進法・合計特殊出生率・生産年齢人口	重要度	C

問 6

次の文中の［　　］の部分を選択肢の中の最も適切な語句で埋め，完全な文章とせよ。

日本社会において，労働環境に大きな影響を与える問題の一つに少子高齢化がある。

厚生労働省の「人口動態統計」をみると，日本の合計特殊出生率は，2005年に［ A ］に低下し，第二次世界大戦後最低の水準になった。2015年の合計特殊出生率を都道府県別にみると，最も低いのは［ B ］であり，最も高いのは沖縄県になっている。

出生率を上げるには，女性が働きながら子どもを産み育てられるようになることが重要な条件の一つである。それを実現するための一施策として，［ C ］が施行され，同法に基づいて，2011年4月からは，常時雇用する労働者が［ D ］以上の企業に一般事業主行動計画の策定が義務化されている。

少子化と同時に進行しているのが高齢化である。日本の人口に占める65歳以上の割合は，2016年に27.3%になり，今後も急速に上昇していくと予想されている。総務省の人口統計では，15歳から64歳の層を［ E ］というが，この年齢層が65歳以上の人たちを支えるとすると将来的にさらに負担が大きくなると予想されている。

選択肢

① 1.16	② 1.26	③ 1.36	④ 1.46
⑤ 101人	⑥ 201人	⑦ 301人	⑧ 501人
⑨ 育児介護休業法		⑩ 大阪府	
⑪ 子ども・子育て支援法		⑫ 次世代育成支援対策推進法	
⑬ 就業人口		⑭ 生産年齢人口	
⑮ 男女共同参画社会基本法		⑯ 東京都	
⑰ 鳥取県	⑱ 北海道	⑲ 有業人口	⑳ 労働力人口

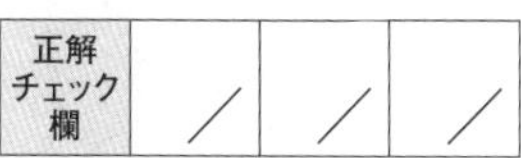

【解　答】

A　② 1.26

B　⑯ 東京都

C　⑫ 次世代育成支援対策推進法

D　⑤ 101人

E　⑭ 生産年齢人口

【解　説】

本問は少子高齢化に関する問題であり，厚生労働省「人口動態統計」及び次世代育成支援対策推進法12条ほかからの出題である。

日本社会において，労働環境に大きな影響を与える問題の一つに少子高齢化がある。

厚生労働省の「人口動態統計」をみると，日本の合計特殊出生率は，2005年に1.26に低下し，第二次世界大戦後最低の水準になった。2015年の合計特殊出生率を都道府県別にみると，最も低いのは東京都であり，最も高いのは沖縄県になっている。

出生率を上げるには，女性が働きながら子どもを産み育てられるようになることが重要な条件の一つである。それを実現するための一施策として，次世代育成支援対策推進法が施行され，同法に基づいて，2011年4月からは，常時雇用する労働者が101人以上の企業に一般事業主行動計画の策定が義務化されている。

労働科目
599p

少子化と同時に進行しているのが高齢化である。日本の人口に占める65歳以上の割合は，2016年に27.3%になり，今後も急速に上昇していくと予想されている。総務省の人口統計では，15歳から64歳の層を生産年齢人口というが，この年齢層が65歳以上の人たちを支えるとすると将来的にさらに負担が大きくなると予想されている。

MEMO

R6-選択

女性の雇用者数・労働協約等

問 7 次の文中の［　　］の部分を選択肢の中の最も適切な語句で埋め，完全な文章とせよ。なお，2については「令和5年版厚生労働白書（厚生労働省）」を参照しており，当該白書による用語及び統計等を利用している。

1 自動車運転者は，他の産業の労働者に比べて長時間労働の実態にあることから，「自動車運転者の労働時間等の改善のための基準」（平成元年労働省告示第7号。以下「改善基準告示」という。）において，全ての産業に適用される労働基準法では規制が難しい［ A ］及び運転時間等の基準を設け，労働条件の改善を図ってきた。こうした中，過労死等の防止の観点から，労働政策審議会において改善基準告示の見直しの検討を行い，2022（令和4）年12月にその改正を行った。

2 総務省統計局「労働力調査（基本集計）」によると，2022（令和4）年の女性の雇用者数は2,765万人で，雇用者総数に占める女性の割合は［ B ］である。

3 最高裁判所は，労働協約上の基準が一部の点において未組織の同種労働者の労働条件よりも不利益である場合における労働協約の一般的拘束力が問題となった事件において，次のように判示した。「労働協約には，労働組合法17条により，一の工場事業場の4分の3以上の数の労働者が一の労働協約の適用を受けるに至ったときは，当該工場事業場に使用されている他の同種労働者に対しても右労働協約の［ C ］的効力が及ぶ旨の一般的拘束力が認められている。ところで，同条の適用に当たっては，右労働協約上の基準が一部の点において未組織の同種労働者の労働条件よりも不利益とみられる場合であっても，そのことだけで右の不利益部分についてはその効力を未組織の同種労働者に対して及ぼし得ないものと解するのは相当でない。けだし，同条は，その文言上，同条に基づき労働協約の［ C ］的効力が同種労働者にも及ぶ範囲について何らの限定もしていない上，労働協約の締結に当たっては，その時々の社会的経済的条件を考慮して，総合的に労働条件を定めていくのが通常であるから，その一部をとらえて有利，不利をいうことは適当でないからである。また，右規定の趣旨は，主として一の事業場の4分の3以上の同種労働者に適用される労働協約上の労働条件によって当該事業場の労働条件を統一し，労働組合の団結権の維持強化と当該事業場における公正妥当な労働

キリトリ線

重要度 C

条件の実現を図ることにあると解されるから，その趣旨からしても，未組織の同種労働者の労働条件が一部有利なものであることの故に，労働協約の[C]的効力がこれに及ばないとするのは相当でない。

しかしながら他面，未組織労働者は，労働組合の意思決定に関与する立場になく，また逆に，労働組合は，未組織労働者の労働条件を改善し，その他の利益を擁護するために活動する立場にないことからすると，労働協約によって特定の未組織労働者にもたらされる不利益の程度・内容，労働協約が締結されるに至った経緯，当該労働者が労働組合の組合員資格を認められているかどうか等に照らし，当該労働協約を特定の未組織労働者に適用することが[D]と認められる特段の事情があるときは，労働協約の[C]的効力を当該労働者に及ぼすことはできないと解するのが相当である。」

4 男女雇用機会均等法第9条第4項本文は，「妊娠中の女性労働者及び出産後[E]を経過しない女性労働者に対してなされた解雇は，無効とする。」と定めている。

選択肢

① 25.8％	② 35.8％	③ 45.8％	④ 55.8％
⑤ 30日	⑥ 8週間	⑦ 6か月	⑧ 1年

⑨ 著しく不合理である
⑩ 一部の労働者を殊更不利益に取り扱うことを目的としたものである
⑪ 規範
⑫ 客観的に合理的な理由を欠き，社会通念上相当でない
⑬ 強行　　⑭ 拘束時間，休息期間
⑮ 拘束時間，総実労働時間　　⑯ 債務
⑰ 直律　　⑱ 手待時間，休息期間
⑲ 手待時間，総実労働時間
⑳ 労働協約の目的を逸脱したものである

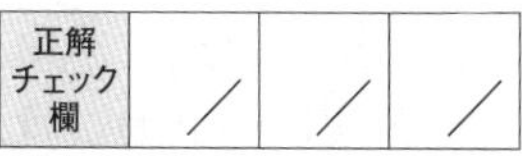

労一

【解　答】

A　⑭ 拘束時間，休息期間

B　③ 45.8%

C　⑪ 規範

D　⑨ 著しく不合理である

E　⑧ 1年

【解　説】

本問1は，自動車運転者の労働時間等の改善のための基準に関する問題であり，令和5年版厚生労働白書177頁からの出題である。

自動車運転者は，他の産業の労働者に比べて長時間労働の実態にあることから，「自動車運転者の労働時間等の改善のための基準」(平成元年労働省告示7号。以下「改善基準告示」という。) において，全ての産業に適用される労働基準法では規制が難しい拘束時間，休息期間及び運転時間等の基準を設け，労働条件の改善を図ってきた。こうした中，過労死等の防止の観点から，労働政策審議会において改善基準告示の見直しの検討を行い，2022（令和4）年12月にその改正を行った。

本問2は，女性の雇用者に関する問題であり，労働力調査（基本集計 2022年（令和4年）平均）からの出題である。

総務省統計局「労働力調査（基本集計)」によると，2022（令和4）年の女性の雇用者数は2,765万人で，雇用者総数に占める女性の割合は45.8%である。

本問3は，労働協約の効力に関する問題であり，最高裁第三小法廷判決 平8.3.26朝日火災海上保険（高田）事件からの出題である。

最高裁判所は，労働協約上の基準が一部の点において未組織の同種労働者の労働条件よりも不利益である場合における労働協約の一般的拘束力が問題となった事件において，次のように判示した。「労働協約には，労働組合法17条により，一の工場事業場の4分の3以上の数の労働者が一の労働協約の適用を受けるに至ったときは，当該工場事業場に使用されている他の同種労働者に対しても右労働協約の規範的効力が及ぶ旨の一般的拘束力が認められている。ところで，同条の適用に当たっては，右労働協約上の基準が一部の点において未組織の同種労働者の労働条件よりも不利益とみられる場合であっても，そのことだけで右の不利益部分についてはその効力を未組織の同種労働者に対して及ぼし得ないものと解するのは相当でない。けだし，同条は，その文言上，同条に基づき労働協約の規範的効力が同種労働者にも及ぶ範囲について何らの限定もしていない上，労働協約の締結に当たっては，その時々の社会的経済的条件を考慮して，総合的に労働条件を定めていくのが通常であるから，その一部をとらえて有利，不利をいうことは適当でないからである。また，右規定の趣旨は，主として一の事業場の4分の3以上の同種労働者に適用される労働協約上の労働条件によって当該事業場の労働条件を統一し，労働組合の団結権の維持強化と当該事業場における公正妥当な労働条件の実現を図ることにあると解されるから，その趣旨からしても，未組織の同種労働者の労働条件が一部有利なものであることの故に，労働協約の規範的効力がこれに及ばないとするのは相当でない。

しかしながら他面，未組織労働者は，労働組合の意思決定に関与する立場になく，また逆に，労働組合は，未組織労働者の労働条件を改善し，その他の利益を擁護するために活動する立場にないことからすると，労働協約によって特定の未組織労働者にもたらされる不利益の程度・内容，労働協約が締結されるに至った経緯，当該労働者が労働組合の組合員資格を認められているかどうか等に照らし，当該労働協約を特定の未組織労働者に適用することが著しく不合理であると認められる特段の事情があるときは，労働協約の規範的効力を当該労働者に及ぼすことはできないと解するのが相当である。」

本問4は，婚姻，妊娠，出産等を理由とする不利益取扱いの禁止等に関する問題であり，男女雇用機会均等法9条4項からの出題である。

男女雇用機会均等法9条4項本文は，「妊娠中の女性労働者及び出産後1年を経過しない女性労働者に対してなされた解雇は，無効とする。」と定めている。

労働科目
591p

H27-選択	労働経済（就業形態）

問 8 次の文中の［　　］の部分を選択肢の中の最も適切な語句で埋め，完全な文章とせよ。

1 政府は，平成17年度から「中高年者縦断調査（厚生労働省）」を毎年実施している。この調査は，団塊の世代を含む全国の中高年世代の男女を追跡して調査しており，高齢者対策等厚生労働行政施策の企画立案，実施等のための基礎資料を得ることを目的としている。平成17年10月末現在で50～59歳であった全国の男女約4万人を対象として開始され，前回調査又は前々回調査に回答した人に調査票を送るという形式で続けられている。このような調査形式によって得られたデータを［ A ］データという。

第1回調査から第9回調査までの就業状況の変化をみると，「正規の職員・従業員」は，第1回37.9％から第9回12.6％と減少している。「自営業主，家族従事者」と「パート・アルバイト」は，第1回から第9回にかけて，［ B ］。

2 近年，両立支援やワーク・ライフ・バランスの取組の中で，仕事と介護の両立が重要な課題になっている。「平成25年雇用動向調査（厚生労働省）」で，介護を理由とした離職率（一般労働者とパートタイム労働者の合計）を年齢階級別にみると，男性では55～59歳と65歳以上層が最も高くなっており，女性では［ C ］歳層が最も高くなっている。仕事と介護を両立させるには，自社の従業員が要介護者を抱えているかどうかを把握する必要があるが，「仕事と介護の両立に関する企業アンケート調査（平成24年度厚生労働省）」によると，その方法として最もよく使われているのは［ D ］である。

3 我が国の就業・不就業の実態を調べた「就業構造基本調査（総務省）」をみると，平成24年の男性の年齢別有業率は，すべての年齢階級で低下した。同年の女性については，M字カーブの底が平成19年に比べて［ E ］。

重要度 C

選択肢

A	①　クロスセクション ③　タイムシリーズ	②　サンプル ④　パネル
B	①　10ポイント以上減少した ③　ほぼ半減した	②　10ポイント以上増加した ④　ほぼ横ばいで推移している
C	①　45〜49　　①　50〜54	②　55〜59　　③　60〜64
D	①　自己申告制度やキャリア・ディベロップメント・プログラム等 ②　仕事と介護の両立に関する従業員アンケート ③　人事・総務担当部署等が実施する面談 ④　直属の上司による面談等	
E	①　25〜29歳から30〜34歳に移行した ②　30〜34歳から35〜39歳に移行した ③　30〜34歳で変化しなかった ④　35〜39歳で変化しなかった	

労一

正解チェック欄	／	／	／

【解　答】

A　④ パネル

B　④ ほぼ横ばいで推移している

C　① 45～49

D　④ 直属の上司による面談等

E　② 30～34歳から35～39歳に移行した

【解　説】

本問1は，第9回中高年者縦断調査に関する問題であり，同調査からの出題である。

政府は，平成17年度から「中高年者縦断調査(厚生労働省)」を毎年実施している。この調査は平成17年10月末現在で50～59歳であった全国の男女約4万人を対象として開始され，前回調査又は前々回調査に回答した人に調査票を送るという形式で続けられている。このような調査形式によって得られたデータをパネルデータという。第1回調査から第9回調査までの就業状況の変化をみると,「正規の職員・従業員」は，第1回37.9%から第9回12.6%と減少している。「自営業主，家族従業者」と「パート・アルバイト」は，第1回から第9回にかけてほぼ横ばいで推移している。

本問2は，介護を理由とした離職率に関する問題であり，平成25年雇用動向調査からの出題である。

「平成25年雇用動向調査（厚生労働省)」で，介護を理由として離職率を年齢階級別にみると，男性では55～59歳層と65歳以上層が最も高くなっており，女性では45～49歳層が最も高くなっている。「仕事と介護の両立に関する企業アンケート調査（平成24年度厚生労働省)」によると，その方法として最もよく使われているのは直属の上司による面談等である。

本問3は，年齢別有業率に関する問題であり，平成24年就業構造基本調査からの出題である。

「就業構造基本調査（総務省)」をみると，平成24年の男性の年齢別有業率は，すべての年齢階級で低下した。同年の女性については，M字カーブの底が平成19年に比べて30～34歳から35～39歳に移行した。

キリトリ線

H28-選択	労働経済(賃金・労働組合組織率)	重要度 C

問9 次の文中の[　　]の部分を選択肢の中の適当な語句で埋め，完全な文章とせよ。

1　「平成23年就労条件総合調査（厚生労働省）」によると，現金給与額が労働費用総額に占める割合は約[A]である。次に，法定福利費に注目して，現金給与以外の労働費用に占める法定福利費の割合は平成10年以降上昇傾向にあり，平成23年調査では約[B]になった。法定福利費の中で最も大きな割合を占めているのが[C]である。

2　政府は，毎年6月30日現在における労働組合数と労働組合員数を調査し，労働組合組織率を発表している。この組織率は，通常，推定組織率と言われるが，その理由は，組織率算定の分母となる雇用労働者数として「[D]」の結果を用いているからである。

　労働組合の組織及び活動の実態等を明らかにするために実施されている「平成25年労働組合活動等に関する実態調査（厚生労働省）」によると，組合活動の重要課題として，組織拡大に「取り組んでいる」と回答した単位労働組合の割合は，[E]になっている。

選択肢

A	①　2　割　②　4　割	③　5　割　④　8　割
B	①　3　割　②　6　割	③　7　割　④　9　割
C	①　健康保険料・介護保険料 ③　児童手当拠出料	②　厚生年金保険料 ④　労働保険料
D	①　雇用動向調査 ③　毎月勤労統計調査	②　賃金構造基本統計調査 ④　労働力調査
E	①　約4分の1 ③　約半数	②　約3分の1 ④　約3分の2

正解チェック欄	／	／	／

労一

キリトリ線

【解　答】

A　④ 8割

B　② 6割

C　② 厚生年金保険料

D　④ 労働力調査

E　② 約3分の1

【解　説】

本問1は，平成23年就労条件総合調査（厚生労働省）に関する問題であり，同調査からの出題である。

「平成23年就労条件総合調査（厚生労働省）」によると，現金給与額が労働費用総額に占める割合は約8割である。次に，法定福利費に注目して，現金給与以外の労働費用に占める法定福利費の割合は平成10年以降上昇傾向にあり，平成23年調査では約6割になった。法定福利費の中で最も大きな割合を占めているのが厚生年金保険料である。

本問2は「労使関係総合調査（労働組合基礎調査）（厚生労働省）」及び「平成25年労働組合活動等に関する実態調査（厚生労働省）」に関する問題であり，同調査からの出題である。

政府は，毎年6月30日現在における労働組合数と労働組合員数を調査し，労働組合組織率を発表している。この組織率は，通常，推定組織率と言われるが，その理由は，組織率算定の分母となる雇用労働者数として「労働力調査」の結果を用いているからである。

労働組合の組織及び活動の実態等を明らかにするために実施されている「平成25年労働組合活動等に関する実態調査（厚生労働省）」によると，組合活動の重要課題として，組織拡大に「取り組んでいる」と回答した単位労働組合の割合は，約3分の1になっている。

キリトリ線

H29-選択	労働経済（能力開発・外国人の雇用状況）	重要度	C

問 10　次の文中の［　　］の部分を選択肢の中の最も適切な語句で埋め，完全な文章とせよ。

1　「平成28年度能力開発基本調査（厚生労働省）」をみると，能力開発や人材育成に関して何らかの「問題がある」とする事業所は［ A ］である。

能力開発や人材育成に関して何らかの「問題がある」とする事業所のうち，問題点の内訳については，「［ B ］」，「人材育成を行う時間がない」，「人材を育成しても辞めてしまう」が上位3つを占めている。正社員の自己啓発に対して支援を行っている事業所は［ C ］である。

2　労働施策総合推進法に基づく外国人雇用状況の届出制度は，外国人労働者（特別永住者，在留資格「外交」・「公用」の者を除く。）の雇用管理の改善や再就職支援などを目的とし，［ D ］の事業主に，外国人労働者の雇入れ・離職時に，氏名，在留資格，在留期間などを確認し，厚生労働大臣（ハローワーク）へ届け出ることを義務付けている。平成28年10月末現在の「「外国人雇用状況」の届出状況まとめ（厚生労働省）」をみると，国籍別に最も多い外国人労働者は中国であり，［ E ］，フィリピンがそれに続いている。

選択肢

A	①　約3割　②　約5割　③　約7割　④　約9割
B	①　育成を行うための金銭的余裕がない ②　鍛えがいのある人材が集まらない ③　指導する人材が不足している ④　適切な教育訓練機関がない
C	①　約2割　②　約4割　③　約6割　④　約8割
D	①　従業員数51人以上　②　従業員数101人以上 ③　従業員数301人以上　④　すべて
E	①　ネパール　②　ブラジル　③　ベトナム　④　ペルー

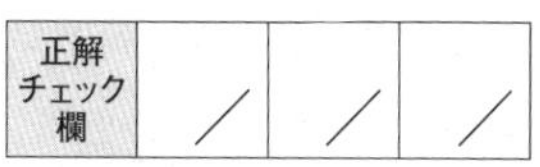

労
一

キリトリ線

【解　答】

A　③ 約7割

B　③ 指導する人材が不足している

C　④ 約8割

D　④ すべて

E　③ ベトナム

【解　説】

本問1は，能力開発基本調査に関する問題であり，「平成28年度能力開発基本調査（厚生労働省）」からの出題である。

「平成28年度能力開発基本調査（厚生労働省）」をみると，能力開発や人材育成に関して何らかの「問題がある」とする事業所約7割である。

能力開発や人材育成に関して何らかの「問題がある」とする事業所のうち，問題点の内訳については，「指導する人材が不足している」，「人材育成を行う時間がない」，「人材を育成しても辞めてしまう」が上位3つを占めている。正社員の自己啓発に対して支援を行っている事業所は約8割である。

本問2は，労働施策総合推進法に基づく外国人雇用状況の届出制度に関する問題であり，労働施策推進法第28条第1項及び「「外国人雇用状況」の届出状況まとめ（厚生労働省）」からの出題である。

労働施策推進法に基づく外国人雇用状況の届出制度は，外国人労働者（特別永住者，在留資格「外交」・「公用」の者を除く。）の雇用管理の改善や再就職支援などを目的とし，すべての事業主に，外国人労働者の雇入れ・離職時に，氏名，在留資格，在留期間などを確認し，厚生労働大臣（ハローワーク）へ届け出ることを義務付けている。平成28年10月末現在の「「外国人雇用状況」の届出状況まとめ（厚生労働省）」をみると，国籍別に最も多い外国人労働者は中国であり，ベトナム，フィリピンがそれに続いている。

H27-1 **労働関係法令（労働契約法）** 重要度 **A**

問 1 労働契約法等に関する次の記述のうち，誤っているものはどれか。

A 労働契約法第3条第2項では，労働契約は就業の実態に応じて，均衡を考慮しつつ締結し，又は変更すべきとしているが，これには，就業の実態が異なるいわゆる正社員と多様な正社員の間の均衡は含まれない。

B 労働契約の基本的な理念及び労働契約に共通する原則を規定する労働契約法第3条のうち，第3項は様々な雇用形態や就業実態を広く対象とする「仕事と生活の調和への配慮の原則」を規定していることから，いわゆる正社員と多様な正社員との間の転換にも，かかる原則は及ぶ。

C 労働契約法第4条は，労働契約の内容はできるだけ書面で確認するものとされているが，勤務地，職務，勤務時間の限定についても，この確認事項に含まれる。

D 裁判例では，労働者の能力不足による解雇について，能力不足を理由に直ちに解雇することは認められるわけではなく，高度な専門性を伴わない職務限定では，改善の機会を与えるための警告に加え，教育訓練，配置転換，降格等が必要とされる傾向がみられる。

E 労働契約法第7条にいう就業規則の「周知」とは，労働者が知ろうと思えばいつでも就業規則の存在や内容を知り得るようにしておくことをいい，労働基準法第106条の定める「周知」の方法に限定されるものではない。

正解チェック欄	／	／	／

A　誤　労働契約法3条2項では，労働契約は就業の実態に応じて，均衡を考慮しつつ締結し，又は変更すべきものとしているが，これには，いわゆる正社員と多様な正社員の間の均衡を考慮することも「含まれる」（労働契約法（以下本問において「法」とする）3条2項）「多様な正社員」の普及・拡大のための有識者懇談会報告書26頁）。

労働科目
571p

B　正　本肢のとおりである（法3条3項，「多様な正社員」の普及・拡大のための有識者懇談会報告書23頁）。

C　正　本肢のとおりである（法4条，「多様な正社員」の普及・拡大のための有識者懇談会報告書17頁）。

労働科目
571p

D　正　本肢のとおりである（「多様な正社員」の普及・拡大のための有識者懇談会報告書12頁）。

E　正　本肢のとおりである（法7条，平24.8.10基発0810第2号）。法7条（及び法10条）の「周知」については，労働基準法106条（法令等の周知義務）の「周知」が同法施行規則52条の2により次の①～③のいずれかの方法によるべきこととされているのに対し，これらの3種類の方法に限定されるものではなく，実質的に判断されるものである。

①常時各作業場の見やすい場所へ掲示し，又は備え付けること
②書面を労働者に交付すること
③磁気テープ，磁気ディスクその他これらに準ずる物に記録し，かつ，各作業場に労働者が当該記録の内容を常時確認できる機器を設置すること

労働関係法令（労働契約法）　重要度 B

問 2　労働契約法等に関する次の記述のうち，正しいものはいくつあるか。

ア　労働契約法第5条は労働者の安全への配慮を定めているが，その内容は，一律に定まるものではなく，使用者に特定の措置を求めるものではないが，労働者の職種，労務内容，労務提供場所等の具体的な状況に応じて，必要な配慮をすることが求められる。

イ　労働契約は，労働者が使用者に使用されて労働し，使用者がこれに対して賃金を支払うことについて，労働者及び使用者が必ず書面を交付して合意しなければ，有効に成立しない。

ウ　いわゆる在籍出向においては，就業規則に業務上の必要によって社外勤務をさせることがある旨の規定があり，さらに，労働協約に社外勤務の定義，出向期間，出向中の社員の地位，賃金，退職金その他の労働条件や処遇等に関して出向労働者の利益に配慮した詳細な規定が設けられているという事情の下であっても，使用者は，当該労働者の個別的同意を得ることなしに出向命令を発令することができないとするのが，最高裁判所の判例である。

エ　使用者は，期間の定めのある労働契約について，やむを得ない事由がある場合でなければ，その契約期間が満了するまでの間において，労働者を解雇することができないが，「やむを得ない事由」があると認められる場合は，解雇権濫用法理における「客観的に合理的な理由を欠き，社会通念上相当であると認められない場合」以外の場合よりも狭いと解される。

オ　労働契約法は，使用者が同居の親族のみを使用する場合の労働契約及び家事使用人の労働契約については，適用を除外している。

A　一つ
B　二つ
C　三つ
D　四つ
E　五つ

正解チェック欄	／	／	／

本問のアからオまでのそれぞれの記述の正誤は以下のとおりであり，アとエの2つが正しい記述となる。したがって，Bが解答となる。

ア　正　本肢のとおりである（労働契約法（以下本問において「法」とする）5条，平24.8.10基発0810第2号）。 労働科目 572p

---

イ　誤　労働契約は，労働契約の締結当事者である労働者及び使用者の「合意のみにより成立する」ものであり，労働契約の成立の要件としては，契約内容について「書面を交付することまでは求められない」ものである（法6条，平24.8.10基発0810第2号）。 労働科目 573p

---

ウ　誤　本肢の事情の下においては，使用者は，当該労働者の個別的同意を得ることなしに出向命令を発令することが「できる」とするのが，最高裁判所の判例である（最高裁第二小法廷判決 平15.4.18 新日本製鐵事件）。 労働科目 577p

---

エ　正　本肢のとおりである（法17条，平24.8.10基発0810第2号）。 労働科目 578p

オ　誤　労働契約法は，使用者が同居の親族のみを使用する場合の労働契約については適用されないが，家事使用人の労働契約については，「適用を除外していない」（法21条2項）。 労働科目 571p

キリトリ線

H29-1	労働関係法令（労働契約法）	重要度 A

問 3 労働契約法等に関する次の記述のうち，正しいものはどれか。

A 労働契約法第2条第2項の「使用者」とは，「労働者」と相対する労働契約の締結当事者であり，「その使用する労働者に対して賃金を支払う者」をいうが，これは，労働基準法第10条の「使用者」と同義である。

B 「労働契約の内容である労働条件は，労働者と使用者との個別の合意によって変更することができるものであるが，就業規則に定められている労働条件に関する条項を労働者の不利益に変更する場合には，労働者と使用者との個別の合意によって変更することはできない。」とするのが，最高裁判所の判例である。

C 使用者が就業規則の変更により労働条件を変更する場合において，労働契約法第11条に定める就業規則の変更に係る手続を履行されていることは，労働契約の内容である労働条件が，変更後の就業規則に定めるところによるという法的効果を生じさせるための要件とされている。

D 従業員が職場で上司に対する暴行事件を起こしたことなどが就業規則所定の懲戒解雇事由に該当するとして，使用者が捜査機関による捜査の結果を待った上で当該事件から7年以上経過した後に諭旨退職処分を行った場合において，当該事件には目撃者が存在しており，捜査の結果を待たずとも使用者において処分を決めることが十分に可能であったこと，当該諭旨退職処分がされた時点で企業秩序維持の観点から重い懲戒処分を行うことを必要とするような状況はなかったことなど判示の事情の下では，当該諭旨退職処分は，権利の濫用として無効であるとするのが，最高裁判所の判例の趣旨である。

E 有期労働契約が反復して更新されたことにより，雇止めをすることが解雇と社会通念上同視できると認められる場合，又は労働者が有期労働契約の契約期間の満了時にその有期労働契約が更新されるものと期待することについて合理的な理由が認められる場合に，使用者が雇止めをすることが，客観的に合理的な理由を欠き，社会通念上相当であると認められないときは，雇止めは認められず，この場合において，労働者が，当該使用者に対し，期間の定めのない労働契約の締結の申込みをしたときは，使用者は当該申込みを承諾したものとみなされる。

正解チェック欄	／	／	／

労 一

A 誤 労働契約法2条2項の「使用者」とは，「労働者」と相対する労働契約の当事者であり，「その使用する労働者に対して賃金を支払う者」をいい，個人企業の場合はその企業主個人を，会社その他の法人組織の場合はその法人そのものをいうものである。これは，労働基準法10条の「事業主」に相当するものであり，同条の「使用者」より狭い概念である（労働契約法（以下本問において「法」とする）2条2項，労働基準法10条，平24.8.10基発0810第2号）。

労働科目 571p

B 誤 「労働契約の内容である労働条件は，労働者と使用者の個別の合意によって変更することができるものであり，このことは，就業規則に定められている労働条件を労働者の不利益に変更する場合であっても，その合意に際して就業規則の変更が必要とされることを除き，異なるものではないと解される」とするのが，最高裁判所の判例である（最高裁第二小法廷判決 平28.2.19山梨県民信用組合事件）。なお，同判例では，当該変更に対する労働者の同意の有無についての判断は慎重になされるべきであり，「就業規則に定められた賃金や退職金に関する労働条件の変更に対する労働者の同意の有無については，当該変更を受け入れる旨の労働者の行為の有無だけでなく，当該変更により労働者にもたらされる不利益の内容及び程度，労働者により当該行為がされるに至った経緯及びその態様，当該行為に先立つ労働者への情報提供又は説明の内容等に照らして，当該行為が労働者の自由な意思に基づいてされたものと認めるに足りる合理的な理由が客観的に存在するか否かという観点からも，判断されるべきものと解するのが相当である」ことも判示されている。

C　誤　労働契約法11条に定める就業規則の変更に係る手続を履行されていることは，使用者が就業規則の変更により労働条件を変更する場合における労働契約の内容である労働条件が変更後の就業規則に定めるところによる（法10条本文）という法的効果を生じさせるための「要件とはされていない」（平24.8.10基発0810第2号）。なお，法10条本文の法的効果を生じさせるための要件とされるのは，「変更後の就業規則を労働者に周知させること及び就業規則の変更が一定の事項に照らして合理的なものであること」であり，本肢の就業規則の変更に係る手続は，法10条本文の法的効果を生じさせるための「要件ではない」ものの，就業規則の内容の合理性に資するものであるとされている。

労働科目
575p

D　正　本肢のとおりである（最高裁第二小法廷判決 平18.10.6 ネスレ日本事件）。

E　誤　本肢の場合，雇止めは認められず，使用者は，「従前の有期労働契約の締結又は更新の申込みを承諾したものとみなされる」。すなわち，有期労働契約が同一の労働条件（契約期間を含む）で成立することとなる（法19条，平24.8.10基発0810第2号）。

労働科目
580p

MEMO

H30-3	労働関係法令（労働契約法）	重要度 A

問 4 労働契約法等に関する次のアからオまでの記述のうち，誤っているものの組合せは，後記AからEまでのうちどれか。

ア　いわゆる採用内定の制度は，多くの企業でその実態が類似しているため，いわゆる新卒学生に対する採用内定の法的性質については，当該企業における採用内定の事実関係にかかわらず，新卒学生の就労の始期を大学卒業直後とし，それまでの間，内定企業の作成した誓約書に記載されている採用内定取消事由に基づく解約権を留保した労働契約が成立しているものとするのが，最高裁判所の判例である。

イ　使用者は，労働契約に特段の根拠規定がなくとも，労働契約上の付随的義務として当然に，安全配慮義務を負う。

ウ　就業規則の変更による労働条件の変更が労働者の不利益となるため，労働者が，当該変更によって労働契約の内容である労働条件が変更後の就業規則に定めるところによるものとはされないことを主張した場合，就業規則の変更が労働契約法第10条本文の「合理的」なものであるという評価を基礎付ける事実についての主張立証責任は，使用者側が負う。

エ「使用者が労働者を懲戒するには，あらかじめ就業規則において懲戒の種別及び事由を定めておくことをもって足り，その内容を適用を受ける事業場の労働者に周知させる手続が採られていない場合でも，労働基準法に定める罰則の対象となるのは格別，就業規則が法的規範としての性質を有するものとして拘束力を生ずることに変わりはない。」とするのが，最高裁判所の判例である。

オ　労働契約法第18条第1項の「同一の使用者」は，労働契約を締結する法律上の主体が同一であることをいうものであり，したがって，事業場単位ではなく，労働契約締結の法律上の主体が法人であれば法人単位で，個人事業主であれば当該個人事業主単位で判断される。

A　（アとウ）　**B**　（イとエ）　**C**　（ウとオ）
D　（アとエ）　**E**　（イとオ）

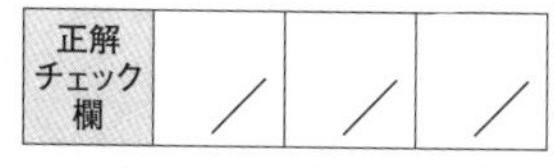

労
一

本問のアからオまでのそれぞれの記述の正誤は以下のとおりであり，したがって，ア及びエを誤りとするDが解答となる。

ア　誤　企業が大学の新規卒業予定者を採用するに際して実施するいわゆる採用内定制度の「実態は多様である」ため，採用内定の法的性質について「一義的に論断することは困難」というべきである。したがって，具体的事案につき，採用内定の法的性質を判断するにあたっては，「当該企業の当該年度における採用内定の事実関係に即して」これを検討する必要があるとするのが，最高裁判所の判例である（最高裁第二小法廷判決 昭54.7.20 大日本印刷事件）。

労働科目 573p

イ　正　本肢のとおりである（労働契約法（以下本問において「法」とする）5条，平24.8.10基発0810第2号）。

労働科目 572p

ウ　正　本肢のとおりである（法10条，平24.8.10基発0810第2号）。

エ　誤　使用者が労働者を懲戒するには，あらかじめ就業規則において懲戒の種類及び事由を定めておくことを要し，就業規則が法的規範としての性質を有するものとして，拘束力を生ずるためには，「その内容を適用を受ける事業場の労働者に周知させる手続が採られていることを要する」ものというべきであるとするのが，最高裁判所の判例である（最高裁第二小法廷判決 平15.10.10 フジ興産事件）。

労働科目 577p

オ　正　本肢のとおりである（法18条1項，平24.8.10基発0810第2号）。

R元-3	労働関係法令（労働契約法）	重要度 A

問 5　労働契約法等に関する次の記述のうち，誤っているものはどれか。

A　労働契約法第4条第1項は，「使用者は，労働者に提示する労働条件及び労働契約の内容について，労働者の理解を深めるようにする」ことを規定しているが，これは労働契約の締結の場面及び変更する場面のことをいうものであり，労働契約の締結前において使用者が提示した労働条件について説明等をする場面は含まれない。

B　就業規則に定められている事項であっても，例えば，就業規則の制定趣旨や根本精神を宣言した規定，労使協議の手続に関する規定等労働条件でないものについては，労働契約法第7条本文によっても労働契約の内容とはならない。

C　労働契約法第15条の「懲戒」とは，労働基準法第89条第9号の「制裁」と同義であり，同条により，当該事業場に懲戒の定めがある場合には，その種類及び程度について就業規則に記載することが義務付けられている。

D　有期労働契約の契約期間中であっても一定の事由により解雇することができる旨を労働者及び使用者が合意していた場合，当該事由に該当することをもって労働契約法第17条第1項の「やむを得ない事由」があると認められるものではなく，実際に行われた解雇について「やむを得ない事由」があるか否かが個別具体的な事案に応じて判断される。

E　労働契約法第10条の「就業規則の変更」には，就業規則の中に現に存在する条項を改廃することのほか，条項を新設することも含まれる。

正解チェック欄	／	／	／

A　誤　労働契約法４条１項は，「労働契約の締結前において使用者が提示した労働条件について説明等をする場面や，労働契約が締結又は変更されて継続している間の各場面」が広く「含まれる」ものであることとされている。本肢前段の記述は正しい（労働契約法４条１項，平24.8.10基発0810第２号）。

労働科目
571～572p

B　正　本肢のとおりである（平24.8.10基発0810第２号）。なお，労働契約法７条には，原則として，労働者及び使用者が労働契約を締結する場合において，使用者が合理的な労働条件が定められている就業規則を労働者に周知させていた場合には，労働契約の内容は，その就業規則で定める労働条件によるものとする旨が規定されている（労働契約法７条）。

C　正　本肢のとおりである（平24.8.10基発0810第２号）。

D　正　本肢のとおりである（平24.8.10基発0810第２号）。なお，労働契約法17条１項には，使用者は，有期労働契約について，やむを得ない事由がある場合でなければ，その契約期間が満了するまでの間において，労働者を解雇することができない旨が規定されている（労働契約法17条１項）。

E　正　本肢のとおりである（平24.8.10基発0810第２号）。なお，労働契約法10条には，使用者が就業規則の変更により労働条件を変更する場合に，労働契約の内容である労働条件が当該変更後の就業規則に定めるところによるものとするための要件等が規定されている（労働契約法10条）。

キリトリ線

R3-3	労働関係法令（労働契約法）	重要度 A

問 6 労働契約法等に関する次の記述のうち，誤っているものはどれか。

A 労働契約法第7条は，「労働者及び使用者が労働契約を締結する場合において，使用者が合理的な労働条件が定められている就業規則を労働者に周知させていた場合には，労働契約の内容は，その就業規則で定める労働条件によるものとする。」と定めているが，同条は，労働契約の成立場面について適用されるものであり，既に労働者と使用者との間で労働契約が締結されているが就業規則は存在しない事業場において新たに就業規則を制定した場合については適用されない。

B 使用者が就業規則の変更により労働条件を変更する場合について定めた労働契約法第10条本文にいう「労働者の受ける不利益の程度，労働条件の変更の必要性，変更後の就業規則の内容の相当性，労働組合等との交渉の状況その他の就業規則の変更に係る事情」のうち，「労働組合等」には，労働者の過半数で組織する労働組合その他の多数労働組合や事業場の過半数を代表する労働者だけでなく，少数労働組合が含まれるが，労働者で構成されその意思を代表する親睦団体は含まれない。

キリトリ線

C 労働契約法第13条は，就業規則で定める労働条件が法令又は労働協約に反している場合には，その反する部分の労働条件は当該法令又は労働協約の適用を受ける労働者との間の労働契約の内容とはならないことを規定しているが，ここでいう「法令」とは，強行法規としての性質を有する法律，政令及び省令をいい，罰則を伴う法令であるか否かは問わず，労働基準法以外の法令も含まれる。

労一

D 有期労働契約の更新時に，所定労働日や始業終業時刻等の労働条件の定期的変更が行われていた場合に，労働契約法第18条第1項に基づき有期労働契約が無期労働契約に転換した後も，従前と同様に定期的にこれらの労働条件の変更を行うことができる旨の別段の定めをすることは差し支えないと解される。

E 有期労働契約の更新等を定めた労働契約法第19条の「更新の申込み」及び「締結の申込み」は，要式行為ではなく，使用者による雇止めの意思表示に対して，労働者による何らかの反対の意思表示が使用者に伝わるものでもよい。

正解チェック欄	／	／	／

A　正　本肢のとおりである（労働契約法（以下本問において「法」とする）7条，平24.8.10基発0810第2号）。なお，本肢の「就業規則」とは，労働者が就業上遵守すべき規律及び労働条件に関する具体的細目について定めた規則類の総称をいい，労働基準法89条の「就業規則」と同様であるが，労働契約法7条の「就業規則」には，常時10人以上の労働者を使用する使用者以外の使用者が作成する労働基準法89条では作成が義務付けられていない就業規則も含まれる。

労働科目
573p

B　誤　本肢の「労働組合等」には，労働者で構成されその意思を代表する親睦団体等労働者の意思を代表するものが広く「含まれる」。その他の記述は正しい（法10条，平24.8.10基発0810第2号）。

C　正　本肢のとおりである（法13条，平24.8.10基発0810第2号）。なお，本肢の「労働協約」とは，労働組合法14条にいう「労働組合と使用者又はその団体との間の労働条件その他に関する」合意で，「書面に作成し，両当事者が署名し，又は記名押印したもの」をいうものである。

労働科目
576p

D　正　本肢のとおりである（平24.8.10基発0810第2号）。なお，法18条1項の規定による無期労働契約への転換は，期間の定めのみを変更するものであるが，同項の「別段の定め」をすることにより，期間の定め以外の労働条件を変更することは可能である。

E　正　本肢のとおりである（平24.8.10基発0810第2号）。なお，雇止めの効力について紛争となった場合における法19条の「更新の申込み」又は「締結の申込み」をしたことの主張・立証については，労働者が雇止めに異議があることが，例えば，訴訟の提起，紛争調整機関への申立て，団体交渉等によって使用者に直接又は間接に伝えられたことを概括的に主張立証すればよいと解される。

キリトリ線

R6-3	労働関係法令（労働契約法）	重要度	A

問 7

労働契約法等に関する次の記述のうち，正しいものはどれか。

A　労働契約は労働者及び使用者が合意することによって成立するが，合意の要素は，「労働者が使用者に使用されて労働すること」，「使用者がこれに対して賃金を支払うこと」，「詳細に定められた労働条件」であり，労働条件を詳細に定めていなかった場合には，労働契約が成立することはない。

B　労働基準法第106条に基づく就業規則の「周知」は，同法施行規則第52条の2各号に掲げる，常時各作業場の見やすい場所へ掲示する等の方法のいずれかによるべきこととされているが，労働契約法第7条柱書きの場合の就業規則の「周知」は，それらの方法に限定されるものではなく，実質的に判断される。

C　労働基準法第89条及び第90条に規定する就業規則に関する手続が履行されていることは，労働契約法第10条本文の，「労働契約の内容である労働条件は，当該変更後の就業規則に定めるところによる」という法的効果を生じさせるための要件ではないため，使用者による労働基準法第89条及び第90条の遵守の状況を労働契約法第10条本文の合理性判断に際して考慮してはならない。

D　労働契約法第17条第1項の「やむを得ない事由」があるか否かは，個別具体的な事案に応じて判断されるものであるが，期間の定めのある労働契約（以下本問において「有期労働契約」という。）は，試みの使用期間（試用期間）を設けることが難しく，使用者は労働者の有する能力や適性を事前に十分に把握できないことがあることから，「やむを得ない事由」があると認められる場合は，同法第16条に定めるいわゆる解雇権濫用法理における「客観的に合理的な理由を欠き，社会通念上相当であると認められない場合」以外の場合よりも広いと解される。

E　労働契約法第18条第1項によれば，労働者が，同一の使用者との間で締結された2以上の有期労働契約（契約期間の始期の到来前のものを除く。以下本肢において同じ。）の契約期間を通算した期間が5年を超えた場合には，当該使用者が，当該労働者に対し，現に締結している有期労働契約の契約期間が満了する日の翌日から労務が提供される期間の定めのない労働契約の申込みをしたものとみなすこととされている。

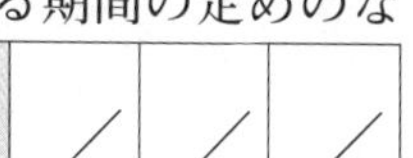

正解チェック欄	／	／	／

労一

キリトリ線

A　誤　労働契約の成立に係る合意の要素は，『「労働者が使用者に使用されて労働」すること及び「使用者がこれに対して賃金を支払う」こと』である。また，労働条件を詳細に定めていなかった場合であっても，「労働契約そのものは成立し得る」（労働契約法（以下本問において「法」とする）6条，平24.8.10基発0810第2号）。

労働科目 573p

B　正　本肢のとおりである（法7条，平24.8.10基発0810第2号）。

労働科目 574p

C　誤　労働基準法89条及び同法90条の手続（就業規則の作成・届出・意見聴取）が履行されていることは，労働契約法10条本文の「労働契約の内容である労働条件は，当該変更後の就業規則に定めるところによる」という法的効果を生じさせるための要件ではないものの，労働契約法10条本文の合理性判断に際しては，就業規則の変更に係る諸事情が総合的に考慮されることから，使用者による労働基準法89条及び同法90条の遵守の状況は，「合理性判断に際して考慮され得る」ものである（法10条，平24.8.10基発0810第2号）。

D　誤　有期労働契約の契約期間中の解雇を定めた労働契約法17条1項の「やむを得ない事由」があるか否かは，個別具体的な事案に応じて判断されるものであるが，契約期間は労働者及び使用者が合意により決定したものであり，遵守されるべきものであることから，「やむを得ない事由」があると認められる場合は，解雇権濫用法理における「客観的に合理的な理由を欠き，社会通念上相当であると認められない場合」以外の場合よりも「狭い」と解される（法17条1項，平24.8.10基発0810第2号）。

労働科目 578p

E　誤　同一の使用者との間で締結された2以上の有期労働契約（契約期間の始期の到来前のものを除く。以下同じ。）の契約期間を通算した期間が5年を超える労働者が，当該使用者に対し，現に締結している有期労働契約の契約期間が満了する日までの間に，当該満了する日の翌日から労務が提供される期間の定めのない労働契約の締結の「申込みをしたとき」は，使用者は当該申込みを承諾したものとみなされる（法18条1項）。

労働科目
578p

MEMO

R2-4	労働関係法令（労働組合法）	重要度 B

問 8 労働組合法等に関する次の記述のうち，誤っているものはどれか。

A 労働組合が，使用者から最小限の広さの事務所の供与を受けていても，労働組合法上の労働組合の要件に該当するとともに，使用者の支配介入として禁止される行為には該当しない。

B 「労働組合の規約により組合員の納付すべき組合費が月を単位として月額で定められている場合には，組合員が月の途中で組合から脱退したときは，特別の規定又は慣行等のない限り，その月の組合費の納付につき，脱退した日までの分を日割計算によって納付すれば足りると解すべきである。」とするのが，最高裁判所の判例である。

C 労働組合の規約には，組合員又は組合員の直接無記名投票により選挙された代議員の直接無記名投票の過半数による決定を経なければ，同盟罷業を開始しないこととする規定を含まなければならない。

D 「ユニオン・ショップ協定によって，労働者に対し，解雇の威嚇の下に特定の労働組合への加入を強制することは，それが労働者の組合選択の自由及び他の労働組合の団結権を侵害する場合には許されないものというべきである」から，「ユニオン・ショップ協定のうち，締結組合以外の他の労働組合に加入している者及び締結組合から脱退し又は除名されたが，他の労働組合に加入し又は新たな労働組合を結成した者について使用者の解雇義務を定める部分は，右の観点からして，民法90条の規定により，これを無効と解すべきである（憲法28条参照）。」とするのが，最高裁判所の判例である。

E いわゆるロックアウト（作業所閉鎖）は，個々の具体的な労働争議における労使間の交渉態度，経過，組合側の争議行為の態様，それによって使用者側の受ける打撃の程度等に関する具体的諸事情に照らし，衡平の見地からみて労働者側の争議行為に対する対抗防衛手段として相当と認められる場合には，使用者の正当な争議行為として是認され，使用者は，いわゆるロックアウト（作業所閉鎖）が正当な争議行為として是認される場合には，その期間中における対象労働者に対する個別的労働契約上の賃金支払義務を免れるとするのが，最高裁判所の判例である。

正解チェック欄	／	／	／

労一

A 正 本肢のとおりである（労働組合法（以下本問において「法」とする）2条2号，法7条3号）。なお，本肢の「最小限の広さの事務所の供与」とは，社会通念上必要最小限の広さと考えられる事務所の供与のことをいい，当該事務所に社会通念上当然含まれると考えられる備品を必ずしも除外するものではない（昭33.6.9労発87号）。

労働科目 673p

B 誤 労働組合の規約により組合員の納付すべき組合費が月を単位として月額で定められている場合には，組合員が月の途中で組合から脱退したときでも，特別の規定又は慣行等のない限り，その月の組合費の全額を納付する義務を免れないものというべきであり，脱退した日までの分を「日割計算によって納付すれば足りると解することはできない」とするのが，最高裁判所の判例である（最高裁第三小法廷判決 昭50.11.28 国労広島地本事件）。

C 正 本肢のとおりである（法5条2項8号）。なお，同盟罷業（ストライキ）とは，労働者（組合員）が使用者に対し団結して労働力の提供を拒否することをいう。

D 正 本肢のとおりである（最高裁第一小法廷判決 平元12.14 三井倉庫港運事件）。なお，ユニオン・ショップ協定とは，使用者は，組合員であるかどうかに関係なく労働者を雇い入れることができるが，雇い入れられた労働者は労働組合に加入しなければならず，使用者は，労働組合に加入しない労働者又は労働組合から脱退・除名された従業員を解雇しなければならない制度をいう。

E 正 本肢のとおりである（最高裁第三小法廷判決 昭50.4.25 丸島水門事件）。なお，ロックアウト（作業所閉鎖）とは，使用者が作業場を閉鎖し，争議に入った労働者（組合員）を作業所から閉め出すことをいう。

H27-3	労働関係法令（社会保険労務士法）	重要度 A

問 9

社会保険労務士の補佐人制度等に関する次のアからオまでの記述のうち，誤っているものの組合せは，後記AからEまでのうちどれか。

ア　特定社会保険労務士が単独で紛争の当事者を代理する場合の紛争の目的の価額の上限は60万円，特定社会保険労務士が弁護士である訴訟代理人とともに補佐人として裁判所に出頭し紛争解決の補佐をする場合の紛争の目的の価額の上限は120万円とされている。

イ　社会保険労務士は，事業における労務管理その他の労働に関する事項及び労働社会保険諸法令に基づく社会保険に関する事項について，裁判所において，補佐人として，弁護士である訴訟代理人とともに出頭し，陳述をすることができる。

ウ　社会保険労務士法第2条の2第1項の規定により社会保険労務士が事業における労務管理その他の労働に関する事項及び労働社会保険諸法令に基づく社会保険に関する事項について，裁判所において，補佐人として，弁護士である訴訟代理人とともに出頭し，陳述をする事務について，社会保険労務士法人は，その社員又は使用人である社会保険労務士に行わせる事務の委託を受けることができる。

エ　社会保険労務士及び社会保険労務士法人が，社会保険労務士法第2条の2及び第25条の9の2に規定する出頭及び陳述に関する事務を受任しようとする場合には，あらかじめ依頼者に報酬の基準を明示しなければならない。

オ　社会保険労務士及び社会保険労務士法人が，社会保険労務士法第2条の2及び第25条の9の2に規定する出頭及び陳述に関する事務を受任しようとする場合の役務の提供については，特定商取引に関する法律が定める規制が適用される。

A　（アとウ）　**B**　（アとオ）　**C**　（イとエ）
D　（イとオ）　**E**　（ウとエ）

正解チェック欄	／	／	／

本問のアからオまでのそれぞれの記述の正誤は以下のとおりであり，したがって，アとオを誤りとするBが解答となる。

ア　誤　特定社会保険労務士が単独で紛争の当事者を代理する場合の目的の価額の上限は「120万円」とされているが，特定社会保険労務士が弁護士である訴訟代理人とともに補佐人として裁判所に出頭し紛争解決の補佐をする場合の紛争の目的の価額の上限は「設けられていない」（社会保険労務士法（以下本問において「法」とする）2条1項1号の6，法2条の2第1項）。なお，弁護士である訴訟代理人とともに補佐人として裁判所に出頭し，陳述をすることは特定社会保険労務士でない社会保険労務士も行うことができる。 労働科目 685p

---

イ　正　本肢のとおりである（法2条の2第1項）。 労働科目 686p

ウ　正　本肢のとおりである（法25条の9の2）。

エ　正　本肢のとおりである（社会保険労務士法施行規則12条の10）。

オ　誤　社会保険労務士及び社会保険労務士法人が，法2条の2及び法25条の9の2（法廷への出頭及び陳述）に規定する出頭及び陳述に関する事務を受任しようとする場合の役務の提供については，特定商取引に関する法律が定める規制は適用されない（特定商取引に関する法律26条1項8号，同法施行令別表2）。

H28-3	労働関係法令(社会保険労務士法)	重要度 A

問 10 社会保険労務士法に関する次の記述のうち，正しいものはどれか。

A 特定社会保険労務士に限り，補佐人として，労働社会保険に関する行政訴訟の場面や，個別労働関係紛争に関する民事訴訟の場面で，弁護士とともに裁判所に出頭し，陳述することができる。

B 社会保険労務士法人を設立する際に定める定款には，解散の事由を必ず記載しなければならず，その記載を欠くと定款全体が無効となる。

C 社会保険労務士法第25条の2第2項では，厚生労働大臣は，開業社会保険労務士が，相当の注意を怠り，労働社会保険諸法令に違反する行為について指示をし，相談に応じたときは，当該社会保険労務士の失格処分をすることができるとされている。

D 社会保険労務士法人の設立には2人以上の社員が必要である。

E 社会保険労務士法人の財産をもってその債務を完済することができないときは，各社員は，連帯して，その弁済の責任を負う。

正解チェック欄	／	／	／

A 誤 社会保険労務士は，事業における労務管理その他の労働に関する事項及び労働社会保険諸法令に基づく社会保険に関する事項について，裁判所において，補佐人として，弁護士である訴訟代理人とともに出頭し，陳述をすることができるとされており，これは，「特定社会保険労務士に限られてはいない」（社会保険労務士法（以下本問において「法」とする）2条の2第1項）。

労働科目 686p

B 誤 社労士法人を設立する際に定める定款には，「解散の事由を必ず記載しなければならないとする規定はない」（法25条の11第3項ほか）。なお，法25条の11第3項では，定款には，少なくとも，①目的，②名称，③事務所の所在地，④社員の氏名及び住所，⑤社員の出資に関する事項，⑥業務の執行に関する事項を記載しなければならないとされている。

C 誤 本肢の場合，厚生労働大臣は，「戒告又は1年以内の開業社会保険労務士の業務の停止」の処分をすることができる（法25条の2第2項）。

労働科目 692p

D 誤 社員が1人の場合でも，社会保険労務士法人の設立は可能である（法25条の6，平27.3.30基発0330第3号ほか）。

労働科目 693p

E 正 本肢のとおりである（法25条の15の3第1項）。

H29-3　労働関係法令（社会保険労務士法）　重要度 A

問 11　社会保険労務士法令に関する次の記述のうち，誤っているものはどれか。

A　社会保険労務士が，補佐人として，弁護士である訴訟代理人とともに裁判所に出頭し，陳述した場合，当事者又は訴訟代理人がその陳述を直ちに取り消し，又は更正しない限り，当事者又は訴訟代理人が自らその陳述をしたものとみなされる。

B　懲戒処分により，弁護士，公認会計士，税理士又は行政書士の業務を停止された者で，現にその処分を受けているものは，社会保険労務士の登録を受けることができない。

C　社会保険労務士法第16条に定める信用失墜行為を行った社会保険労務士は，同法第33条に基づき100万円以下の罰金に処せられる。

D　社会保険労務士法人が行う紛争解決手続代理業務は，社員のうちに特定社会保険労務士がある社会保険労務士法人に限り，行うことができる。

E　社会保険労務士の登録の拒否及び登録の取消しについて必要な審査を行う資格審査会の委員は，社会保険労務士，労働又は社会保険の行政事務に従事する職員及び学識経験者各同数を委嘱しなければならない。

正解チェック欄	／	／	／

労一

A　正　本肢のとおりである（社会保険労務士法（以下本問において「法」とする）2条の2）。なお，当事者又は訴訟代理人が本肢の陳述を直ちに取り消し，又は更正したときは，当該陳述は，当事者又は訴訟代理人が自らした陳述とみなされない。

B　正　本肢のとおりである（法14条の7第1号）。なお，社会保険労務士の登録を拒否された者は，当該処分に不服があるときは，厚生労働大臣に対して審査請求をすることができる（法14条の8）。

労働科目 688p

C　誤　法16条には信用失墜行為の禁止規定が設けられているが，社会保険労務士が当該信用失墜行為を行った場合であっても，「罰則は科せられない」（法33条ほか）。

D　正　本肢のとおりである（法25条の9第2項ほか）。

労働科目 694p

E　正　本肢のとおりである（法25条の37第1項・5項，社会保険労務士法施行規則23条の2第1項）。

H30-5	労働関係法令（社会保険労務士法）	重要度 A

問 12 社会保険労務士法に関する次の記述のうち，正しいものはどれか。

A 社会保険労務士法第14条の3に規定する社会保険労務士名簿は，都道府県の区域に設立されている社会保険労務士会ごとに備えなければならず，その名簿の登録は，都道府県の区域に設立されている社会保険労務士会ごとに行う。

B 社会保険労務士となる資格を有する者が，社会保険労務士となるために社会保険労務士法第14条の5の規定により登録の申請をした場合，申請を行った日から3月を経過してもなんらの処分がなされない場合には，当該登録を拒否されたものとして，厚生労働大臣に対して審査請求をすることができる。

C 厚生労働大臣は，社会保険労務士が，社会保険労務士たるにふさわしくない重大な非行があったときは，重大な非行の事実を確認した時から3月以内に失格処分（社会保険労務士の資格を失わせる処分）をしなければならない。

D 社会保険労務士法は，「社会保険労務士法人は，総社員の同意によってのみ，定款の変更をすることができる。」と定めており，当該法人が定款にこれとは異なる定款の変更基準を定めた場合には，その定めは無効とされる。

E 社会保険労務士法第2条の2第1項の規定により社会保険労務士が処理することができる事務について，社会保険労務士法人が，その社員である社会保険労務士に行わせる事務の委託を受ける場合，当該社会保険労務士法人がその社員のうちから補佐人を選任しなければならない。

労一

正解チェック欄	／	／	／

A 誤 社会保険労務士名簿は,「全国社会保険労務士会連合会に備える」ものとされており, 当該名簿の登録は,「全国社会保険労務士会連合会が行う」(社会保険労務士法（以下本問において「法」とする）14条の3)。

労働科目 687p

B 正 本肢のとおりである（法14条の8)。なお, 本肢の場合においては, 審査請求のあった日に, 全国社会保険労務士会連合会が社会保険労務士名簿への登録を拒否したものとみなすこととされている。

C 誤 厚生労働大臣は, 法25条の2（不正行為の指示等を行った場合の懲戒）の規定に該当する場合を除くほか, 社会保険労務士が, 社会保険労務士たるにふさわしくない重大な非行があったときは, 法25条に規定する懲戒処分（戒告, 1年以内の業務停止又は失格処分）をすることができるとされており,「重大な非行の事実を確認した時から3月以内に失格処分をしなければならない」旨の規定は設けられていない（法25条の2, 法25条の3)。

労働科目 692p

D 誤 社会保険労務士法は,「社会保険労務士法人は, 定款に別段の定めがある場合を除き, 総社員の同意によって, 定款の変更をすることができる」と定めており, 当該社会保険労務士法人は, 総社員の同意によらずとも,「定款に別段の定めがある場合には, 定款を変更することができる」(法25条の14)。

E 誤 本肢の場合, 当該社会保険労務士法人は,「委託者に」, 当該社会保険労務士法人の社員のうちからその補佐人を「選任させなければならない」(法25条の9の2)。

R元-5	労働関係法令(社会保険労務士法)	重要度 A

問 13 社会保険労務士法令に関する次の記述のうち，正しいものはどれか。

A 社会保険労務士会は，所属の社会保険労務士又は社会保険労務士法人が社会保険労務士法若しくは同法に基づく命令又は労働社会保険諸法令に違反するおそれがあると認めるときは，会則の定めるところにより，当該社会保険労務士又は社会保険労務士法人に対して，社会保険労務士法第25条に規定する懲戒処分をすることができる。

B すべての社会保険労務士は，個別労働関係紛争の解決の促進に関する法律第6条第1項の紛争調整委員会における同法第5条第1項のあっせんの手続について相談に応じること，当該あっせんの手続の開始から終了に至るまでの間に和解の交渉を行うこと，当該あっせんの手続により成立した和解における合意を内容とする契約を締結することができる。

C 社会保険労務士は，事業における労務管理その他の労働に関する事項及び労働社会保険諸法令に基づく社会保険に関する事項について，裁判所において，補佐人として，弁護士である訴訟代理人に代わって出頭し，陳述をすることができる。

D 何人も，社会保険労務士について，社会保険労務士法第25条の2や第25条の3に規定する行為又は事実があると認めたときは，厚生労働大臣に対し，当該社会保険労務士の氏名及びその行為又は事実を通知し，適当な措置をとるべきことを求めることができる。

E 社会保険労務士法人は，いかなる場合であれ，労働者派遣法第2条第3号に規定する労働者派遣事業を行うことができない。

正解チェック欄	／	／	／

A　誤　本肢の場合，会則の定めるところにより，当該社会保険労務士又は社会保険労務士法人に対して，「注意を促し，又は必要な措置を講ずべきことを勧告することができる」ものとされており，「社会保険労務士法25条に規定する懲戒処分の対象とはされていない」（社会保険労務士法（以下本問において「法」とする）25条の33，法25条の3ほか）。

B　誤　本肢の紛争調整委員会におけるあっせんの手続について相談に応ずること，当該あっせんの手続の開始から終了に至るまでの間に和解の交渉を行うこと，当該あっせんの手続により成立した和解における合意を内容とする契約を締結することは，紛争解決手続代理業務に含まれており，紛争解決手続代理業務は，「特定社会保険労務士に限り，行うことができる」（法2条2項・3項）。

労働科目 685～686p

C　誤　社会保険労務士は，本肢の事項について，裁判所において，補佐人として，「弁護士である訴訟代理人とともに」出頭し，陳述をすることができる（法2条の2第1項）。

労働科目 686p

D　正　本肢のとおりである（法25条の3の2第2項）。なお，本肢の記述にある法25条の2は不正行為の指示等を行った場合の懲戒，法25条の3は一般の懲戒について規定している（法25条の2，法25条の3）。

労働科目 693p

E　誤　社会保険労務士法人は，「一定の要件を満たせば，労働者派遣法2条3号に規定する労働者派遣事業を行うことができる」（法25条の9第1項1号，同法施行規則17条の3第2号）。具体的には，その事業を行おうとする社会保険労務士法人が労働者派遣事業の許可を受けて行うものであって，当該社会保険労務士法人の使用人である社会保険労務士が労働者派遣の対象となり，かつ，派遣先が開業社会保険労務士又は社会保険労務士法人（一定のものを除く）であるものに限り，労働者派遣事業を行うことが認められている。

R2-5	労働関係法令(社会保険労務士法)	重要度 A

問 14 社会保険労務士法等に関する次のアからオの記述のうち，誤っているものの組合せは，後記AからEまでのうちどれか。

ア　社会保険労務士が，個別労働関係紛争に関する民間紛争解決手続（裁判外紛争解決手続の利用の促進に関する法律（平成16年法律第151号）第2条第1号に規定する民間紛争解決手続をいう。）であって，個別労働関係紛争の民間紛争解決手続の業務を公正かつ適確に行うことができると認められる団体として厚生労働大臣が指定するものが行うものについて，単独で紛争の当事者を代理する場合，紛争の目的の価額の上限は60万円とされている。

イ　社会保険労務士及び社会保険労務士法人が，社会保険労務士法第2条の2及び第25条の9の2に規定する出頭及び陳述に関する事務を受任しようとする場合の役務の提供については，特定商取引に関する法律（昭和51年法律第57号）が定める規制の適用除外となる。

ウ　開業社会保険労務士が，その職責又は義務に違反し，社会保険労務士法第25条第2号に定める1年以内の社会保険労務士の業務の停止の懲戒処分を受けた場合，所定の期間，その業務を行うことができなくなるので，依頼者との間の受託契約を解除し，社会保険労務士証票も返還しなければならない。

エ　社会保険労務士会は，所属の社会保険労務士又は社会保険労務士法人が社会保険労務士法若しくはこの法律に基づく命令又は労働社会保険諸法令に違反するおそれがあると認めるときは，会則の定めにかかわらず，当該社会保険労務士又は社会保険労務士法人に対して，注意を促し，又は必要な措置を講ずべきことを勧告することができる。

オ　開業社会保険労務士又は社会保険労務士法人の使用人その他の従業者は，開業社会保険労務士又は社会保険労務士法人の使用人その他の従業者でなくなった後においても，正当な理由がなくて，その業務に関して知り得た秘密を他に漏らし，又は盗用してはならない。

A　（アとウ）　**B**　（アとエ）　**C**　（アとオ）
D　（イとエ）　**E**　（イとオ）

正解チェック欄	／	／	／

労一

本問アからオまでのそれぞれの記述の正誤は以下のとおりであり，したがって，アとエを誤りとするBが解答となる。

ア　誤　本肢の紛争の目的の価額の上限は「120万円」とされている（社会保険労務士法（以下本問において「法」とする）2条1項1号の6）。

労働科目 685p

イ　正　本肢のとおりである（平27.3.30基発0330第3号）。なお，社会保険労務士及び社会保険労務士法人が，法2条の2及び法25条の9の2に規定する出頭及び陳述に関する事務を受任しようとする場合には，あらかじめ依頼者に報酬の基準を明示しなければならない。

ウ　正　本肢のとおりである（法14条の12第1項ほか）。なお，社会保険労務士の登録が抹消されたときは，その者，その法定代理人又はその相続人は，遅滞なく，社会保険労務士証票又は特定社会保険労務士証票を全国社会保険労務士会連合会に返還をしなければならない。

エ　誤　社会保険労務士会は，所属の社会保険労務士又は社会保険労務士法人が社会保険労務士法若しくは同法に基づく命令又は労働社会保険諸法令に違反するおそれがあると認めるときは，「会則の定めるところにより」，当該社会保険労務士又は社会保険労務士法人に対して，注意を促し，又は必要な措置を講ずべきことを勧告することができる（法25条の33）。

オ　正　本肢のとおりである（法27条の2）。なお，本肢の規定に違反した者は，1年以下の懲役又は100万円以下の罰金に処せられる（法32条の2）。

労働科目 691p

キリトリ線

R3-5	労働関係法令（社会保険労務士法）	重要度 A

問 15 社会保険労務士法令に関する次の記述のうち，正しいものはどれか。

A 一般の会社の労働社会保険事務担当者又は開業社会保険労務士事務所の職員のように，他人に使用され，その指揮命令のもとに事務を行う場合は，社会保険労務士又は社会保険労務士法人でない者の業務の制限について定めた社会保険労務士法第27条にいう「業として」行うに該当する。

B 社会保険労務士は，事業における労務管理その他の労働に関する事項及び労働社会保険諸法令に基づく社会保険に関する事項について，裁判所において，補佐人として，弁護士である訴訟代理人とともに出頭し，陳述及び尋問をすることができる。

C 厚生労働大臣は，開業社会保険労務士又は社会保険労務士法人の業務の適正な運営を確保するため必要があると認めるときは，当該開業社会保険労務士又は社会保険労務士法人に対し，その業務に関し必要な報告を求めることができるが，ここにいう「その業務に関し必要な報告」とは，法令上義務づけられているものに限られ，事務所の経営状態等についての報告は含まれない。

D 社会保険労務士法人の事務所には，その事務所の所在地の属する都道府県の区域に設立されている社会保険労務士会の会員である社員を常駐させなければならない。

E 社会保険労務士法人の解散及び清算を監督する裁判所は，当該監督に必要な検査をするに先立ち，必ず厚生労働大臣に対し，意見を求めなければならない。

キリトリ線

労
一

正解チェック欄	／	／	／

A　誤　一般の会社の労働社会保険事務担当者又は開業社会保険労務士事務所の職員のように，他人に使用され，その指揮命令のもとに事務を行う場合には，社会保険労務士法27条（業務の制限）にいう「業として」行うに「該当しない」（社会保険労務士法コンメンタール）。

B　誤　本肢の場合，社会保険労務士は，裁判所において，補佐人として，弁護士である訴訟代理人とともに出頭し，陳述をすることができるが，「尋問をすることはできない」（社会保険労務士法（以下本問において「法」とする）２条の２第１項）。

労働科目 686p

C　誤　本肢の「その業務に関し必要な報告」とは，「法令上義務付けられているものであると否とを問わず」，開業社会保険労務士又は社会保険労務士法人の業務に関係する一切の事項をいい，事務所の経営状態等についての報告も，ここにいう報告に「含まれる」（法24条１項，社会保険労務士法コンメンタール）。

D　正　本肢のとおりである（法25条の16）。

労働科目 694p

E　誤　社会保険労務士法人の解散及び清算を監督する裁判所は，厚生労働大臣に対し，意見を求め，又は調査を嘱託「することができる」（法25条の22の３第３項）。

R4-5	労働関係法令(社会保険労務士法)	重要度 A

問 16 社会保険労務士法令に関する次の記述のうち，誤っているものはどれか。

A 社会保険労務士が，事業における労務管理その他の労働に関する事項及び労働社会保険諸法令に基づく社会保険に関する事項について，裁判所において，補佐人として，弁護士である訴訟代理人とともに出頭し，行った陳述は，当事者又は訴訟代理人が自らしたものとみなされるが，当事者又は訴訟代理人が社会保険労務士の行った陳述を直ちに取り消し，又は更正したときは，この限りでない。

B 懲戒処分により社会保険労務士の失格処分を受けた者で，その処分を受けた日から3年を経過しないものは，社会保険労務士となる資格を有しない。

C 社会保険労務士法第25条に定める社会保険労務士に対する懲戒処分のうち戒告は，社会保険労務士の職責又は義務に反する行為を行った者に対し，本人の将来を戒めるため，1年以内の一定期間について，社会保険労務士の業務の実施あるいはその資格について制約を課す処分である。

D 社会保険労務士法第25条に定める社会保険労務士に対する懲戒処分の効力は，当該処分が行われたときより発効し，当該処分を受けた社会保険労務士が，当該処分を不服として法令等により権利救済を求めていることのみによっては，当該処分の効力は妨げられない。

E 紛争解決手続代理業務を行うことを目的とする社会保険労務士法人は，特定社会保険労務士である社員が常駐していない事務所においては，紛争解決手続代理業務を取り扱うことができない。

正解チェック欄	／	／	／

A　正　本肢のとおりである（社会保険労務士法（本問において「法」とする）2条の2）。　労働科目 686p

B　正　本肢のとおりである（法5条3号）。なお，未成年者は，社会保険労務士となる資格を有しない（同条1号）。　労働科目 686p

---

C　誤　本肢の戒告は，社会保険労務士の職責又は義務に反する行為を行った者に対し，本人の「将来を戒める旨を申し渡す処分」であり，戒告を受けた社会保険労務士は，その「業務の実施あるいはその資格について制約を受けることにはならないので，引き続き業務を行うことはできる」ものとされている（社会保険労務士法コンメンタール）。

D　正　本肢のとおりである（社会保険労務士法コンメンタール）。なお，本肢の「懲戒処分の効力は当該処分が行われたときより発効する」とあるのは，懲戒処分の確定時まで処分の効力が発生しないものとすれば，その間，社会保険労務士の業務を行うにふさわしくない者が業務を行うことも考えられ，国民一般に不測の損害を与えるおそれがあるからである。

E　正　本肢のとおりである（法25条の16の2）。紛争解決手続代理業務を行うことを目的とする社会保険労務士法人における紛争解決手続代理業務については，法25条の15第1項の規定にかかわらず，特定社会保険労務士である社員のみが業務を遂行する権利を有し，義務を負う（法25条の15第2項）。　労働科目 694p

R5-5	労働関係法令（社会保険労務士法）	重要度 A

問 17 社会保険労務士法令に関する次の記述のうち，正しいものはどれか。

A 社会保険労務士は，社会保険労務士法第2条の2に規定する出頭及び陳述に関する事務を受任しようとする場合に，依頼をしようとする者が請求しなかったときには，この者に対し，あらかじめ報酬の基準を明示する義務はない。

B 他人の求めに応じ報酬を得て，社会保険労務士法第2条に規定する事務を業として行う社会保険労務士は，その業務に関する帳簿を備え，これに事件の名称（必要な場合においては事件の概要），依頼を受けた年月日，受けた報酬の額，依頼者の住所及び氏名又は名称を記載し，当該帳簿をその関係書類とともに，帳簿閉鎖の時から1年間保存しなければならない。

C 社会保険労務士法人を設立するには，主たる事務所の所在地において設立の登記をし，当該法人の社員になろうとする社会保険労務士が，定款を定めた上で，厚生労働大臣の認可を受けなければならない。

D 社会保険労務士法人の社員が自己又は第三者のためにその社会保険労務士法人の業務の範囲に属する業務を行ったときは，当該業務によって当該社員又は第三者が得た利益の額は，社会保険労務士法人に生じた損害の額と推定する。

E 裁判所は，社会保険労務士法人の解散及び清算の監督に必要な調査をさせるため，検査役を選任することができ，この検査役の選任の裁判に不服のある者は，選任に関する送達を受けた日から2週間以内に上級の裁判所に対して控訴をすることができる。

正解チェック欄	／	／	／

A　誤　社会保険労務士は，補佐人として，弁護士である訴訟代理人とともに行う裁判所への出頭及び陳述に関する事務を受任しようとする場合には，「依頼をしようとする者からの請求の有無にかかわらず」，あらかじめ，依頼をしようとする者に対し，報酬額の算定の方法その他の報酬の基準を示さなければならない（則12条の10）。

B　誤　本肢の帳簿は，帳簿閉鎖の時から「２年間」保存しなければならない。その他の記述は正しい（法19条，則15条）。

労働科目 690p

C　誤　社会保険労務士法人は，その主たる事務所の所在地において設立の登記をすることによって成立する。「厚生労働大臣の認可を受ける必要はない」（法25条の12）。

労働科目 693p

D　正　本肢のとおりである（法25条の18第２項）。

労働科目 694p

E　誤　裁判所は，社会保険労務士法人の解散及び清算の監督に必要な調査をさせるため，検査役を選任することができるが，当該検査役の選任の裁判に対しては，「不服を申し立てることができない」（法25条の22の６第１項・２項）。

R6-5	労働関係法令(社会保険労務士法)	重要度 A

問 18 社会保険労務士法令に関する次の記述のうち，誤っているものはどれか。なお，Bにつき，「申請書等」とは社会保険労務士法施行規則第16条の2に規定する「申請書等」をいう。

A 社会保険労務士法第2条第1項柱書きにいう「業とする」とは，社会保険労務士法に定める社会保険労務士の業務を，反復継続して行う意思を持って反復継続して行うことをいい，他人の求めに応ずるか否か，有償，無償の別を問わない。

B 社会保険労務士又は社会保険労務士法人は，社会保険労務士法第2条第1項第1号の3に規定する事務代理又は紛争解決手続代理業務（以下本肢において「事務代理等」という。）をする場合において，申請書等を行政機関等に提出するときは，当該社会保険労務士又は社会保険労務士法人に対して事務代理等の権限を与えた者の氏名又は名称を記載した申請書等に「事務代理者」又は「紛争解決手続代理者」と表示し，かつ，当該事務代理等に係る社会保険労務士の名称を冠してその氏名を記載しなければならない。

C 社会保険労務士となる資格を有する者が，社会保険労務士法第14条の2に定める登録を受ける前に，社会保険労務士の名称を用いて他人の求めに応じ報酬を得て，同法第2条第1項第1号から第2号までに掲げる事務を業として行った場合には，同法第26条（名称の使用制限）違反とはならないが，同法第27条（業務の制限）違反となる。

D 全国社会保険労務士会連合会は，社会保険労務士法第14条の6第1項の規定により登録を拒否しようとするときは，あらかじめ，当該申請者にその旨を通知して，相当の期間内に自ら又はその代理人を通じて弁明する機会を与えなければならず，同項の規定により登録を拒否された者は，当該処分に不服があるときは，厚生労働大臣に対して審査請求をすることができる。

E 開業社会保険労務士及び社会保険労務士法人は，正当な理由がある場合でなければ，依頼（紛争解決手続代理業務に関するものを除く。）を拒んではならない。

正解チェック欄	／	／	／

労 一

A　正　本肢のとおりである（社会保険労務士法（以下本問において「法」とする）2条1項）。

B　正　本肢のとおりである（社会保険労務士法施行規則16条の3）。

C　誤　本肢の場合，業務の制限を定めた法27条違反のみならず，名称の使用制限を定めた「法26条にも違反する」（法26条，法27条）。

D　正　本肢のとおりである（法14条の6第2項，法14条の8第1項）。

E　正　本肢のとおりである（法20条）。

労働科目
691p

キリトリ線

H27-2	労働関係法令（総合問題）	重要度 A

問 19 労働関係法規等に関する次の記述のうち，誤っているものはどれか。

A 男女雇用機会均等法第9条第3項の規定は，同法の目的及び基本的理念を実現するためにこれに反する事業主による措置を禁止する強行規定として設けられたものと解するのが相当であり，女性労働者につき，妊娠，出産，産前休業の請求，産前産後の休業又は軽易業務への転換等を理由として解雇その他不利益な取扱いをすることは，同項に違反するものとして違法であり，無効であるというべきであるとするのが，最高裁判所の判例である。

B 使用者は，労働者にとって過重な業務が続く中でその体調の悪化が看取される場合には，神経科の医院への通院，その診断に係る病名，神経症に適応のある薬剤の処方など労働者の精神的健康に関する情報については労働者本人からの積極的な申告が期待し難いことを前提とした上で，必要に応じてその業務を軽減するなど労働者の心身の健康への配慮に努める必要があるものというべきであるとするのが，最高裁判所の判例である。

C 障害者雇用促進法は，事業主に一定比率（一般事業主については2.3パーセント。ただし，当分の間は2.2パーセントとされている。）以上の対象障害者の雇用を義務づけ，それを達成していない常時使用している労働者数が101人以上の事業主から，未達成1人つき月10万円の障害者雇用納付金を徴収することとしている。

D 平成15年に，平成27年3月31日までの時限立法として制定された次世代育成支援対策推進法は，平成26年の改正法により，法律の有効期限が令和7年3月31日まで10年間延長され，新たな認定制度の創設等が定められた。

E 専門的知識等を有する有期雇用労働者等に関する特別措置法は，5年を超える一定の期間内に完了することが予定されている専門的知識等を必要とする業務に就く専門的知識等を有する有期雇用労働者等について，労働契約法第18条に基づく無期転換申込権発生までの期間に関する特例を定めている。

正解チェック欄	／	／	／

労一

A 正 本肢のとおりである（最高裁第一小法廷判決 平26.10.23 広島中央保健生活協同組合事件）。

B 正 本肢のとおりである（最高裁第二小法廷判決 平26.3.24 東芝事件）。

C 誤 本肢の場合，未達成1人につき，「月5万円」の障害者雇用納付金が徴収される（障害者雇用促進法54条2項，障害者雇用促進法施行令2条，同施行令17条）。

労働科目 664p

D 正 本肢のとおりである（次世代育成支援対策推進法附則2条1項，同法15条の2）。次世代育成支援対策推進法によると，次世代育成支援対策は，父母その他の保護者が子育てについての第一義的責任を有するという基本的認識の下に，家庭その他の場において，子育ての意義についての理解が深められ，かつ，子育てに伴う喜びが実感されるように配慮して行われなければならないとされている（法3条）。

E 正 本肢のとおりである（専門的知識等を有する有期雇用労働者等に関する特別措置法2条，同法8条1項）。なお，労働契約法18条1項には，通算契約期間が5年を超える労働者が使用者に申込みをすることにより，有期労働契約が無期労働契約に転換するいわゆる無期転換ルールが規定されているが，高度な専門的知識等を有し一定の収入を得ている有期契約労働者であって当該専門的知識等を必要とする業務（5年を超える一定期間内に完了する予定のものに限る）に就くものについては，無期転換申込権発生までの期間について特例（5年ではなく，上限10年以内で当該業務開始から完了までの期間中は無期転換申込権が発生しない）が定められている。なお，60歳以上の定年後引き続いて同一の事業主に雇用される有期雇用労働者についても一定の特例が設けられている。

H28-2	労働関係法令（総合問題）	重要度 B

問 20 労働関係法規等に関する次の記述のうち，誤っているものはどれか。

A 障害者雇用促進法第34条は，常時使用する労働者数にかかわらず，「事業主は，労働者の募集及び採用について，障害者に対して，障害者でない者と均等な機会を与えなければならない」と定めている。

B 育児介護休業法第9条の6により，父親と母親がともに育児休業を取得する場合，子が1歳6か月になるまで育児休業を取得できるとされている。

C 同一企業内に複数の労働組合が併存する場合には，使用者は団体交渉の場面に限らず，すべての場面で各組合に対し中立的態度を保持しなければならないとするのが，最高裁判所の判例である。

D 労働者派遣法第35条の3は，「派遣元事業主は，派遣先の事業所その他派遣就業の場所における組織単位ごとの業務について，3年を超える期間継続して同一の派遣労働者に係る労働者派遣（第40条の2第1項各号のいずれかに該当するものを除く。）を行ってはならない」と定めている。

E 労働条件を不利益に変更する内容の労働協約を締結したとき，当該協約の規範的効力が労働者に及ぶのかについて，「同協約が締結されるに至った以上の経緯，当時の被上告会社の経営状態，同協約に定められた基準の全体としての合理性に照らせば，同協約が特定の又は一部の組合員を殊更不利益に取り扱うことを目的として締結されたなど労働組合の目的を逸脱して締結されたもの」とはいえない場合は，その規範的効力を否定すべき理由はないとするのが，最高裁判所の判例である。

正解チェック欄	／	／	／

労一

A　正　本肢のとおりである（障害者雇用促進法34条）。なお，事業主は，賃金の決定，教育訓練の実施，福利厚生施設の利用その他の待遇について，労働者が障害者であることを理由として，障害者でない者と不当な差別的取扱いをしてはならない（同法35条）。

労働科目
661p

B　誤　父親と母親がともに育児休業を取得する場合において，一定の要件に該当すれば，子が「1歳2か月」に達するまでの間で，当該子の出生日以後の当該子に係る産前産後休業期間と育児休業期間との合計が1年間となるまでを限度として，育児休業を取得できるとされている（育児介護休業法9条の6）。

労働科目
601p

C　正　本肢のとおりである（最高裁第三小法廷判決 昭60.4.23 日産自動車事件）。

D　正　本肢のとおりである（労働者派遣法35条の3）。なお，派遣元事業主は，派遣先が当該派遣元事業主から労働者派遣の役務の提供を受けたならば，同法第40条の2第1項の規定（労働者派遣の役務の提供を受ける期間）に抵触することとなる場合には，当該抵触することとなる最初の日以降継続して労働者派遣を行ってはならない（同法35条の2）。

労働科目
649p

E　正　本肢のとおりである（最高裁第一小法廷判決 平9.3.27 朝日火災海上保険（石堂）事件）。

H29-2	労働関係法令（総合問題）	重要度 A

問 21

労働関係法規に関する次の記述のうち，正しいものの組合せは，後記AからEまでのうちどれか。

ア　最低賃金法第3条は，最低賃金額は，時間又は日によって定めるものとしている。

イ　個別労働関係紛争解決促進法第5条第1項は，都道府県労働局長は，同項に掲げる個別労働関係紛争について，当事者の双方又は一方からあっせんの申請があった場合において，その紛争の解決のために必要があると認めるときは，紛争調整委員会にあっせんを行わせるものとすると定めている。

ウ　労働組合法により，労働組合は少なくとも毎年1回総会が開催されることを要求されているが，「総会」とは，代議員制度を採っている場合には，その代議員制度による大会を指し，全組合員により構成されるものでなくてもよい。

エ　育児介護休業法は，労働者は，対象家族1人につき，1回に限り，連続したひとまとまりの期間で最長93日まで，介護休業を取得することができると定めている。

オ　女性活躍推進法は，国及び地方公共団体以外の事業主であって，常時雇用する労働者の数が300人を超えるものは，「厚生労働省令で定めるところにより，職業生活を営み，又は営もうとする女性の職業選択に資するよう，その事業における女性の職業生活における活躍に関する所定の情報を定期的に公表するよう努めなければならない。」と定めている。

A　（アとイ）　**B**　（イとウ）　**C**　（ウとエ）
D　（エとオ）　**E**　（アとオ）

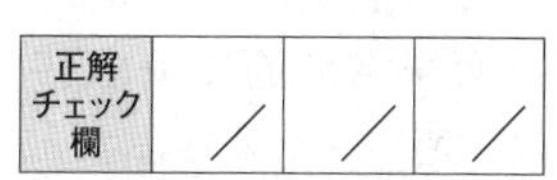

本問のアからオまでのそれぞれの記述の正誤は以下のとおりであり，イとウが正しい記述となる。したがって，Bが解答となる。

ア　誤　最低賃金法3条は，最低賃金額は，「時間」によって定めるものとされており，日によって定めるものとはされていない(最低賃金法3条)。

労働科目 616p

イ　正　本肢のとおりである（個別労働関係紛争解決促進法5条1項)。

労働科目 678p

ウ　正　本肢のとおりである（労働組合法5条2項6号，昭29.4.21労発126号)。

エ　誤　介護休業は，対象家族につき「1回に限り，連続したひとまとまりの期間で取得することは必要とされていない」(育児介護休業法11条2項)。介護休業をしたことがある労働者は，当該介護休業に係る対象家族が，次の①又は②のいずれかに該当する場合には，当該対象家族については，介護休業の申出をすることができないものとされている。

①当該対象家族について3回の介護休業をした場合

②当該対象家族について介護休業をした日数（介護休業を開始した日から介護休業を終了した日までの日数とし，2回以上の介護休業をした場合にあっては，介護休業ごとに，当該介護休業を開始した日から当該介護休業を終了した日までの日数を合算して得た日数とする）が93日に達している場合

労働科目 605p

オ　誤　本肢の事業主は，厚生労働省令で定めるところにより，職業生活を営み，又は営もうとする女性の職業選択に資するよう，その事業における女性の職業生活における活躍に関する所定の情報を定期的に公表「しなければならない」(女性活躍推進法20条1項)。

労働科目 597p

H30-4	労働関係法令（総合問題）	重要度 B

問 22 労働関係法規に関する次の記述のうち，誤っているものはどれか。

A ある企業の全工場事業場に常時使用される同種の労働者の4分の3以上の数の者が一の労働協約の適用を受けているとしても，その企業のある工場事業場において，その労働協約の適用を受ける者の数が当該工場事業場に常時使用される同種の労働者の数の4分の3に達しない場合，当該工場事業場においては，当該労働協約は一般的拘束力をもたない。

B 派遣先は，当該派遣先の同一の事業所その他派遣就業の場所において派遣元事業主から1年以上継続して同一の派遣労働者を受け入れている場合に，当該事業所その他派遣就業の場所において労働に従事する通常の労働者の募集を行うときは，その者が従事すべき業務の内容，賃金，労働時間その他の当該募集に係る事項を当該派遣労働者に周知しなければならない。

C 過労死等防止対策推進法は，国及び地方公共団体以外の事業主であって，常時雇用する労働者の数が100人を超える者は，毎年，当該事業主が「過労死等の防止のために講じた対策の状況に関する報告書を提出しなければならない。」と定めている。

D 労働委員会は，その事務を行うために必要があると認めたときは，使用者又はその団体，労働組合その他の関係者に対して，出頭，報告の提出若しくは必要な帳簿書類の提出を求め，又は委員若しくは労働委員会の職員に関係工場事業場に臨検し，業務の状況若しくは帳簿書類その他の物件を検査させることができる。

E 事業主は，その雇用する女性労働者が母子保健法の規定による保健指導又は健康診査に基づく指導事項を守ることができるようにするため，勤務時間の変更，勤務の軽減等必要な措置を講じなければならない。

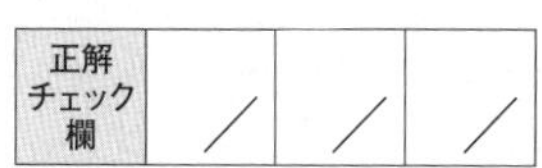

正解チェック欄	／	／	／

労一

正解 C

A 正 本肢のとおりである（労働組合法17条）。一の工場事業場に常時使用される同種の労働者の4分の3以上の数の労働者が一の労働協約の適用を受けるに至ったときは，当該工場事業場に使用される他の同種の労働者に関しても，当該労働協約が適用されるものとされている。

労働科目 675p

B 正 本肢のとおりである（労働者派遣法40条の5第1項）。

C 誤 このような規定は設けられていない（過労死等防止対策推進法）。過労死等防止対策推進法は，近年，我が国において過労死等が多発し，大きな社会問題となっていること及び過労死等が，本人はもとより，その遺族又は家族のみならず社会にとっても大きな損失であることに鑑み，過労死等に関する調査研究等について定めることにより，過労死等の防止のための対策を推進し，もって過労死等がなく，仕事と生活を調和させ，健康で充実して働き続けることのできる社会の実現に寄与することを目的としており，事業主に対する義務規定は設けられていない。

D 正 本肢のとおりである（労働組合法22条1項）。なお，労働委員会は，本肢の臨検又は検査をさせる場合においては，労働委員会の委員又は職員にその身分を証明する証票を携帯させ，関係人にこれを呈示させなければならない（同条2項）。

E 正 本肢のとおりである（男女雇用機会均等法13条1項）。なお，厚生労働大臣は，本肢の規定に基づき事業主が講ずべき措置に関して，その適切かつ有効な実施を図るために必要な指針を定めるものとされている（同条2項）。

労働科目 593p

R元-4	労働関係法令（総合問題）	重要度 A

問 23 労働関係法規に関する次の記述のうち，誤っているものはどれか。

A 労働者派遣法第44条第1項に規定する「派遣中の労働者」に対しては，賃金を支払うのは派遣元であるが，当該労働者の地域別最低賃金については，派遣先の事業の事業場の所在地を含む地域について決定された地域別最低賃金において定める最低賃金額が適用される。

B 65歳未満の定年の定めをしている事業主が，その雇用する高年齢者の65歳までの安定した雇用を確保するため，新たに継続雇用制度（現に雇用している高年齢者が希望するときは，当該高年齢者をその定年後も引き続いて雇用する制度をいう。）を導入する場合，事業主は，継続雇用を希望する労働者について労使協定に定める基準に基づき，継続雇用をしないことができる。

C 事業主は，障害者と障害者でない者との均等な機会の確保の支障となっている事情を改善するため，事業主に対して過重な負担を及ぼすこととなるときを除いて，労働者の募集及び採用に当たり障害者からの申出により当該障害者の障害の特性に配慮した必要な措置を講じなければならない。

D 職業安定法にいう職業紹介におけるあっせんには，「求人者と求職者との間に雇用関係を成立させるために両者を引き合わせる行為のみならず，求人者に紹介するために求職者を探索し，求人者に就職するよう求職者に勧奨するいわゆるスカウト行為（以下「スカウト行為」という。）も含まれるものと解するのが相当である。」とするのが，最高裁判所の判例である。

E 公共職業安定所は，労働争議に対する中立の立場を維持するため，同盟罷業又は作業所閉鎖の行われている事業所に，求職者を紹介してはならない。

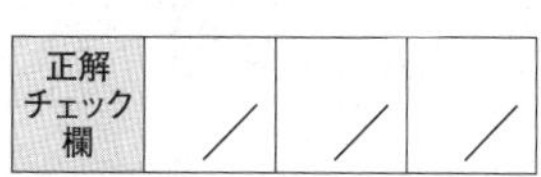

必修基本書

A　正　本肢のとおりである（最低賃金法13条ほか）。 労働科目 618p

B　誤　高年齢者雇用安定法9条には，65歳未満の定年の定めをしている事業主に対して，高年齢者雇用確保措置を講じなければならない旨が規定されているが，その高年齢者雇用確保措置の1つとしての継続雇用制度の導入には，「本肢の例外規定は設けられていない」（高年齢者雇用安定法9条1項2号ほか）。なお，高年齢者雇用確保措置の実施及び運用等に関する指針によれば，継続雇用制度を導入する場合には，希望者全員を対象とする制度とすることとされているが，心身の故障のため業務に堪えられないと認められること等就業規則に定める解雇事由又は退職事由（年齢に係るものを除く）に該当する場合には，継続雇用しないことができるものとされており，当該就業規則に定める解雇事由又は退職事由と同一の事由を，継続雇用しないことができる事由として，就業規則に定めることもでき，また，当該同一の事由について，労使が協定を締結することができるとされている（ただし，継続雇用しないことについては，客観的に合理的な理由があり，社会通念上相当であることが求められる）（高年齢者雇用確保措置の実施及び運用等に関する指針）。 労働科目 657p

---

C　正　本肢のとおりである（障害者雇用促進法36条の2）。 労働科目 662p

D　正　本肢のとおりである（最高裁第二小法廷判決 平6.4.22 東京エグゼクティブ・サーチ事件）。

E　正　本肢のとおりである（職業安定法20条1項）。 労働科目 637p

R2-3	労働関係法令(総合問題)	重要度 A

問 24 労働関係法規に関する次の記述のうち，正しいものはどれか。

A 育児介護休業法に基づいて育児休業の申出をした労働者は，当該申出に係る育児休業開始予定日とされた日の前日までに厚生労働省令で定める事由が生じた場合には，その事業主に申し出ることにより，法律上，当該申出に係る育児休業開始予定日を何回でも当該育児休業開始予定日とされた日前の日に変更することができる。

B パートタイム・有期雇用労働法が適用される企業において，同一の能力又は経験を有する通常の労働者であるXと短時間労働者であるYがいる場合，XとYに共通して適用される基本給の支給基準を設定し，就業の時間帯や就業日が日曜日，土曜日又は国民の祝日に関する法律（昭和23年法律第178号）に規定する休日か否か等の違いにより，時間当たりの基本給に差を設けることは許されない。

C 障害者雇用促進法では，事業主の雇用する障害者雇用率の算定対象となる障害者（以下「対象障害者」という。）である労働者の数の算定に当たって，対象障害者である労働者の1週間の所定労働時間にかかわりなく，対象障害者は1人として換算するものとされている。

D 個別労働関係紛争の解決の促進に関する法律第1条の「労働関係」とは，労働契約に基づく労働者と事業主の関係をいい，事実上の使用従属関係から生じる労働者と事業主の関係は含まれない。

E 公共職業安定所は，求人者が学校（小学校及び幼稚園を除く。）その他厚生労働省令で定める施設の学生又は生徒であって卒業することが見込まれる者その他厚生労働省令で定める者であることを条件とした求人の申込みをする場合において，その求人者がした労働に関する法律の規定であって政令で定めるものの違反に関し，法律に基づく処分，公表その他の措置が講じられたとき（厚生労働省令で定める場合に限る。）は，職業安定法第5条の5第1項柱書きの規定にかかわらず，その申込みを受理しないことができる。

正解チェック欄	／	／	／

労一

A 誤 育児休業開始予定日の変更は,「1回に限り」行うことができる。その他の記述は正しい（育児介護休業法7条1項）。

B 誤 本肢の取扱いは，パートタイム・有期雇用労働法上問題とならない例とされている（短時間・有期雇用労働者及び派遣労働者に対する不合理な待遇の禁止等に関する指針（平30.12.28厚労告430号)。

C 誤 対象障害者の雇用数の算定に当たって，1週間の所定労働時間が，当該事業主の事業所に雇用する通常の労働者の1週間の所定労働時間に比し短く，かつ，20時間以上30時間未満である常時雇用する短時間労働者については，原則として，その1人をもって0.5人として換算するものとされている（障害者雇用促進法43条3項，障害者雇用促進法施行規則6条ほか)。

労働科目 664p

D 誤 個別労働紛争解決促進法1条における「労働関係」とは，労働契約又は「事実上の使用従属関係から生じる労働者と事業主の関係をいう」こととされている（平13.9.19基発832号ほか)。

E 正 本肢のとおりである（職業安定法5条の5第1項)。なお，公共職業安定所，特定地方公共団体及び職業紹介事業者は，求人の申込みが職業安定法5条の5第1項各号に該当するかどうかを確認するため必要があると認めるときは，当該求人者に報告を求めることができる（同条2項)。

労働科目 636p

R3-4	労働関係法令（総合問題）

問 25　労働関係法規に関する次のアからオの記述のうち，誤っているものの組合せは，後記AからEまでのうちどれか。

ア　障害者の雇用の促進等に関する法律第36条の2から第36条の4までの規定に基づき事業主が講ずべき措置（以下「合理的配慮」という。）に関して，合理的配慮の提供は事業主の義務であるが，採用後の合理的配慮について，事業主が必要な注意を払ってもその雇用する労働者が障害者であることを知り得なかった場合には，合理的配慮の提供義務違反を問われない。

イ　定年（65歳以上70歳未満のものに限る。）の定めをしている事業主又は継続雇用制度（その雇用する高年齢者が希望するときは，当該高年齢者をその定年後も引き続いて雇用する制度をいう。ただし，高年齢者を70歳以上まで引き続いて雇用する制度を除く。）を導入している事業主は，その雇用する高年齢者（高年齢者雇用安定法第9条第2項の契約に基づき，当該事業主と当該契約を締結した特殊関係事業主に現に雇用されている者を含み，厚生労働省令で定める者を除く。）について，「当該定年の引上げ」「65歳以上継続雇用制度の導入」「当該定年の定めの廃止」の措置を講ずることにより，65歳から70歳までの安定した雇用を確保しなければならない。

ウ　労働施策総合推進法第30条の2第1項の「事業主は，職場において行われる優越的な関係を背景とした言動であって，業務上必要かつ相当な範囲を超えたものによりその雇用する労働者の就業環境が害されることのないよう，当該労働者からの相談に応じ，適切に対応するために必要な体制の整備その他の雇用管理上必要な措置を講じなければならない。」とする規定が，令和2年6月1日に施行された。

重要度 A

エ　A社において，定期的に職務の内容及び勤務地の変更がある通常の労働者の総合職であるXは，管理職となるためのキャリアコースの一環として，新卒採用後の数年間，店舗等において，職務の内容及び配置に変更のない短時間労働者であるYの助言を受けながら，Yと同様の定型的な業務に従事している場合に，A社がXに対し，キャリアコースの一環として従事させている定型的な業務における能力又は経験に応じることなく，Yに比べ基本給を高く支給していることは，パートタイム・有期雇用労働法に照らして許されない。

オ　女性労働者につき労働基準法第65条第3項に基づく妊娠中の軽易な業務への転換を契機として降格させる事業主の措置は，原則として男女雇用機会均等法第9条第3項の禁止する取扱いに当たるが，当該労働者につき自由な意思に基づいて降格を承諾したものと認めるに足りる合理的な理由が客観的に存在するとき，又は事業主において当該労働者につき降格の措置を執ることなく軽易な業務への転換をさせることに円滑な業務運営や人員の適正配置の確保などの業務上の必要性から支障がある場合であって，上記措置につき男女雇用機会均等法第9条第3項の趣旨及び目的に実質的に反しないものと認められる特段の事情が存在するときは，同項の禁止する取扱いに当たらないとするのが，最高裁判所の判例である。

A　(アとエ)　**B**　(アとオ)　**C**　(イとエ)
D　(イとオ)　**E**　(ウとエ)

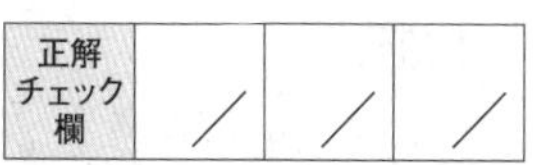

正解チェック欄	／	／	／

本問アからオまでのそれぞれの記述の正誤は以下のとおりであり，したがって，イとエを誤りとするCが解答となる。

ア　正　本肢のとおりである（平27.3.25厚労告117号）。なお，事業主は，障害者雇用促進法36条の3に規定する措置（雇用の分野における障害者と障害者でない者との均等な機会の確保等を図るための措置）に関し，その雇用する障害者である労働者からの相談に応じ，適切に対応するために必要な体制の整備その他の雇用管理上必要な措置を講じなければならない（障害者雇用促進法36条の4第2項）。

イ　誤　本肢の措置（高年齢者就業確保措置）は，事業主の「努力義務」である。その他の記述は正しい（高年齢者雇用安定法10条の2第1項）。

労働科目 657p

ウ　正　本肢のとおりである（労働施策総合推進法30条の2第1項，令元同法附則1条，令元同法附則3条ほか）。なお，本肢の「優越的な関係を背景とした」言動とは，当該事業主の業務を遂行するに当たって，当該言動を受ける労働者が当該言動の行為者とされる者に対して抵抗又は拒絶することができない蓋然性が高い関係を背景として行われるものをいう（事業主が職場における優越的な関係を背景とした言動に起因する問題に関して雇用管理上講ずべき措置等についての指針）。

労働科目 632p

エ　誤　本肢の措置は，パートタイム・有期雇用労働法8条（不合理な待遇の禁止）の規定に照らして「問題とならない」例とされている（パートタイム・有期雇用労働法8条，平30.12.28厚労告430号）。

オ　正　本肢のとおりである（最高裁第一小法廷判決　平26.10.23 広島中央保健生活協同組合事件）。なお，事業主は，その雇用する女性労働者が妊娠したこと，出産したこと，労働基準法65条1項の規定による産前休業を請求し，又は同項若しくは同条2項の規定による産前産後休業をしたことその他の妊娠又は出産に関する事由であって厚生労働省令で定めるものを理由として，当該女性労働者に対して解雇その他不利益な取扱いをしてはならない（男女雇用機会均等法9条3項）。

R4-4	労働関係法令（総合問題）	重要度 B

問 26 労働関係法規に関する次の記述のうち，誤っているものはどれか。

A 一の地域において従業する同種の労働者の大部分が一の労働協約の適用を受けるに至ったときは，当該労働協約の当事者の双方又は一方の申立てに基づき，労働委員会の決議により，都道府県労働局長又は都道府県知事は，当該地域において従業する他の同種の労働者及びその使用者も当該労働協約の適用を受けるべきことの決定をしなければならない。

B 事業主は，職場において行われるその雇用する労働者に対する育児休業，介護休業その他の子の養育又は家族の介護に関する厚生労働省令で定める制度又は措置の利用に関する言動により当該労働者の就業環境が害されることのないよう，当該労働者からの相談に応じ，適切に対応するために必要な体制の整備その他の雇用管理上必要な措置を講じなければならない。

C 積極的差別是正措置として，障害者でない者と比較して障害者を有利に取り扱うことは，障害者であることを理由とする差別に該当せず，障害者の雇用の促進等に関する法律に違反しない。

D 労働者派遣事業の許可を受けた者（派遣元事業主）は，その雇用する派遣労働者が段階的かつ体系的に派遣就業に必要な技能及び知識を習得することができるように教育訓練を実施しなければならず，また，その雇用する派遣労働者の求めに応じ，当該派遣労働者の職業生活の設計に関し，相談の機会の確保その他の援助を行わなければならない。

E 賞与であって，会社の業績等への労働者の貢献に応じて支給するものについて，通常の労働者と同一の貢献である短時間・有期雇用労働者には，貢献に応じた部分につき，通常の労働者と同一の賞与を支給しなければならず，貢献に一定の相違がある場合においては，その相違に応じた賞与を支給しなければならない。

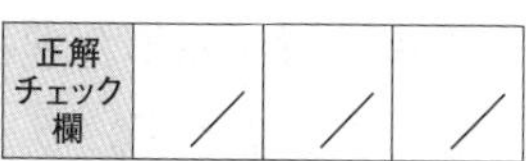

労一

A　誤　本肢の場合，「厚生労働大臣」又は都道府県知事は，当該地域において従事する他の同種の労働者及びその使用者も当該労働協約の適用を受けるべきことの決定を「することができる」(労働組合法18条1項)。

B　正　本肢のとおりである（育児介護休業法25条1項)。なお，事業主は，労働者が本肢の相談を行ったこと又は事業主による当該相談への対応に協力した際に事実を述べたことを理由として，当該労働者に対して解雇その他不利益な取扱いをしてはならない(同条2項)。

労働科目
614p

C　正　本肢のとおりである（平27.3.25厚労告116号)。なお，合理的配慮を提供し，労働能力等を適正に評価した結果として，障害者でない者と異なる取扱いをすることは，障害者であることを理由とする差別に該当しない。

D　正　本肢のとおりである（労働者派遣法30条の2)。なお，本肢の場合において，当該派遣労働者が無期雇用派遣労働者（期間を定めないで雇用される派遣労働者）であるときは，当該無期雇用派遣労働者がその職業生活の全期間を通じてその有する能力を有効に発揮できるように配慮しなければならない。

労働科目
645p

E　正　本肢のとおりである（平30.12.28厚労告430号)。例えば，賞与について，会社の業績等への労働者の貢献に応じて支給しているA社において，通常の労働者であるXと同一の会社の業績等への貢献がある有期雇用労働者であるYに対し，Xと同一の賞与をしていないといった取扱いは，短時間・有期労働者及び派遣労働者に対する不合理な待遇の禁止等に関する指針において問題となる例とされている。

MEMO

R5-4	労働関係法令(総合問題)

問 27 労働関係法規に関する次の記述のうち，誤っているものはどれか。

A 「使用者が誠実交渉義務に違反する不当労働行為をした場合には，当該団体交渉に係る事項に関して合意の成立する見込みがないときであっても，労働委員会は，誠実交渉命令〔使用者が誠実交渉義務に違反している場合に，これに対して誠実に団体交渉に応ずべき旨を命ずることを内容とする救済命令〕を発することができると解するのが相当である。」とするのが，最高裁判所の判例である。

B 職業紹介事業者，求人者，労働者の募集を行う者，募集受託者，特定募集情報等提供事業者，労働者供給事業者及び労働者供給を受けようとする者は，特別な職業上の必要性が存在することその他業務の目的の達成に必要不可欠であって，収集目的を示して本人から収集する場合でなければ，「人種，民族，社会的身分，門地，本籍，出生地その他社会的差別の原因となるおそれのある事項」「思想及び信条」「労働組合への加入状況」に関する求職者，募集に応じて労働者になろうとする者又は供給される労働者の個人情報を収集することができない。

C 事業主は，労働者が当該事業主に対し，当該労働者又はその配偶者が妊娠し，又は出産したことその他これに準ずるものとして厚生労働省令で定める事実を申し出たときは，厚生労働省令で定めるところにより，当該労働者に対して，育児休業に関する制度その他の厚生労働省令で定める事項を知らせるとともに，育児休業申出等に係る当該労働者の意向を確認するための面談その他の厚生労働省令で定める措置を講じなければならない。

D 高年齢者雇用安定法に定める義務として継続雇用制度を導入する場合，事業主に定年退職者の希望に合致した労働条件での雇用を義務付けるものではなく，事業主の合理的な裁量の範囲の条件を提示していれば，労働者と事業主との間で労働条件等についての合意が得られず，結果的に労働者が継続雇用されることを拒否したとしても，高年齢者雇用安定法違反となるものではない。

重要度 B

E　厚生労働大臣は，常時雇用する労働者の数が300人以上の事業主からの申請に基づき，当該事業主について，青少年の募集及び採用の方法の改善，職業能力の開発及び向上並びに職場への定着の促進に関する取組に関し，その実施状況が優良なものであることその他の厚生労働省令で定める基準に適合するものである旨の認定を行うことができ，この制度は「ユースエール認定制度」と呼ばれている。

正解チェック欄	／	／	／

労一

A　正　本肢のとおりである（最高裁第二小法廷判決 令4.3.18国立山形大学事件）。

B　正　本肢のとおりである（平11.11.17労告141号）。なお，職業紹介事業者等は，個人情報を収集する際には，本人から直接収集し，又は本人の同意の下で本人以外の者から収集する等適法かつ公正な手段によらなければならない。

C　正　本肢のとおりである（育児介護休業法21条1項）。なお，事業主は，労働者が本肢の申出をしたことを理由として，当該労働者に対して解雇その他不利益な取扱いをしてはならない（同条2項）。

D　正　本肢のとおりである（高年齢者雇用安定法Q＆A）。なお，継続雇用制度を含めた高年齢者雇用確保措置が講じられていない企業が，高年齢者雇用確保措置の実施に関する勧告を受けたにもかかわらず，これに従わなかったときは，厚生労働大臣がその旨を公表できることとされていることから，当該措置の未実施の状況などにかんがみ，必要に応じ企業名の公表を行い，各種法令等に基づき，ハローワークでの求人の不受理・紹介保留，助成金の不支給等の措置を講じることとされている（高年齢者雇用安定法Q＆A（Q1-8））。

E　誤　厚生労働大臣は，事業主（常時雇用する労働者の数が300人「以下」のものに限る）からの申請に基づき，当該事業主について，青少年の募集及び採用の方法の改善，職業能力の開発及び向上並びに職場への定着の促進に関する取組に関し，その実施状況が優良なものであることその他の厚生労働省令で定める基準に適合するものである旨の認定（ユースエール認定）を行うことができる（若者雇用促進法15条）。

キリトリ線

R6-4	労働関係法令(総合問題)	重要度	B

問 28 労働関係法規に関する次の記述のうち，誤っているものはどれか。

ア　労働者の募集を行う者及び募集受託者は，職業安定法に基づく業務に関して新聞，雑誌その他の刊行物に掲載する広告，文書の掲出又は頒布その他厚生労働省令で定める方法により労働者の募集に関する情報その他厚生労働省令で定める情報を提供するときは，正確かつ最新の内容に保たなければならない。

イ　最低賃金法第8条は，「最低賃金の適用を受ける使用者は，厚生労働省令で定めるところにより，当該最低賃金の概要を，常時作業場の見やすい場所に掲示し，又はその他の方法で，労働者に周知させるための措置をとらなければならない。」と定めている。

ウ　障害者専用の求人の採用選考又は採用後において，仕事をする上での能力及び適性の判断，合理的配慮の提供のためなど，雇用管理上必要な範囲 で，プライバシーに配慮しつつ，障害者に障害の状況等を確認することは，障害者であることを理由とする差別に該当せず，障害者の雇用の促進等に関する法律に違反しない。

エ　労働施策総合推進法第9条は，「事業主は，労働者がその有する能力を有効に発揮するために必要であると認められるときとして厚生労働省令で定めるときは，労働者の配置（業務の配分及び権限の付与を含む。）及び昇進について，厚生労働省令で定めるところにより，その年齢にかかわりなく均等な機会を与えなければならない。」と定めている。

オ　基本給の一部について，労働者の業績又は成果に応じて支給しているＹ社において，通常の労働者が販売目標を達成した場合に行っている支給を，短時間労働者であるＸについて通常の労働者と同一の販売目標を設定し，当該販売目標を達成しない場合には支給を行っていなくても，パートタイム・有期雇用労働法上は問題ない。

A（アとイ）　**B**（アとウ）　**C**（イとエ）
D（ウとオ）　**E**（エとオ）

キリトリ線

労
一

本問アからオまでのそれぞれの記述の正誤は以下のとおりである。したがって，エとオを誤っている記述とするEが解答となる。

ア　正　本肢のとおりである（職業安定法5条の4第2項）。

イ　正　本肢のとおりである（最低賃金法8条）。

ウ　正　本肢のとおりである（平27.3.25厚労告116号）。

エ　誤　事業主は，労働者がその有する能力を有効に発揮するために必要であると認められるときとして厚生労働省令で定めるときは，「労働者の募集及び採用」について，厚生労働省令で定めるところにより，その年齢にかかわりなく均等な機会を与えなければならない（労働施策総合推進法9条）。

労働科目
630p

オ　誤　基本給の一部について，労働者の業績又は成果に応じて支給している会社において，通常の労働者が販売目標を達成した場合に行っている支給を，短時間労働者について通常の労働者と同一の販売目標を設定し，それを達成しない場合には行っていないことは，不合理な待遇の禁止を定めたパートタイム・有期雇用労働法8条に「違反する」（平30.12.28厚労告430号）。

R4-1	労働経済（雇用の動向）	重要度 C

問 29 我が国の労働力に関する次の記述のうち，誤っているものはどれか。なお，本問は，「労働力調査（基本集計）2021年平均結果（総務省統計局）」を参照しており，当該調査による用語及び統計等を利用している。

A 2021年の就業者数を産業別にみると，2020年に比べ最も減少したのは「宿泊業，飲食サービス業」であった。

B 2021年の年齢階級別完全失業率をみると，15～24歳層が他の年齢層に比べて，最も高くなっている。

C 2021年の労働力人口に占める65歳以上の割合は，10パーセントを超えている。

D 従業上の地位別就業者数の推移をみると，「自営業主・家族従業者」の数は2011年以来，減少傾向にある。

E 役員を除く雇用者全体に占める「正規の職員・従業員」の割合は，2015年以来，一貫して減少傾向にある。

正解チェック欄	／	／	／

A 正 本肢のとおりである（労働力調査（基本集計）2021年平均結果）。「宿泊業，飲食サービス業」は2021年平均で369万人と，前年に比べ最も減少（22万人減少）した。

B 正 本肢のとおりである（労働力調査（基本集計）2021年平均結果）。15～24歳層の2021年の年齢階級別完全失業率は4.6％と他の年齢層に比べて最も高くなっている。なお，2021年平均の完全失業率は2.8％である。

C 正 本肢のとおりである（労働力調査（基本集計）2021年平均結果）。2021年平均の労働力人口は6,860万人，そのうち65歳以上は929万人である。

D 正 本肢のとおりである（労働力調査（基本集計）2021年平均結果）。

E 誤 役員を除く雇用者全体に占める「正規の職員・従業員」の割合は，2017年，2020年及び2021年はそれぞれその前年より増加しており，「一貫して減少傾向にある訳ではない」（労働力調査（基本集計）2021年平均結果）。

H29-5	労働経済（高齢者）	重要度 C

問 30 我が国の高齢者に関する次の記述のうち，誤っているものはどれか。なお，本問は，「平成28年版厚生労働白書（厚生労働省）」を参照しており，当該白書又は当該白書が引用している調査による用語及び統計等を利用している。

A 世帯主の年齢階級別に世帯人員１人当たりの平均所得額をみると，世帯主が65歳以上の世帯では全世帯の平均額を２割以上下回っている。

B 60歳以上の高齢者の自主的社会活動への参加状況をみると，何らかの自主的な活動に参加している高齢者の割合は，増加傾向を示している。

C 65歳以上の非正規の職員・従業員の雇用者について，現在の雇用形態についた主な理由（「その他」を除く。）をみると，「自分の都合のよい時間に働きたいから」が最も多く，次いで「家計の補助・学費等を得たいから」，「専門的な技能等をいかせるから」が続いている。

D 65歳以上の高齢者のいる世帯について，世帯構造別の構成割合の推移をみると，1986年時点で１割強であった単独世帯の構成割合は，その後，一貫して上昇し，2015年では全体の約４分の１が単独世帯となっており，夫婦のみ世帯と合わせると半数を超える状況となっている。

E 65歳以上の者の役員を除いた雇用者の雇用形態をみると，他の年齢層に比べて非正規の職員・従業員の割合がきわめて大きくなっており，2015年には全体の約４分の３を占めている。

正解チェック欄	／	／	／

A　誤　世帯主の年齢階級別に世帯員1人当たりの平均所得額をみると，世帯主が65歳以上の世帯では192.4万円と全世帯の211万円と比較して「大きくは変わらない」（平成28年版厚生労働白書21頁）。

B　正　本肢のとおりである（平成28年版厚生労働白書28頁）。何らかの自主的な活動に参加している高齢者の割合は，1993（平成5）年では42.3％であったが，2003（平成15）年では54.8％，2013（平成25）年では61.0％と年々増加している。

C　正　本肢のとおりである（平成28年版厚生労働白書36頁）。

D　正　本肢のとおりである（平成28年版厚生労働白書17頁）。

E　正　本肢のとおりである（平成28年版厚生労働白書36頁）。65歳以上の役員を除いた雇用者に占める非正規の職員・従業員の割合は，2015（平成27）年には74.2％（すなわち約4分の3）となっている。

H27-4	労働経済（賃金制度）	重要度 C

問 31 我が国の企業の賃金制度に関する次の記述のうち，正しいものはどれか。なお，本問は，「就労条件総合調査（厚生労働省）」を参照しており，当該年の調査による用語及び統計等を利用している。

A 過去3年間の賃金制度の改定の有無をみると，平成19年調査以降，改定を行った企業の割合は，平成22年，平成26年と調査実施の度に減少している。

B 基本給の決定要素別の企業割合をみると，平成13年調査以降，管理職，管理職以外ともに，「業績・成果」の割合が上昇している。

C 平成24年調査において，業績評価制度を導入している企業について，業績評価制度の評価状況をみると，「改善すべき点がかなりある」とする企業割合が「うまくいっているが一部手直しが必要」とする企業割合よりも多く，その割合は5割近くになった。

D 平成26年調査において，賃金形態別に採用企業割合をみると，出来高払い制をとる企業の割合が増加し，その割合は2割近くになった。

E 平成26年調査において，時間外労働の割増賃金率を定めている企業のうち，1か月60時間を超える時間外労働の割増賃金率を定めている企業割合は，5割近くになった。

正解チェック欄	／	／	／

労一

A　正　本肢のとおりである（平成26年就労条件総合調査，平成22年同調査，平成19年同調査）。平成19年就労条件総合調査において過去3年間に賃金制度の改定を行った企業の割合は46.3%，平成22年同調査においては34.6%，平成26年同調査においては28.6%と調査実施の度に減少している。

B　誤　基本給の決定要素別の企業割合をみると「業績・成果」の割合は，管理職については平成13年就労条件総合調査によれば64.2%，平成21年同調査によれば45.4%，平成24年同調査によれば42.2%となっており，管理職以外については平成13年同調査によれば62.3%，平成21年同調査によれば44.4%，平成24年同調査によれば40.5%となっており，管理職及び管理職以外ともに「業績・成果」の割合は「減少」している（平成24年就労条件総合調査，平成21年同調査，平成13年同調査）。

C　誤　平成24年就労条件総合調査によれば，業績評価制度を導入している企業について，業績評価制度の評価状況をみると，「うまくいっているが一部手直しが必要」とする企業割合の方が「改善すべき点がかなりある」とする企業割合よりも多く，その割合は46.0%であった（平成24年就労条件総合調査）。

D　誤　平成26年就労条件総合調査によれば，賃金形態別に採用企業割合をみると，平成22年同調査と比較して出来高払い制をとる企業の割合は「減少」し，その割合は「4.6%」となった（平成26年就労条件総合調査）。

E　誤　平成26年就労条件総合調査によれば，時間外労働の割増賃金率を定めている企業のうち，1か月60時間を超える時間外労働の割増賃金率を定めている企業割合は，「29.3%」となった（平成26年就労条件総合調査）。

キリトリ線

H28-4	労働経済（労働時間）	重要度 B

問 32 我が国の労働時間制度等に関する次の記述のうち，正しいものはどれか。なお，本問は，「平成27年就労条件総合調査（厚生労働省）」を参照しており，当該調査による用語及び統計等を利用している。

A 何らかの週休2日制を採用している企業はどの企業規模でも8割を超えているが，完全週休2日制となると，30～99人規模の企業では3割にとどまっている。

B みなし労働時間制の適用を受ける労働者割合は，10パーセントに達していない。

C フレックスタイム制を採用している企業割合は，3割を超えている。

D 年次有給休暇の取得率は，男女ともに50パーセントを下回っている。

E 年次有給休暇を時間単位で取得できる制度がある企業割合は，3割を超える水準まで上昇してきた。

キリトリ線

労一

正解チェック欄	／	／	／

A　誤　30～99人規模の企業で完全週休2日制を採用している企業割合は,「48.3%」となっており,「3割にとどまってはいない」。その他の記述については正しい（平成27年就労条件総合調査)。

B　正　本肢のとおりである（平成27年就労条件総合調査)。みなし労働時間制の適用を受ける労働者の割合は，8.4%となっており，10%に達していない。なお，みなし労働時間制を採用している企業割合は13.0%となっている。

C　誤　フレックスタイム制を採用している企業割合は,「4.3%」となっており,「3割を超えてはいない」(平成27年就労条件総合調査)。

D　誤　年次有給休暇の取得率は，男44.7%，女53.3%となっており，男は50%を下回っているが,「女は50%を下回ってはいない」(平成27年就労条件総合調査)。

E　誤　年次有給休暇を時間単位で取得できる制度がある企業割合は，16.2%となっており,「3割を超えてはいない」(平成27年就労条件総合調査)。

R4-2	労働経済(労働時間)	重要度 C

問 33 我が国の令和3年における労働時間制度に関する次の記述のうち，誤っているものはどれか。なお，本問は，「令和3年就労条件総合調査（厚生労働省）」を参照しており，当該調査による用語及び統計等を利用している。

A 特別休暇制度の有無を企業規模計でみると，特別休暇制度のある企業の割合は約6割となっており，これを特別休暇制度の種類（複数回答）別にみると，「夏季休暇」が最も多くなっている。

B 変形労働時間制の有無を企業規模計でみると，変形労働時間制を採用している企業の割合は約6割であり，これを変形労働時間制の種類（複数回答）別にみると，「1年単位の変形労働時間制」が「1か月単位の変形労働時間制」よりも多くなっている。

C 主な週休制の形態を企業規模計でみると，完全週休2日制が6割を超えるようになった。

D 勤務間インターバル制度の導入状況を企業規模計でみると，「導入している」は1割に達していない。

E 労働者1人平均の年次有給休暇の取得率を企業規模別にみると，規模が大きくなるほど取得率が高くなっている。

正解チェック欄	／	／	／

A　正　本肢のとおりである（令和3年就労条件総合調査）。なお，令和3年調査において，特別休暇制度の種類（複数回答）別にみると，「夏季休暇」が42.0％と最も多くなっており，次いで，病気休暇が23.8％，リフレッシュ休暇が13.9％となっている。

B　正　本肢のとおりである（令和3年就労条件総合調査）。本肢の調査において，変形労働時間制を採用している企業割合は59.6％，変形労働時間制の種類（複数回答）別にみると，「1年単位の変形労働時間制」が31.4％，「1か月単位の変形労働時間制」が25.0％，「フレックスタイム制」が6.5％となっている。

C　誤　本肢の調査において，主な週休制の形態を企業規模計でみると，「完全週休2日制」を採用している企業割合は「48.4％」となっており「6割を超えるようにはなっていない」（令和3年就労条件総合調査）。

D　正　本肢のとおりである（令和3年就労条件総合調査）。本肢の調査において，勤務間インターバル制度を「導入している」企業割合は，4.6％となっており，1割に達していない。

E　正　本肢のとおりである（令和3年就労条件総合調査）。なお，令和3年調査において，労働者1人平均の年次有給休暇の取得率を産業別にみると，「電気・ガス・熱供給・水道業」が最も高くなっている。

R元-1	労働経済（労働費用）	重要度 C

問 34 我が国の常用労働者1人1か月平均の労働費用に関する次の記述のうち，誤っているものはどれか。なお，本問は，「平成28年就労条件総合調査（厚生労働省）」を参照しており，当該調査による用語及び統計等を利用している。

A 「労働費用総額」に占める「現金給与額」の割合は約7割，「現金給与以外の労働費用」の割合は約3割となっている。

B 「現金給与以外の労働費用」に占める割合を企業規模計でみると，「法定福利費」が最も多くなっている。

C 「法定福利費」に占める割合を企業規模計でみると，「厚生年金保険料」が最も多く，「健康保険料・介護保険料」，「労働保険料」がそれに続いている。

D 「法定外福利費」に占める割合を企業規模計でみると，「住居に関する費用」が最も多く，「医療保健に関する費用」，「食事に関する費用」がそれに続いている。

E 「法定外福利費」に占める「住居に関する費用」の割合は，企業規模が大きくなるほど高くなっている。

正解チェック欄	／	／	／

労一

A　誤　「労働費用総額」に占める「現金給与額」の割合は約「8割」,「現金給与以外の労働費用」の割合は約「2割」となっている（平成28年就労条件総合調査）。

B　正　本肢のとおりである（平成28年就労条件総合調査）。本肢の「現金給与以外の労働費用」に占める割合は,「法定福利費」が最も多く59.9％となっている。

C　正　本肢のとおりである（平成28年就労条件総合調査）。本肢の「法定福利費」に占める割合は,「厚生年金保険料」が最も多く54.3％,「健康保険料・介護保険料」35.4％,「労働保険料」8.9％などとなっている。

D　正　本肢のとおりである（平成28年就労条件総合調査）。本肢の「法定外福利費」に占める割合は,「住居に関する費用」が最も多く47.3％,「医療保健に関する費用」13.4％,「食事に関する費用」9.4％などとなっている。

E　正　本肢のとおりである（平成28年就労条件総合調査）。

H29-4	労働経済(女性の雇用)	重要度 C

問 35 我が国の女性の雇用に関する次の記述のうち，誤っているものはどれか。なお，本問は，「平成28年版男女共同参画白書（内閣府）」を参照しており，当該白書又は当該白書が引用している調査による用語及び統計等を利用している。

A 一般労働者（常用労働者のうち短時間労働者以外の者）における男女の所定内給与額の格差は，長期的に見ると縮小傾向にある。男性一般労働者の給与水準を100としたときの女性一般労働者の給与水準は，平成27年に80を超えるようになった。

B 過去1年間に職を変えた又は新たに職についた者のうち，現在は自営業主（内職者を除く。）となっている者（起業家）に占める女性の割合は，当該白書で示された直近の平成24年時点で約3割である。

C 平成27年における女性の非労働力人口のうち，1割強が就業を希望しているが，現在求職していない理由としては「出産・育児のため」が最も多くなっている。

D 夫婦共に雇用者の共働き世帯は全体として増加傾向にあり，平成9年以降は共働き世帯数が男性雇用者と無業の妻から成る世帯数を一貫して上回っている。

E 世界経済フォーラムが2015（平成27）年に発表したジェンダー・ギャップ指数をみると，我が国は，測定可能な145か国中100位以内に入っていない。

正解チェック欄	／	／	／

A 誤 一般労働者における男女の所定内給与額の格差は，長期的にみると縮小傾向にあるが，男性一般労働者の給与水準を100としたときの女性一般労働者の給与水準は72.2であり，「80を超えてはいない」(平成28年版男女共同参画白書43頁)。

B 正 本肢のとおりである（平成28年版男女共同参画白書46頁)。企業家に占める女性の割合をみると，平成9年までは40％前後で推移していたが，近年は低下傾向にあり，平成24年は30.3％となっている。

C 正 本肢のとおりである（平成28年版男女共同参画白書41頁)。平成27年における女性の非労働力人口2,887万人のうち，301万人が就業を希望しているが，現在求職していない理由としては「出産・育児のため」が最も多く，32.9％となっている。

D 正 本肢のとおりである（平成28年版男女共同参画白書47頁)。なお，平成27年には，雇用者の共働き世帯が1,114万世帯，男性雇用者と無職の妻から成る世帯が687万世帯となっている。

E 正 本肢のとおりである（平成28年版男女共同参画白書35頁)。本肢のジェンダー・ギャップ指数をみると，日本は，測定可能な145か国中101位である。

キリトリ線

R5-1	労働経済（女性の雇用）	重要度 C

問 36 我が国の女性雇用等に関する次の記述のうち，誤っているものはどれか。なお，本問は，「令和3年度雇用均等基本調査（企業調査）（厚生労働省）」を参照しており，当該調査による用語及び統計等を利用している。

A　女性の正社員・正職員に占める各職種の割合は，一般職が最も高く，次いで総合職，限定総合職の順となっている。他方，男性の正社員・正職員に占める各職種の割合は，総合職が最も高く，次いで一般職，限定総合職の順となっている。

B　令和3年春卒業の新規学卒者を採用した企業について採用区分ごとにみると，総合職については「男女とも採用」した企業の割合が最も高く，次いで「男性のみ採用」の順となっている。

C　労働者の職種，資格や転勤の有無によっていくつかのコースを設定して，コースごとに異なる雇用管理を行う，いわゆるコース別雇用管理制度が「あり」とする企業割合は，企業規模5,000人以上では約8割を占めている。

D　課長相当職以上の女性管理職（役員を含む。）を有する企業割合は約5割，係長相当職以上の女性管理職（役員を含む。）を有する企業割合は約6割を占めている。

E　不妊治療と仕事との両立のために利用できる制度を設けている企業について，制度の内容別に内訳をみると，「時間単位で取得可能な年次有給休暇制度」の割合が最も高く，次いで「特別休暇制度（多目的であり，不妊治療にも利用可能なもの）」，「短時間勤務制度」となっている。

キリトリ線

労一

正解チェック欄	／	／	／

A 正 本肢のとおりである（令和3年度雇用均等基本調査（企業調査））。女性の正社員・正職員に占める各職種の割合は，一般職が43.2％と最も高く，次いで総合職36.1％，限定総合職13.5％の順となっている。他方，男性の正社員・正職員に占める各職種の割合は，総合職が52.1％と最も高く，次いで一般職31.8％，限定総合職9.9％の順となっている。

B 正 本肢のとおりである（令和3年度雇用均等基本調査（企業調査））。令和3年春卒業の新規学卒者を採用した企業について採用区分ごとにみると，総合職については「男女とも採用」した企業の割合が45.2％と最も高く，次いで「男性のみ採用」が41.8％となっている。

C 誤 コース別雇用管理制度が「あり」とする企業割合は，企業規模5,000人以上では『57.4％』となっており，8割を占めるまでには至っていない（令和3年度雇用均等基本調査（企業調査））。

D 正 本肢のとおりである（令和3年度雇用均等基本調査（企業調査））。課長相当職以上の女性管理職（役員を含む）を有する企業割合は53.2％，係長相当職以上の女性管理職（役員を含む）を有する企業割合は61.1％となっている。

E 正 本肢のとおりである（令和3年度雇用均等基本調査（企業調査））。不妊治療と仕事との両立のために利用できる制度を設けている企業について，制度の内容別に内訳を見ると，「時間単位で取得可能な年次有給休暇制度」が53.8％と最も高く，次いで「特別休暇制度（多目的であり，不妊治療にも利用可能なもの）」が35.7％，「短時間勤務制度」が34.6％，「時差出勤制度」が30.8％，「所定外労働の制限の制度」が29.1％となっている。

キリトリ線

H28-5	労働経済（若年者の雇用）	重要度 C

問 37 我が国の若年者の雇用に関する次の記述のうち，誤っているものはどれか。なお，本問は，「平成25年若年者雇用実態調査（厚生労働省）」を参照しており，当該調査による用語及び統計等を利用している。

A 若年正社員の採用選考をした事業所のうち，採用選考にあたり重視した点について採用区分別にみると，新規学卒者，中途採用者ともに「職業意識・勤労意欲・チャレンジ精神」，「コミュニケーション能力」，「体力・ストレス耐性」が上位3つを占めている。

B 過去3年間（平成22年10月～平成25年9月）に正社員以外の若年労働者がいた事業所のうち，正社員以外の若年労働者を「正社員へ転換させたことがある」事業所割合を事業所規模別にみると，事業所規模が大きくなるほど「正社員へ転換させたことがある」事業所割合が高くなっている。

キリトリ線

C 若年正社員労働者の定着のために実施している対策をみると，「職場での意思疎通の向上」が最も高くなっている。

D 最終学校卒業から1年間に，正社員以外の労働者として勤務した主な理由についてみると，「正社員求人に応募したが採用されなかった」，「自分の希望する会社で正社員の募集がなかった」，「元々，正社員を希望していなかった」が上位3つを占めている。

E 在学していない若年労働者が初めて勤務した会社で現在も「勤務している」割合は半数を超えている。

労一

正解チェック欄	／	／	／

A　誤　若年者正社員の採用選考をした事業所のうち，採用選考にあたり重視した点（複数回答）について採用区分別にみると，新規学卒者，中途採用とも「体力・ストレス耐性」（それぞれ35.3%，29.9%）は「上位3つの中に入っていない」（平成25年若年者雇用実態調査）。新規学卒者，中途採用とも「職業意識・勤労意欲・チャレンジ精神」（それぞれ82.9%，74.7%）が最も高く，新規学卒者では，次いで「コミュニケーション能力」（67.0%），「マナー・社会常識」（63.8%）となっており，中途採用者では「マナー・社会常識」（61.8%），「コミュニケーション能力」（55.0%）となっている。

B　正　本肢のとおりである（平成25年若年者雇用実態調査）。

C　正　本肢のとおりである（平成25年若年者雇用実態調査）。

D　正　本肢のとおりである（平成25年若年者雇用実態調査）。

E　正　本肢のとおりである（平成25年若年者雇用実態調査）。

キリトリ線

R2-1	労働経済（若年者の雇用）	重要度 C

問 38 我が国の若年労働者に関する次の記述のうち，誤っているものはどれか。なお，本問は，「平成30年若年者雇用実態調査（厚生労働省）」を参照しており，当該調査による用語及び統計等を利用している。この調査では，15歳から34歳を若年労働者としている。

A 若年正社員の採用選考をした事業所のうち，採用選考に当たり重視した点（複数回答）についてみると，「職業意識・勤労意欲・チャレンジ精神」，「コミュニケーション能力」，「マナー・社会常識」が上位3つを占めている。

B 若年労働者の育成方針についてみると，若年正社員については，「長期的な教育訓練等で人材を育成」する事業所割合が最も高く，正社員以外の若年労働者については，「短期的に研修等で人材を育成」する事業所割合が最も高くなっている。

C 若年労働者の定着のために事業所が実施している対策別事業所割合（複数回答）をみると，「職場での意思疎通の向上」，「本人の能力・適性にあった配置」，「採用前の詳細な説明・情報提供」が上位3つを占めている。

D 全労働者に占める若年労働者の割合は約3割となっており，若年労働者の約半分がいわゆる正社員である。

E 最終学校卒業後に初めて勤務した会社で現在も働いている若年労働者の割合は約半数となっている。

キリトリ線

正解チェック欄	／	／	／

A 正 本肢のとおりである（平成30年若年者雇用実態調査）。なお，本肢の調査項目においては，積極性や他者との関わり合いの中で円滑に業務を遂行することができる能力，スキルが重視されており，若年正社員の中でも，「新規学卒者」に比べ「中途採用者」は，「業務に役立つ職業経験，訓練経験」が重視されている。

B 正 本肢のとおりである（平成30年若年者雇用実態調査）。なお，同調査における若年労働者の育成方法についてみると，若年正社員の育成を行っている事業所の割合は73.5％，正社員以外の若年労働者の育成を行っている事業所の割合は67.2％となっている。

C 正 本肢のとおりである（平成30年若年者雇用実態調査）。なお，若年労働者とは，調査基準日（平成30年10月1日）現在で満15～34歳の労働者をいう。

D 誤 全労働者に占める若年労働者の割合は27.3％と約3割となっており，その内訳は若年正社員が17.2％，正社員以外の若年労働者が10.2％となっている。したがって，若年労働者のうち正社員である者の割合は，およそ「63％」（≒17.2％／27.3％）となっている（平成30年若年者雇用実態調査）。

E 正 本肢のとおりである（平成30年若年者雇用実態調査）。なお，在学していない若年労働者が初めて勤務した会社で現在も働いているかどうかについて，男女別にみると，「勤務している」では男性が55.6％，女性が46.3％となっている。

R3-2	労働経済（雇用の構造）	重要度 C

問 39 我が国の労働者の就業形態の多様化に関する次の記述のうち，正しいものはどれか。なお，本問は，「令和元年就業形態の多様化に関する総合実態調査の概況（厚生労働省）」を参照しており，当該調査による用語及び統計等を利用している。

A 令和元年10月1日現在で，就業形態別に当該就業形態の労働者がいる事業所の割合（複数回答）をみると，「正社員以外の労働者がいる事業所」は前回調査（平成26年）と比べて低下している。

B 正社員以外の就業形態別事業所割合をみると，「派遣労働者（受け入れ）がいる」が最も高くなっている。

C 正社員以外の労働者がいる事業所について，正社員以外の労働者を活用する理由（複数回答）をみると，「正社員を確保できないため」とする事業所割合が最も高くなっている。

D 正社員以外の労働者がいる事業所について，正社員以外の労働者を活用する上での問題点（複数回答）をみると，「仕事に対する責任感」が最も高くなっている。

E 雇用期間の定めのある正社員以外の労働者について，期間を定めない雇用契約への変更希望の有無をみると，「希望する」が「希望しない」を上回っている。

正解チェック欄	／	／	／

A 誤 本肢の就業形態別に当該就業形態の労働者がいる事業所の割合（複数回答）をみると，「正社員以外の労働者がいる事業所」は前回調査と比べて「上昇」している（令和元年就業形態の多様化に関する総合実態調査の概況）。

B 誤 本肢の正社員以外の就業形態別事業所割合をみると，「パートタイム労働者がいる」が最も高くなっている（令和元年就業形態の多様化に関する総合実態調査の概況）。

C 正 本肢のとおりである（令和元年就業形態の多様化に関する総合実態調査の概況）。

D 誤 本肢の正社員以外の労働者を活用する上での問題点（複数回答）をみると，「良質な人材の確保」が最も高くなっている（令和元年就業形態の多様化に関する総合実態調査の概況）。

E 誤 本肢の期間を定めない雇用契約への変更希望の有無をみると，「希望する」35.0％が「希望しない」47.1％を「下回っている」（令和元年就業形態の多様化に関する総合実態調査の概況）。

R4-3	労働経済（雇用の構造）	重要度 C

問 40 我が国の転職者に関する次の記述のうち，正しいものはどれか。なお，本問は，「令和2年転職者実態調査（厚生労働省）」を参照しており，当該調査による用語及び統計等を利用している。

A 転職者がいる事業所の転職者の募集方法（複数回答）をみると，「求人サイト・求人情報専門誌，新聞，チラシ等」，「縁故（知人，友人等）」，「自社のウェブサイト」が上位3つを占めている。

B 転職者がいる事業所において，転職者の処遇（賃金，役職等）決定の際に考慮した要素（複数回答）をみると，「年齢」，「免許・資格」，「前職の賃金」が上位3つを占めている。

C 転職者がいる事業所で転職者を採用する際に問題とした点（複数回答）をみると，「応募者の能力評価に関する客観的な基準がないこと」，「採用時の賃金水準や処遇の決め方」，「採用後の処遇やキャリア形成の仕方」が上位3つを占めている。

D 転職者がいる事業所が転職者の採用に当たり重視した事項（複数回答）をみると，「人員構成の歪みの是正」，「既存事業の拡大・強化」，「組織の活性化」が上位3つを占めている。

E 転職者がいる事業所の転職者に対する教育訓練の実施状況をみると，「教育訓練を実施した」事業所割合は約半数となっている。

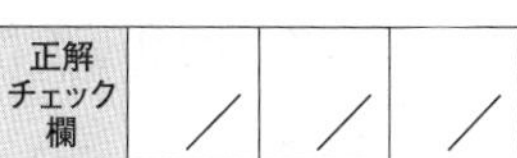

労
一

A　誤　転職者がいる事業所の転職者の募集方法（複数回答）で上位3つを占めるのは,「ハローワーク等の公的機関」とする事業所割合が57.3%で最も高く，次いで「求人サイト・求人情報専門誌,新聞，チラシ等」が43.2%,「縁故（知人，友人等）」が27.6%となっている（令和2年転職者実態調査)。

B　誤　転職者がいる事業所において，転職者の処遇（賃金，役職等）の決定の際に考慮した要素（複数回答）で上位3つを占めるのは,「これまでの経験・能力・知識」とする事業所割合が74.7%と最も高く，次いで「年齢」が45.2%,「免許・資格」が37.3%となっている（令和2年転職者実態調査)。

C　誤　転職者がいる事業所で転職者を採用する際に問題とした点（複数回答）で上位3つを占めるのは,「必要な職種に応募してくる人が少ないこと」が67.2%と最も高く，次いで「応募者の能力評価に関する客観的な基準がないこと」が38.8%,「採用時の賃金水準や処遇の決め方」が32.3%となっている（令和2年転職者実態調査)。

D　正　本肢のとおりである（令和2年転職者実態調査)。「令和2年転職者実態調査」は，転職者の就業実態及び意識を受入事業所側，転職者側の両面から把握することによって，円滑な労働移動を促進し，労働力需給のミスマッチの解消を図るための雇用対策に資することを目的としている。

E　誤　転職者がいる事業所の転職者に対する教育訓練の実施状況をみると,「教育訓練を実施した」事業所割合は,「74.5%」となっている（令和2年転職者実態調査)。

R5-3	労働経済（雇用の構造）	重要度 C

問 41 我が国のパートタイム・有期雇用労働者の雇用に関する次の記述のうち，正しいものはどれか。なお，本問は，「令和3年パートタイム・有期雇用労働者総合実態調査（事業所調査）（厚生労働省）」を参照しており，当該調査による用語及び統計等を利用している。

A パートタイム・有期雇用労働者の雇用状況をみると，「パートタイム・有期雇用労働者を雇用している」企業の割合は7割を超えている。

B 「パートタイム・有期雇用労働者を雇用している」企業について，雇用している就業形態（複数回答）をみると，「有期雇用パートタイムを雇用している」の割合が最も高く，次いで「無期雇用パートタイムを雇用している」，「有期雇用フルタイムを雇用している」の順となっている。

C 正社員とパートタイム・有期雇用労働者を雇用している企業について，パートタイム・有期雇用労働者を雇用する理由（複数回答）をみると，「有期雇用フルタイム」では「定年退職者の再雇用のため」，「仕事内容が簡単なため」，「人を集めやすいため」が上位3つを占めている。「有期雇用パートタイム」では「定年退職者の再雇用のため」の割合が6割を超えている。

D 正社員とパートタイム・有期雇用労働者を雇用している企業が行っている教育訓練の種類（複数回答）について，正社員に実施し，うち「無期雇用パートタイム」「有期雇用パートタイム」「有期雇用フルタイム」にも実施している企業の割合をみると，いずれの就業形態においても「入職時のガイダンス（Off-JT）」が最も高くなっている。

E 「無期雇用パートタイム」「有期雇用パートタイム」「有期雇用フルタイム」のいずれかの就業形態に適用される正社員転換制度がある企業について，正社員に転換するに当たっての基準（複数回答）別企業の割合をみると，「パートタイム・有期雇用労働者の所属する部署の上司の推薦」の割合が最も高く，次いで「人事評価の結果」，「（一定の）職務経験年数」の順となっている。

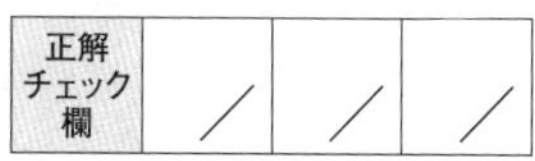

労
一

A　正　本肢のとおりである（令和3年パートタイム・有期雇用労働者総合実態調査（事業所調査））。パートタイム・有期雇用労働者の雇用状況をみると，「パートタイム・有期雇用労働者を雇用している」企業は75.4％となっている。

B　誤　「パートタイム・有期雇用労働者を雇用している」企業について雇用している就業形態（複数回答）をみると，『無期雇用パートタイムを雇用している』企業が51.4％と最も高く，次いで『有期雇用パートタイムを雇用している』企業が27.1％，「有期雇用フルタイムを雇用している」企業が23.2％の順となっている（令和3年パートタイム・有期雇用労働者総合実態調査（事業所調査））。

C　誤　正社員とパートタイム・有期雇用労働者を雇用している企業について，パートタイム・有期雇用労働者を雇用する理由（複数回答）をみると，「有期雇用フルタイム」では「定年退職者の再雇用のため」が61.9％と最も高く，次いで『経験・知識・技能のある人を採用したいため』が31.4％，『正社員の代替要員の確保のため』が25.2％の順となっており，これらが上位3つを占めている。また，「有期雇用パートタイム」では「定年退職者の再雇用のため」が最も高いが，その割合は37.5％にとどまっており，『6割は超えていない』（令和3年パートタイム・有期雇用労働者総合実態調査（事業所調査））。

D　誤　正社員とパートタイム・有期雇用労働者を雇用している企業が行っている教育訓練の種類（複数回答）について，正社員に実施し，うち「無期雇用パートタイム」「有期雇用パートタイム」「有期雇用フルタイム」にも実施している企業の割合をみると，いずれの就業形態においても『日常的な業務を通じた，計画的な教育訓練（OJT）』が40.6％，47.8％，46.9％と最も高くなっている（令和3年パートタイム・有期雇用労働者総合実態調査（事業所調査））。

E　誤　「無期雇用パートタイム」「有期雇用パートタイム」「有期雇用フルタイム」のいずれかの就業形態に適用される正社員転換制度がある企業について，正社員に転換するに当たっての基準（複数回答）別企業の割合をみると，『人事評価の結果』が67.7％と最も高く，次いで『パートタイム・有期雇用労働者の所属する部署の上司の推薦』が48.8％，「（一定の）職務経験年数」が41.1％の順となっている（令和3年パートタイム・有期雇用労働者総合実態調査（事業所調査））。

MEMO

R元-2	労働経済（労使関係）	重要度 C

問 42 我が国の労使間の交渉に関する次の記述のうち，誤っているものはどれか。なお，本問は，「平成29年労使間の交渉等に関する実態調査（厚生労働省）」を参照しており，当該調査による用語及び統計等を利用している。

A 労働組合と使用者（又は使用者団体）の間で締結される労働協約の締結状況をみると，労働協約を「締結している」労働組合は9割を超えている。

B 過去3年間（平成26年7月1日から平成29年6月30日の期間）において，「何らかの労使間の交渉があった」事項をみると，「賃金・退職給付に関する事項」，「労働時間・休日・休暇に関する事項」，「雇用・人事に関する事項」が上位3つを占めている。

C 過去3年間（平成26年7月1日から平成29年6月30日の期間）において，使用者側との間で行われた団体交渉の状況をみると，「団体交渉を行った」労働組合が全体の約3分の2，「団体交渉を行わなかった」労働組合が約3分の1になっている。

D 過去3年間（平成26年7月1日から平成29年6月30日の期間）において，労働組合と使用者との間で発生した労働争議の状況をみると，「労働争議があった」労働組合は5％未満になっている。

E 使用者側との労使関係の維持について労働組合の認識をみると，安定的（「安定的に維持されている」と「おおむね安定的に維持されている」の合計）だとする割合が約4分の3になっている。

正解チェック欄	／	／	／

A　正　本肢のとおりである（平成29年労使間の交渉等に関する実態調査）。本肢の労働協約の締結状況は，「締結している」94.7%，「締結していない」4.7%となっている。

B　正　本肢のとおりである（平成29年労使間の交渉等に関する実態調査）。本肢の「何らかの労使間の交渉があった」事項は，「賃金・退職給付に関する事項」89.7%，「労働時間・休日・休暇に関する事項」79.0%，「雇用・人事に関する事項」65.9%が上位3つを占めている。

C　正　本肢のとおりである（平成29年労使間の交渉等に関する実態調査）。本肢の使用者側との間で行われた団体交渉の状況は，「団体交渉を行った」67.6%（約3分の2），「団体交渉を行わなかった」32.0%（約3分の1）となっている。

D　正　本肢のとおりである（平成29年労使間の交渉等に関する実態調査）。本肢の労働組合と使用者との間で発生した労働争議の状況は，「労働争議があった」1.7%，「労働争議がなかった」98.1%となっている。

E　誤　本肢の使用者側との労使関係の維持についての認識は，「安定的に維持されている」42.7%と「おおむね安定的に維持されている」46.6%の合計は89.3%となっており，「約4分の3（75%）より多い」（平成29年労使間の交渉等に関する実態調査）。

キリトリ線

R6-2	労働経済（労使関係）	重要度	C

問 43 我が国の労使間の交渉等に関する次の記述のうち，誤っているものはどれか。なお，本問は，「令和4年労使間の交渉等に関する実態調査（厚生労働省）」を参照しており，当該調査による用語及び統計等を利用している。また，BからDまでの「過去3年間」とは，「令和元年7月1日から令和4年6月30日」の期間をいう。

A　過去1年間（令和3年7月1日から令和4年6月30日の期間）に，正社員以外の労働者に関して使用者側と話合いが持たれた事項（複数回答）をみると，「派遣労働者に関する事項」の割合が最も高く，次いで「同一労働同一賃金に関する事項」，「正社員以外の労働者（派遣労働者を除く）の労働条件」の順となっている。

B　過去3年間に「何らかの労使間の交渉があった」事項をみると，「賃金・退職給付に関する事項」の割合が最も高く，次いで「労働時間・休日・休暇に関する事項」，「雇用・人事に関する事項」の順となっている。

キリトリ線

C　過去3年間に使用者側との間で「団体交渉を行った」労働組合について，交渉形態（複数回答）をみると，「当該労働組合のみで交渉」の割合が最も高く，次いで「企業内上部組織又は企業内下部組織と一緒に交渉」，「企業外上部組織（産業別組織）と一緒に交渉」の順となっている。

D　過去3年間に「労働争議がなかった」労働組合について，その理由（複数回答　主なもの三つまで）をみると，「対立した案件がなかったため」の割合が最も高く，次いで「対立した案件があったが話合いで解決したため」，「対立した案件があったが労働争議に持ち込むほど重要性がなかったため」の順となっている。

E　労使間の諸問題を解決するために今後最も重視する手段をみると，「団体交渉」の割合が最も高く，次いで「労使協議機関」となっている。

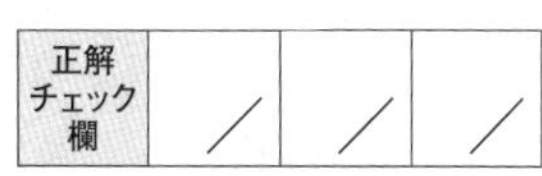

A 誤 正社員以外の労働者に関して使用者側と話合いが持たれた事項（複数回答）をみると，『「正社員以外の労働者（派遣労働者を除く）の労働条件」（66.2％）の割合が最も高く』，次いで「同一労働同一賃金に関する事項」（55.2％），『「正社員以外の労働者（派遣労働者を含む）の正社員への登用制度」（38.7％）』の順となっている（令和4年労使間の交渉等に関する実態調査）。

B 正 本肢のとおりである（令和4年労使間の交渉等に関する実態調査）。

C 正 本肢のとおりである（令和4年労使間の交渉等に関する実態調査）。

D 正 本肢のとおりである（令和4年労使間の交渉等に関する実態調査）。

E 正 本肢のとおりである（令和4年労使間の交渉等に関する実態調査）。

H30-1	労働経済（労働災害）	重要度 C

問 44 我が国の労働災害発生状況に関する次の記述のうち，正しいものはどれか。なお，本問は，「平成28年労働災害発生状況の分析等（厚生労働省）」を参照しており，当該調査による用語及び統計等を利用している。

A 労働災害による死亡者数は，長期的に減少傾向にあり，死亡災害は平成28年に過去最少となった。

B 第12次労働災害防止計画（平成25～29年度）において，死亡災害と同様の災害減少目標を掲げている休業4日以上の死傷災害は，平成25年以降，着実に減少している。

C 陸上貨物運送事業における死傷災害（休業4日以上）の事故の型別では，「交通事故（道路）」が最も多く，「墜落・転落」がそれに続いている。

D 製造業における死傷災害（休業4日以上）の事故の型別では，「墜落・転落」が最も多く，「はさまれ・巻き込まれ」がそれに続いている。

E 第三次産業に属する小売業，社会福祉施設，飲食店における死傷災害（休業4日以上）の事故の型別では，いずれの業種においても「転倒」が最も多くなっている。

正解チェック欄	／	／	／

A　正　本肢のとおりである（平成28年労働災害発生状況の分析等）。

B　誤　休業4日以上の死傷災害では，第三次産業の一部の業種で「増加傾向がみられる」など，「十分な減少傾向にあるとは言えない」現状にある。死傷災害は，平成28年は，小売業，社会福祉施設，飲食店で増加したことが影響し，全体として前年を「上回った」（平成28年労働災害発生状況の分析等）。

C　誤　陸上貨物運送事業における死傷災害（休業4日以上）の事故の型別では，「墜落・転落」が最も多い（平成28年労働災害発生状況の分析等）。なお，死亡災害は「交通事故（道路）」が最も多く全体の約6割を占める。

D　誤　製造業における死傷災害（休業4日以上）の事故の型別では，「はさまれ・巻き込まれ」が最も多く，「墜落・転落」がそれに続いている（平成28年労働災害発生状況の分析等）。

E　誤　第三次産業に属する小売業，社会福祉施設，飲食店における死傷災害（休業4日以上）の事故の型別では，小売業及び飲食店は「転倒」が最も多いが，社会福祉施設は「動作の反動・無理な動作」が最も多い（平成28年労働災害発生状況の分析等）。

R2-2	労働経済(安全衛生)	重要度 C

問 45 我が国の安全衛生に関する次の記述のうち，正しいものはどれか。なお，本問は，「平成30年労働安全衛生調査（実態調査）（常用労働者10人以上の民営事業所を対象）（厚生労働省）」の概況を参照しており，当該調査による用語及び統計等を利用している。

A 傷病（がん，糖尿病等の私傷病）を抱えた何らかの配慮を必要とする労働者に対して，治療と仕事を両立できるような取組を行っている事業所の割合は約3割である。

B 産業医を選任している事業所の割合は約3割となっており，産業医の選任義務がある事業所規模50人以上でみると，ほぼ100％となっている。

C メンタルヘルス対策に取り組んでいる事業所の割合は約6割となっている。

D 受動喫煙防止対策に取り組んでいる事業所の割合は約6割にとどまっている。

E 現在の仕事や職業生活に関することで，強いストレスとなっていると感じる事柄がある労働者について，その内容（主なもの3つ以内）をみると，「仕事の質・量」，「仕事の失敗，責任の発生等」，「顧客，取引先等からのクレーム」が上位3つを占めている。

正解チェック欄	／	／	／

A 誤 傷病（がん，糖尿病等の私傷病）を抱えた何らかの配慮を必要とする労働者に対して，治療と仕事を両立できるような取組を行っている事業所の割合は「55.8％」である（平成30年労働安全衛生調査（実態調査））。

B 誤 産業医を選任している事業所の割合は29.3％となっており，産業医の選任義務がある事業所規模50人以上でみると，「84.6％」となっている（平成30年労働安全衛生調査（実態調査））。

C 正 本肢のとおりである（平成30年労働安全衛生調査（実態調査））。なお，本肢のメンタルヘルス対策とは，事業所において事業者が講ずるように努めるべき労働者の心の健康の保持増進のための措置をいう（労働安全衛生法第70条の２，労働者の心の健康の保持増進のための指針）。

D 誤 受動喫煙防止対策に取り組んでいる事業所の割合は「88.5％」となっている（平成30年労働安全衛生調査（実態調査））。

E 誤 現在の仕事や職業生活に関することで，強いストレスとなっていると感じる事柄がある労働者について，その内容（主なもの３つ以内）をみると，「仕事の質・量」が59.4％と最も多く，次いで「仕事の失敗，責任の発生等」が34.0％，『対人関係（セクハラ・パワハラを含む）』が31.3％となっている（平成30年労働安全衛生調査（実態調査））。

R6-1	労働経済（安全衛生）	重要度 C

問 46 我が国の労働安全衛生に関する次の記述のうち，誤っているものはどれか。なお，本問は，「令和4年労働安全衛生調査（実態調査）（事業所調査）（厚生労働省）」を参照しており，当該調査による用語及び統計等を利用している。

A メンタルヘルス対策に取り組んでいる事業所の割合は6割を超えている。このうち，対策に取り組んでいる事業所の取組内容（複数回答）をみると，「ストレスチェックの実施」の割合が最も多く，次いで「メンタルヘルス不調の労働者に対する必要な配慮の実施」となっている。

B 過去1年間（令和3年11月1日から令和4年10月31日までの期間）に一般健康診断を実施した事業所のうち所見のあった労働者がいる事業所の割合は約7割となっている。このうち，所見のあった労働者に講じた措置内容（複数回答）をみると，「健康管理等について医師又は歯科医師から意見を聴いた」の割合が最も多くなっている。

C 傷病（がん，糖尿病等の私傷病）を抱えた何らかの配慮を必要とする労働者に対して，治療と仕事を両立できるような取組がある事業所の割合は約6割となっている。このうち，取組内容（複数回答）をみると，「通院や体調等の状況に合わせた配慮，措置の検討（柔軟な労働時間の設定，仕事内容の調整）」の割合が最も多く，次いで「両立支援に関する制度の整備（年次有給休暇以外の休暇制度，勤務制度等）」となっている。

D 傷病（がん，糖尿病等の私傷病）を抱えた労働者が治療と仕事を両立できるような取組がある事業所のうち，取組に関し困難や課題と感じていることがある事業所の割合は約8割となっている。このうち，困難や課題と感じている内容（複数回答）をみると，「上司や同僚の負担」の割合が最も多く，次いで「代替要員の確保」となっている。

E 転倒災害を防止するための対策に取り組んでいる事業所の割合は8割を超えている。このうち，転倒災害防止対策の取組内容（複数回答）をみると，「通路，階段，作業場所等の整理・整頓・清掃の実施」の割合が最も多く，次いで「手すり，滑り止めの設置，段差の解消，照度の確保等の設備の改善」となっている。

正解チェック欄	／	／	／

労一

A　正　本肢のとおりである（令和4年労働安全衛生調査（実態調査）（事業所調査））。

B　正　本肢のとおりである（令和4年労働安全衛生調査（実態調査）（事業所調査））。

C　正　本肢のとおりである（令和4年労働安全衛生調査（実態調査）（事業所調査））。

D　誤　困難や課題と感じている内容（複数回答）をみると，『「代替要員の確保」（77.2%）の割合が最も多く，次いで「上司や同僚の負担」（51.2%）』となっている（令和4年労働安全衛生調査（実態調査）（事業所調査））。

E　正　本肢のとおりである（令和4年労働安全衛生調査（実態調査）（事業所調査））。

R5-2	労働経済（能力開発・人材育成）	重要度 C

問 47

我が国の能力開発や人材育成に関する次の記述のうち，誤っているものはどれか。なお，本問は，「令和3年度能力開発基本調査（事業所調査）（厚生労働省）」を参照しており，当該調査による用語及び統計等を利用している。

A　能力開発や人材育成に関して何らかの問題があるとする事業所のうち，問題点の内訳は，「指導する人材が不足している」の割合が最も高く，「人材育成を行う時間がない」，「人材を育成しても辞めてしまう」と続いている。

B　正社員を雇用する事業所のうち，正社員の自己啓発に対する支援を行っている事業所の支援の内容としては，「教育訓練機関，通信教育等に関する情報提供」の割合が最も高く，「受講料などの金銭的援助」，「自己啓発を通して取得した資格等に対する報酬」と続いている。

C　キャリアコンサルティングを行う仕組みを導入している事業所のうち，正社員に対してキャリアコンサルティングを行う上で問題があるとする事業所における問題の内訳をみると，「キャリアに関する相談を行っても，その効果が見えにくい」の割合が最も高く，「労働者からのキャリアに関する相談件数が少ない」，「キャリアコンサルタント等相談を受けることのできる人材を内部で育成することが難しい」と続いている。

D　労働者の主体的なキャリア形成に向けて実施した取組は，「上司による定期的な面談（1 on 1ミーティング等）」の割合が最も高く，「職務の遂行に必要なスキル・知識等に関する情報提供」，「自己啓発に対する支援」と続いている。

E　職業能力評価を行っている事業所における職業能力評価の活用方法は，「人事考課（賞与，給与，昇格・降格，異動・配置転換等）の判断基準」の割合が最も高く，「人材配置の適正化」，「労働者に必要な能力開発の目標」と続いている。

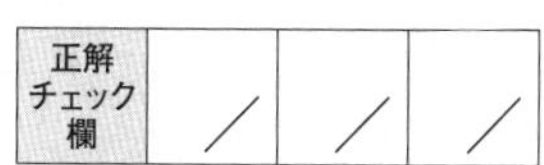

正解チェック欄	／	／	／

A 正 本肢のとおりである（令和3年度能力開発基本調査（事業所調査））。能力開発や人材育成に関して何らかの問題があるとする事業所のうち，問題点の内訳は，「指導する人材が不足している」が60.5%と最も高く，「人材育成を行う時間がない」が48.2%，「人材を育成しても辞めてしまう」が44.0%と続いている。

B 誤 正社員を雇用する事業所のうち，正社員の自己啓発に対する支援を行っている事業所の支援の内容としては，『受講料などの金銭的援助』が78.0%と最も高く，『教育訓練機関，通信教育等に関する情報提供』が41.7%，「自己啓発を通して取得した資格等に対する報酬」が41.5%と続いている（令和3年度能力開発基本調査（事業所調査））。

C 正 本肢のとおりである（令和3年度能力開発基本調査（事業所調査））。キャリアコンサルティングを行う仕組みを導入している事業所のうち，正社員に対してキャリアコンサルティングを行う上で問題があるとする事業所における問題の内訳をみると，「キャリアに関する相談を行っても，その効果が見えにくい」が39.6%と最も高く，「労働者からのキャリアに関する相談件数が少ない」が39.5%，「キャリアコンサルタント等相談を受けることのできる人材を内部で育成することが難しい」が33.5%と続いている。

D 正 本肢のとおりである（令和3年度能力開発基本調査（事業所調査））。労働者の主体的なキャリア形成に向けて実施した取組は，「上司による定期的な面談（1on1ミーティング等）」が64.3%と最も高く，「職務の遂行に必要なスキル・知識等に関する情報提供」が53.9%，「自己啓発に対する支援」が45.2%と続いている。

E　正　本肢のとおりである（令和3年度能力開発基本調査（事業所調査）（厚生労働省））。職業能力評価を行っている事業所における職業能力評価の活用方法は,「人事考課（賞与, 給与, 昇格・降格, 異動・配置転換等）の判断基準」が82.1%と最も高く,「人材配置の適正化」が61.5%,「労働者に必要な能力開発の目標」が39.0%と続いている。

MEMO

H27-5 **労働経済（人材マネジメントの変化）** 重要度 **C**

問 48 **我が国の企業における人材マネジメントの変化に関する次の記述のうち，誤っているものはどれか。なお，本問は，「平成26年版労働経済白書（厚生労働省）」を参照しており，当該白書または当該白書が引用している調査による用語及び統計等を利用している。**

A 1990年から2010年までの我が国の就業者の職業構造の変化をみると，生産工程・労務作業者が就業者に占める割合は大きく低下している一方で，管理的職業従事者，専門的・技術的職業従事者やサービス職業従事者ではその割合が上昇している。

B 人材マネジメントの基本的な考え方として，「仕事」をきちんと決めておいてそれに「人」を当てはめるという「ジョブ型」雇用と，「人」を中心にして管理が行われ，「人」と「仕事」の結びつきはできるだけ自由に変えられるようにしておく「メンバーシップ型」雇用があり，「メンバーシップ型」が我が国の正規雇用労働者の特徴であるとする議論がある。

C 企業の正規雇用労働者の管理職の育成・登用方針についてみると，内部育成・昇進を重視する企業が多数派になっており，この割合を企業規模別にみても，同様の傾向がみられる。

D 我が国の企業は，正規雇用労働者について，新規学卒者を採用し，内部育成・昇進させる内部労働市場型の人材マネジメントを重視する企業が多数であり，「平成24年就業構造基本調査（総務省）」を用いて，60歳未満の正規雇用労働者（役員を含む）に占める転職経験がない者の割合をみると6割近くになっている。

E グローバル化によって激しい国際競争にさらされている業種が，外国からの安価な輸入材に価格面で対抗しようとして，人件費抑制の観点からパートタイム労働者比率を高めていることが確認された。

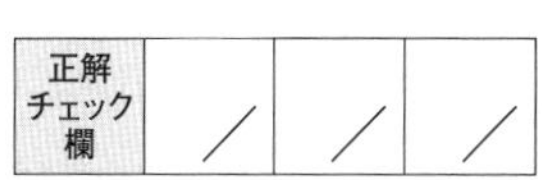

A　正　本肢のとおりである（平成26年労働経済白書82～83頁）。

B　正　本肢のとおりである（平成26年労働経済白書94～95頁）。

C　正　本肢のとおりである（平成26年労働経済白書96頁）。

D　正　本肢のとおりである（平成26年労働経済白書97頁）。

E　誤　グローバル化は低い賃金の労働者の活用を進ませる可能性も指摘できるが，輸入浸透率が高い業種，すなわち貿易を通じて国際競争に厳しくさらされている企業が，「必ずしもパートタイム労働者比率を高めて，それに対応しているわけではない」（平成26年労働経済白書80頁）。

R3-1	労働経済(働きやすさ)	重要度	C

問 49 我が国の労働者の「働きやすさ」に関する次の記述のうち，誤っているものはどれか。なお，本問は，「令和元年版労働経済白書（厚生労働省）」を参照しており，当該白書又は当該白書が引用している調査による用語及び統計等を利用している。

A　正社員について，働きやすさに対する認識を男女別・年齢階級別にみると，男女ともにいずれの年齢階級においても，働きやすさに対して満足感を「いつも感じる」又は「よく感じる」者が，「全く感じない」又は「めったに感じない」者を上回っている。

B　正社員について，働きやすさの向上のために，労働者が重要と考えている企業側の雇用管理を男女別・年齢階級別にみると，男性は「職場の人間関係やコミュニケーションの円滑化」，女性は「労働時間の短縮や働き方の柔軟化」がいずれの年齢層でも最も多くなっている。

C　正社員について，男女計における1か月当たりの労働時間と働きやすさとの関係をみると，労働時間が短くなるほど働きやすいと感じる者の割合が増加し，逆に労働時間が長くなるほど働きにくいと感じる者の割合が増加する。

D　正社員について，テレワークの導入状況と働きやすさ・働きにくさとの関係をみると，テレワークが導入されていない場合の方が，導入されている場合に比べて，働きにくいと感じている者の割合が高くなっている。

E　勤務間インターバル制度に該当する正社員と該当しない正社員の働きやすさを比較すると，該当する正社員の方が働きやすさを感じている。

労一

正解チェック欄	／	／	／

A　正　本肢のとおりである（令和元年版労働経済白書126頁）。

B　誤　正社員について，働きやすさの向上のために，労働者が重要と考えている企業側の雇用管理を男女別・年齢階級別にみると，「男女ともに」いずれの年齢階級においても「職場の人間関係やコミュニケーションの円滑化」が最も多い（令和元年版労働経済白書126頁）。

C　正　本肢のとおりである（令和元年版労働経済白書130頁）。

D　正　本肢のとおりである（令和元年版労働経済白書134頁）。正社員について，テレワークの導入状況と働きやすさ・働きにくさとの関係をみると，テレワークが導入されていない場合，働きにくいと感じている者の割合が高い。一方で，テレワークが導入されている場合，テレワークの実施状況と働きやすさ・働きにくさとの関係をみると，実施者と未実施者との間で働きやすさに対する満足感に大きな違いは見られなかった。

E　正　本肢のとおりである（令和元年版労働経済白書133頁）。

H30-2	労働経済（家計所得・賃金・雇用）	重要度 C

問 50 我が国の家計所得や賃金，雇用に関する次の記述のうち，誤っているものはどれか。なお，本問は，「平成29年版厚生労働白書（厚生労働省）」を参照しており，当該白書又は当該白書が引用している調査による用語及び統計等を利用している。

A 1990年代半ばから2010年代半ばにかけての全世帯の1世帯当たり平均総所得金額減少傾向の背景には，高齢者世帯割合の急激な増加がある。

B 「国民生活基礎調査（厚生労働省）」によると，年齢別の相対的貧困率は，17歳以下の相対的貧困率（子どもの貧困率）及び18〜64歳の相対的貧困率については1985年以降上昇傾向にあったが，直近ではいずれも低下している。

C 非正規雇用労働者が雇用労働者に占める比率を男女別・年齢階級別にみて1996年と2006年を比較すると，男女ともに各年齢層において非正規雇用労働者比率は上昇したが，2006年と2016年の比較においては，女性の高齢層（65歳以上）を除きほぼ同程度となっており，男性の15〜24歳，女性の15〜44歳層ではむしろ若干の低下が見られる。

D 2016年の労働者一人当たりの月額賃金については，一般労働者は，宿泊業，飲食サービス業，生活関連サービス業など，非正規雇用労働者割合が高い産業において低くなっており，産業間での賃金格差が大きいが，パートタイム労働者については産業間で大きな格差は見られない。

E 過去10年にわたってパートタイム労働者の時給が上昇傾向にあるため，パートタイム労働者が1か月間に受け取る賃金額も着実に上昇している。

正解チェック欄	／	／	／

A　正　本肢のとおりである（平成29年版厚生労働白書38頁）。高齢者世帯の全世帯に占める割合は増加傾向にあり，1986年の6.3％から2016年には26.6％と，ここ30年で4倍以上となっており，1世帯当たり所得水準が全体よりも低い高齢者世帯割合の増加は全世帯の平均総所得金額の減少要因となる。

B　正　本肢のとおりである（平成29年版厚生労働白書61頁）。子どもの貧困率は2015年には13.9％（2012年に比べて2.4％ポイントの低下），18～64歳の相対的貧困率は2015年には13.6％（2012年に比べて0.9％ポイントの低下）となっている。

C　正　本肢のとおりである（平成29年版厚生労働白書65頁）。

D　正　本肢のとおりである（平成29年版厚生労働白書74頁）。

E　誤　パートタイム労働者の時給が上昇しているにもかかわらず，パートタイム労働者の月額ベースでの賃金は「あまり上昇していない」（平成29年版厚生労働白書72頁）。本肢の傾向は，実労働日数と実労働時間数が影響しているためと考えられ，パートタイム労働者の賃金において，時給の上昇による増加は，実労働日数の短縮によって相殺される傾向にある。

出る順社労士シリーズ
2025年版 出る順社労士 必修過去問題集 ①労働編

1993年12月15日　第1版　第1刷発行
2024年12月5日　第32版　第1刷発行

編著者●株式会社　東京リーガルマインド
LEC総合研究所　社会保険労務士試験部

発行所●株式会社　東京リーガルマインド
〒164-0001　東京都中野区中野4-11-10
アーバンネット中野ビル
LECコールセンター　0570-064-464
受付時間　平日9：30～19：30/土・日・祝10：00～18：00
※このナビダイヤルは通話料お客様ご負担となります。
書店様専用受注センター　TEL 048-999-7581 / FAX 048-999-7591
受付時間　平日9：00～17：00/土・日・祝休み
www.lec-jp.com/

本文デザイン●エー・シープランニング　千代田　朗
印刷・製本●情報印刷株式会社

 ISBN978-4-8449-6886-3

コース［全73回］

6月	7月	8月

横断攻略講座［全2回］

白書・統計攻略講座［全2回］

答練 ～選択式・択一式～［全7回］

全日本社労士公開模試［全3回］

社会保険労務士試験

Message

澤井講師からのメッセージ

社労士試験の合格基準は択一式・選択式それぞれの総合点と各科目の基準点をクリアーすることが必要です。そのためには本論編でしっかりとした知識を取り込み、答案練習や模試のアウトプットにつなげていくことが大切です。通学の方も通信の方も不得意科目をつくらずコンスタントに学習を進めていきましょう。

工藤講師からのメッセージ

社労士試験に合格するためには、乗り越えなければならない大変な困難があります。膨大な条文の理解のみならず時には試験テクニックも必要とされます、仕事や家庭との両立の悩みなど、とても独学で乗り越えられるものではありません。私は皆さんに、学習は苦痛ではなく、知らなかったことが理解できた時の嬉しさを感じて頂き、むしろもっと知りたい!と思う気持ちを伝えたいと思っています。メンタル面も含め、これから私が皆さんのサポーターです!

合格講座ガイダンス動画はこちらから

さらに直前対策を強化したい方向け別売オプション

別売 直前対策強化パック［全8回］

選択式予想講座 全2回（2.5H×2回）

選択式問題の出題傾向を徹底分析⇒必要な知識の解説、解き方のコツを伝授します!

年金横断講座 全4回（2.5H×4回）

「年金の壁」を乗り越え、得点源にしよう!

判例マスター講座 全2回（2.5H×2回）

出題可能性の高い重要判例を効率よくかつ丁寧に学習し、得点力を強化します。

法律のLECだから創ることができた、最強の

2025年 年金キーパー＋中上級コー

2024年9月～

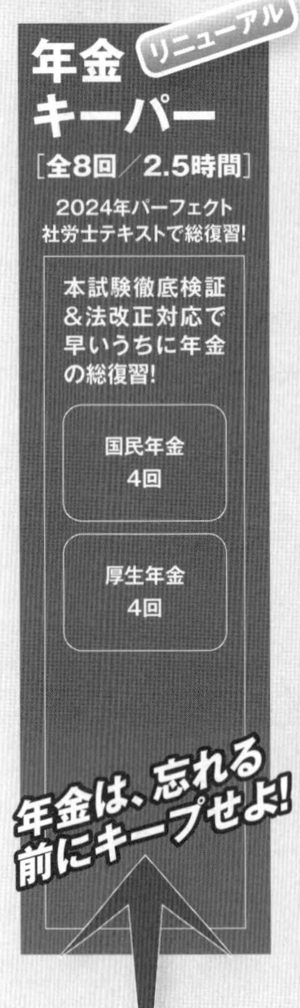

リニューアル

中上級講座［全61回／2.5時間］

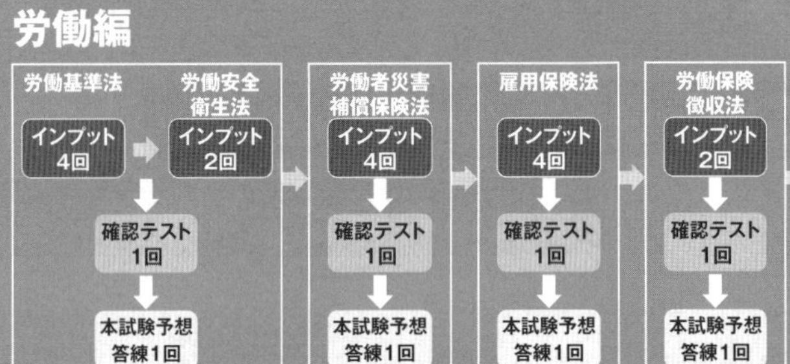

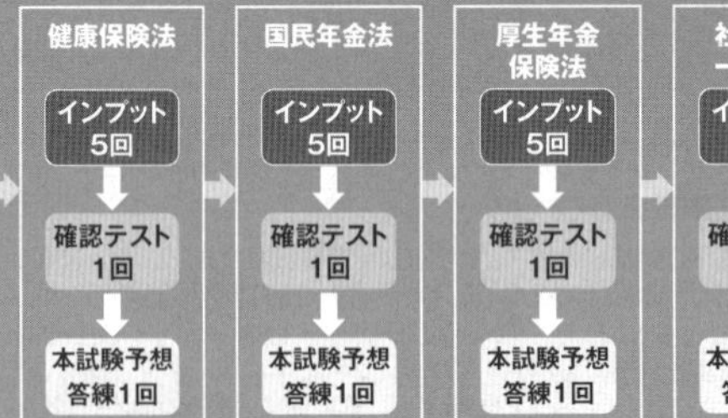

実力確認模試（社保編） 1回

年金キーパーは、こんな中上級生にオススメ!

❶苦手な年金科目を得意科目にしておきたい方
❷せっかく覚えた知識を忘れたくない方
❸今年の知識を、来年向けに再構築しておきたい方

リニューアル

LECコース生限定オプション講座で、さらに実力アップ!

レベルアップオプション講座	椛島克彦講師
澤井の厳選!過去問セレクト	澤井清治講師
山下塾 過去10年分 過去問分析と解き方講座	山下良一講師
大野の主要科目過去問特訓ゼミ	大野公一講師
華ちゃんチョイス 過去問ナビ	西園寺華講師
一般常識徹底解説講座	滝則茂講師
早川の過去問ポイント攻略講座	早川秀市講師
吉田の過去問×肢ピックアップ講座	吉田達生講師
実力完成講座OPUSシリーズ	工藤寿年講師

中上級プログラム。**狙いは1つ、本試験で合格点を取ること。**

ス[全85回] /中上級コース[全77回]

▲詳細はこちら

2025年5月～

2025年8月

充実の直前対策[全16回]

- 改正法攻略講座 全2回(2.5時間×2)
- 白書・統計攻略講座 全2回(2.5時間×2)
- 横断攻略講座 全2回(2.5時間×2)
- 実戦答練～選択式・択一式～ 全7回(答練50分/解説90分)
- 全日本社労士公開模試 全3回

先取りトリプル

- 労働一般常識
  - インプット 4回
  - 確認テスト 1回
  - 本試験予想答練1回
- 先取り白書対策 1回
- 先取り改正法対策 1回
- 実力確認模試(労働編) 1回

☑**科目毎の確認テストと本試験予想答練**でアウトプット力を鍛える

☑**始めからの科目間横断学習**で効率的な総復習

☑**先取りトリプル**で、知識を先取りし、直前期の詰め込みを回避！

☑**実力確認模試**(労働編・社保編)でアウトプット力完成

☑**一問一答過去問BOOK**(自習用教材)で徹底的な過去問対策

リニューアル

直前対策強化パック
[全8回]別売

- 年金横断講座 全4回(2.5時間×4)
- 選択式予想講座 全2回(2.5時間×2)
- 判例マスター講座 全2回(2.5時間×2)

中上級コースはこんな人にオススメ

- ●一通りのインプット講義を履修した方
- ●模試や本試験の択一式で、半分程度は正答できている方
- ●これまでの学習で、過去問対策・横断学習・選択式対策が不十分だったと考えている方
- ●独学や予備校での学習で、点が伸び悩んでいる方
- ●似たような概念や要件に、頭を悩ませている方

人事総

3級・2級特別

人事総務のスペシャリスト

人事総務検定とは?

●一般社団法人人事総務スキルアップ検定協会が主催し、LEC東京リーガルマインドが協会指定講習の実施団体として行う、人事総務部の知識および実務能力に関する検定試験です。
●3級/現場担当者レベル・2級/主任レベル・1級/課長レベルがあります。
●修了することで取得ができる「特別認定講習」と「一般検定試験」を実施いたします。「特別認定講習」を修了している方は「検定試験」を受験する必要はありません。
※3級及び2級が「特別認定講習」の対象資格となり、1級の実施はございません。

(一社) 人事総務スキルアップ検定協会 会員証
人事総務検定
会員番号　2016040001 氏名
有効期限 20**年 4月30日 等級 裏面に記載
一般社団法人 人事総務スキルアップ検定協会
代表理事 澤井 清治

特別認定講習

人事総務検定では、次の法律・知識を学んでいきます。「特別認定講習」を受講し、修了することで3級及び2級を取得することができます。修了にあたっては、講義終了時（3級終了時及び2級終了時）に、通学クラスでは「確認テスト」、通信クラスでは「確認テスト」及び「レポート」をご提出いただきます。「確認テスト」「レポート」の採点は、人事総務スキルアップ検定協会が行います。

❶年金（給付）❷労働基準法・労働安全衛生法 ❸労働者災害補償保険法 ❹雇用保険法 ❺労働保険徴収法 ❻健康保険法 ❼労働諸法と労務管理 ❽その他、医療保険・介護保険法 ❾税の知識 ❿給与計算 ⓫個人情報とマイナンバー

3級
「人事総務リーダー」
全2回 2時間30分×2回

回数	講義内容
1	1. 人事総務の主な仕事内容 2. 労働保険・社会保険の仕組み 3. 労働保険・社会保険の新規適用手続き
2	4. 従業員の採用の手続き 5. 従業員の退職の手続き 6. 給与計算に関する基礎知識 7. 個人情報、マイナンバーの基礎知識

2級
「人事総務エキスパート」
全4回 2時間30分×4回

回数	講義内容
1	労務管理に関する法律知識および人事書式、労使協定、就業規則の作成① 1. 採用・入社・試用期間 2. 人事異動・休職・復職・退職 3. 労働時間・休日・休暇
2	労務管理に関する法律知識および人事書式、労使協定、就業規則の作成② 4. 給与・賞与・退職金 5. 服務規律・懲戒処分 6. 非正規雇用従業員 7. 職場の安全衛生、メンタルヘルス、ストレスチェックなど 8. 就業規則等
3	従業員に関する労働保険・社会保険手続き（給付編） 1. 労災保険の手続き 2. 傷病に関する健康保険の手続き 3. 雇用継続給付及び育児休業給付 4. 従業員の死亡・出産に関する手続き
4	労働保険・社会保険の定例業務（手続編） 1. 社会保険料の算定処理 2. 労働保険の基礎

LEC Webサイト ▷▷ www.lec-jp.com/

情報盛りだくさん！

資格を選ぶときも，
講座を選ぶときも，
最新情報でサポートします！

最新情報

各試験の試験日程や法改正情報，対策講座，模擬試験の最新情報を日々更新しています。

資料請求

講座案内など無料でお届けいたします。

受講・受験相談

メールでのご質問を随時受付けております。

よくある質問

LECのシステムから，資格試験についてまで，よくある質問をまとめました。疑問を今すぐ解決したいなら，まずチェック！

書籍・問題集（LEC書籍部）

LECが出版している書籍・問題集・レジュメをこちらで紹介しています。

充実の動画コンテンツ！

ガイダンスや講演会動画，
講義の無料試聴まで
Webで今すぐCheck！

動画視聴OK

パンフレットやWebサイトを見てもわかりづらいところを動画で説明。いつでもすぐに問題解決！

Web無料試聴

講座の第1回目を動画で無料試聴！気になる講義内容をすぐに確認できます。

LEC全国学校案内

＊講座のお問合せ，受講相談は最寄りのLEC各校へ

LEC本校

北海道・東北

札　幌本校　☎011(210)5002
〒060-0004 北海道札幌市中央区北4条西5-1　アスティ45ビル

仙　台本校　☎022(380)7001
〒980-0022 宮城県仙台市青葉区五橋1-1-10　第二河北ビル

関東

渋谷駅前本校　☎03(3464)5001
〒150-0043 東京都渋谷区道玄坂2-6-17　渋東シネタワー

池　袋本校　☎03(3984)5001
〒171-0022 東京都豊島区南池袋1-25-11　第15野萩ビル

水道橋本校　☎03(3265)5001
〒101-0061 東京都千代田区神田三崎町2-2-15　Daiwa三崎町ビル

新宿エルタワー本校　☎03(5325)6001
〒163-1518 東京都新宿区西新宿1-6-1　新宿エルタワー

早稲田本校　☎03(5155)5501
〒162-0045 東京都新宿区馬場下町62　三朝庵ビル

中　野本校　☎03(5913)6005
〒164-0001 東京都中野区中野4-11-10　アーバンネット中野ビル

立　川本校　☎042(524)5001
〒190-0012 東京都立川市曙町1-14-13　立川MKビル

町　田本校　☎042(709)0581
〒194-0013 東京都町田市原町田4-5-8　MIキューブ町田イースト

横　浜本校　☎045(311)5001
〒220-0004 神奈川県横浜市西区北幸2-4-3　北幸GM21ビル

千　葉本校　☎043(222)5009
〒260-0015 千葉県千葉市中央区富士見2-3-1　塚本大千葉ビル

大　宮本校　☎048(740)5501
〒330-0802 埼玉県さいたま市大宮区宮町1-24　大宮GSビル

東海

名古屋駅前本校　☎052(586)5001
〒450-0002 愛知県名古屋市中村区名駅4-6-23　第三堀内ビル

静　岡本校　☎054(255)5001
〒420-0857 静岡県静岡市葵区御幸町3-21　ペガサート

北陸

富　山本校　☎076(443)5810
〒930-0002 富山県富山市新富町2-4-25　カーニープレイス富山

関西

梅田駅前本校　☎06(6374)5001
〒530-0013 大阪府大阪市北区茶屋町1-27　ABC-MART梅田ビル

難波駅前本校　☎06(6646)6911
〒556−0017 大阪府大阪市浪速区湊町1-4-1
大阪シティエアターミナルビル

京都駅前本校　☎075(353)9531
〒600-8216 京都府京都市下京区東洞院通七条下ル2丁目
東塩小路町680-2　木村食品ビル

四条烏丸本校　☎075(353)2531
〒600-8413　京都府京都市下京区烏丸通仏光寺下ル
大政所町680-1　第八長谷ビル

神　戸本校　☎078(325)0511
〒650-0021 兵庫県神戸市中央区三宮町1-1-2　三宮セントラルビル

中国・四国

岡　山本校　☎086(227)5001
〒700-0901 岡山県岡山市北区本町10-22　本町ビル

広　島本校　☎082(511)7001
〒730-0011 広島県広島市中区基町11-13　合人社広島紙屋町アネクス

山　口本校　☎083(921)8911
〒753-0814 山口県山口市吉敷下東 3-4-7　リアライズⅢ

高　松本校　☎087(851)3411
〒760-0023 香川県高松市寿町2-4-20　高松センタービル

松　山本校　☎089(961)1333
〒790-0003 愛媛県松山市三番町7-13-13　ミツネビルディング

九州・沖縄

福　岡本校　☎092(715)5001
〒810-0001 福岡県福岡市中央区天神4-4-11
天神ショッパーズ福岡

那　覇本校　☎098(867)5001
〒902-0067 沖縄県那覇市安里2-9-10　丸姫産業第2ビル

EYE関西

EYE 大阪本校　☎06(7222)3655
〒530-0013　大阪府大阪市北区茶屋町1-27　ABC-MART梅田ビル

EYE 京都本校　☎075(353)2531
〒600-8413　京都府京都市下京区烏丸通仏光寺下ル
大政所町680-1　第八長谷ビル

LEC提携校

＊提携校はLECとは別の経営母体が運営をしております。
＊提携校は実施講座およびサービスにおいてLECと異なる部分がございます。

北海道・東北

八戸中央校【提携校】 ☎0178(47)5011
〒031-0035　青森県八戸市寺横町13　第1朋友ビル
新教育センター内

弘前校【提携校】 ☎0172(55)8831
〒036-8093　青森県弘前市城東中央1-5-2
まなびの森　弘前城東予備校内

秋田校【提携校】 ☎018(863)9341
〒010-0964　秋田県秋田市八橋鯲沼町1-60
株式会社アキタシステムマネジメント内

関東

水戸校【提携校】 ☎029(297)6611
〒310-0912　茨城県水戸市見川2-3079-5

所沢校【提携校】 ☎050(6865)6996
〒359-0037　埼玉県所沢市くすのき台3-18-4　所沢K・Sビル
合同会社LPエデュケーション内

日本橋校【提携校】 ☎03(6661)1188
〒103-0025　東京都中央区日本橋茅場町2-5-6　日本橋大江戸ビル
株式会社大江戸コンサルタント内

北陸

新潟校【提携校】 ☎025(240)7781
〒950-0901　新潟県新潟市中央区弁天3-2-20　弁天501ビル
株式会社大江戸コンサルタント内

金沢校【提携校】 ☎076(237)3925
〒920-8217　石川県金沢市近岡町845-1
株式会社アイ・アイ・ピー金沢内

福井南校【提携校】 ☎0776(35)8230
〒918-8114　福井県福井市羽水2-701
株式会社ヒューマン・デザイン内

中国・四国

松江殿町校【提携校】 ☎0852(31)1661
〒690-0887　島根県松江市殿町517　アルファステイツ殿町
山路イングリッシュスクール内

岩国駅前校【提携校】 ☎0827(23)7424
〒740-0018　山口県岩国市麻里布町1-3-3　岡村ビル　英光学院内

新居浜駅前校【提携校】 ☎0897(32)5356
〒792-0812　愛媛県新居浜市坂井町2-3-8
パルティフジ新居浜駅前店内

九州・沖縄

佐世保駅前校【提携校】 ☎0956(22)8623
〒857-0862　長崎県佐世保市白南風町5-15　智翔館内

日野校【提携校】 ☎0956(48)2239
〒858-0925　長崎県佐世保市椎木町336-1　智翔館日野校内

長崎駅前校【提携校】 ☎095(895)5917
〒850-0057 長崎県長崎市大黒町10-10　KoKoRoビル
minatoコワーキングスペース内

高原校【提携校】 ☎098(989)8009
〒904-2163　沖縄県沖縄市大里2-24-1
有限会社スキップヒューマンワーク内

※上記は2024年10月1日現在のものです。

書籍の訂正情報について

このたびは，弊社発行書籍をご購入いただき，誠にありがとうございます。
万が一誤りの箇所がございましたら，以下の方法にてご確認ください。

1 訂正情報の確認方法

書籍発行後に判明した訂正情報を順次掲載しております。
下記Webサイトよりご確認ください。

www.lec-jp.com/system/correct/

2 ご連絡方法

上記Webサイトに訂正情報の掲載がない場合は，下記Webサイトの入力フォームよりご連絡ください。

lec.jp/system/soudan/web.html

フォームのご入力にあたりましては，「Web教材・サービスのご利用について」の最下部の「ご質問内容」に下記事項をご記載ください。

- 対象書籍名（○○年版，第○版の記載がある書籍は併せてご記載ください）
- ご指摘箇所（具体的にページ数と内容の記載をお願いいたします）

ご連絡期限は，次の改訂版の発行日までとさせていただきます。
また，改訂版を発行しない書籍は，販売終了日までとさせていただきます。

※上記「2ご連絡方法」のフォームをご利用になれない場合は，①書籍名，②発行年月日，③ご指摘箇所，を記載の上，郵送にて下記送付先にご送付ください。確認した上で，内容理解の妨げとなる誤りについては，訂正情報として掲載させていただきます。なお，郵送でご連絡いただいた場合は個別に返信しておりません。

送付先：〒164-0001 東京都中野区中野4-11-10 アーバンネット中野ビル
株式会社東京リーガルマインド 出版部 訂正情報係

- 誤りの箇所のご連絡以外の書籍の内容に関する質問は受け付けておりません。
  また，書籍の内容に関する解説，受験指導等は一切行っておりませんので，あらかじめご了承ください。
- お電話でのお問合せは受け付けておりません。

講座・資料のお問合せ・お申込み

LECコールセンター 携帯OK 0570-064-464

受付時間：平日9:30〜19:30/土・日・祝10:00〜18:00

※このナビダイヤルの通話料はお客様のご負担となります。
※このナビダイヤルは講座のお申込みや資料のご請求に関するお問合せ専用ですので，書籍の正誤に関するご質問をいただいた場合，上記「2ご連絡方法」のフォームをご案内させていただきます。